资本来到世间，从头到脚，每个毛孔都滴着血和肮脏的东西。

——马克思《资本论》

资本害怕没有利润或利润太少，就像自然界害怕真空一样。一旦有适当的利润，资本就胆大起来。如果有百分之十的利润，它就保证到处被使用；有百分之二十的利润，它就活跃起来；有百分之五十的利润，它就会铤而走险；如果有百分之百的利润，它就敢践踏人间一切法律；如果有百分之三百的利润，它就敢犯下任何罪行，甚至冒着被绞死的危险。

——马克思《资本论》

大买卖是这样玩出来的
大老板是这样炼出来的

投资

月关◎著

中国戏剧出版社

图书在版编目（CIP）数据

投资／月关著. —北京：中国戏剧出版社，2013. 1
ISBN 978 - 7 - 104 - 03898 - 6

Ⅰ. ①投… Ⅱ. ①月… Ⅲ. ①长篇小说—中国—当代

Ⅳ. ①I247. 5

中国版本图书馆 CIP 数据核字（2013）第 000558 号

投 资

责任编辑：吴淑苓
美术编辑：彭路军
责任印制：冯志强

出版发行：中国戏剧出版社
出 版 人：樊国宾
社　　址：北京市海淀区紫竹院 116 号嘉豪国际中心 A 座 10 层
网　　址：www.theatrebook.cn
电　　话：010 - 58930221　58930237　58930238
　　　　　　58930239　58930240　58930241　（发行部）
传　　真：010 - 58930242（发行部）

读者服务：010 - 58930221
邮购地址：北京市海淀区紫竹院路 116 号嘉豪国际中心 A 座 10 层
　　　　　　（100097）

印　　刷：北京柯蓝博泰印务有限公司
开　　本：787mm × 1092mm　1/16
印　　张：26
字　　数：400 千
版　　次：2013 年 2 月　北京第 1 版第 1 次印刷
书　　号：ISBN 978 - 7 - 104 - 03898 - 6
定　　价：39. 80 元

目　录

第一章

人生如棋局，电光石火灵光一闪，投资机会就在眼前 / 1

生活就像是在走迷宫，你永远也不知道下面会发生什么，就像你不知道你最后能不能走出迷宫，又或者这个迷宫根本没有出口。命运就像是一盘棋，如果已经走成死局，那么除了掷子认输另起炉灶，还能怎么办呢？对两个下岗工人难兄难弟来说，他们现在就下成了一局死棋。然而，灵光一闪，张胜的眼睛亮了起来，一幅画面电光石火般跃上心头：《关于设立桥西高新技术产业开发区的立项报告》。

第二章

破釜沉舟背水一战，只有大冒险才会有大富贵 / 18

张胜苦苦一笑，身处社会最底层的他，即便际遇就在眼前，想要抓住，也好难好难。自己一直以来都是循规蹈矩，结果又得到了什么？这个险冒不冒？值不值得冒？想了半晌，他犹疑的目光渐渐坚定下来，眼中放出炽热的光芒。徐海生见了，微微地笑起来，他很熟悉这种目光，他在许多商界朋友的眼中见到过这种目光，曾经年轻时的他，多少次犹豫挣扎中的他，最后做出决定时，眼中流露出的一定也是这种目光。破釜沉舟背水一战，只有大冒险才会有大富贵！那是一双只有赌徒才会露出的目光……

第三章

稚儿言商空手道借鸡生蛋，天下没有免费的午餐 / 29

"我们赌的是什么？赌政府要开发桥西，如果政府要把整个桥西地区建设成一个高新技术开发区，他们会乐见在区中心出现一片菜地吗？整个区的用地都转变了性质，作为土地使用权的所有者，我们改变它的用途或者出授所有权当然顺理成章。"张胜听得雀跃不已，如果事败，贷款本息还不上，暴露了制造假合同假文件骗取贷款的事，他就犯了经济诈骗罪，蹲大狱是毋庸置疑的。天下没有免费的午餐！可他心里偏偏有一种兴奋感，浑身的热血都在沸腾。

第四章
君子对君子小人对小人，如今无毒不丈夫／50

张胜用了一整天的时间熟悉小型摄像机的操作。当天晚上，张胜再度打电话给贾区长，他摆出一副束手无策的姿态，低声下气地请贾区长出来喝酒、商议。示敌以弱的手段，张胜还是懂的，今天的低头，是为了明天的抬头。在这个贪官的折磨下，张胜懂得用心机了。天下的一切，都靠一个抢字来实现，等是等不来的，古往今来莫不如是。江山靠抢，女人靠抢，事业靠抢，职位也靠抢，只是抢夺手段不同而已。身在商场谁不抢商机？身在职场谁不抢位子？身在赛场谁不抢冠军？身在情场难道要坐等正被人追的女人来青睐你？

第五章
抢得先机就是抢得财富，豪赌赢得好运来／73

这是一个充满商机的年代，一念天堂，一念地狱，不知多少人一夜暴富，又有多少人折戟沉沙。成者王侯败者贼！张胜的贷款是八个月，假如到期限政府还没有动作，他连本带息就要背负一大笔债务，可能就要被强迫低价卖地，如果卖地的钱还堵不上债务，他就有可能因骗贷罪入狱。张胜可是连身家性命都搭上了，自然心急如焚。然而就在最后的生死关头，好消息终于传来了！张胜像发疯一样地狂喊一声"终于来了！"一蹦八丈高……

第六章
商战冷酷无情，面对大笔金钱谁能做到不见利忘义／91

徐海生风风雨雨见的多了，为了利益钩心斗角尔虞我诈的事也见得多了，向来都是他和别人争利，猛然碰上这么个人，把大笔的金钱双手奉上，反而弄得他不知所措了。他并不是什么好人，多年来在社会上摸爬滚打，把他的心磨炼得冷酷无情，但是张胜这一番推心置腹的话还是让他那颗冷酷已久的心涌起一股暖流，围在他身边的人不少，但是又有谁对自己这么坦荡？面对那么大笔金钱的时候谁能做到不见利忘义？

第七章
在商言商，生意场上只有永远的利益，没有永远的朋友／108

在商言商。利合是朋友，利分是对手。生意场上只有永远的利益，没有永远的朋友，没有什么情分可讲的，这是商场上的铁律。当他对张胜说把他当兄弟的时候，并不是说假话。如果他有肉吃，他的确不介意分给张胜一点汤喝，就是这一念慈悲，才使他想正正当当地买下张胜的地，而没有用手段压价。但是在他眼中，世上的一切都是有价的，张胜想和他分享更大的利润，那就是亲兄弟也没得讲。

第八章
囤地涨价那是土财主的买卖，只有通过投资赚钱才是成功的商人 / 126

你只看到了土地升值的商机，于是思维就被禁锢在这儿，只想着囤地涨价，打算有朝一日把土地换成钱，却没想过可以直接以土地为资本进行投资，让它利滚利钱生钱。赚死钱是最笨的土财主，能盘活资产，吸引资金，通过资本投资来赚钱，才是一个成功的商人！这个过程就是贷款买地，以地抵押还贷款。抵押贷款到位以后，一部分用来还贷，余款用来建造厂房。然后再用厂房做抵押，再度进行贷款，获得第二笔资金……这就是充分利用政府的优惠政策进行正当的投资买卖。

第九章
要想成功，除了胆量还需要智慧，最好拉张大旗作虎皮 / 137

具体该怎么操作呢？首先要设立一家公司，公司名字要响亮大气。新成立的公司缺少信誉和市场人脉，可以拉一家大企业参股，不为别的，要的就是他们的商誉，这叫做拉大旗作虎皮。我可以把著名的宝元集团拉来入股。其次，要充分利用国家的优惠政策。第三，如果办成中外合资企业，则在税率等方面还有很大的优惠，我爱人现在是外籍华人，我可以让她在境外注册一家公司投资入股。第四，你作为公司的法人代表，一要搞好自我形象包装，二要多结识一些商界大佬，逐步在商界站稳脚跟……一席话说得张胜热血贲张，恨不能马上付诸实践。

第十章
王侯将相宁有种乎？沐猴衣冠人模狗样董事长 / 151

张胜每日与财务经理楚文楼一起跑工商、税务、银行，忙得脚底冒烟。有了张二蛋这块金字招牌，果然诸事顺利。接下来便是注册、验资、贷款、设计施工……在股权分配上，张二蛋出资100万元，占了10%的股份，张胜占了40%的股份。徐海生以妻子在海外的注册公司出资入股的方式占了30%的股份，正式落在他个人名下的股份只有20%。一切顺遂，一个半月后，张胜拿到了宝元汇金实业开发股份有限公司的营业执照，正式成为这家新成立的股份公司的董事长。

第十一章

什么叫投资？用别人的钱做自己的买卖，那才算真本事 / 162

宝元汇金公司在临近环城公路的地块划出来大约13亩的土地开始建造水产品批发市场。水产品批发市场的规划十分宏大，共有固定商铺28个区，流动商铺8个区，配备建设了水产品运输专线和3个制冷保鲜仓库，此外还有大型停车场、市场管理办公室等设施。接下来便大打招聘广告，显得公司实力雄厚。这叫做搭台唱戏挖池养鱼，估摸着客户将会哭着喊着抱着钱来，为抢一个摊位打破头……那么，宝元汇金公司就等着数钱吧！张胜慢慢懂得了：什么叫投资？用别人的钱做自己的买卖，那才算真本事。

第十二章

投资关键在风险，当断不断反受其害，下决心壮士断腕 / 182

做生意最需规避风险，讲究顺势而为，因时而变。市场瞬息万变，有时候你甚至不知道风往哪个方向吹？因此，必须根据市场动向随时调整投资经营的方向。哨子和李尔分析说，小城市水产品的需求量也就那么大，搞大型的批发市场未必合适，不但风险大，而且回报慢。这倒是张胜始料未及的，他也开始觉得原先的思路有问题。他思考再三，果断地压缩了批发市场的建设规模，转而把钱投到扩充冷库的规模和品种上。这样改变投资方向，风险小，好运作，最重要的是，冷库可以辐射好几个大城市，短板成了优势，再加上李尔他们有现成的客源可以介绍过来……按照这个思路，坐收渔利，挣钱易如反掌。

第十三章

说一千道一万关键还是人，人才人马人脉，招兵买马办实业 / 200

宝元汇金实业公司招聘开始了。在张胜心中，这是非常重大的时刻，他要招兵买马，干一番事业了。然而，徐海生却没有太大的兴趣，他并不热衷于搞实业，他最擅长的是投机资本的运作，股市、房地产、期货、兼并重组、货币市场才是他真正长袖善舞的地方，他对实业投资没兴趣，也不认为张胜能干出一番大事业。而张胜却不这样想，他认为资本运作确实一本万利，但是，有了第一桶金以后，脚踏实地做好实业才是根本。张胜坐在招聘主考官的席位上心中感慨万分：说一千道一万关键还是人，人才人马人脉，如今自己坚持招兵买马办实业，成败关键就在这里。

第十四章

贷款投资，再贷款再投资，钱滚钱利生利子子孙孙无穷已也 / 229

都说发财的人就是有点发财的命，你看张胜太他妈的一帆风顺了。都说万事开头难，他却是三下五除二，通过买地得到了第一桶金；然后合资建厂再融资。这次，他先是通过关系找人评估，将出口转内销的制冷设备抵押给银行，转眼又贷出了四百万。他就像变戏法一样，钱滚钱，利生利。有人开玩笑说，银行就是为他张胜家开的。张胜心理何尝不明白，他比别人强在哪里呢？就是因为他弄懂了一个道理：银行要得利，就会把钱借给你；有人借钱给你你还怕什么呢？贷款去投资，投资再贷款，贷款投资再贷款再投资……子子孙孙无穷已也，愚公也把两座山挖走了！

第十五章
投资办企业就像推着石头上山，一着不慎满盘皆输／252

冷库快要建成了，张胜拜见了李尔和哨子的父亲。请两位商界大佬出面，下面的批发商们自然跟进，纷纷答应把货物存在张胜的冷库里。接着，张胜通过宁可儿，得知卓新积压建材的底细，两人暗中联手，赶鱼下饵遛鱼拉网……以低得不可思议的价格拿下这批建材，大大节约了成本。就在张胜财源广进、踌躇满志的时候，李尔却给他泼了一盆冷水。招揽到客户只是万里长征第一步，之后就要内抓管理，外树信誉，才能让企业良性发展。投资办企业就像推着石头上山，一着不慎满盘皆输。张胜唯唯诺诺从善如流。

第十六章
成也萧何败也萧何，投资还是投机，两种观念水火不容／267

公司业务蒸蒸日上，越来越红火。然而，这一切在徐海生眼里只是小打小闹，根本不屑一顾。他的生意很大，利用国有企业大批转型的机会与人合作搞低成本兼并重组，经包装后，再高价出售，他就是以这种蛇吞象的方式，把不少国有资产变成了他的囊中之物。宝元汇金实业公司对他来说，不过是一个资金中转站而已。他在玩一个完美的"空手套白狼"游戏，但风险如击鼓传花，最后花会落在谁的手中，只有天知道。而这一切，张胜完全不知道。张胜坚信，张二蛋能靠一个被罩厂起家，成为拥资数亿的大老板，他也一定能。

第十七章
高处不胜寒，打铁还须自身硬，成大事业者用大手腕／304

高处不胜寒，公司发展越是顺利越是充满风险，这是一条铁的规律。宝元汇金公司管理终于出现大问题：公司副总楚文楼一而再、再而三地破坏公司规矩，先欲奸污女经理，后欲诱奸女职工，被张胜阻止后心生恶念，不仅伙同保安队长到公司冷库里偷盗谋利，并且破坏制冷设备造成公司损失以泄私愤。张胜巧妙地请来张宝元老爷子主持公道，老爷子二话不说，动用私刑，打断了楚文楼的双腿。现在的张胜已非当日黄口小儿，成大事业者终于学会了用大手腕。

第十八章
公司的利益便是最高利益，所有的人都必须服从这个原则 / 325

徐海生瞒着张胜，私下通过财务挪用公司巨额资金，严重损害了公司的利益。张胜得知后深受打击。对他来说，并不仅仅是资金管理的问题，而是一种被利用被出卖的感觉。他最亲近、最信任、引他走上辉煌之路的老大哥如今背后捅刀子欺骗了他。这件事情让他懂得一个道理：公司的利益便是最高利益，所有的人都必须服从这个原则。张胜于是立下规矩：第一，拆借公司资金，应当签订正式合同，按行业惯例付息；第二，资金拆借，应该以动产或不动产作为抵押；第三，违反财务纪律的工作人员立即清退……

第十九章
男人见面，聊的话题只有两个，不是赚钱便是女人 / 353

随着事业越做越大，一股风潮袭来，张胜他们打算投资煤矿产业。老板们正在热议如何更好地进行投资。都说假如你拥有一座煤矿，无疑便拥有了一座金矿。这个煤矿每天只要能正常开工出煤，那就像每天都在生产金子，生产大把大把的钞票。据说温州有个大老板在山西投资兴办煤矿，投资一亿元，两年就收回成本，其余都是大赚啊。张胜计算说，一个设计能力 30 万吨产量、50 个人的小煤矿，其产出基本可以达到 40 到 50 万吨，它的年产值大约在 1.5 亿元左右，毛利润至少可达 8000 万元左右。扣除各种费用，一年获纯利 5000 万元以上是可能的。

第二十章
刀口舔血的买卖也算投资吗？通天塔都是顷刻间垮塌的 / 377

徐海生他们正在利用国有企业转型之机，大肆侵吞国家财产，他们利用改革政策的漏洞，管理的漏洞，与一些不法企业干部相互勾结，进行企业兼并，以此牟取暴利。他们通常是把厂子故意整垮，压低价格买下，通过重新包装重新估值，高价出售给真正想扩大生产、发展实业的企业。一时脱不了手就拿去做抵押，抵押贷款用来再收购第二家企业。做这种买卖利润极大，风险也极大，因为他们的钱主要来自高息融资等渠道，一旦资金链断裂，高昂的代价谁也承受不起。然而在徐海生巧舌如簧的诱惑下，宝元集团也被绑上了这辆危险的战车。

第一章　人生如棋局，电光石火灵光一闪，投资机会就在眼前

生活就像是在走迷宫，你永远也不知道下面会发生什么，就像你不知道你最后能不能走出迷宫，又或者这个迷宫根本没有出口。命运就像是一盘棋，如果已经走成死局，那么除了掷子认输另起炉灶，还能怎么办呢？对两个下岗工人难兄难弟来说，他们现在就下成了一局死棋。然而，灵光一闪，张胜的眼睛亮了起来，一幅画面电光石火般跃上心头：《关于设立桥西高新技术产业开发区的立项报告》。

"你究竟有几个好妹妹，为何每个妹妹都那么憔悴，你究竟有几个好妹妹，啊……为何每个妹妹都嫁给眼泪？啊……我的哥哥你心里头爱的是谁……"

马路对面发廊门口的音箱，翻来覆去不断地质问着每一个路人，路人便如霜打了的茄子，来去匆匆，没人停下来回答一声。

天气实在太热，道路两边高大的杨树都无精打采地低垂着叶子，偶尔有一丝风吹过，才懒洋洋地摆动几下，这是 1996 年的夏天，今年的夏天异乎寻常的闷热。

张胜坐在树阴下，正和对面的中年男人下棋。张胜穿得很朴素，上衣看起来像件破旧的电工服，头发比较长、一根根倔强地挺立着，相貌长得挺帅，可惜他的衣着和发型把这唯一的优点都给遮住了，使刚刚二十四岁的年轻人显得有点邋遢。

对面的中年人四十多岁，身材高大，大背头，肚腩溜圆，一身价格不菲

1

的服饰，上衣口袋里插着一支派克笔，手里摇着一把画满铜钱的纸扇，两人的身份看起来颇有差距。

旁边是一家小饭店，大热的天没有顾客登门，一个半秃的胖子坐在门里，毫无形象地叉叉着腿，有一下没一下地拂着苍蝇，一副昏昏欲睡的样子，再里边坐着个系围裙的小姑娘，一看就是乡下来的，黝黑的皮肤，脸蛋上带着两晕健康的深红。她手里拿着面小镜子，正在脸上东按西摸。

张胜是这小饭店的老板之一，另一个老板就是正坐在屋里犯困的郭胖子郭依星。两人原来都是三星印刷厂的职工，厂子被外商兼并大裁员时，两人都下了岗，便用安置金合伙开了这家小饭店。

张胜对面的中年人叫徐海生，是三星印刷厂主抓财务的副厂长，旁边停的那辆桑塔纳就是他的座驾。今天他办事路过这里，见到老棋友，便下车和他叙叙旧，杀上一盘。

"喏，来根烟！"徐厂长笑眯眯地给他递过来一根七匹狼。

"哎哟，谢谢厂长！"张胜连忙双手接过："我的烟不好，吉庆的，没好意思给您敬，呵呵，还抽上您的烟了，谢谢厂长、谢谢厂长。"

他接过烟嗅了一下，夹在耳朵上，继续和老厂长下棋。两人是棋友，原来在一个厂时，徐厂长一得闲便把他提溜过去陪自己杀上一局，彼此还算热络。

厂里裁员时，张胜也曾想过走走徐厂长的路子，兴许能把自己留下来。但转念一想，自己除了陪徐厂长下下棋，还真没有更深的交情，徐厂长未必能把自己这么一个小工人放在心上，那时的张胜性格腼腆、过于敏感，不像现在经过生活的挣扎和磨炼，于是便理所当然地成为一名下岗职工。

两人下棋时日已长，彼此都熟悉对方的套路。徐厂长下棋喜欢大开大阖，势如泰山压顶，狮子搏兔，攻势凌厉，但凡起棋，必定双炮先行，善攻。

反观张胜则截然不同，第一步必跳相，第二步必出马，对方的"车"都攻进大本营了，他可能尚无一子过界河，但是自己这方必定布置得滴水不漏，防守极严，然后才步步为营，逐步反攻。

张胜的打法和徐厂长截然相反，属于那种未虑胜、先虑败的人，而徐厂长的自信心显然比他强得多。此时徐厂长双车一炮已经逼近他的老帅，但是张胜也已暗伏杀机。

他的一只炮架在老帅旁，看住一侧，前指对方，过了界河的只有一只马，一枚小卒。可是徐厂长急于进攻，他的防线存在许多漏洞，要是他再攻一步而不后防，那么张胜卧底一将就能逼出他的老帅，这时那枚过河小卒就起到必杀的作用。

可徐厂长显然没有注意到这个危机，或者说他太热衷于进攻了，张胜的半壁江山中，他至少有四套精妙的组合杀法吃掉张胜的老帅，这局棋太让人兴奋了，他拈着棋子只想着怎样漂亮地赢这一局。

或许，张胜的那招杀棋他已经看到了，因为张胜注意到他的目光一度停在自己那匹看似孤军毫无杀伤力的马上，但他最后还是一笑移回了目光。因为张胜始终不曾看过那匹马一眼，他紧锁眉头，一直盯着自己眼前的棋面，似乎在苦思解围之道。

徐厂长就算看出了那步棋，他也不认为张胜看出来了，低估敌人有时会犯大错，当徐厂长提车准备进将时，他终于尝到了轻敌的滋味，一匹卧槽马、一枚过河卒、一只海底炮，任他千军万马，都来不及救援了。

"行啊，小子！"徐厂长哈哈大笑起来："上当了，上当了，上了你小子的大当了，你这小子，够阴的啊，装得够像，连我都瞒过了，哈哈哈……"

张胜笑嘻嘻地道："不装象不成呀，厂长的棋下得太好，不偷袭我可赢不了。"

徐厂长笑着摆手道："愿赌服输，愿赌服输。"

他抬起手腕看看那只欧米茄金表，说："哎呀，不行了，不能再下了，我去前边证券交易所看看行情，然后还得赶回单位去。"

他站起来，走过去打开车门，又回头道："小张啊，我先走了，哈哈，看我下次怎么收拾你小子！"

"好啊，厂长有空常来！"张胜客气地站起来道别。

郭胖子打了个哈欠，掀开帘子从里边走出来，张胜正在那儿捡棋子，郭胖子在他屁股上踹了一脚。

"我靠！"张胜立即跳起来追杀。

郭胖子身材肥胖臃肿，别看他体胖，却是个多愁善感的男人，他身体不好，心脏经常偷停，据他自己说，有时午夜心脏偷停，忽然醒来，望着淡淡的月光，想象万一自己一睡不起，娇妻就要改嫁别人、宝贝胖儿子就会被后爹欺负，经常想着想着便会黯然泪下。这样的男人虽不至于感时花溅泪，恨别鸟惊心，如林妹妹那般情绪化，可是作为男人也够敏感了。

他见张胜跳起来和他闹，忙笑道："别闹别闹，我站着就哗哗淌汗，可受不了！"

张胜笑道："不行，犯我菊花者，虽远必诛！"

"靠，要诛随你，这个月的房租你一个人付！"郭胖子使出了杀手锏。

一听房租，张胜顿时就蔫了。两个毫无经商经验的人，头脑一热便跑来开饭店，守着医学院的后门，学生倒是不少，可吃得简单呐，顶多一个炒面、一个土豆丝。每逢有球赛这边才热闹些，学生们会一直坐到球赛结束，一人一碗面条。

唉，三室一厅的房子，光是房租就两千，大厨一千二，水案八百，两个服务生一人五百，开业半年了，每个月把账一结算，赚的钱勉强够支付这些费用，合着两人是来做义工的。

在这地方开饭店，啥时才能赚钱呐？想起目前的窘状，两人都换上了一脸愁容。

郭胖子沉默半晌，说道："胜子，其实我一直在合计，咱们这饭店，是铁定不赚钱了，听说医学院年底要开二院，调走一批学生，那时就更完了，你说呢？"

张胜叹口气，问道："郭哥，咱俩有话直说，你啥打算？"

郭胖子苦着脸摇摇头："咱们是俩愣头青啊，当初咋就鬼迷了心窍听人忽悠呢？得，粘在手上了，想脱手都不行，我一想起来就心急火燎的。咱们俩月以前就贴出兑店告示了，可就是盘不出去。人家做买卖都猴精猴精的，派了家里人蹲咱门口数顾客，看吃啥，计算一天的营业额。请了亲戚朋友来扮顾客，人家都看得出来，我是没辙了。"

他一拍大腿说："店盘不出去，开着只能赔钱，咱俩一天家都不回地忙活，可总这么着也不是办法，我合计……要不咱停业吧，东西卖吧卖吧，只要回本就成。"

张胜经历了一次次挫折，已经不像当初那么天真幼稚、做事冲动了，小饭店的窘境其实他早就想过，只是没到最后一步，他总是抱着一线希望，盼着能把店兑出去，尽量挽回损失，可是出兑告示贴了两个月了，根本无人问津，反倒影响了生意，实在是没有办法了。

他坐那儿想了半天，叹气道："其实我也想过，唉，越想越泄气，要不……下午把房东请来，炒几个菜喝顿酒，和他商量商量，咱……不干了！"

生活就像是在走迷宫，你永远也不知道下面会发生什么，就像你不知道你最后能不能走出迷宫，又或者这个迷宫根本没有出口。命运就像一盘棋，如果已经走成死局，那么除了掷子认输另起炉灶，还能怎么办呢？对这两个难兄难弟来说，他们现在就是一局死棋。

"那可不成！咱们一码是一码，两位弟弟，大哥我不是难为你们，咱们是亲兄弟明算账，对吧？咱们签的合同是两年，你们这才干了半年，你说不干就不干了，我这店怎么办呐？你们要是兑得出去，照原合同给我交房租，我二话不说，可你们停业……不行不行！"

房东叶知秋三十五六岁年纪，个头不高，黑瘦黑瘦的，额上头发稀疏，只得用几缕长发从侧面拨过来，盖住那红润的连发根都看不见的前额头皮。他滋溜一口酒，吧嗒一口菜，吃得挺欢实，可不管两人说得多可怜，就是不松口。

郭胖子急了，气得直喘："我说叶哥，你这么说太不地道了吧？我们哥俩这半年是白替你打工你知道不？我们赔得稀哩哗啦的啊，我们也有老婆孩子要养，你这房子还是你的，你有啥损失？做人可不能太绝！"

叶知秋"啪"地一撂筷子，冷笑一声道："二位，我也没逼你们呐，咱们的合同白纸黑字在那写着，你们实在要停业我也管不着，不过房租得照缴，不然就是违反合同，就得赔我违约金一万元，这可是早就订好的。"

郭胖子气急败坏地道："哪有你这样的啊？噢，合着我哥俩必须赔钱干两年，白替你打工？我不干了，把房子赔给你都不行？天下哪有这样的道理，你这不是逼良为娼吗！"

张胜没说话，他在一旁冷眼旁观，想摸清房东的底线，找机会尽可能又劝他解除合同，可是房东的话让他心里一沉，这房东……不是善碴儿啊。他也不说别的，绕了半天，只拿那一纸合同说话，什么人情全然不讲，这还怎么谈？

论为人处事、社会经验，他俩怎么跟人家比呀？要有这房东一半精明，他俩刚下岗的时候也不会被这个姓叶的忽悠得两眼冒金星，生怕别人抢了风水宝地似的订合同租房子了。

叶知秋微微一笑，丝毫不在意郭胖子的态度，很冷静地说："什么道理？咱们一切按法律办、按合同办，这就是道理！"

他按着桌子扫了二人一眼，说道："二位不知道吧？我小姨子可是政府官员，以前还学过法律，我这合同就是小姨子帮我起草的，保证合理合法滴水不漏，你有脾气就去打官司，看看谁赢！"

郭胖子发了半天怔，一屁股坐了下去，压得那椅子吱呀一声，他侧过身子，耍赖说："叶哥，你还别拿这事儿压我，我就是干不下去了，你爱咋咋地吧！"

叶知秋轻蔑地看了二人一眼，淡淡地道："咱们兄弟平时低头不见抬头见的，这半年下来怎么也算有点儿交情，太绝情的话我还真说不出来。可你们这态度，要泼扯皮到我头上了，那可是你们不仁，怪不得我不义。实话告诉你们，我小姨子一个电话，就能叫工商局的来封了你们的店门。看你们这一脸奸相，要说不偷税漏税，谁信呀？"

房东说着，拿起那块黑砖头似的大哥大，按了几个号码，亲切地说："焰焰啊，我是姐夫，嗨！你能有几个姐夫啊？我是叶知秋，对，对，你在哪呢？哦？要去市政府办事，现在到哪儿了？太好了，你顺道拐到老房店面来，有人想找碴儿呢。"

"对，我也在这儿呢。是这么回事，租我房子那俩小子想毁约不干了，法律上的事你比我明白，对！就是这样，好，我等你！"

叶知秋放下大砖头，神气地瞟了两个可怜虫一眼，伸手拨拉了几下头发，把额头正前方那仿佛开了光似的头皮盖住，然后提起筷子，夹起一块九转肥肠扔进嘴里，又抿了一口五十六度的高粱烧，自顾吃了起来。

张胜看着那张为富不仁的笑脸，忽然有种一拳把它砸成红烧狮子头的冲动！

一会儿工夫，一辆红色小奥拓停在小饭店门口，车门一开，一个三十岁不到的年轻女人从车里走了出来。

浅粉色的职业套装，却难掩前凸后翘的丰满体型。一副金丝眼镜，高高盘起的发髻，在额前垂下几缕刘海，看起来既干练又妩媚。

两瓣红唇丰满润泽，唇膏是水晶色的，润泽诱人，让男人看了就忍不住逡巡几眼，想来那性感的红唇用来接吻感觉一定不错。不过，此时那年轻女人唇角下弯，粉面带煞，镜片下那双杏眼着实有些盛气凌人。

她一拨门帘儿，"哗啦"一声就闯了进来，后边门帘儿尚在剧烈地晃动着，她已经出现在张胜和郭胖子面前。

粉红职业装的都市丽人对着郭胖子和张胜，眼光却微微上瞟，皱着眉头对二人头顶的空气说："是谁想毁约呀？知不知道毁约是要承担违约责任的？要想毁约，先拿一万块违约金出来。哪儿来的法盲，一点儿都不懂法律常识！"

叶知秋在一旁用感性的声音念着旁白："知道眼前这位是谁吗？她就是……市计经委的崔知焰崔主任。"

其实他小姨子只是市计经委办公室副主任，而且刚提拔没多久，对这两个土包子说话，当然官儿说得越大越好，再说，副字谁爱听呀。

一见人家这趾高气扬的架势，张胜两人的气势便为之一挫，待这女人像机关枪似的，滔滔不绝地讲了一堆契约、合同、法律的专业术语之后，两人便只有瞠目结舌的份儿了。

看两个小工人完全被震傻了，崔副主任很满意地扶了扶眼镜，带着一种优越感总结说："因此，你们要是继续营业，或是转租出兑，这都没有问题。你们停业也是你们的自主行为，和我姐夫无关。但租房期是两年，你们必须继续履行合同，如果因你们违约影响了我姐夫的经济利益，那么你们要负法律责任。我姐夫的合法权益是受到合同保障的，这份合同，是受法律保护的，我希望你们考虑清楚，否则，我会起诉你们。"

郭胖子这时嗖地一下站了起来，嘴歪眼斜地扯住那妇人，哆嗦道：

7

"你……你们……不能这么欺负人呐！你们这是……往死里逼我们呐！"

崔知焰厉声道："放手！不要和我拉拉扯扯的，否则我要告……"

"扑通！"郭胖子摇晃了两下，两手胡乱抓了两把，一下扯掉了崔主任的皮包，然后一头栽倒在地。他落地的造型非常壮观，硕大的肉躯忽地向前一倒，重重地砸在地上，地皮都为之一颤。

"这……这是怎么了？"威严无比的崔主任见此情景也慌了。

张胜知道郭胖子这是气急之下心脏偷停了，忙扑上去叫道："不好，他有严重的心脏病，一急就容易犯病！"

张胜知道郭胖子衣袋里有药，急忙在他身上翻起来。

崔知焰也慌了，她虽瞧不起这俩臭工人，可要是逼出人命，一旦上了报纸，哪有她的好话？自己是什么身份？多少人盯着她的位置呢，这才上任三个多月，犯得着为这么两个小人物坏了前程吗？

她急忙蹲下来，对着郭胖子的头脸一阵乱拍。张胜从郭胖子衣袋里摸出"慢心律"给他拿水灌服了，又不断地抚胸压胸，忙得一身臭汗，郭胖子总算悠悠醒来。

崔知焰一见，不由得松了口气，旁边叶知秋也连拍胸口，这一会儿工夫，他汗都下来了。这要是逼死人命，少不得缠上一场官司，再说这房里要是死了人，谁还租这房子做买卖？不吉利呀。

张胜见此情形，心中忽然一动，知道自己的机会来了，他不求讹人，只希望能藉此摆脱这家饭店。此时郭胖子刚醒，不能动他，张胜便帮崔知焰捡起皮包和散落在地上的文件，想缓和一下彼此之间紧张的关系，然后再用郭胖子的病做做文章。小人物无论知识、见识、地位还是能量都居于弱势，就只能充分利用小人物的智慧来摆脱困局了。

他往皮包里塞文件时，看到一份文件上写着《关于设立桥西高新技术产业开发区的立项报告》。这种政府大事和他张胜无关，他也没往心里去，直接把文件塞回去，然后把包递到崔知焰手上，崔知焰冷哼一声，接了过去。

张胜稳定了一下情绪，陪着笑脸对崔知焰说："崔主任，你也看到了，我俩都是下岗职工，生活本来就艰难得要命，又不会做生意，他又有严重的心脏病，我们真的快被折磨疯了……"

崔知焰皱着眉头望了眼店外，见店里冷清，此时没客上门，除了店里的大厨、水案和服务员，没人看到这一切，这才冷冷地说："做买卖就要有承担风险的勇气，你们这个样子，我很难和你们说话。我还要去市政府办事，跟你们可耗不起。"

张胜听她的话里有了松动的意思，马上趁热打铁道："您就当发发善心，毕竟这房子您本来就闲置着，其实再租也不是租不出去，再租租不出这价我倒承认，可这地段不赚钱，它确实不值一个月两千啊。

不瞒您说，我自打开了这小饭店，对这方面也比较注意，电力学校那地段比这热闹，可人家同样的房子一个月才一千二，您这价我们真的是有赔无赚呀！"

郭胖子躺在地上像垂死的猪一样呻吟一声表示赞同。

崔知焰差点儿逼出人命，口气也不再那么凌厉了，她看了看姐夫，放缓了语气道："你们的困境……我们也是了解的。不过我们也是按合同办事嘛，又没有强租逼租。

我现在还有急事……这样吧，晚上我和姐姐姐夫再商量商量，明天给你们答复，你们也别着急上火的，我们不是不通情达理的人。"

张胜一听心里一块石头落了地，忙道："是是是，崔主任毕竟是政府里的人，能体谅我们小工人的难处，那我这先谢谢您了！多谢崔主任、多谢叶哥，您二位大人大量……"

张胜眼角一瞟，见郭胖子要坐起来，心里不由暗骂一声：蠢猪，现在就指望着你装死呢，你着急起来干吗呀？

他忙趁人不备在郭胖子腰眼上轻轻踢了一脚，幸好猪也有灵光一现的时候，郭胖子接到指示，刚刚离开地面的后背马上抽搐了几下，做出一个气息奄奄的造型，吧唧一下又躺了下去，倒把霍主任和姐夫弄得又是一阵紧张。

张胜忙说："吃了药得缓一会儿才能平静下来，我看着他就行了，您崔主任是贵人，工作忙，我就不留您了，明天我等您的好消息！"

崔知焰和叶知秋脚底下躺着个不知道啥时候咽气的胖子，早就坐立不安了，巴不得听到这句话，一听张胜这么说，两人赶忙撂下几句场面话，匆匆离开了饭店。

送走了崔副主任和房东叶知秋，张胜欢天喜地地跑回来，扶着郭胖子说道："郭哥，我的亲哥唉，你今天这病犯得可真是时候，当初咱咋就没想到用这一招呢？我听他们的口气是服软了，咱俩说不定就要解脱了。"

郭胖子呻吟一声，泪水涟涟地往怀里摸东西，那模样活像要交最后一次党费。

"先不说这个了，兄弟啊，我刚才是在鬼门关上转悠了一圈儿啊，那时候不知道咋的，脑筋特别清楚，我就一直想，一直想……我要是死了，我那么漂亮的媳妇会便宜了谁呢？我儿子可咋办呢？想着想着我就想哭！"

郭胖子身体不好，工作一般，可他媳妇确实漂亮。

张胜见过郭家嫂子，郭家嫂子的名儿挺俗气，叫赵金豆，名字虽俗，可这位豆豆姑娘长得那真是掐一把都出水儿的大美人。只因她是农村户口，郭胖子是城市职工，才娶了这么个娇滴滴的娘子，要不然他做梦也攀不上人家，难怪他整天惦记着。

此时张胜心中欢喜，倒还有心思和他开玩笑，便笑道："放心吧郭哥，咱俩谁跟谁啊，你要是去了，你儿子就是我儿子，你媳妇就是我媳妇，我一定把大的喂得白白胖胖，小的喂得胖胖白白！"

"去你的！"郭胖子白了他一眼，因为饭店结束有望，他的心里也轻松了许多，一时便生起闲心来，也不忙着起来，他缓缓坐起来，先从上衣口袋里摸出一张相片，非常慈爱地看着说："你看，我儿子，和我多像。"

张胜一看，郭胖子抱着儿子照的半身照，郭胖子还穿着袁大头的帅服，爷俩的确像是一个模子里刻出来的，忙道："是啊，长得太像了，对你儿子来说这真是一种悲哀，不过对你来说，却是莫大的安慰，要不就凭嫂子那么漂亮，你咋判断这儿子是不是你的呀，嘿嘿嘿。"

"我说你别闹行不行？"郭胖子瞪他一眼，抚摸着照片感伤地道："你呀，心里不会有我这种感觉。真的，胜子，我告诉你，要是一个人不知道自己什么时候就会死掉，他就特别珍惜眼前的一切，特别爱他亲近的人，真的，特别特别地爱。嗳，你看看，我穿着帅服呢，这头像牛 B 不？"

张胜点点头，说："嗯，像！"

郭胖子呵呵地笑："那当然，哥们这模样照出来就是牛……嗳，像什么啊，你太损啦，胜子！"

郭胖子忽然反应过来话里的玄机，张胜说了一个像字，把他整个句子就给断句成另外一种意思了，弄得他又好气又好笑。

张胜把倒了的凳子扶起来，对一边看热闹的服务员说："行了，今天也没啥客人了，咱提早打烊，大家收拾一下。"

因为听说要停业，服务员对老板马上就没了以前那种恭敬，懒洋洋的不爱动弹，这扶一把，那挪一下，根本就是应付差事。张胜看了也不说破，只是叹了口气，自己收拾起屋子来。

他拿着抹布，慢慢地擦着油腻的桌面，心里想着："饭店开不下去了，就算房东肯放一马，以后干点儿啥呢？"

"唉！"他叹了口气，抹布在桌上划着圈，擦着擦着，一幅画面忽然电光火石般跃上心头：他拿起皮包往里塞文件时无意中看到的那个标题《关于设立桥西高新技术产业开发区的立项报告》。

这句话什么意思？桥西现在是郊区啊，那里只有两个村和大片的荒滩，政府要在那里设立经济开发区？记得前几年政府在太平庄旁边修了条国道，沿路的房价马上飚升起来。那么，桥西郊区的地……

张胜的眼睛亮了起来……

饭店事件因为郭胖子的"死谏"得以顺利解决，房东一家人大概也仔细商量过了，这个地方确实不景气，周围开饭馆的大多是个人私产，没有房租压力，赚一分是一分，即便有租房的也在一千元上下。

当初也只有张胜和郭胖子这对毫无从商经验的白痴，听信了叶知秋描绘的美好蓝图，又不会砍价，这才以这么高的房租把房租下来，还被忽悠得一签就是两年。

这两人没有饭店经营经验，社会关系又少，真让他们开下去，只能坐以待毙，万一逼出人命那就得不偿失了。再说，兔子急了还咬人呢，这两年报上没少报道一些被逼得无法生存的小人物，一怒之下杀人自杀的消息，这俩小子可知道他叶知秋的住处，要是这俩人不想活了，跑来把他给捅了，那时找谁喊冤去呀？

所以叶知秋权衡一番，接受了小姨子的劝告，终于松了口，同意解除合同。

　　不过张胜还是领教了崔副主任的厉害，尽管郭胖子有心脏病，崔知焰小姐还是充分发挥了她的铁口钢牙，和这对下岗职工从中午一直谈判到晚上，锱铢必较，直说得两人精神崩溃，答应桌椅板凳全部留下，砌的灶台搭的直到楼顶的烟囱也双手奉送，这才得以脱身。

　　遣走了雇工，两位穷老板一算账，干了半年，一人赔了三千八百块钱，本钱各拿回了九千。两个苦哈哈双手空空地走出了为之奋斗了半年的小饭店，漫步在街头，简直恍若一梦。

　　张胜思索着桥西开发区的事是真是假，如何利用这条重要信息致富，郭胖子却在寻思是否回郊区和岳父岳母一块种地务农，只是……唉，媳妇好不容易跳出农家，她那一关怕是难过。

　　前边立交桥下一个短裤热衫，长腿细腰的美女翩然而过，大夏天的，穿得少，淡黄的衫子有点透明，露出里边白色乳罩的颜色，那乳罩薄薄的，胸前高傲地顶起两团，随着那悠长的大腿迈动，颤颤巍巍，极富质感。

　　"你说人家咋长的呢？"郭胖子双眼放光，顿时抛开了烦恼，眼珠子痴痴地追随着美女的倩影，大发感慨道："这么热的天，她们女人还戴胸罩，也不嫌热。"

　　张胜拍了他一巴掌："她要是不戴，你就会热啦！怎么样，想好以后干点啥了？"嘴里说着，他的眼睛也直勾勾地盯着姑娘白花花的大腿和被红色小热裤绷得紧紧的挺翘美臀。

　　开发区的事张胜倒不是有心瞒着老朋友，只是这事八字还没一撇，而且他只是凭直觉觉得这是一个难得的机会，还没有想出什么头绪，不知道该如何运作、如何利用，风险也大，自然不便和郭胖子说出来。

　　当初开饭店就是他先提议的，可那只是脑门一热想出的主意，连考察都没做，就迫不及待地把安置金投进去了，虽然早就说好风险自担，他还是觉得愧对郭胖子，这回风险更大，他可不敢随便把哥们拉进来了。

　　郭胖子叹口气道："还能干啥？我是富贵身子穷人命，啥也干不了，回去和媳妇商量一下，不能坐吃山空，先去帮着媳妇练摊，再不然去乡下帮着岳父种种菜啥的，然后慢慢想办法，你呢?"

张胜苦涩地一笑："我？我还没有目标，慢慢找，总有办法的!"

郭胖子点点头，默然半晌道："我先回去了，媳妇在二路小商品市场摆摊呢，我去帮帮忙，顺便和她唠唠!"

张胜嗯了一声，说道："行，去吧，我也考虑考虑前程。咱们找机会再聚!"

两个人握了握手，各自骑上车，反向而去。

顶着火辣辣的太阳，张胜没精打彩地走着，他想先回家，又想去桥西走走，那边几乎从未去过，他想先了解一下那边的情形，再琢磨自己的机会在哪里。

张胜心思摇摆不定，骑着车朝家里走了一阵儿，想想又拐向桥西，走一阵又拐回来，这么折腾了一阵儿，他终于下定决心，先去桥西郊区看看。

骑过几条街，张胜忽然在路边看到一个熟悉的身影，她穿了一身淡黄色的连衣裙，正轻盈地走着，蛮腰一摆、长腿错落，天气虽热，可是看了她的美态，却让人心底如同掠过一片清爽的风。

她的小腿曲线纤秀，裙摆摇曳过处，白皙的后腿腘看了都能让人感觉出她的大腿是多么修长标致、骨肉匀称。还有她连衣裙下纤腰细细、酥胸高挺，走过时有一种似动非动的软弹感，让人望而销魂。

"郑小璐!"张胜下意识地叫出声来，这一声出口，立即有些懊悔。

前边的女孩一回头，瞧见是他，脸上顿时露出了甜甜的笑容："张哥，这么巧呀，你这是去哪儿?"

张胜从自行车上下来，有点结巴地说："哦，我……没……什么事儿，随便逛逛。"

郑小璐和他同是三星印刷厂职工，厂子成为合资企业后，改名为大三元彩印厂。张胜被裁员了，郑小璐是留用的职工。她是个很善解人意的女孩，一见张胜的窘态立即乖巧地岔开了话题。

两个人聊了一阵儿厂子里的变化，郑小璐低头看了眼手表，她梳着马尾辫，这一低头，便露出一截修颈，颈子滑润白皙，给人一种异常细腻的感觉，张胜不禁贪恋地扫了一眼。

郑小璐抬起头，浅浅一笑，颊上又露出那对迷人的笑涡："张哥，我约了朋友一块逛街，改天有机会再聊吧，我走了！"

张胜忙道："你忙你的，有空再聊！"

看着姑娘远去的背影，张胜的眼中流露出一丝落寞。

郑小璐一直不知道张胜在暗恋她。对郑小璐，张胜有种很特殊的感觉，郑小璐很美很清纯，但是同她一样可爱的美女并不是没有，可是看了都不能给张胜这么深的感觉，一种触动灵魂的感觉，这大概就是一见钟情吧。

无意中遇到心仪的女孩，激发了张胜的雄心，更坚定了他一搏的斗志，他在心里暗暗发誓："只要肯拼，我也能赢！我不会永远这么卑微，这个机会，无论如何，我一定要抓住！"

现在机会来了，知道要开发桥西的人还没有几个，这个机会如果能抓住，能利用好，自己的一生可能就会因为这个无意的发现而改变，从此走上完全不同的道路。

走到西站尽头，在狭窄残破的柏油马路上再骑十来分钟，才能看到桥西郊区那一大片空旷的土地。

站在高处往前看，除了被分割得凌乱不堪的菜地，就是完全荒弃的空旷地了。近公路的地方，被偷偷抛置垃圾的企业倾倒的工业垃圾堆得像一座座小山。

再远些，是一条小河，河水乌黑粘稠，看起来像石油似的，散发着恶臭。原来这河应该很宽，因为两边的地面看得出来原来也是河道，只是现在已经干涸了，河底被挖沙的人挖得像癞痢头似的，深深浅浅都是坑。

这里有两个村庄，大王庄和小王庄，照理说城郊的房子不该这么破败，可是站在坡上看，庄子都不大，到处都是高矮起伏的破房子，村落毫无生气。倒是贴着公路边开着的一些小饭店和修车铺子还有几分人气。

张胜心里有点儿发凉：这个地方……真的会开发么？如果市政府改变主意了怎么办？

那时开发建设还不像现在这么完善，现在从立项、规划、审批、拆迁、开发各个步骤既科学又严密，要经过反复论证再三研讨，最后拿到市委常务会议上讨论多次才能通过。那时候制度不完善，程序不科学，一些领导为了政绩常常一拍脑门想个主意就匆匆上马，工程进行到一半发现可行性太低便半道搁置的项目屡见不鲜。

　　所以尽管张胜并不怀疑那份文件的真实性，但他担心政府会改变计划，立项报告还不是正式规划，只是提供给领导层的一个建议，不一定会审批下来，更无法确定什么时候才能批得下来。要说快，只要主要领导拍板同意，一个月后平地出现三层楼也办得到，要说慢，等上十年还是它，这条讯息到底有多少价值？

　　张胜站在那儿沉吟半晌，蹲下来抽了根烟，然后把烟头一丢，沿着一条歪歪斜斜的小道走了下去。前边几畦大白菜长得挺不错，看得出来，如果这一带不是离城市太近，被工业垃圾污染严重，河道又断了水，原本应该是很肥沃的一片农田。

　　菜地旁有一个农民，旁边停着一辆运水的三驴蹦子，那老农正用桶接了水灌溉。张胜便和他搭讪："大爷，这一片儿瞧着怎么这么荒凉啊？"

　　那个满脸皱纹的老农抬头看了他一眼，一边舀着水浇地，一边说道："可不是咋的，我们村的人都受不了，有点儿能耐的人都迁到蔡家屯那边去住了，青壮年没地可种，大多外出务工，这老庄都没啥人住了，我是不舍得这块地就这么废着，这儿坡高，还没被污染呢，才在这种点儿菜，不过得大老远地拉水来浇地，唉，我也就是闲不住，要不也不摆弄这地了！"

　　张胜点点头，若无其事地又着腰四下看看，随口问道："大爷，要是在这地方买块地皮……得多少钱？"

　　老汉惊讶地看了他一眼："这地方还卖得出去？买来有啥用？要水没水，要收成没收成，整天价守着闻这臭味呀？你买来干什么？"

　　张胜忙顺口胡扯道："是这样，我吧，想搞片儿高科技蔬菜大棚，离城近点儿运输方便。"

　　老农笑道："这儿连水都没有，你咋种菜？"

　　张胜说："这个……打几口深井，采用滴水灌溉，高科技嘛，肯定不能用传统方法种。"

　　老农哈哈大笑，说："深井也不行，污染太严重，用自来水还行，就怕那

15

样种出来的菜本钱太高，你也没几分赚的。"

他顿了顿，往远处一幢房子一指，说道："挨着河泡子那处瓦房，就是我家的，前后院的菜地加起来小一亩，再加上三间瓦房，只要给我一万元，我就卖给你。"

张胜吃惊道："这地……哦，这房只卖一万元？"

自打昨天存了买地的心思，他和别人闲聊时顺口问过效区的地价，一般来说，当时一亩地在一万五到三万不等，具体价钱要看是生地熟地、瘦地肥地，还得看用途和环境。

他当时估计桥西郊区的地至少也得两万多一亩，想不到这儿工业垃圾、工业废水硬是把大片良田变成了垃圾场，结果连带房子的地都这么便宜。这老汉说是一万，再讲讲恐怕还能把价降下来。

老农哈哈笑道："你当是市中心的房子呢？这儿的破房不值钱，看这环境嘛，瞒你也瞒不住。"

张胜看了看他这一大片菜地，咽了口唾沫说："那这菜地……多少钱一亩？"

老农又接了桶水，摇着头说："那我可没权卖，村里重新分了地的，这儿没人管，我才回来种种，你要买大片儿的地，得和村支书还有乡里领导去谈。"

"乡里领导？"张胜心想："就我混成这样，乡官也懒得和我谈生意呀。"

张胜快快地点点头，说："嗯，谢谢你啦，大爷，我再……四下考察考察。"

老农提着桶洒了几勺水，直起腰来望着张胜的背影咂咂嘴，咕哝道："啥高科技种菜啊，这孩子怕是个找不到活路的下岗职工吧？我们农民有工作能活，没工作也能活，这些城里孩子没了工作就不知道咋活，怪可怜的！"

张胜转悠了一阵，踱到一家饭店的后院儿，挨着那破砖头和石头垒的墙寻思着心事："这村儿这么没落，又紧挨着城区，就算我当市长，也不会任由城边上荒着一片地当垃圾场，计经委的那份立项报告不会是无的放矢，没准就是哪位领导决心开发桥西，授意他们起草的报告。

我看开发的事儿八九不离十，有点谱。如果带房的地一万一亩的话，那这片近乎荒废的土地估计也就五六千一亩了，我手里的现款估摸着能买一亩半地，要是转手，怎么也能翻几番，可是……那也不够吃一辈子呀，老天爷

16

给了我一个难得的机会，就让它这么从手里溜走，那我可真成废人一个了！"

张胜不禁想起了儿时的玩伴，原来和他住在一个大院的二肥子。二肥子小时候整天拖着两筒鼻涕，尽受小伙伴欺负。长大了也邋邋遢遢，老远就能闻到他身上一股汗馊味儿。可人家现在混得如何？

自己老爸挖关系走后门、请客送礼地把自己安排进国营厂子当电工时，二肥子曾找他合伙经营一家外地啤酒在本地的代理，当时觉得还是有个稳当工作保险，没答应。结果几年下来，人家现在早搬到市中心去住了，家里至少趁几百万，自己不就是看到机会没胆子抓吗？"

张胜想到这里，轻轻地叹了口气。

这家饭店经营的是农家杀猪菜，后院里正有一头大肥猪快活地哼唧着，丝毫没有屠刀临颈的烦恼，它低着头欢实地吃着饭店的残汤剩饭，不时还快乐地摇摇小尾巴。

张胜看着那头不知愁的大肥猪，心想："我要是光想着混，就跟这头猪一样，也不是活不下去，可是我能像猪一样活着，能像猪一样快乐吗？"

他忽然狠狠一捶墙头，转身便走。

"风险不是没有，可是……拼了！"张胜站在大路上想。

远远的，"农家杀猪菜"的后院儿传来一声女人的咒骂："这是哪个缺了大德的，把石头推下来砸了我家的猪食盆啊？"

第二章 破釜沉舟背水一战，只有大冒险才会有大富贵

　　张胜苦苦一笑，身处社会最底层的他，即便际遇就在眼前，想要抓住，也好难好难。自己一直以来都是循规蹈矩，结果又得到了什么？这个险冒不冒？值不值得冒？想了半晌，他犹疑的目光渐渐坚定下来，眼中放出炽热的光芒。徐海生见了，微微地笑起来，他很熟悉这种目光，他在许多商界朋友的眼中见到过这种目光，曾经年轻时的他，多少次犹豫挣扎中的他，最后做出决定时，眼中流露出的一定也是这种目光。破釜沉舟背水一战，只有大冒险才会有大富贵！那是一双只有赌徒才会露出的目光……

　　张胜吃过晚饭就回了屋，坐在阳台上，打开窗户望着满天星辰，一根接一根地抽烟，想着自己的心事。他现在已经有八成把握确定市政府开发桥西的意向了，现在要考虑的就是启动资金的来源。

　　这种机遇，一辈子可能只有一回，一定要尽可能地从中牟得利益。仅靠手里不到一万元的本金，哪怕再和父母借点，也是小打小闹。要想干一次大买卖，这钱从哪儿来呢？

　　张胜把他认识的人仔细思考了一遍，这些人里有能力拿出一笔钱去买地皮的只有两个，一个是从小住一个小区的二肥子，一个就是徐厂长。二肥子现在发达了，早就搬离了小区，已经联系不上。几年不见，彼此早就疏远了，就是找上门去对方怕也很难答应。

　　第二个就是徐厂长，现在认识的有权有势的人好像只有一个徐厂长关系亲近些，可是……要怎么请他帮忙呢？借款？红口白牙的，什么东西也没有，

谁敢借这么大一笔款子给他？要不然拉他入伙？他会不会相信？肯不肯合作？如果听了消息抛开自己单干怎么办？

张胜苦笑一下，身处社会最底层的他，即使机遇就在眼前，想要抓住，也很难很难……

张胜在徐厂长办公室门口站了半晌，才鼓起勇气敲了敲门。

徐厂长抬头见到张胜，有些意外，但随即站起来，热情地说："小张来啦，哈哈哈，快请进，快请进，今天怎么有空儿回厂啊？来，坐坐！"

他摸了摸大背头，陪同张胜笑眯眯地走回座位，抓过香烟点燃一根，然后把烟盒丢给张胜。

厂子合资之后，厂长办公室的环境也改善了许多，徐厂长原来主抓财务，外资到位后，外资方派了主管财务的副厂长，他现在主抓供销，不过很多订单都由总厂直接发下来，他们只是按单生产，所以不是很忙。

张胜在他对面坐了下来，说道："哦，先不抽了，谢谢厂长。今天来，的确是有点儿事要和您商量。徐厂长，我的小饭店经营不善，昨天我把它停了……"

徐厂长吃惊地道："前天我路过不是还开着么？怎么说停就停了？喔……小张啊，你是想让我帮帮忙回来找份工作吧？这可难办啊，现在厂子里的事都是外资方的几位领导拍板。"

他为难地拨拉着头发："这个……传达室打更的……哎呀，办公室的老方安排了他老舅，麻烦呀……"

张胜连忙摆手道："不不不，徐厂长，您误会了，我不是想回厂找活干。实话对您说吧，我听说了一条极有价值的消息，能赚大钱。我没有什么有能力的亲戚朋友可以帮忙，我想……认识的人里既有本事，对我还挺关照的也就是您了，所以……"

徐厂长一听失笑道："极有价值的消息？哈哈，小张啊，你是挺稳重挺踏实的年轻人，怎么也学会开皮包公司对缝了？哈哈哈，你说说，是什么消息。"

张胜脸有点红，讷讷地道："要说对缝……还真差不多，我既没本钱，又没人脉，说起来，要办成这事还得靠您。我唯一能做的就是提供这条能发大财的消息给你，只是……您要是知道了，把我甩开自己干……徐厂长，您别生气啊，我不是怀疑您，这也是在商言商，咳！不瞒您说，我让小饭店的租房合同给恶心怕了。"

徐厂长哈哈大笑起来："行了行了，有什么消息，你尽管说，你在厂子时，我是厂长、你是员工；你离开厂子了，咱们也是交情不错的棋友。在社会上，我徐海生也是条响当当的汉子，过河拆桥的事那是人干的？你放心，真有价值，少不了你那份儿！"

张胜一咬牙，心想："不找他，我唯一能做的就是拿自己的本钱去赌，买上一亩地，翻他几番，赚个三五万到头了。说给他听，就算真甩开我，我照样是这结果，只能赌了，再磨叽下去，徐厂长怕还不爱听了。"

想到这儿，张胜爽快地说："行，那我就说给你听。徐厂长，前天我和郭胖子合计歇业不干了，请了房东来谈，他的小姨子是市计经委的一个主任……"

徐厂长聚精会神地听着，等张胜说完，他夹着香烟出神地想了半晌，这才目光一闪，掸掸烟灰，抬眼看了看他："你确定？这么说，你的依据就是……那位崔主任皮包里的一份文件？你……只看到了一个标题？"

张胜点点头，说："是！但我相信，这条信息是真的，我还赶到桥西去看了，那里两个村子从去年开始就在陆续搬迁，村子现在特别萧条。在城市边上，那么一大片土地空着，政府不利用，难道拿来当垃圾场吗？所以，我敢确定这消息的真实性！"

徐厂长微微摇头："你想问题太简单啦，不止是开不开发桥西的问题，还要考虑什么时候开发，要是现在买进一大片地，一放十年，拖不起呀，你当是个人家里那点儿存款吗？"

张胜着急地说："徐厂长，这真是千载难逢的机会啊，等消息传开了再去买地，那还买得到？能先富起来的人，都是先行一步的人吧？"

徐厂长听了这句话似乎有些心动，他抬眼看了看张胜，沉思起来。

以他对张胜的了解，这个年轻人很实诚，绝不是那种咋咋乎乎听风就是雨的毛躁小子，他说出来的消息，肯定是他亲眼看到的。问题是他知道的消息实在太少了，那是政府的一个意向还是一个已经决定实施的项目现在还无法确定。

政府部门的很多意向，时常会因为各种因素而变更，如果这个意向取消怎么办？如果政府开发桥西的计划延迟几年或者因领导层的变动而搁置怎么办？这可不是一笔小数目，如果大把的资金砸在那儿，桥西还是一片荒芜的烂地，那时想脱手保本都难。可是……如果这消息确实呢？暴利啊，顷刻之间翻几番甚至十几番的暴利，那是多大利润？

立项报告递上去，市政府一旦审批同意开始规划，那么特权阶层、背景复杂消息渠道灵通的人就会得到消息，不必等政府决定正式宣布，那里的地就会被瓜分一空了，那时再想挤进去分一杯羹，谈何容易？

想了许久，徐长厂抬起手向下压了压，示意张胜坐下，然后拿起电话拨了一个号码，片刻工夫，电话接通，徐厂长脸上露出笑容："老侯啊，是我，海生。呵呵呵，哪里哪里，你是大忙人嘛，无事岂敢打扰啊？哈哈哈……"

他的腰直了直，身子向前倾过来，脸上变得严肃了些："老侯啊，我听说政府有意在城市周边地区建设一个经济开发区，你听没听说类似的消息啊？"

"在哪儿设立？哈哈，我也是道听途说了一点传闻，这才向你打听嘛，你是政府官员，你都不知道，我哪儿知道呀。什么？你没听说过这方面的消息？嗯……现在谣言满天飞，是不能轻信，好好，那你先忙，改天咱们吃饭再聊。好好，再见！"

徐厂长放下电话，双手十指交叉，目不转睛地看着张胜。

张胜着急地道："这种消息，政府公开宣布前肯定属于绝密，如果风声早传开了，咱们现在去买地都晚了。徐厂长，我真的确信这是个千载难逢的机会，能获得的回报值得冒一次险！"

徐厂长吸了口气，又点起一根烟，站起身来在办公室里踱起了步子，张胜坐在那儿看着他，等着他最后的决定。

"小张啊，资金的问题，我是能帮上忙，不过这毕竟不是一笔小数目，你得容我好好想一想，是吧？这样吧，你先回去，我再考虑考虑，考虑清楚了我给你打电话，你有手机没有？"

张胜一听，心头便是一沉："徐厂长这么说，不是想甩开自己单干，就是不相信自己的话。想借东风的计划，看来是没有希望了。"

不过徐厂长最后和他要电话，又给了他一丝希望，张胜忙说："我没有，我把传呼号给您写下来，哦，对了，我家楼下小卖部有部电话，你就说找我，一准儿能找到，我这几天都在家。"

张胜匆匆地把传呼号和楼下小卖部电话都抄下来递给徐厂长，徐厂长笑道："那就好，这件事我晚上想清楚，回头再联系。"

"好，徐厂长您忙着，我先告辞了。"

"好好，那我不远送了。"

房门一关，徐厂长便淡然一笑，将那写着电话的纸条顺手一团扔进了纸篓。

徐厂长冷冷一笑，回到座位上翻开名片册开始打电话。

"冯区长，我是小徐啊，对对对，三星印刷厂的小徐。您好您好，对对……"一番寒暄之后，徐海生话锋一转，问道："对了，我听人说市政府要在郊区有一项比较大的开发项目，您听说过这方面的消息吗？什么？从没听说？哦哦，好像听人提过，顺嘴问一句。没啥事儿，就是有日子没联系了，给您打个电话问候一下，好好，改天请您喝酒。"

撂下电话，徐厂长又拨了一个号码："吕秘书，我是老徐啊！哈哈哈……"

"季局长，我是徐海生啊，哈哈哈……"

电话打了一通，始终没有消息，徐海生撂下电话，皱着眉头在屋里走了几圈，又抓起了电话。他本来不想打给计经委的朋友，因为关系一般，他怕打草惊蛇，可是现在他已经没有别的消息来源了。

"喂，计经委吗？请邹科长接电话……小邹啊，你好你好，我是徐哥，对对，有件事向你打听一下，听说市政府要在郊区搞一个大项目，你听没听到这方面的消息？什么，你听说过，快说说，快说说……哦，哦哦……"

撂下电话，徐海生难捺激动的心情，立即又抽出一根烟叼在嘴上。邹科长了解的情况也不多，不过多少说了一些情况，计经委的规划立项报告的确打上去了，但是市政府批不批、何时执行，就不是他能掌握的情况了，这么说来，张胜的消息是真的。

可这样一来，也预示着风险是无法避免的，如果等到市政府批准这项计划，恐怕消息早就泄露给耳目更加灵通的人了，政府一旦立项，土地所有权上收，国土局丈量造册，那时再大规模买地，怕是谁也没有那个胆子卖给他了。

想发财就得抢在政府的最终决策出来之前，也就是要自己判断大势，依据远期目标来确定是否投资。一旦判断准确，在政府公布开发计划之后，就可以用至少翻几倍的价格卖给政府。

政府把使用权转售给土地开发商，然后经房产商再开发，最后转手给企业或个人，在这个过程中，土地所有权从集体变成国家，使用权也完成了一个完整的转移过程。

在这个转换的过程中，从农民手中买地的时候价钱非常低廉，而经过房产开发后再卖出去时，价钱是当初的十倍甚至百倍，这中间的差价利润大得惊人。哪怕只享用前期的转卖利润就有两倍到三倍，他还有房产开发界的朋友，完全可以参与后期运作，那样的话，暴利之大……

可是……风险啊……市政府批不批准立项要赌，批准立项的话什么时候执行还要赌，现在这世道，手中只要有资本，赚钱的门路多得是，如果在这片地皮上长期占用一笔巨资，那可得不偿失。况且，自己能动用的资金现在都派着用场，要投资这一块儿只能贷款，为了一个虚无缥缈的消息，风险是不是太大了些呢？

"风险、暴利，暴利、风险……"

不同的可能、不同的结局在他心里反复交锋，徐厂长忽然停下脚步，眼中露出一股狰狞的杀气："宁杀错，勿放过，这个机会不能放弃！可是，风险实在是太大了，我不能出头，张胜那小子……本想一脚把他踢开，现在想来，他倒是可以做一只马前卒！

张胜一宿翻来覆去睡不好觉，私下估计怕是自己的宏伟计划要泡汤，可是除了徐厂长，实在想不出谁有本事搞到一大笔钱。第二天坐在家里正犯愁，十点多传呼忽然响了，打过去一听竟是徐厂长要他回厂子一趟，研究研究如何投资，张胜喜出望外，顾不得天气炎热，蹬上车便奔向单位。

"徐厂长……"张胜一进屋便唤了一声。

徐厂长满脸笑容地迎上来，说："小张啊，我对你很了解，别人要是这么和我说，我还真信不过，不过从你嘴里说出来，那绝对错不了。你这个忙，我决定帮了！"

张胜心中一喜，徐厂长又道："机遇嘛，抓得住的人是人才，抓不住的是蠢才。能抓得多却放过大鱼捉小鱼的那就是庸才了。既然要干，咱就干大的。"

张胜喜道："对，我就是这个意思。"

徐厂长笑笑，说道："我的经济状况肯定要比你好，可能用来买地皮的，也没多少钱。不过……我在银行有朋友，政府部门里也能说得上话。这样，我帮你联系，从银行贷笔款子，桥西区政府方面，我也负责帮你接洽联系，总之呢，跑关系、跑资金，全由我来，但我现在还是厂领导，无法出面，事情要由你来牵头。"

张胜一怔，立即明白了他的言外之意。张胜虽不如他历练丰富，可不代表缺心眼，也就是说所有风险由自己来担，事成徐厂长分一块肉吃，事败自己兜着。

他本来是想借助徐厂长的关系，自己提供消息，再鞍前马后地跟着跑腿，就算只拿个小头，那也是一笔相当庞大的财富，可是万万没想到徐厂长竟提出这么个方法。由自己来挂名贷款？如果消息不确实，这么庞大的一笔债务，自己以后怎么活？

可是话说回来，他除了事先知道这个消息，其他的事都办不了。徐厂长这么做，等于是他出力运作全过程，作为合作者，张胜要担负起失败的全部风险。虽然心里不舒服，可是除此之外，他能付出什么？要有所得，总得付出代价。

自己一直以来都是循规蹈矩，结果又得到了什么？这个险冒不冒？值不值得冒？想了半晌，他犹疑的目光渐渐坚定起来，眼中放出炽热的光芒。

徐海生见了，微微地笑起来，他很热悉这种目光，他不只在许多商界朋友眼中见过这种目光，他年轻时，多少次犹豫、挣扎，做出最后的决定时，眼中流露出的一定也是这种目光，破釜沉舟、背水一战、大冒险、大富贵！

那是只有赌徒才会露出的目光……

其实张胜本不是一个喜欢投机冒险的人，相反，他内向、腼腆，直到高一时女生和他说话还会脸红，直到工作了，在电工班待了几年，才被电工班的老白、胡哥和郭胖子几人带得有点儿蔫坏。

如果可能，他会一直平凡地生活下去，绝不会干出这种冒险的事儿，但是命运弄人。学无所成、下岗待业、一无所有，已经把他逼上了不得不拼死一搏的绝路。

输急了的人，大多会有一种急于翻本的强烈愿望，这时，本来被压抑的想法和勇气，就会爆发出来，原来没有勇气去尝试的事，这时就会以超出常人的胆略和决心去做，张胜就是被生活推到了这种尴尬的窘境，却不甘沉沦下去的一个。

他人生中遭受的第一次重大挫折，还不是小饭店的停业，而是发生在一年前。那时三星印刷厂正处于风雨飘摇之中，厂子还没有合资的消息，半死不活地经营着。车间难得开动机器，他在厂电工班工作，更是无所事事，有点儿门路的人都在活动着调走，没什么社会关系的人就在这条行将沉没的船上坐以待毙。

有一回电工班的老白让他陪着一块去证卷交易所，那是他头一次踏进证交所的大门。当时正是中午时分，证券交易所里满地报纸、信息单、交割单、委托单的碎纸，还有烟头、烟盒。

中午人少，有些人正躺在坐椅上睡觉，还有些人围在一块打着扑克。交易所四周各有一台空调，可是那冷气根本无法照顾这么大的空间，烟气浓重的空间里呛人欲呕。

张胜从来没炒过股票，对股票这东西一窍不通，那一排排红的绿的数字他根本看不懂。老白看了一会儿交易屏，哈哈地笑起来："看到没有，青啤，我才买了不到半个月，赚了五千多了，哈哈哈，再涨两天我就把它卖了。"

"啥？你买了多少赚这么多？"张胜有点儿吃惊。

老白得意洋洋地道："买了两千股，涨了两块多了，牛不？"

张胜吃惊地问："买股票能赚这么多钱？"

老白看他有点儿动心，指点道："你看那边那一版，是基金，广东广信、广东海鸥、广东广发，还有沈阳的"四小天鹅"：富民、久盛、农信、兴沈什么的，都一块多钱一股，你要是钱少，先买点那个练练手。"

"一块多钱一股，我手里有四千多块钱存款，能买差不多四千股，这要是一股涨两块，就是八千块钱，这靠挣工资得多少年呀？"张胜的心怦然一跳。

　　张胜从此开始关注起股市来，天天中午跑证券交易所，他什么也不懂，也没有人可问，每次去了就盯着广发、广信和海鸥三支紧挨着的基金，看它们的价格升降。看了大约半个月，他渐渐摸出了规律，这几支基金每次只要跌到一块一毛多钱，用不了两天，肯定要升上去。到了一块四左右再次降下来，中间足有三毛钱的差价，如果买一万股，几天就能赚三千，比他四个月的工资还高。

　　张胜心动了，在广信再次跌到一块一毛四时，他果断地取出全部存款，开户、存款、填委托单，买下了他生平第一笔基金。填单子的时候，他的心怦怦直跳，好像把身家性命都押上了一样，提心吊胆地看了一个星期后，他赚了一千四百元。

　　从这以后，张胜迷上了炒股，但他从不打听消息，对于股票的一些基本知识也是全然无知。他只盯着广信和广发两支基金，到了他了解的历史相对低位就买进来，涨上两三毛钱就立即卖掉，然后耐心地等它再跌下来，正赶上整个市场大势也配合，这种傻子炒法居然让他一直有赚无赔，到了快年底的时候，他的资金已经翻了一番。

　　那时很多人都配了BB机，可以传递股票信息，可BB机太贵了，张胜不舍得买，只能勤跑证券所。渐渐的，他发现股票升降的幅度要比基金大得多，那时还没有涨跌幅限制，抓对了股票，一天翻倍也易如反掌，他开始关注股票了。

　　他买了份报纸，根据报上推荐的个股，发现一支蜀长红不错，当时价位十一元，收益几毛钱，比许多负收益，却值二三十块钱的股票要强很多，于是便盯上了它。当时垃圾股仍在疯涨，这只绩优股却在下跌，观察一段时间后，它跌到了八元左右，张胜按捺不住心中的激动，果断地抛出基金，全部买入蜀长红。

　　然而，他买入不到一个星期，正日夜盼望蜀长红一路长红的时候，这支股票却突然停盘了。懵懂无知的张胜见过有些股票会偶尔停盘，但是一般下午或第二天就开盘，这支蜀长红连续三天都没开盘，张胜慌了。

他性格腼腆敏感，特别好面子，自己私下买的股票，生怕赔了让同事耻笑，所以闭口不言，不但别人全然不知，就是对老白他也守口如瓶，这时自然不好意思去问。

一天中午，他盯了半天盘，实在忍不住了，就向几个正在打扑克的股民询问。

"大哥，请问一下，那个……蜀长红怎么不开盘啦？"

一个满脸贴着白纸条，输得只剩下一对眼睛的男人抬起头来，不耐烦地看了他一眼，粗声粗气地问："干啥？你买啦？"

张胜脸有点儿热，连忙道："我……没买，就是好奇，咋好几天不开盘了。"

那人一瞪眼，嘴巴上的纸条都飞了起来："没买你打听个啥？蜀长红不开盘了，因为非法交易退市了，成废纸了，知道不？"

张胜的脑袋轰地一下，当时就变得失魂落魄，他喃喃追问："你说退市？成废纸啦？那……那那……那买它的人呢？"他的声音都开始发抖了。

那人重重地一甩扑克："老 K！"

然后翻了他一眼道："股票有风险，入市须谨慎，大门口贴着呢，愿赌服输，这么多股票谁让你选它啦？"

张胜眼睛都直了，他迈着太空步向门口走去，整个身子都像被掏空了一般。

打扑克的一个络腮胡子甩出一张牌，问对面的那人道："你说什么呢，不是说蜀长红有庄家非法交易要停牌调查吗？谁说退市了？"

一脸纸条的人抓着纸牌嘿嘿笑道："嗨，就这傻 B 还炒股呢，不忽悠他忽悠谁啊？"

可惜，张胜没听到这句话，他整个人失魂落魄得就像死掉了一样。

这种事让现在的人听起来可能觉得匪夷所思太过荒诞，但在当时并不稀奇，投资者什么稀奇古怪的人都有，还有人赔了钱要求证券所赔偿的，因为他一直把股票当成保本保息只升不降的国库券。

张胜也是这些无知者中的一员，其实他只要向玩股票的同事诉说一下不幸，就能明白那不过是别人忽悠他的一句话，但他那时过于敏感，自尊心太强。自己输得这么惨，一旦向人打听，很快就会在厂里传开，他丢不起那人，不愿意被人耻笑，于是这份痛苦就只能深埋于他的心底了。

那天，张胜失魂落魄地回了单位，晚上自己都不知道怎么骑车回的家，一晚上工夫，他就起了满嘴的水泡。一朝被蛇咬，十年怕井绳，从此但凡有股票信息，或是有人谈起股票，他就立刻走开，听都不听。

这件事对他的打击真的是太大了，整整半年都没缓过气来。

当时正是国有企业转型，大批工人下岗的年代，大多数工人的脑子还固囿在旧的思想里面，没了正式工作对那些一老本实的工人来说就像天塌地陷一样，对生活充满了迷茫。三星印刷厂在这个大时代也不可避免地经历着打破旧有体制、改制改型的阶段，每个人都经受着这种改革的阵痛。

在这风云变化的年代，新旧体制有破有立，人们普遍有一种迷茫和无力感，找不到人生的目标，只能随波逐流，静静地等候着命运的安排，谁也不知道自己的未来如何，所以格外珍惜现在所拥有的，一下子赔光了所有，对张胜的打击不可谓不大。

一个人来到世间，从满身棱角和斗志，至踏入社会，在命运的大河中像一枚不断被冲刷的小石子，最后磨成圆滑的鹅卵石，如果没有特殊的机遇、特殊的命运，很多人身上的闪光点就会渐次消失，最后平庸浑噩地度过一生。

张胜如果不是经历了赔光全部积蓄、下岗失业、创业失败的一连串打击，作为一个普普通通的工人，今天又怎么会有勇气破釜沉舟，背水一战？

现如今，作为一个普通人，他没有其他可以借助的关系和势力，他所认识的人里，唯一能指望得上的只有徐海生，也只有拉上徐厂长，他这只小蚂蚁才可能吞得下这条大鱼。

天下熙熙，皆为利趋，当这种机会对他来说已不只是牟利，还是谋取生存权利的时候，也就更富吸引力了。

"我同意！"张胜一字一字地说，心头颇有种"风萧萧兮易水寒"的悲壮。

第三章　稚儿言商空手道借鸡生蛋,天下没有免费的午餐

　　"我们赌的是什么? 赌政府要开发桥西,如果政府要把整个桥西地区建设成一个高新技术开发区,他们会乐见在区中心出现一片菜地吗? 整个区的用地都转变了性质,作为土地使用权的所有者,我们改变它的用途或者出授所有权当然顺理成章。"张胜听得雀跃不已,如果事败,贷款本息还不上,暴露了制造假合同假文件骗取贷款的事,他就犯了经济诈骗罪,蹲大狱是毋庸置疑的。天下没有免费的午餐! 可他心里偏偏有一种兴奋感,浑身的热血都在沸腾。

　　张胜已经想得很清楚了,这个机会他不能错过,不想错过就要借助徐海生的力量。否则,他只能眼睁睁看着桥西万座高楼平地起,尽管事先得了消息,也只能做个看客。

　　而且,由他来牵头贷款未必全是责任,同时他也可以掌握主动,因为贷款买的地皮必定是落在他的名下的,一旦消息属实,徐海生没办法甩开他独享胜利果实。如果现在自己连这风险也不担,而是全部由徐海生来运作,开发桥西的消息一出来,徐厂长随时可以自己卖掉地皮,他仍一无所有。

　　徐厂长听他答应了,展颜笑道:"这就对了,年轻人,得有点闯劲、干劲。做什么事都需要担风险,风险越大,利益越大。光想着坐享其成,是不会有人把大蛋糕送到你嘴边上来的,既然你同意,那事情就这么定了。"

　　张胜说:"好,不过利益分成咱们也得先说明白,如果投资成功,如何分成?"

徐厂长笑吟吟地说："我自然不会亏待了你，四六分成，我六你四。小张，除了提供信息，你可没有别的可以投入呀。"

张胜微微一笑，摇头道："徐厂长，现在信息才是发财最重要的因素，况且……我并不是没有别的投入，我承担了全部风险，对您来说，这是一笔有赚无赔毫无风险的买卖。"

徐厂长微一蹙眉，问道："那你说，要怎么分？"

张胜直视着他，毫无畏缩："五五分成！成了您可是白拿一半，输了我要担上银行债务的！"

徐厂长静了静，忽地豁然大笑："哈哈！听起来很有说服力呀。"

他摸摸下巴，狡黠地说："小张啊，你要考虑到，离了我，你根本没有可能去做这件事啊。一旦成功，这四成已经是一笔天文数字了，做人……不能太贪啊！"

张胜吸了口气，头一回这样认真地讨价还价："徐厂长，我明白您的意思，也明白您在其中起的重要作用。可是既然是做买卖，我觉得就该按照付出获取报酬，你的付出我知道，我也知道离了你我自己办不成这事，但是……我担的风险，我觉得值这个价。"

徐厂长眉头一紧，忽然又展开双眉，哈哈大笑："好！好好，小张啊，你很会说话，我喜欢和聪明人共事，行！我不啰嗦了，五成就五成，没必要买卖没做，咱们先伤了和气。"

他指指沙发，示意张胜一起坐下来。他点起一支烟，吐了个烟圈儿说："那好，今晚我便开始联系，第一步就是给你搞到一套文件，一套和桥西区签订的购地建设棚菜基地的合同，有了这些东西才好向银行贷款。"

张胜听了暗吃一惊，现在才知道所谓贷款原来也要用其他名义来贷。他虽不懂什么叫骗贷罪，但是也知道这些文件必然是假的，一旦投资失败可就不仅是担上银行债务的事了，而且要负刑事责任。难怪徐厂长见他明白其中的关节后只是哈哈一笑，没有在利益分成上过多纠缠。

徐厂长又说："当然，回头咱们和桥西区领导谈判购地的时候，也要打着这个幌子，就是建设棚菜基地。因为现在市政府开发桥西的指令还没下达，土地所有权尚未上收国家，目前仍归桥西区政府管辖，属集体用地。

虽说桥西老区已经基本上成了荒地，可在政府档案里还是农用地，没有农用地转用计划指标或者超过农用地转用计划指标的，他们是无权批准转卖成建设用地的，还得上报区里、市里。

我估算了一下，要买最多买它三五百亩地，再多了咱们吃不下，可三五百亩的规模也不算小了，说是建棚菜基地，就仍算是农业用地，只是使用权的转移，不需要上报，这样阻力就小多了。"

对于这些用地政策，张胜一窍不通，闻言疑道："如果说是建棚菜基地，将来一旦卖给房产开发商不就违背合同了？"

对于不按合同办事，张胜仍然心有余悸，那位房东的小姨子崔知焰崔大主任给他的刺激着实不小。

徐厂长哈哈笑道："我们赌的是什么？赌政府要开发桥西，如果政府要把整个桥西地区建设成一个高新技术开发区，他们会乐见在区中心出现一片菜地吗？整个区的用地都转变了性质，作为土地使用权的所有者，我们改变它的用途或者出授所有权当然顺理成章。"

张胜点点头，不好意思地笑笑："这方面的知识，我了解得太少，让你见笑了。"

徐厂长说："这样一来，只要疏通了村干部、乡政府，我们就能把地拿下，双方合同一签，到区里不过是办理一下土地使用权转让、核发土地他项权利证，其他的就没什么问题了。"

张胜听得雀跃不已，如果事败，贷款本息还不上，暴露了制造假合同假文件骗取贷款的事，他就犯了经济诈骗罪，蹲大狱是勿庸置疑的，可他心里偏偏有一种兴奋感，浑身的热血都在沸腾。

这一番他赌的真是够大的了，可是古往今来谁不是在赌？多少王侯将相的荣华富贵不也一样是拿身家性命在赌？元朝末年的一个放牛娃拿一条烂命赌到了万里江山，他不过是想赌到一份好日子过罢了。

张胜本以为徐海生会和他签订一份购地出售获益的分成协议，不料徐海生直接谈起了贷款和购地的详细打算，根本没提此事。张胜想了想，便主动提出来，徐海生凝视了他一眼，微笑道："不必，我信得过你，分成条件嘛，我们订个口头协议，把它记在心里就好。"

张胜不知道徐海生真是这么相信他的人品，还是不愿意在整件事中留下只言片语的书面证据，他做人坦诚的很，已经打定主意一旦事败就独自承担责任，绝不胡乱攀咬；一旦成功也绝不会见利忘义，毁约背誓。他心中坦荡，见徐海生不愿签订书面协定，便也不再坚持。

两人又说了一些细节，徐厂长看看表说："马上该吃午饭了，今天小麦吃订亲饭，就在厂食堂包间，我得去捧捧场，就不留你了，咱们一块儿喝酒吃饭的日子还在后头呐。今晚我就开始张罗，随时保持联系，你等我的消息。"

张胜随之站起，听了这话一呆，讶然道："麦处……订亲了……"

徐厂长一边和他往外走，一边说："是呀，小麦和小郑今天吃订亲饭，你知道，小郑是孤儿，无依无靠的，厂方不就是她的娘家人？厂领导、厂工会，还有她所在的孤儿院院长今天都过来……"

徐厂长后边还说些什么，张胜已经充耳不闻了，他的一颗心晃晃悠悠，仿佛一只断线的风筝，随风飘摇，不知道该飘向何方。虽说他自始至终都只是单恋，可骤然听了这消息，心里还是有些疼痛。

走出徐厂长办公室，再出了办公大楼，行不多远，恰好看到麦处长和郑小璐站在食堂门口正说着什么。麦处长个子很高，仪表堂堂，郑小璐那窈窕的身段儿往他面前一站矮了一头。她仰着头，甜甜地笑着，一双水灵灵的眼睛望着麦处长，两人说了几句什么，麦处长温和地一笑。

张胜亲眼看到这一幕，心里就像打翻了五味瓶，酸甜苦辣一齐涌上心头。每一个情窦初萌、曾经暗恋过女人的男孩，大概都尝过那种失落的滋味。空空落落的。

麦处长一手插在裤兜里，随随便便一个姿势，都透出一种说不出的洒脱。此刻，麦处长与郑小璐说了几句什么，郑小璐便巧笑嫣然地白了他一眼。张胜从未看过郑小璐用这种柔美的表情笑过，那是一个正处在恋爱中的女孩才能露出的笑，甜蜜，美丽，出奇的动人。

张胜的心往下沉了沉，一股难言的情绪在胸中左冲右突，搅得他心神不宁，徐厂长和他说了一声，举步走过去，张胜立即一扭身，从另一条通道绕了过去，他没有勇气看到那一对幸福的画面。

"胜子，你啥时来厂的？"以前的同事，电工班的老白笑嘻嘻地冲他嚷。

张胜一见，强笑着仰上去："白哥，你这是……拎得什么呀？"

老白扬了扬手中油乎乎的塑料袋，说道："没啥，买了几个猪蹄，用单位的锅炉蒸烂乎了，回家再一酱，我女儿爱啃。"

两人朝大门口走，老白开心地讲着他女儿有多乖，上学多么努力，似乎那是他全部的希望和幸福，说得满脸是笑。

张胜心中颇为感慨："是啊，穷人有穷人的快乐，命运就给我洗了这么副牌，怨？怨有用么？尽最大努力把它玩好，未必不能反败为胜，如果现在认输，那就真的输了。"

老白陪着张胜朝大门口走，因为电工班就在传达室旁边。老白说："刚才看到郭胖子了，听说你俩的小饭店不干了，他现在在小二路帮媳姨练摊呢，想弄段电线、灯炮，晚上好摆个地摊啥的，正在班里划拉线呢，难得聚聚，一会儿去吃个饭不？"

他刚说到这儿，忽闻一串急急的警笛声起，一排闪烁着警灯的警车急急驶来，到了厂子大门口便停住了。一个警察开门下车，冲里边喊道："把大门打开，我们要执行公务！"

这时刚刚打响下班铃声，除了电工班这种轻闲部门，车间部的员工还没出来，传达室老刘正要打开大门，一见这架势顿时傻了眼，那警察又吼了一声，他才慌忙上去拔开插销推开大门。

警车开了进来，头一辆车缓缓停在张胜身边。方才喊话那个警察并未上车，直接走过来上下打量张胜几眼，问道："你们厂子财务处长麦晓齐今天在单位吧，他在什么地方？"

张胜莫名其妙地抬手一指食堂门口，那警察一看，这么近倒不需要带路，便点点头，走过去俯身对头一辆车里的人说了什么，车上的警察手里拿着对讲机，高声地向队友们介绍着情况，车子朝食堂驶去。

老白愕然看着，对张胜说："小张，出啥事了？警察摆出这副阵仗找麦处可不像好事呀！"

这时郭胖子地动山摇地从电工班跑了出来，手里提着一团电线，兴高彩烈地问："警察来干啥？出啥事了？哟，胜子也来啦，是不是你非礼良家妇女，让人找上门来了？"

张胜瞪他一眼，笑骂道："要非礼也是非礼你的小金豆。"

郭胖子对老白说："看看，看看，没人性啊，我早知道他惦记我媳妇儿。"

老白快四十的人了，居然为老不尊地笑道："不是哥哥不是人，实是弟妹太迷人，不瞒你说啊兄弟，大哥我也早就惦记上了。"

他们虽在说笑，可眼睛都盯着食堂门口，张胜尤其在意，一个还无法明晰的念头让他不由自主地紧张着，心也没来由地怦怦急跳起来。

那些警察下了车冲进食堂，一会儿工夫就有两个十分魁梧的警察一左一右挟持着麦处长走了出来。

张胜的眸子瞪大了："他们……是来抓麦处长的！"

麦晓齐双臂被两个警察端着推到警车旁，他扭头还想对追上来的家人说什么，警察已经拉开车门把他推了进去。

麦晓齐的父母、姐姐、姐夫还有郑小璐抢在前边，徐副厂长、厂工会领导以及孤儿院领导走在后面，一个个都是满脸震惊。

车子开始调头向厂外开，麦晓齐的姐姐、姐夫搀着他的父母追了上来，他们只来得及拦住最后一辆车，只听他的母亲哭喊着："警察同志，你们一定是搞错了，可不能冤枉好人呀。我家晓齐那可是个老实孩子，他怎么可能犯经济问题啊？"

最后一辆车上的警察从车里探出头来，沉着脸指着她大声喝道："经济问题用得着出动我们吗？是经济犯罪，犯罪！懂吗？我们不会冤枉一个好人，也不会放过一个坏人，你这个同志不要阻碍我们执行公务！"

麦晓齐的姐夫忙把岳母搀开，在她耳边小声嘀咕着："妈，你别上火，不就是拘押调查吗？回头我找司法局的朋友帮着去问问到底咋回事，弄明白了咱再想办法，这么拦着人家也没用。"

张胜的目光一直盯着郑小璐看，小璐的脸上满是惊讶和难以置信的表情，那总是充满阳光般灿烂笑容的俏脸上挂满了泪珠，此时此刻她都不知该说什么了，满脸都是仓惶无助的表情。她那悲伤的神色让张胜生不起一点幸灾乐祸的心情，只是看着她心疼。

她是个无依无靠的孤儿，可是她一直那么乐观，有个学历高、事业有成、仪表堂堂的男人追求不是她的错，人人都有向往幸福的权利，可是她的幸福却在吃定亲饭这天破灭了，这叫她情何以堪？

后边的诸位领导中，徐副厂长站在最前边，那大背头仍然锃亮，可脸却阴得像乌云。他的心情肯定最差，他原来是主管财务工作的，现在他手下第一员大将出了事情，指不定会不会牵连到他，心情哪里好得了？

后边的几位领导，工会和孤儿院的人窃窃私语，而厂方的几个领导的表情却很是耐人寻味，等到警车全都驶离了工厂，他们才走上来对麦晓齐的父母宽慰几句，说厂方一定会关注此事，如果麦晓齐没有问题，决不让自己的同志遭受委屈云云，然后由麦晓齐的姐夫开着麦晓齐那辆桑塔纳载着一家人离开了。

工会和孤儿院领导安慰了郑小璐一番，也都摇头叹息着走掉了，厂方几个领导匆匆返回办公室，研究这件事的对策。

张胜见郑小璐像失了魂儿似的站在那儿没有人管，心中一软，忍不住上前劝道："小璐，别伤心了，只是拘押审查，没准过两天就啥事没有给放出来了，你别上火了。"

郑小璐的脸色一片惨白，毫无血色，她勉强挤出一个比哭还难看的笑容，幽幽地说："张哥，谢谢你……我……想一个人静一静……"

郭胖子知道张胜暗恋人家姑娘的事的，见张胜仍盯着郑小璐消失的方向发呆，便拍拍他肩膀，把他拉到屋檐下递过一根"白三塔"，说道："麦处长家的人真不像话，这就走了，好像小璐和他们家啥关系没有似的，连句话都不说。小璐这孩子可怜呐，刚刚订亲，就出了这么一档子事，换谁都得难过死。"

"嗯……"

郭胖子瞄了他一眼，继续道："要说小璐这姑娘真不容易。无父无母，这样的姑娘我见过多少都学坏了，可她呢，为人处事工作人品全都没得挑。你说一个无依无靠的孤女，忽然有个事业有成、又会来事儿的男人追求，那能不动心么？"

"嗯……"

"咳！可她到底年轻呀，所托非人。你别看现在警察只是调查，我估摸着，八九不离十，麦处平时穿着打扮全是名牌，出入开的是私家车，你说现在社会上有几个人有私家车？人家就有！凭工资？不可能嘛。麦处是完了，小璐以后……唉！"

张胜扫了他一眼，说道："郭胖子，你有话就说，不用吞吞吐吐的。"

郭胖子捂着嘴咳嗽一声，眼珠贼溜溜地四下一转，压低了嗓门道："我说兄弟，你喜欢小璐，老哥早看出来了。这么好个姑娘，要我还没结婚，我也有想法。可喜欢就得去追呀，是！咱条件比人家差得太多，可现在机会不是来了么？"

他一揽张胜的肩膀，神情诡秘地道："哥是过来人，我告诉你呀，女人最容易失身的时候，一是环境极其浪漫，感动得她迷迷糊糊的；二是情绪极度激动，有点难以自控；三呀，就是伤心难过、感到孤独无助的时候。

什么叫趁虚而入？这就叫趁虚而入，此乃孙子兵法。你要是在这时候去关怀关怀、体贴体贴、照顾照顾，那是事半功倍啊。女人越是脆弱的时候越需要安慰，那时是最容易向你敞开感情了。然后你时不时地拉她出去解闷看个电影啥的。

混熟一点儿了，你就找个机会把她往你家里一领，哭着对她诉说你的真情，记着，脸上要有泪啊，像小璐这种女孩最容易心软了，你脸上一定要挂上眼泪，实在哭不出来就弄点洋葱熏一下……"

张胜愕然地看着郭胖子，郭胖子越说越兴奋，满脸的肥肉都在颤抖，好像那个实施行动的男主角已经变成了他，极其亢奋地一咽唾沫，继续意淫道："你哭着哭着就扑上去扒她的裤子，嘴里还得不停地喊'我爱你，爱得死去活来，就算回头崩了我，我也要你！我为你死了都行！'

就这么着，来个霸王硬上弓，等生米煮成了熟饭，像小璐这样洁身自爱的女孩，而且已经对你有了好感，除了嫁你就没第二条路走了。当然啦，你占完便宜得接着哭，女人的眼泪让男人心软，男人的眼泪让女人失身啊，嘿嘿嘿嘿……"

郭胖子笑得一个下巴晃成了三个，下巴上的肥肉哆嗦了半天，猛抬头看见张胜的表情，忙托住下巴，问道："你这么瞅我干啥？"

"这太损了点吧，郭胖子……"

"有啥损的啊，为了爱，就要不择手段，再说了，你又不是占完人家姑娘便宜就不要她了，你以后娶她，对她好，让一个无依无靠的孤女有个可以依靠的肩膀，现在用点手段算啥啊？不是我说你，胜子，你有啥啊？工作一般，家境一般，一朵鲜花似的女孩不用点手段就跟着你了？做梦去吧，除非她脑子有病。"

张胜硬梆梆地道："我家没地方，爸妈整天在家！"

郭胖子一拍胸脯："没事，老哥白天在小市场卖货，晚上还得夜市里练摊，房子借你，不过你要自备床单啊！你呀，以前就是太保守了，中言情片的毒太深了吧你？水灵灵的小姑娘，你啥也不是，就一张嘴整天白话爱爱爱的，人家就跟你了？你拿什么爱呀。

生活是柴米油盐酱醋茶，成了两口子还抱着孩子整天坐空屋子里谈情说爱？那不是扯淡么！所以呀，追求幸福光凭自身条件办不到，那就得充分利用周围的一切有利条件。光坐那儿暗恋，失恋了你活该。"

张胜呵呵一笑，拍拍郭胖子的肩膀，叹了口气说："郭胖子，我知道你对我好。只不过……你说得对，生活是柴米油盐酱醋茶，谈情说爱谈不了一辈子，我养活自己都不成，拿什么去追人家，这么做不是坑人吗？"

他推着郭胖子道："行了，你快回去吧，去吧去吧，要不回去太晚，嫂子又得骂你。"

郭胖子摇着头取来自行车，肥硕的屁股往上一坐，压得皲裂的车座吱呀一声惨叫，然后就全部淹没在他的肥臀之中。

郭胖子一脚踩在车蹬上，有点生气地说："行，你别听我的，一门心思等你的缘分吧，一个萝卜一个坑儿，跑不了你的，媳妇早晚能说上一个，啥歪瓜裂枣的就不知道了。"

张胜苦笑着说："行行行，我就等我那坑儿了，别瞎操心了。"

郭胖子一本正经地道："就你这不主动出击的主儿还想当萝卜呢？你就老老实实当那坑儿吧！"

张胜长叹一声，黯然说："胖子，其实我哪有那么清高、那么多原则啊？可是强扭的瓜儿不甜，用手段得到的女孩，人是得到了，这日子咋过？整天

37

喝西北风，再深的爱也没了，就算人家姑娘肯跟你吃苦，等将来有了孩子呢？柴米油盐酱醋茶，多深的爱都磨没了，我正是不肯相信那些狗屁言情小说，才不愿意干这样的事。"

一听这话，郭胖子春光灿烂的胖脸一下子黯淡下来，是呀，不说别人，就说自己吧，自从下岗以来，媳妇儿对自己就少了那股热乎劲儿，那时至少还有个小饭店可以指望。自前天连小饭店也关掉之后，他的好日子就彻底到头了，除了陪媳妇儿练摊，家里的杂活都被他包了，还换不来媳妇的一个笑脸。

媳妇并没有外心，只是被生活的重担消磨了感情而已，每天睁开双眼，想的就是柴米油盐、想的就是水费电费，想的就是利用那一点可怜的本钱进货、卖货，能赚多少钱养家糊口，他们还有多少激情和精力谈情说爱？

爱的根子就在柴米油盐酱醋茶上，就在实实在在的生活上，爱，不是谈出来的。

被张胜勾起了心事，他好不容易才兴起的一点贫嘴的兴致也被打击得烟消云散，耷拉个脑袋，像个霜打的茄子。

张胜见一句话勾起郭胖子无限幽怨，忙歉意地拍拍他的肩膀，说："胖子，我知道你对我好。可一个男人要是连养活自己都成问题，却软磨硬泡地要了人家，那不是坑人吗？我承认我喜欢小璐，可我要是没有足够的能力与自信站在她面前，我宁可选择远远地祝福她。"

郭胖子扶正了车把，又想了想，喟然叹道："胜子，是个爷们！"

张胜笑了笑，郭胖子满腹心事地骑着吱嘎吱嘎的破自行车走了，大院里许多职工正在议论纷纷，张胜略一思索，转身悄然钻进了厂办公楼。

厂领导办公楼是一座东西厢房的老建筑，三层楼，一二楼是机关，三楼全是厂长、书记办公室。一条长长的走廊，走廊一侧是窗户，窗外贴院墙是一片林地，内侧就是一间间办公室。

张胜踮着脚尖走得轻快，他只是想听听厂领导们的谈话，说不定能多了解一些情况。他喜欢郑小璐不假，但是还没心胸狭隘到对人家的不幸感到幸灾乐祸，如果有可能，他想尽自己所能帮帮忙。

刚拐进走廊，就是男洗手间，张胜正想穿过去，就听到洗手间里传出一个男人恼火的声音："操，就知道显摆，一个三十出头的年轻人，不过是个处长，也弄辆车显摆，我那是厂里的车，他攀比什么？整天穿名牌下馆子，他不出事谁出事？"

这是徐副厂长的声音，两人经常一块下棋，张胜怎么会听不出来，他立即停下脚步，退回楼道大门拐角处，方便退出去，然后侧耳倾听着。

只听另一个声音道："算了算了，现在说这个有什么用？赶快想想怎么善后吧，公安局直接提人，肯定是有真凭实据，什么拘押审查，那只是走程序。"

这人是管后勤的丁副厂长，后边他说话的声音明显小了下来，片刻之后，里边传出脚步声，张胜立即闪身退出了三楼。看来麦处长有经济问题是勿庸置疑的了，两个厂长的谈话已经透露了这个事实，说不定他们也有一定程度的参与。

那时节，民谣说'辛苦一年半，挣了八十万，买个乌龟壳，做个王八蛋"可不是说假的，某些工厂单位的领导公款吃喝、公款旅游、挥霍公款现象的确非常严重，工人们早就见惯不怪了。

张胜无意做个反腐英雄，凭着一点捕风捉影的消息就此走上上访揭发之路。他只是替郑小璐担忧，可这时让他去嘘寒问暖，他做不到。

如果他不是喜欢着郑小璐，只是一个同事，只是一个年岁稍长的大哥，他不会吝于去看看她，安慰安慰她。可是正因为对她存着心思，所以他不想去，他觉得那是趁人之危，无论用心如何，那行为就是为了达到自己的目的，有点阴险。

第二天张胜哪儿也没去，一直守在家里。但是一直没有消息，中间只有郭胖子打了一个传呼，张胜匆匆到楼下小卖部回个电话，郭胖子在电话里向他大吐苦水，说以前在家里娇妻把他伺候的跟爷似的，现在如何鼻子不是鼻子眼不是眼，他决定要去莲花山出家云云。

张胜听得不耐烦，最后告诉他出家当和尚是要大学文凭的，郭胖子便惨呼一声："信点东西都要学历吗？那自杀总不要学历了吧？我不活了！"

话音刚落便是一通惨叫，听着像是金豆嫂子让他跟着去摆摊，少在家里扯淡，张胜还没听明白，那边电话就撂了。

一直等到晚上，张胜心中忐忑起来："徐厂长和麦处长被抓会不会真的有什么瓜葛？要是他忙这事，那自己的创业大计他就顾不上了。"

张胜焦急地又等了一天，第二天傍晚徐厂长终于打来传呼，要他马上去"海市蜃楼"大酒店，说是请银行的朋友吃饭。

张胜一听立即骑车过去，到了"海市蜃楼"，来到三楼"沙漠王子"包间，只见里边金碧辉煌，一张大圆桌，四周已经坐满了衣冠楚楚的客人。

徐厂长坐在主位上，一见张胜那身打扮，眉头便是一皱，随即就展颜笑道："啊！哈哈，这位就是我说的小张，这个……小张是农民企业家，平时最不注意穿衣打扮，像个老农，你看，我说今天有贵客，让他打扮打扮，还穿成这样。"

徐厂长旁边一个高瘦男子微笑着说："农民怎么啦？现在农民混得好，赚得比咱们多啊。"

在众人的笑声中，张胜被徐厂长叫到身边落座，屁股刚挨上椅子，徐厂长便介绍道："这位是洪行长、这位是陈行长、这位是信贷部狄总，这位是……"

张胜便站起来一一点头示意。

洪行长便是那个高瘦男子，看来他是一把手，说话比较有力度，这时又打趣道："小张是农民企业家呀，这么年轻，年少有为啊。今天，蒙你盛情款待，非常感谢呀。"

张胜心里咯噔一下："我请客？坏了，徐厂长没说呀，我也没带多少钱，这一桌子，这么个排场……"

张胜口拙，徐厂长却是妙语如珠，很快就打开局面和银行的朋友们说笑起来，等到席间徐厂长起身如厕，张胜急忙也跟了去，到了洗手间，对他悄声道："徐厂长，我没带多少钱呐……"

徐厂长微微一笑，说道："不管怎么说，我是老大哥嘛，能让你掏钱？"

他系好裤子，从怀里摸出一张金卡，递给张胜道："吃完饭，你用这张VIP金卡付账，记得把发票给我。叫你出面付账，也是加深他们对你的印象嘛，这些朋友，多结交结交总没有坏处。"

他走到外间，一边洗手一边说："不过下回你要注意，不能穿得这么随便，如果没有衣服就去置办一套，人要衣装、佛要金装，你出门在外连套好衣服都没有，怎么让人相信你的实力？"

他想了想，忽又问道："对了，你怎么来的？"

张胜讷讷地道："我……骑车来的。"

徐厂长苦笑一声，拍拍他的肩头，走出洗手间后对他说："行了，吃完饭你打车回家，等他们走了你再绕回来取车。对了，你就像刚才那样，扮得老实木讷一点，有什么话我来和他们谈。一旦有戏，所需的资料我都会帮你搞定，你负责跑银行签贷款合同就行了。"

张胜频频点头，走到一半，忽想起麦处长被抓的事，忙小心地问道："徐厂长，那天在厂里见麦处长被抓走了，他……犯了事啦？"

徐厂长脸上阴霾的神色一闪，随即坦然笑道："哦，这事儿，还没搞明白呢，不好说啊。厂里去看过他了，但是不让见啊，目前不允许探视，防止串供嘛。人呐，一辈子总有一些坎，过去了就一帆风顺，过不去就要栽个大跟头。小麦……唉！"

银行的人相对来说还是比较规矩的，尤其是基层行的干部，顶多是吃饭应酬一下联络感情，没有太多花里胡哨的东西。酒至半酣，徐厂长便笑道："来来，唱歌，小张啊，给洪行长点一首《三套车》。"

"嗳，不唱了不唱了，今天嗓子不太舒服！"洪行长笑着摆手，徐厂长哪里肯依，说道："这是洪行长的保留曲目嘛，我听过那么多人唱这首歌，只有洪行长唱得出那种味道。"

这时张胜已经让服务员点好了歌，把麦克风递给洪行长，笑道："洪行长，请，几位领导今晚都要放开歌喉呀，就请洪行长给大家打个样吧！"

洪行长矜持地笑着接过话筒，对着电视屏幕唱起歌来："冰雪遮盖着伏尔加河，冰河上跑着三套车，有人在唱着忧郁的歌……"

"好！"徐厂长和其他几位副手、中层干部立即热烈鼓掌，洪行长的脸色更加红润起来，挺了挺胸脯继续唱道："唱歌的是那赶车的人，小伙子你为什么忧愁，为什么低着你的头，是谁叫你这样的伤心，问他的是那乘车的人，你看吧这匹可怜的老马，它跟我走遍天涯……"

说实话，洪行长唱得还真不错，声音洪亮，语调低沉忧郁，徐厂长顺手把一盘菜中萝卜雕刻的花用牙签扎起来，笑嘻嘻地献给洪行长，两人还来了个热烈拥抱。

洪行长唱罢又是一阵热烈的掌声，然后便是陈行长，陈行长唱了一首《敖包相会》，然后按身份轮到徐厂长，徐厂长大手一挥道："帮我点一曲'路边的野花不要采'。"大家便哄笑起来。

徐厂长放得开，歌唱得也不错，还用假嗓学了一阵女人唱歌，搏了个满堂彩，诸位喝得高兴的领导依次献歌，最后轮到张胜，张胜谦虚地笑道："各位领导，我可不会唱什么歌，洪行长方才唱得太好了，应该请洪行长再为大家献歌一首。"

洪行长忙道："不行不行，今晚要人人尽兴，啊？你是主人，怎么可以不唱首歌呢？年轻人嘛，不要那么放不开，来来来，小姐，把歌单拿给张胜。"

徐厂长也笑道："来一首来一首，实在不会唱，唱一首'我在马路边'也行嘛。"

大家都跟着起哄，要让这位农民企业家献首歌，张胜无奈，就拿过歌单翻了起来，他的嗓子不错，不过会的歌曲极少，张胜会的歌都是影视歌曲。

酒店刚进了一批碟，张胜翻开歌单，第一页就是最新歌曲，他一眼看到那首《去者》，不由喜道："就是它，唱这首吧。"

这是一首新近播放的电视剧《胡雪岩》的主题歌，演的是红顶商人胡雪岩白手起家，达到事业巅峰，又一朝大厦倾覆的故事，这首主题歌悲怆凄凉，极具感染力，歌词也很有意境，张胜只看了几集，就把这首歌记住了。

"人……鬼天地……万金似慷慨……"

张胜一起嗓，就搏了个满堂彩，声音陡地拔高，直入云宵，然后飞流直下，声调婉转，用的是泣音，倒也有六分刘欢的味道。

只是这首歌太悲了点，那词也透着一股萧索的味道："浮生若梦安载道，唯苦心良在……红颜依惜，挥去还复来，生死命注休怨早，殇情暗徘徊，无奈何青春逝去，无奈何江山真易改……无奈何路回星移，无奈何时运他人宰，钟鸣鼎食散一朝，空守昨日财，山水迷离流花低雾霭，凤愿扁舟寒江钓，风掠须发白……"

信贷部狄总连连摇头道："太悲了，太悲了，年轻人，怎么唱这么悲的歌？罚酒三杯，罚酒三杯！"

张胜见扰了众人兴致，连忙自罚三杯，洪行长笑道："是啊，一个年轻人，怎么唱这种看破红尘的歌？这首不算，重唱一首。"

洪行长是一把手，他发了话，张胜怎好违逆，只好翻开歌单，又选了一首《醉拳》唱了起来。这首唱完，洪行长才展颜一笑，重新接过话筒。张胜刚才连干三杯啤酒，腹中有些胀，坐在那儿等着洪行长唱完一首歌，鼓完了掌，这才摇摇晃晃地起身去洗手间。

张胜自知喝得有点多，走路很小心，他头重脚轻地走到男洗手间门口，恰好听到里边传出一个中年男人的声音："小丁，一会儿我把秦小姐叫出来假意商量事情，你把这药放到她的杯里。"

另一个男人道："齐大哥，那妞儿的确是盘靓条顺，水灵灵的一朵花儿，可是……大家都是道上同源，闹翻了脸面上不太好看吧？女人嘛，要什么样的没有啊，不必非得她……"

"啪！"那位齐大哥在他肩上重重一拍，冷笑一声道："我看上的人，还能让她完完整整地回去？嘿！跟我闹翻？她敢，只要我断了他们的货，就断了他们的财路……"

张胜摇摇晃晃地走过来，全都听在耳中，只是因为酒精的原因，他反应有些迟钝，这些话传进大脑的时候，他也推开了门，里边两个人立刻中断了谈话。

张胜随意瞟了一眼，一个身材魁梧穿黑西服的四十多岁中年男人，国字脸，颊上有几条横肉，脸上的肌肤坑坑洼洼的，透着一股凶气。他裂着怀，喝得脸色通红，满嘴酒气，旁边一个年轻些、身材瘦削的男子看起来比他要清醒一点儿。

张胜迷迷瞪瞪地走过去，站在那儿解着裤子，两人互相打个眼色，走了出去。方便完了，张胜的大脑才反应过来："这个老板好像要给他的生意伙伴，给一个姑娘下药，想糟践人家。"

"那女人，还真是可怜……"张胜想着，摇摇头，系好裤子，出去洗了个手，漱漱口，捎带着又洗了把脸，让自己清醒了些，便向自己的包间走去。

走到半路，恰好看到一个包间房门打开，方才那个黑西服男子满脸带笑地走了出来，后边跟出一位姑娘。

好漂亮的女孩！第一眼望去，就是干净清爽的感觉，清爽得就像一枚刚刚剥了皮的煮蛋，让人看了会觉得哪怕她的脚趾缝里也绝不会有一丝一毫的污垢，这就是她给人的整体感觉。

细看下去，一副修长窈窕的好身材，上身穿一件柔软贴身的乳白色轻罗衫，把胸部曲线勾勒得淋漓尽致。纤腰下是一件米黄色短裙，盈盈圆圆的臀部把短裙拱起一个诱人的半圆，短裙下一截线条柔美的小腿，再下边是一双水晶色高跟凉鞋。

她走到走廊上时，面向张胜的方向只是一刹，那黑西服男子伸手揽她肩膀时，她右脚飞快地向前踏出一步，好像是为了给行人让开道路，向走廊边上闪了闪，恰好避开他的手。但这一来，她也变成了背对张胜。

所以她的美丽，张胜也只看到了一眼，黑如点漆的双眸，很明亮、很纯净、很幽深……

想想这样一个女孩让药迷倒，然后被那个满脸横肉的男人扶回家去尽情蹂躏……张胜心里就满是惋惜。那感觉，就像是眼看着一件精美的瓷器被人生生打破了；又仿佛亲眼看到一朵含芳吐蕙的百合，被人抛掷在地，碾碎成泥。

一想到那样的画面，张胜心中就非常不舒服。女孩那种特别清灵优美的气质和小璐好像，他不忍看到这样的女孩被人糟塌。

对于美丽的事物，人们本能地想去呵护，在酒精的作用下，更扩大了这种感性效果，而削弱了理智的自制力，让张胜一下子萌生了护花的念头。他摇摇晃晃地向前走着，快到近处时，忽然灵机一动，想到了一个主意。

他走到女孩背后，只听她正用悦耳的声音说："齐老板，这笔买卖很公平呀，有什么事不能放到台面上说，还要把我叫出……"

她刚说到这儿，张胜脚下一软，一个跟跄扑了过去，好像要抓住她稳住自己身子似的，抱了她一下，但他虽做出这样的动作，力气却是向前扑的，那女孩猝不及防，高跟鞋一崴，惊呼一声被他抱着摔倒在地。

远处有两个男人正在对面谈笑，忽然看见这边的情形，其中一个年轻男子立刻探手入怀，同时想向这边跑过来，却被另一个显得稳重些的男子一把拉住，眼睛望着这边，向同伴轻轻地摇摇头，两人的举动完全没有引起其他人的注意。

"好柔软、好有力的小蛮腰呀！"张胜在心里惊叹，手感真好，他并没有忘了正事，一边高呼着："对不起，对不起，我……我没站住！"一边贴着她的耳朵急促地低语了一句："小心酒杯，下药！"

那女孩被他扑倒，惊慌中一只手肘下意识地向后捣来，听到他这句话忽然顿住，但是她虽及时收住了力量，张胜的胸口还是受了重重一击，好在他喝得也不少，身体已经有些麻木了，痛感并不强。

女孩回过头来，那张俏美如花的脸蛋就在眼前，美丽的感觉深印进张胜的心里，可那整体的完美感太强烈，他已经无法在这么短的时间里再记住她的眉、她的眼，甚至头发的长与短了，心中只有一种完美的感觉。

"秦小姐，秦小姐……"那个齐老板急忙把她搀起来，然后恼怒地一把揪住张胜的衣领，喝道："他妈的，你喝多了就敢揩油？老子揍得你满地找牙！"

张胜双手连摆，惶恐地道歉："对不起，我喝多了，没站住，真是对不起。"

一只纤纤小手拦了过来，秦小姐笑盈盈地说："算了，齐老板，今天生意谈得成功，大家都很开心，一个醉鬼而已，跟他计较什么。"

秦小姐说着，黑如点漆的眸子深深地凝视了张胜一眼。

见秦小姐这么说，那个齐老板倒不便对张胜饱以老拳了，他重重地哼了一声，一推张胜，骂道："滚！"

"对不起，真是对不起！"张胜继续道着歉，扶着墙不胜酒力地向前走，他只能说这么一句，剩下的就看那女孩的机警和造化了。尽了力，心便安。

那女孩轻轻掸着衣服，飞快地瞟了一眼他的背影，眸波流转，眸中的神采十分古怪。

众人兴尽，送走了几位行长，张胜和徐海生彼此交换了一下意见，商定了进一步公关的计划，然后便各自回家了。

喝了一壶凉茶，张胜点起一支烟，深深吸了一口，枕着手臂躺在床上想心事。

今天猝然起意向那位漂亮女孩示警的事他并没有太往心里去，那个女孩生得真是惹人怜爱，既然碰到了，不向她示警的话，恐怕很长时间内这件事都会成为亘在他心中的一块心病。

那个女孩当时肯定听清了自己的话，从她看向自己的眼神就能看出来，想必应能提高警惕逃过一劫吧。

做了件好事，张胜心中很舒坦，小时候不止一次幻想自己是啸傲江湖的侠客，纵情于山野，大隐于闹市。总觉得人生当如鲜衣怒马、白衣仗剑般洒脱，及至懂事后才知道世事无常，而他在这人海之中更是一个连泡沫都掀不起来的小角色。

今晚的事也就是在酒后，平时的他恐怕未必有勇气去管。毕竟血气之勇很多时候是以血为代价的，人在头脑清醒时，心里一旦存了个利弊权衡，勇气自然就弱了。

不过，这件事只是他生命中的一个小插曲，除了带给他一点微熏的醉意，一点作为男人的淡淡满足，倒是很快就被他抛诸脑后了。他现在最在意的还是自己的大事，这件事已经有了一线曙光，这让他心里踏实不少。这次的机遇，是他头一回主动冒险。

剑走偏锋，一失足就是千古恨，但是一成功呢？那就是不飞则已，一飞冲天，现在的张胜既已走上这条路，那就只能成功，不能失败了。

在徐厂长牵线搭桥之下，张胜这段时间和银行的人天天混在一起，他原以为吃顿饭就能解决问题了，谁料竟是今天吃、明天吃，许多张胜一辈子听都没听说过的好菜这几天都尝到了，时不时还得弄点野味山珍给几位领导送到家去。

不过在这种密集攻势下，他们总算是松了口。徐厂长不知从什么渠道搞来厚厚一摞文件，有关投资、建厂的一系列合同，把它们交给张胜，由他跑银行。

张胜又陪着银行的人上上下下地跑，一处处地盖章，他也不能让跑贷款的银行哥们白忙活，往来车费、好烟好茶、午餐啤酒全是张胜自己掏腰包，一个多星期花出去三千多块，占了他全部财产的三分之一。如今他是抱着不成功便成仁的态度豁出去了，幸好天可怜见，半个月后贷款通知书终于到手了。

他去刻字社刻了个名章，去银行开立了个人账户，为期八个月、金额二百八十万元的短期农业贷款到手了。张胜打的幌子是民营企业家，其实一穷二白，哪有东西可以抵押？所以这笔款子办的是保证贷款，这也是难批的一个原因。

保证人是原三星印刷厂的一家关系企业，那时候银行在这方面也存在许多漏洞，管理不甚严格，这两家企业便互为对方的贷款做各种担保，保证关系乱七八糟，徐厂长趁机钻了空子，把以前办理保证时的一些资料拿来鱼目混珠。

当然，文件上绝对没有他徐海生的半个签名，一旦事发，就算张胜想把他拉下水，也休想攀到他身上，法律是讲证据的。

贷款要付利息，借鸡是为了生蛋，资金落实到位后就得马不停蹄地解决买地事宜了。下一步就是同桥西区、大小王庄的村乡两级干部们接洽沟通，联系购买地皮事宜。

但是这几天徐厂长突然又忙活起来，因为合资之后，香港方面一直没派出一把手，近几日可能就要派人过来，徐厂长作为主要领导也十分忙碌，要准备汇报资料。此外他好像还有其他的生意，张胜曾听他打电话，隐约提及一些生意上的事情。所以徐厂长一时顾不上这边。

这笔生意徐厂长付出的并不多，人脉利用的是他现有的关系，公关费用大多都能报销，加上开发桥西的消息还没传出来，正常情况下有人对桥西区没人要的烂地感兴趣，他们会上赶着来洽谈的，所以徐海生没引起足够的重视。

他发现张胜这人虽然平时默不作声，但是头脑极其灵活。他的木讷只是因为缺少足够的见识，一旦开阔了眼界，他很快就能融入其中。经过这段时间的锻炼，他无论是穿着、谈吐、还是待人接物，都不再是原来那副稚嫩青涩的模样了。所以联系好几位官员的秘书和几位基层领导之后，他便让张胜先去摸摸底。

张胜现在已经置办了一套相当不错的西装，穿起来英俊帅气，又把那有点土气的发型也换了，俨然是一个相当出色的职场青年。出入时，只要是和这些官员们打交道，起码也是出租代步，不再骑着他那辆破自行车现眼了。

张胜兴冲冲地赶到桥西区，先和几位大王庄、小王庄的村干部接洽了一番，好烟递上去了，晚上够规格的酒宴也招待了，可是谈及买地的实质问题，这些看似憨厚的村干部便哼啊哈的不肯接招了。

农民有农民的机智和狡猾，而且这些村官乡官撂得下脸，和他们打交道张胜还嫌稚嫩了些。张胜很郁闷，无法理解哪个环节出了问题。他都是按照徐厂长的交际方式来的，可这些乡村干部比银行的财神爷还难对付，大概这就是阎王好见小鬼难缠吧，招待他们的规格不算小了，可是他们温吞的笑脸、滴水不漏的官腔，让你急不得气不得。

存在账户里的二百八十万都是贷款，每天都有利息的，他们拖得起，张胜拖不起啊。万般无奈之下，张胜只好打电话向徐厂长汇报情况，徐厂长今天心情似乎特别好，在电话里总是放声大笑，听到一半他就说："行了，你不用再说了，到我家来，咱们见面谈。"

张胜心急火燎，打车跑到徐厂长家。徐厂长住在"浅草幽亭"小区，这是一幢高档住宅区，徐厂长住三楼，楼房讲究金三银四，他购买的是最好的楼层。

半跃式建筑，近两百平的房子，整个房间装饰都是欧式风格，显得富丽堂皇。徐厂长的儿子在新西兰念书，母亲先是去陪读，后来干脆花了一笔钱办了绿卡，成了外籍华人。不过徐厂长一直独自留在国内，家里平时雇有保姆来打扫房间。

张胜也顾不上打量这房间的豪华，换了拖鞋进了客厅，坐下便把这几天来打交道的经过和目前的情况详详细细地对徐厂长说了一遍。

徐厂长穿着睡衣，走到红木打造的酒柜旁，从里边取出一瓶 XO，倒了一杯走回来，轻呷着美酒，静静地听着张胜的诉说。

张胜说完了，困惑地问："徐厂长，你说这事怪不怪，那村官儿比银行管钱的都牛，你不管咋客气、咋请客，他们都是哼啊哈的，就是不接你的话茬儿，你说这事……到底哪儿出了问题？"

徐厂长摇了摇杯子，将杯中酒一口饮尽，在口中呷了片刻，缓缓咽掉，这才眯着眼笑道："这几天，我的事情比较多，也没顾上提点你。这件事啊，主要责任还是在你，你天天请、天天陪，白痴都看得出你是多么急于购买地皮了。"

你可不要小看了他们，他们或许少点见识，穿着谈吐土了点儿，可不代表他们的智商比别人低。敌人是大大地狡猾啊，要不是看出你急于购地，他们是不会这么稳如泰山的。怕是和你觥筹交错的工夫，人家已经掌握了你的底细，不怕你不出更多的血。这才沉得住气……"

张胜想想自己这些天热切的邀请，的确热络过了头，不禁暗暗后悔。为人处事的经验不是与生俱来的，看来自己还得学呀。

他着急地问："还得出血？那……还得怎么办？"

徐厂长笑着说："这个嘛，咱们就得看他们的胃口有多大了。我这几天有空了，咱们反过来摸摸他们的底。对了，咱们市最火的饭店是哪个？最好的休闲娱乐中心是哪个？什么地方的小姐最漂亮？"

张胜瞠目结舌道："这个……我怎么知道？"

徐厂长笑道："目前来说，最好的饭店是'火八月'，唱歌跳舞是'天籁之声'，洗澡按摩去'大和'，小姐最漂亮的自然在'国色天香'。"

他站起来，重重地一拍张胜的肩膀，豪迈地一挥手道："回去好好休息，晾他们三天，然后请这帮土包子和你一起去开开荤！"

第四章 君子对君子小人对小人，如今无毒不丈夫

张胜用了一整天的时间熟悉小型摄像机的操作。当天晚上，张胜再度打电话给贾区长，他摆出一副束手无策的姿态，低声下气地请贾区长出来喝酒、商议。示敌以弱的手段，张胜还是懂的，今天的低头，是为了明天的抬头。在这个贪官的折磨下，张胜懂得用心机了。天下的一切，都靠一个抢字来实现，等是等不来的，古往今来莫不如是。江山靠抢，女人靠抢，事业靠抢，职位也靠抢，只是抢夺手段不同而已。身在商场谁不抢商机？身在职场谁不抢位子？身在赛场谁不抢冠军？身在情场难道要坐等正被人追的女人来青睐你？

按照徐厂长的吩咐，张胜沉住了气没再联系他们，直到第四天下午，张胜才拿着记着一堆电话号码的小笔记本，抱着电话开始邀请他们赴宴。这些村官倒是一向有宴必赴，哪次请他们都不像城里干部那样推三阻四、推诿再三，只是他们喝酒痛快，办事实在是能把胖子拖瘦、瘦子拖死。

今天请的乡、村两级干部中，最大的官儿是贾区长，贾区长叫贾古文，这名有点诡异。记的前些天宴请他时他自我介绍说，他刚生还没取名字时，他不识几个字的老子以前听说过最有学问的人才认得甲古文，于是就给儿子起了这么个名。

虽说贾区长上学时没少被同学取笑，可长大了却觉得这名还真带着几分雅致，尤其是不管开个啥会，领导只要见过他的名必定过目不忘，吉利，所以也没想过改个名字。

贾区长方方正正的脸膛，结实矮壮的身子，一双金鱼眼总是眯着，但是眼睛里透出的光却很亮，显出几分精明。

张胜请他吃过两次饭，此人挺善谈，不过仅限于酒桌上。在他办公室谈话时，贾区长几乎是半瘫在老板椅上，眼睛半开半阖，声带发出轻微的震动，你不倾身认真去听，根本不知道他在咕哝些什么。

不过一到了酒桌上，他坐得也直了，说话声音也宏亮了，那张嘴几乎就没闲着过，不是往里吞些有营养的东西，就是往外喷一些没营养的东西。

作为区长，他还是有点爱端架子的，张胜每回邀请这些干部只有他一再谢绝，今天也是推脱再三，后来见张胜说得诚恳，才笑着回了一句："下班的时候看看再说。"

张胜记在心里，到了近五点又打了个电话，贾区长竟然应允出席宴会了，张胜打电话和这些人周旋真比干一天活还要耗费精神，联系了所有的人，他躺在床上正歇着，这时徐厂长的电话到了。

除了第一次宴请银行人员是徐厂长张罗，张胜是最后一个到达外，其他几次张胜都是作为主人最先赶去安排的，今天当然也不例外，张胜还得先赶去，不过今晚徐厂长也参加，张胜心中感觉轻松不少。

张胜匆匆和爸妈说了声晚上有事，就急急地下了楼，等他赶到"火八月"，在门口刚刚站定，徐厂长就开着他的桑塔纳来了。停好车子，徐厂长走了过来，微笑着说："客人还没到吧？"

张胜点点头，看了看传呼机，说："才五点四十，估计得六点十多分才能到，正是堵车的时候。"

徐厂长点点头，说："嗯，我先上楼，等老贾他们到了，咱们边喝边商量。"

他往门口走，小姐刚把门拉开，他又回过身来，笑道："知道你年轻人底子厚，不过这些人可都是酒经沙场的干部，没有一盏省油灯啊。今天请的人全，喝得也必定惨烈，这是我带的醒酒药，必要的时候吃上两粒，别客人还没喝够，你先钻桌子底下去了。"

虽说彼此只是利益共享的同盟关系，但是这些天徐厂长真的教了他许多东西，对他也很是关照。如果没有徐厂长从中斡旋，可以说张胜纵然知道了桥西开发的消息，也根本没有能力抓住这次机遇，只能眼睁睁看着它从指缝里溜走。因此对徐厂长的关心，张胜还是由衷地感激，他接过药瓶，向徐厂长笑了笑。

直到六点半，才有一辆轿车、两辆面包姗姗而来，请的都是一个地方的人，都是同乡同村的，他们显然是约好了一块赶来了。张胜急忙迎上去，把客人们接上来，一边寒暄一边进入酒店。

其实徐厂长说的这几家店并不是最高档的，不过却是在公众场所里最有名的，真正的高档会所都是会员制的，也不需要在民间有什么名气，这些土包子哪里见识过？徐厂长惯会看人下菜碟，往这儿领，正符合这些乡官的身份和见识。

贾区长大腹便便，一看就是常坐办公室的人物，后边跟着的就是脸上颇有些沧桑的村官，不过迎宾小姐可没有以貌取人的，这年月，一个打扮得像叫花子的，也有可能是腰缠万贯的煤老板，敢大摇大摆往里走的，你就得另眼相看。

"火八月"一进大厅就是假山、怪石、喷泉、流水、小桥、木廊，古色古色。芭蕉、修竹之中往来的服务员都是复古装束，看着氛围格然雅致。那长廊下还挂着装饰用的辣椒、玉米、南瓜，瞧着特有民间风味。

贾区长看来是来过这儿，根本不需人带路，问清房间，便一马当先，轻车熟路地直上二楼包间。一进房间，徐厂长便站起相迎，哈哈笑道："贾区长，你这贵人真难请呀，非让我这小兄弟三顾茅庐才肯赏光。"

贾区长一怔，似乎很意外看到这儿还有其他陪客，可他和徐厂长好像是认得的，一怔之后立即换上了满脸笑容，急赶两步道："你是老徐？哎呀呀，有日子不见啦。怎么……小张是你的朋友啊？小张怎么不跟我提你老徐的名字呢，你看看，这真是大水冲了龙王庙啊。"

徐厂长呵呵笑道："小张是我朋友，年轻人，想干点事业，求到你老贾头上了，结果请了几回，你也不开金口，他就把我找来了，我也是听他说了，才知道是你，哈哈，请坐，诸位快请入座！小姐，先来壶茶。"

贾区长腆着大肚皮呵呵笑道："接受吃请总是不大好嘛，我也是感觉小张是真心想干点事业的，不想过于难为他，这才带着这些朋友赶来聚聚。"

酒宴的确是一种很好的交流方式，在办公室见面时不管多么严肃，此时彼此说着话，都像多年的好友似的，从骨子里透着亲热。

一个很漂亮的女服务员走进来让大家点菜，菜谱当然先递给贾区长，贾区长看都不看，摆摆手道："还是那几样，我爱吃的菜你们都知道嘛，你们点吧！"

菜谱转到地位仅次于他的另一名官员手中，如此转了一圈，点了至少二十道菜。张胜笑道："贾区长，今天喝点什么酒？"

贾区长微笑着环顾四周道："这里档次还是不错的嘛，上个月来过一次，嗳，对了，这儿的五粮液很纯呐，绝对保真，就喝五粮液吧，服务员，先来三瓶。有不喝白酒的吗？小张啊，就算别人不喝，你也不能推脱啊。"

那些菜和五粮液听得张胜心惊肉跳，好在有徐厂长回去报销，心想："今天我也尝尝这五粮液是什么味道。"便豪爽一笑道："行，贾区长海量，今天我就舍命陪君子，一定让您和诸位领导喝得满意。"

一个乡干部开口要了条此时最流行的"七匹狼"，拆开来分发了一下，包间里立刻乌烟瘴气起来。吃的菜都很昂贵，张胜一时还记不住那些菜名，总之是海参、鲍鱼、鱼翅、枞菌，全是些在这些村官眼中看来已是极品的菜肴。

张胜却无心品尝美味，他心中着急想切入正题，其实这也是大多数年轻人的毛病，沉不住气。但是贾区长他们谈笑风生，家长里短，少不了还谈谈女人，就是不提地皮。而徐厂长也坐得稳如泰山，陪着他们东拉西扯，根本不提买地的事。

他看出张胜有些急躁，在两人眼神相对时，若有深意地看了他一眼，微微举了举酒杯，张胜恍然，自知这官场商场的经验较之这位老前辈还差得太远，徐厂长现在不提，一定是胸有成竹，便也放心吃喝起来。

这些人那是贼拉地能喝啊，快十点钟时，三瓶五粮液已经空了，张胜平时喝散白酒自觉酒量也不错，此刻和他们一比，真是面如土色，那哪是肚子啊，根本是泔水桶，杯来酒干，面不改色，感情前几回请他们都还藏着量呢。

三瓶白酒喝完，张胜刚想劝他们换点啤酒，贾区长大手一挥，吩咐道："再来两瓶五粮液！"

张胜一听暗暗叫苦，他是主，人家是客，他不但要喝，还得主动劝人家喝，这一通下来已经头晕脑胀了，可看这些人兴致好像才上来，也只得硬着头皮陪着狂饮，这回可真是舍命陪君子了。

到了十一点半，张胜终于坚持不住了，跑到洗手间一通狂吐，又吃了徐厂长给他的解酒药，灌了壶茶水，这才飘飘然地回到包间，此时，他已经不再劝别人少喝了，酒喝在他嘴里跟水一样，哪还有什么感觉。

结账买单之后，一群人摇摇晃晃走出酒店，贾区长哈哈大笑着拍着张胜的肩膀道："小兄弟也是爽快人啊，好，好！哎呀，现在时间还早，咱们……找个什么地方再玩会儿呀？"

这时张胜才隐约想起，最重要的事情好像还没谈，可是酒精已经让他的神智有些不清楚了，心中或许还明白些东西，可是口齿不清，想说也说不出来。

徐厂长看来最清醒，淡淡一笑，提议道："走吧，咱们到'国色天色'唱会儿歌如何？"

贾区长双眼一睁，嘿嘿笑道："徐厂长开了金口，怎么好不去呢？走走走，去'国色天香'。"

一行人驱车又来到"国色天香"，这个饮食中心在一幢大厦当中，占了一至四层。众人先在一楼洗浴，然后到二楼K歌房唱歌。几位村官都喝不惯洋酒，徐海生问了一下贾区长的意见，然后要了四扎啤酒，又挥手叫过领班，耳语了几句。

过了一会儿，这边音响刚刚调试好，放上第一首曲子，一排身材姣好、穿着暴露的陪酒小妹便走了近来，张胜惊讶地看着她们，徐海生笑道："贾区长，你先来。"

贾区长眯起眼，端着杯在那些女孩身上逡巡了两圈，伸手指了两指，便有两个长相甜美的女孩嫣然一笑，姗姗走到他的身边坐下，左右挎住了他的胳膊，一个小姐甜甜地说："老板，我叫小毕，老板贵姓啊。"

贾区长摇着酒杯，说了一个字："贾！"说完看向另外一边的女孩，那位小姐也很热情地挽着他的胳膊，说："我叫小马！"

贾区长豁然大笑，在她丰满的胸部上掏了一把说："小马？我看你都快赶上大洋马了，哈哈！"

他选定了人，徐厂长便请其他几位干部选人，选了过半，看看姿色出众的所余不多，便又换了一批，直到众人选完，他又给忸怩推辞的张胜也指定了一个女孩，自己才随意点了一个身材火辣，姿色不过中上的女孩。

"我叫小温，大哥您贵姓呀？"张胜身边的小姐殷勤地给他添酒，媚笑着问道。

小姐的胳膊挨着他的手臂，凉凉的、滑滑的，紧挨的大腿的臀胯可以感觉出它的丰盈和弹性，张胜不安地挪动了一下身子，涩声答道："我……我姓张……"

"哦，张大哥，初次见面，还请多多关照，我们喝一杯吧！"小姐大方地说着，拿过一个杯子给自己倒上，和他碰了一下，笑盈盈地看着他，张胜一见，不好让女孩为难，只得硬着头皮喝了一杯。

一杯酒下肚，张胜忽然想到一个问题，方才贾区长旁边的女孩一个姓毕，一个姓马，这女孩叫小温，合起来不是"弼马温"么？想到这里，张胜忍不住扑哧一下乐了。

"大哥笑什么？悄悄告诉我好不好？"这些男人里边数张胜年轻英俊，而且其他男人早就对身边的小姐动手动脚了，有人整只手都钻进了小姐怀里，张胜却规规矩矩的，让小温十分感兴趣，她这时趁机抱住张胜的胳膊，一个结实丰满的半球紧压在他手臂上。

张胜大感吃不消，忙把自己的想法对她说了，因为屋里吵，还有音乐声，他贴着小姐的脸蛋儿大声说话，小温听了便吃吃地笑，把他的话说给其他几个小姐听了，众人便一齐大笑起来。

小毕笑着说："我们小姐妹平时也是这么取笑的呀，这位先生竟然知道，是不是常来捧场，听谁说的呀？"

张胜面红耳赤，连忙摆手道："不不不，我是……头一次来。"

小毕和他说话，半翘着屁股，贾区长便在她翘臀上拍了一记，笑道："要不要把你们两个换过去，来个弼马温大战小张胜啊？"

小温马上搂紧张胜的胳膊，噘起嘴，好像吃醋地说："才不要呢，你们姐妹好好陪着贾老板吧，我们小夫妻才不要你们搀和。"

"小夫妻？"张胜心里一阵反感，忽然清醒过来。

他刚刚被这年轻女孩的胴体一阵厮磨，又见整个房间都是如此淫靡的气氛，旁边一位村长对小姐又亲又摸的，他也禁不住有点心猿意马起来，虽不敢像那些人一样，但他的手也壮着胆子悄悄搭在了小姐圆润光滑的肩头，轻轻地摸挲着。

这时一听小夫妻，他猛地清醒过来？夫妻？一夜夫妻？这些漂亮、年轻的女孩一天要和多少人做夫妻？一年要和多少人做夫妻？

"二八鸡婆巧梳妆，洞房夜夜换新郎，一双玉臂千人枕，半点朱唇万客尝，装成一身娇体态，扮做一副假心肠，迎来送往知多少，惯作相思泪两行。"她们不过是做皮肉生意的，也说什么夫妻，很亲热么？

"妻子"和"女人"是不同的。"妻子"不仅是一个"女人"，也是一个患难与共、甘苦共尝、在寂寞病痛衰老失意时也可以互相依靠安慰的伙伴和朋友，夫妻两个字在从没见过这场面的张胜心里颇有一种神圣感。

小温的一句亲热话让他色欲渐消，那手也悄悄滑了下去。小温还道这个闷骚帅哥要把手插进她的短裙，还媚笑着欠了欠屁股，不料张胜的手挪开，便没再挨着她。

小温怔了怔，以为是自己拒绝了姐妹过来，惹得张胜不开心了，心中顿起好胜之心。自忖无论身材、姿色都不弱于她们几个，还不能哄得这个明显没来过欢场的雏儿神魂颠倒么？

"大哥，人家陪你唱歌好不好？要不掷骰子？"小温亲热地说着，蛇一般的小蛮腰向他一靠，两团丰满的肉不断地摩擦着他的手臂，张胜也不好做出太正经的样子，只好虚应其事地和她喝酒。

过了一会儿，贾区长、徐海生等人拉起身边的女孩，上前跳起舞来，灯光暗了，音乐变成急速热烈的节奏，几个老爷们扭腰摆胯，硕大的屁股摇得比女人还夸张，时不时还和陪酒小妹来个挑逗动作。

"帅哥，我们也去跳舞好不好？"小温凑在张胜耳边撒娇，大哥变成了帅哥，小嘴儿凑到他耳朵边上轻轻吹了一口，手也不安分地在他大腿上抚摩起来。

"我不会！"张胜推脱着，其实他是会的，原来在厂子时，经常帮着厂办和工会做事，又是文娱方面的积极分子，他学过跳舞，而且跳得还不错，可是这种群魔乱舞的场面，让他难以适应，根本放不开。

"那人家教你呀，就是搂搂抱抱嘛!"小温说着，不安分的小手忽然滑到他两腿之间，轻轻一按一揉，从来没受过这种刺激的张胜只隔着薄薄一层裤料，那地方腾地一下"揭竿而起"……

张胜大窘，连忙往沙发里挪了一下，哪知小姐竟像蛇一般攀附上来，吃吃笑着继续挑逗他，张胜急忙说："我要去洗手间!"然后慌慌张张地站起来往外便走。

等他再回来时见到房中场面不禁大是惊讶，包房里已经没有人唱歌了，男女各自在调情，只有徐海生坐在最内侧的沙发上吸烟，不见什么动静，一个小姐坐在他的腿上。

徐海生见张胜回来，便叫小姐打亮灯，买单结账。

算完了账，众人各自挑选了中意的小姐，继续他们的余兴节目……

第二天一早，张胜从床上爬起来，睁着眼想了半天，才想起昨夜的事好像不是一场梦，来不及回味那时的矛盾、挣扎和诱惑了，因为他突然想到昨天自始至终也没谈起那件最重要的事情。

张胜立刻下楼给徐厂长打了个电话，电话一接通，张胜便急问道："徐厂长，昨天咱们的事谈了吧?"

徐厂长呵呵笑道："谈? 那种场合只谈风月，怎好谈别的事?"

张胜一听就急了："什么? 那怎么办?"

徐厂长慢条斯理地说："急什么嘛，我花了那么多钱，难道我不急? 你越是着急，人家越是拿你一把。别担心，今天你再去找贾区长，昨天请客的事提都不要提，直接说公事，我们都赤诚相见了，他总该拿出点诚意吧? 听听他开出的条件再说，以前他不谈，怕是摸不清你的身份，昨日见了我，我想他会放出他的条件的。"

张胜道："成，那就这么着，你好生休息，我这就过去，等回来再给你信儿。"

张胜回楼洗漱完毕，穿戴整齐，打了辆车直奔桥区郊区，这时才有时间回味昨夜那些事想着想着，他忽然狠狠一拍大腿，旁边的出租车司机立即也斜着眼睛瞟了他一下，张胜拧着眉头，咬牙切齿地懊悔："昨晚上我怎么就没敢碰呢？要是这次买地皮失败真的蹲了大狱，再出来都成老头子了，那我不是亏大发了！"

他忽又想了想，自己这样算不算是坐怀不乱的柳下惠呢？想着想着，不禁嘿嘿地笑了起来。旁边的出租车司机再度乜斜他一眼，心道："这小子不是个神经病吧？可别跑挺老远的，到了地方不给钱！"

贾古文的办公室非常大，郊区就是这点好，地方有的是，不大的官儿就有很大一间办公室，当然，贾区长也确实握有实权，非一般的官儿可比。

张胜进了那间很气派的办公室，只见贾区长坐在老板椅上，桌前沏了一杯热茶，正在闭目养神。见了张胜，他的眼睛半睁不睁，伸手向前一指，淡淡地道："坐！"

贾区长此时满脸威严，全无昨日喝酒时的亲切，至于昨夜那样子好像完全就是另外一个人了。

张胜心里的轻松顿时一扫而空，他忐忑地在对面沙发上坐下，两个人就这么对面坐着，贾区长仍然闭目养神。

可怕的沉默，过了许久，贾区长才像刚活过来似的轻轻叹了口气："想不到老徐……也掺了一手，他的路子野呀，不过蔬菜大棚没那么大的利吧？老徐不是那种挣稳当钱的人，他怎么会热衷于搞起农副业来了？"

张胜赔着小心，慢慢地想着措辞："贾区长，其实这件事真的是我想做，徐厂长是我的远房亲戚，所以才帮忙出面活动一下。"

贾区长沉默片刻，问道："上次你说……要买三百到四百亩的地皮，是吧？"

张胜喜道："是的，我估计了一下，如果是纯农业用地的话，我应该能买到三百亩左右。"

贾区长狡黠地笑了一声，然后又是一阵可怕的沉默，张胜心中忐忑起来。

贾区长屈起手指，轻轻地弹着桌面，嗒嗒嗒的鼓点声在宁静的办公室里显得十分枯躁，听得张胜心烦意乱。

贾区长暗暗思忖：徐海生那种人，是不见兔子不撒鹰的主儿，这件事看着好像他只是从中斡旋一下，不过眼前这小子明摆着不是商场上的人物，言谈举措还嫩得很，两百多万资金会是他能办得下来的吗？如果他真是徐海生的亲戚，就凭徐海生那么野的路子，帮他做点什么买卖不能赚钱，何必非让他去种大棚菜呢？

可是，如果说这件事的幕后策划是徐海生，他的动机是什么呢？种大棚菜见效没那么快，要盈利也有限，他徐海生如果是个干实业的人，这世上就没有投机钻营取巧牟利的主儿啦，可……买这儿的烂地能有什么钱赚？听说市里有在桥西建开发区的消息，连我都没得到证实，难道徐海生消息这么灵通？竟然确有其事？

贾区长思忖半晌，决定再试探一下，以他对徐海生的了解，徐海生肯关注的事，必定有大利。因为徐海生这个人只信奉横财神，从不规规矩矩地赚钱。他得摸清对方的目地所在，才能漫天要价，获取最大好处。

想到这里，贾区长慢吞吞地说话了："出售地皮嘛……的确是由我来拍板的。但是三百多亩，不是小数目，要经过集体讨论嘛，啊？乡村两级政府都要通过才行。所以我现在不能给你什么答复……"

张胜咽了口唾沫，急道："贾区长，整个桥西这么大片土地现在都荒着，就说是废物利用吧，把它一转手，给乡政府创造两百多万的收入，你说行的话谁还会反对？只要您点头，那还不易如反掌？"

贾区长连连摇头："不容易，大不易呀……我也不能搞一言堂嘛……"

他眼皮耷拉着，过了半晌突然一睁，问道："你们肯出什么价？"

张胜心里估算了一下，说道："那里的地，您也知道，很多都是荒地、沙地，成了垃圾场，买下来后我还要花大力气改造成农田，所以也不能太高了，我给您每亩五千元，你看如何？"

贾区长仍然不紧不慢地敲着桌子："五千元？嘿嘿……"

张胜顿了一下，说道："贾区长，那里的地基本上已经荒芜了嘛，我买下那里的使用权，也是支持桥西区的经济建设，这是两相得利的事，我想作为桥西区的区长，这件事办好了，也是您的一件政绩，你看……"

贾区长不为所动，嘿嘿笑道："这个嘛……要是十亩八亩我还做得了主，再多的话那可不行……"

张胜一听心就凉了："十亩八亩？这些天请吃请喝请玩，徐厂长花的那钱差不多也能买六亩地了，这么点地，找村里的农民买几间房基地都够了，还用大费周章地找你吗?"

张胜沉默了片刻,委婉地道:"贾区长,您要是觉得地价太低? 价钱方面还可以再商量,不知什么价位才能让您满意。"

贾区长呵呵一笑,摆手道:"价钱嘛,不急商量,单是你们要的这块地皮……胃口就太大啦。"

张盛微一蹙眉,迟疑道:"那……如果价钱谈得拢,贾区长能批给我们多少亩?"

贾区长抬起眼睛,慢慢伸出两根手指。

张胜眼睛一亮,脱口问道:"两百亩?"

贾区长不动声色地捕捉着他眼神中的微妙变化,狡黠一笑,把头摇得跟拨浪鼓似的:"不不不,二十亩,顶多二十亩!"

张胜听了贾区长的话心中暗恼,但贾区长是真的办不到还是有意推诿他也摸不清,现在他已知道欲速则不达,和人谈生意切忌过于迫切,否则一旦被人掌握了你的根底,主动权就完全落到了别人手中。

于是,他强压下心头的火气,委婉地道:"贾区长,照理说,二十亩干点别的事也不算少了,不过你也知道,大棚蔬菜见效虽快,利润却薄,如果只有二十亩,很难尽快收回投资啊。"

贾区长狡黠地笑了笑说:"小张,不要使哀兵之计嘛。我也有我的难处啊。你不要以为我们这些村官当得随便,条条框框多着呐。"

张胜一听,似乎话里还有转机,忙道:"贾区长,您一个人既然做不了主,上下打点总是需要花费的,这里也没外人,您开个价。"

"这个嘛……"贾区长低头沉吟半响,半天才从牙缝里挤出一句话:"既然你和老徐是同路人,我就直话直说,三十万,我帮你摆平!"

张胜心中一算,三百五十亩地,付三十万好处费,外加贷款本息,肯定还大有赚头,便爽快地点头道:"行,三十万就三十万,只要你给我批下来三百五十亩地。"

贾区长立刻摇头道:"哪有三百五十亩地,太离谱了,顶多批五十亩地,这是极限,不能再多。"

张胜愣了,五十亩地,那转手卖地的钱,给他三十万好处费,剩下的再扣掉贷款本息……我靠，我这是又开了一个小饭店，还是给人白打工啊。

贾区长见他发呆，微微一笑，话里有话地道："地皮是有得是啊，可是从公转成私，那可就难如登天了，你们也得考虑我的难处不是？这样吧，你先回去，和老徐再商量商量，过几天我们再联系。上午我还有几个小会，先这样吧。"

见他下了逐客令，张胜只好站起来，说道："那好，您忙着，我先回去了，咱们改天再联系。"

看着张胜离开办公室，贾区长志得意满地一笑，两只金鱼眼又眯了起来。

张胜回来把情况对徐厂长一说，本来正静等好消息的徐厂长恼了："这个老贾……人是越来越精，胃口也越来越大，五十亩地就要三十万的好处，嘿嘿，好大的口气！"

张胜疑惑道："徐厂长，是不是他真的没有权力批地？"

徐厂长冷笑一声，说："目前，桥西区这片土地还是集体用地，没有上收到国土局，不需要区里决定。这地他没权批？哼！现在农村卖地随意着呢，铁峰市有个村挨着经济开发区，开发商看中了那里的地，村委会开了个会，就和开发商签订了卖地的合同，五百四十亩地就这么转到了开发商手里，卖的是使用权又不是所有权。

一个村支书就有这权力，他贾古文一个区长没有权力？小张啊，你还是太嫩啊，也怪我，最近各种事情实在太多，没有时间指点你，让他看出蹊跷来了，他不是不肯卖地，是开个价钱探你的底限，你接受就说明里边有大利，他就可以漫天要价。这只老狐狸！"

张胜皱皱眉，说道："只批五十亩就要三十万，他就算不知道那里要建开发区，起码也看出咱们不是要盖大棚了。"

徐厂长嘿嘿一笑，说道："聪明！现在我们很被动啊，桥西何时开发，我们还拿不准，老贾又来了个狮子大开口，如果真的答应了他，恐怕没有百十万，这地就到不了我们手上。可这钱从哪儿来？不外乎是从贷款里拨，那样一来我们还有多少钱购地？"

他背着手，在屋里来回踱着步，喃喃地道："本以为买下一块废地，他老贾得上赶着找咱们签合同，没想到这土老冒奸似鬼，得多少钱才填得满他这个无底洞？为他人做嫁衣裳，我不甘心呐。"

张胜急出一身汗来，他没想到，要办件事竟如此困难重重，自己是把身家性命都押上了，一旦失败……他不敢想象失败的后果。费尽心思，天天吃请，难道就……

正所谓人急智生，张胜刚想到这儿，脑中忽地灵光一闪，脱口道："我有一个办法，不知道行不行！"

徐海生霍然停住脚步，诧异地扭头看着他："什么办法，说来听听。"

张胜抿了抿嘴唇，一字一字地说："明天，咱们再请他吃顿饭。"

徐海生愕然道："还请？小张啊，你不要幼稚了，他胃口那么大，再请多少次也没用的，莫非还要摆一场'鸿门宴'不成？"

张胜断然道："不错！正是一场'鸿门宴'，我们不但要请，还要大请，只请他一个，吃饭、桑拿、小姐，一个都不能少。"

徐海生有些困惑地道："小张，你这葫芦里到底卖的是什么药……？"

张胜说："不请的话，以前花的钱不是白喂了他吗？厂长，咱们厂工会有台小型摄像机，你能借出来吗？"

徐海生一怔："摄像机？啊！啊……啊啊……"

他伸出手指，点着张胜，满脸都是笑容，一时高兴得有点说不出话来，好半晌才舒了口气，哈哈大笑道："不错，不错，泥人终于动了土性儿，兔子急了也咬人啊，哈哈，嗯！要整治他老贾填不满的大胃口，你这个法子好。"

徐海生一点就透，已经明白了张胜的意思。这种吃请他已习以为常，心理上也没觉得有什么不对，加上他平素自己办事还真不需要用这种极端手段，所以也想不到从这方面入手，张胜对这种腐败行为可是触目惊心，所以一下子就找到了贾区长的罩门。

徐海生哈哈大笑道："厂里的摄像机不行，还不够小，太显眼了，你等等！"

他转身走进里屋，一会儿工夫提了架比照相机大不了多少的机器回来："你明天晚上带上这个。这是我上个月才托人从日本买回来的，小巧、灵便，明天提前订好房间，先把这东西藏进去。来，我先教你怎么用，明天这事就交给你了，到时候机灵着点儿。"

张胜咬了咬牙，狠狠地点了点头。

小时候，他曾经看过一句名言："与有肝胆人共事，从无字句处读书，"受这句话启发，他给自己写了一句座右铭："对君子，以君子之道待之；对小人，以小人之道待之。"现在，终于有了深刻的体会。

张胜用了一整天时间熟悉小型摄像机的操作，直到在黑暗中也能熟悉每一个按键的所在。徐海生则开着车出去满街转悠，寻找合适的酒店。

当天晚上，张胜再度打电话给贾区长，他摆出一副束手无策的姿态，低声下气地请贾区长出来喝酒、商议。示敌以弱的手段，张胜还是懂的，今天的低头，是为了明天的抬头，在这个贪官的折磨下，张胜懂得用心机了。

贾区长拿腔作势地婉拒了几次，架不住他再三邀请，最后终于答应第二天晚上接受邀请。第二天晚上，贾区长在张胜几个电话的催促下才趾高气扬地驾车赶来赴约了，徐海生两人又请他去了一家酒店。

为了消除他的戒心，徐厂长在宴上煞有其事地和他谈判砍价，表面功夫做得十足。贾区长拐弯抹脚地打听徐厂长买地的用途，徐厂长则翻来覆去地探试他的胃口到底有多大，两个人尔虞我诈，谁都没露自己的底牌。

不过贾区长自觉拿捏住了徐海生的七寸，倒是不急不躁，吃过饭后张胜毕恭毕敬地请他去洗浴，他也心安理得地答应了。

三人驱车赶到"大和"。

洗浴之后他们便上了二楼，订了个包间，找了三个小姐作陪，开瓶洋酒唱歌跳舞。三个小姐肤白皮嫩、身材高挑，个个都是腰细胸高、一双长腿，更难得的是带着些清纯秀气的味道，和普通的风尘女子大不相同。

贾区长眼睛一亮，淫笑道："今天这几位小姐很不错啊，来来来，这边坐！"

三个小姐填空般在他们身边落座，服务员开了红酒出去，房间里的光源调成了暗红色彩灯。徐海生说："老贾，这三个小妹都是在校的大学生，怎么样，和你平时接触的女人不大一样吧?"

贾区长惊奇地看了看身边那个轻衫牛仔长发披肩的女孩，疑道："不会吧? 你说真的?"

徐海生笑笑，说道："小妹，把你的学生证拿给他看。"

那长发女孩从屁股兜里摸出一份证件递给贾古文，贾区长接过去打开一看，还真的是学生证，心中顿时涌起一阵兴奋的感觉。

像他这样的人，漂亮女人玩得多了，这时候女人的身份就比她的身体更对他有诱惑力。他还没玩过女大学生，虽说这个女孩在他见识过的女人中姿色只是中上，也不会那些太过风骚妩媚的花样，可在他心里，那感觉偏就截然不同。

他还回证件时，色眼中不止满怀占有欲，甚至还带着一丝崇拜和敬畏。

张胜冷眼旁观，不由暗暗好笑：她是什么身份那么重要吗？还不一样是出来卖的？没想到学历崇拜到了欢场上也一样管用。曾经，有些官员拜倒在石榴裙下；看来，今晚贾区长要拜倒在学生证下了……

徐厂长结完账带了小姐下楼时，张胜还见贾区长搂着徐厂长的肩膀，隐约听他说："老徐啊，你身边那个……也不错。"

徐厂长哈哈一笑，说道："行，到时我带人过去！"说着扭过头来，冲着带着三个小姐走在后面的张胜使个眼色，张胜立即加快脚步，赶在了他们前面。

来到了八方宾馆，张胜的车在前边，先到的。

房间在十二楼，各自进了自己的豪华大床房。

这三间房子是挨着的，为了找这么个好地方徐厂长和张胜驾车出来寻摸了大半天。这个地方的好处就是外边有阳台，而且三间房子的阳台是连着的。

两人仔细推敲过行动方案，雇佣小姐动手不安全，因为小姐也不愿意抛头露面，被他们摄进录像，恐怕要付出很大一笔钱，还可能把事办砸了。

如果用副门卡开门偷偷摸进去同样不行，那么一个大活人，就算贾区长再怎么色授魂消，也不可能看不到门口出现一个人，最妥当的办法就是从窗外摄录。

贾区长这间房在最外侧，把这间房给他，是因为张胜定好房间后上来勘察时，发现这间房窗外阳台边上搭了个小棚，里边放了点东西，站在这个位置能看清整张卧床，而且晚上站在里边一片漆黑，不易被发觉。

张胜进了屋，把徐厂长给他的老板包往床头柜上轻轻一放，刚一回头就吓了一跳，只见那位娇小的姑娘已关好房门，他抬头看看，问道："你多大啦?"

那小姐诧异地看着他，说道："我今年十八，咱们坐下聊个天吧。"张胜慌不择言地道，他正等着徐厂长的电话，只想随便找个借口拖上一阵儿。

那位小姐听得发愣，花了钱不玩女人，却坐在那儿要和她聊天，聊什么? 聊人生理想吗? 姑奶奶早戒了!

"聊天?"小姐眼中有了些戒备的意味，试探着问："张先生……要聊些什么?"

张胜一拍脑门，哈哈笑道："你看我，喝多了酒，话都说不利索了。不是聊天，是冲个凉，一身的烟味酒味，先冲个凉解解乏吧。"

小姐这才释然，她"嘻"地一笑，站起来在张胜腮上吧唧亲了一口，然后扭着小屁股去床头柜上取过自己的小坤包，拿出一支香烟点上，塞到张胜嘴里，甜笑道："好，那你先歇一下，我先去冲澡!"

小姐当着他的面脱得光溜溜的，扭着小屁股进了浴室。张胜懒洋洋地躺在那儿假装休息，一会儿，传呼响了，他拿起包，走到浴室旁推门说："我出去接个电话，一会儿就回来。"

张胜在走廊里站了一会儿，抽了一支烟，这才返回房间，小姐已经洗好了，身上裹着一条大浴巾，正擦着湿漉漉的头发。浴巾下边是两条纤巧的小腿，胸口裸露在外的部分晶莹微隆，那张俊俏的脸蛋儿带着几分妩媚清纯，一见张胜进来，她便媚笑道："张先生，我洗好了，该您……"

"他妈的，真是晦气!"张胜恶狠狠地道："真他妈天生跑腿的命!"

小姐一愣，问道："先生，你……这是怎么了?"

张胜没好气地说："刚接了一个公司的电话，半夜三更的要我去机场接人。"

小姐一听，甜笑立刻消失了，脸色有点难看地说："先生要去接人，那我怎么办?"

带了人家来开房，他现在这么一走，这小姐就赚不到了，白白跟他跑一趟，心里自然不高兴。张胜一拍脑门，道："啊! 我忘了，这样吧，你去侍候我的老板吧!"

小姐一听立即转怒为喜，干她们这一行的，惯会察言观色，她早看出那

65

个姓徐的才是大老板，这个年轻人十有八九是他手下的，过去侍候那位老板，如果他开心，说不定还能拿到额外的小费。当下这位小姐便欢欢喜喜地被送进了徐厂长的房间。

支走了小姐，张胜立即返回房间，拉开纱窗，取出摄像机，悄悄跳到阳台上，顺着狭窄的阳台向前摸去。经过徐厂长窗口时，张胜按捺不住好奇，悄悄探出头去往里面瞄了一眼，只见徐厂长腰间搭着浴衣，把枕头靠在墙上，正对着窗户，两个小姐背对着自己折腾呢。

徐厂长正在朝窗外看，张胜不知他看到自己没有，只瞄了一眼就蹲了下去，继续向前挪动。这阳台不宽，外侧又是大街，空旷一片，真要站起来走有点儿眼晕，所以他干脆一直蹲着移动，直到钻进那个阳台尽头的小棚子。

轻轻打开摄像机，调整到夜录状态，又看了看摄像机前边的小显示灯，那里早就贴上了一个不粘胶贴，已经看不到那一点红光了，他这才微微调整了站立的角度，向房间里看去。

张胜霍地瞪大了眼睛，那个女生裹着浴巾坐在床边，裸着光滑的香肩，两条大腿叠在一起，一手托着另一只手臂的肘部，翘着兰花指的小手正夹着一支香烟，而贾古文贾大区长则像一只肥肥的猪，冲完澡从卫生间里赤裸裸的出来……

张胜连忙站稳身子，举起了小型摄像机……

回到徐海生家里，两个人回放了一下贾区长的录像，徐海生见了贾区长的丑态笑得前仰后合，乐不可支地拍着大腿道：哈哈哈，成了！有了这东西，他敢不答应？

张胜苦笑一声说："厂长，我心里挺不安的，这么做到底是……唉！"

徐海生斜了他一眼，笑道："怎么，怕了？"

张胜脸一红道："怕倒是不怕，就是心里老觉得用这种手段……"

"哈哈，你小子啊，怎么这么天真？这商场本来就是人吃人的地方，哪来的良心可讲？他贾古文漫天要价的时候想过交情吗？"

徐海生拍拍他的肩膀道："老弟，如果你想不通这其中的道理，那么，你永远都是个失败者。哪怕这次买地皮的事成功了，你发了一笔洋财，你在今后的生活中仍然是一个失败者。从我们下棋，我就看出了你的性格，面对际遇，你是被动等待，而不善于主动去抢!"

张胜诧异地道："抢?"

"没错!"

徐海生点起一支烟，又把烟盒扔给他，笑微微地道："这个天下的一切，都靠一个抢字来实现，古往今来，莫不如是。江山要抢、女人要抢、事业要抢、职位要抢，只是手段各不相同。身在商场谁不抢商机? 身在职场谁不抢位子? 身在赛场谁不抢冠军? 身在情场难道要坐等被人追的女人青睐你……"

徐海生吸了口烟，悠然吐出一个烟圈，说道："老弟，你知道这世上什么人能做人上人、能过好日子么?"

张胜身子前倾着说："厂长，您说。"

"能做人上人、能过上好日子的只有两种人! 一种是'狗'，一种是'狼'。狗忠顺，主人会将吃剩下的肉赏赐给它，高兴时还会将它举在头顶上; 狼又不同，狼敢抢，用不着别人赏赐也能吃到肉，找到机会也能骑在别人的头顶上。

要混出点出息，要么做狗、要么做狼，如果这两样都不愿意做，那就只能是一辈子做人下人在社会底层苦熬。如果你不甘心，你也想做人上人，那么你是愿意做狗，还是做狼?"

张胜想了想，只说了一个字："狼!"

"好!"徐海生击掌赞赏，说道："要做狼，就要抢。只要有人抢，战争就不可避免。什么是商场? 商场同样是战场，要打仗、要死人，是把脑袋瓜子别在裤腰带上干的活，这种活谁能干? 靠那些树叶掉下来都害怕砸破脑袋的良民?

用手段怎么了? 成者王侯败者贼，刘备是不是匪? 朱洪武是不是匪? 努尔哈赤是不是匪? 仗打败了才是匪，仗打胜了那就是王! 手段不重要，重要的是结果。"

徐海生见张胜听得入神，淡淡一笑，语重心长地说："融入社会是最重要的，很多时候不是你选择生活，而是生活选择了你。自命清高比自甘菲薄更要命，自甘菲薄只是没有勇气去争，甘于现在的生活，而自命清高，那就是拒绝这个世界，你既改变不了这世界，也适应不了这世界，只能躲起来，那是最大的失败者!"

张胜默默地点点头，仔细咀嚼着徐海生这番话，许久许久才若有所悟地轻叹一声，随后又抬起眼帘，担心地道："可是……他会不会恼羞成怒，和我们拼个鱼死网破?"

徐海生淡淡一笑："放心，他现在绝对不敢翻脸，哼! 他这官可不止三百亩地的好处，他应该知道孰轻孰重。"

说到这他悠悠一笑道："对他老贾，我本来不想这么过份，这是他逼我的，明知道这里边有我一份，他还想大捞一笔。他不仁，我就不义，妈的，掰了就掰了吧!"

徐海生阴险地笑道："明天你赶早去他办公室等他，先试探一下，要是他乖乖地要了那三十万，把合同给签了，那就一切都好说。要是他还不上路，你也别和他客气，底牌翻出来，那就不是我们求他而是他求我们了。"

张胜想着那二百八十万元的贷款，重重地点了头。反正那贾古文也不是什么好鸟，用这样的手段对付他也算是他的报应。

第二天一早，张胜再次出现在贾区长办公室。

还是一壶茶，还是半死不活地躺在老板椅上，还是眯着眼打瞌睡，不过张胜这次却没有规规矩矩地坐在对面等着宣判。

他大大方方地打声招呼，走过去拿起贾区长面前的"小熊猫"，自己抽出一根点上，深深吸上一口，轻松自若地看着贾区长，半个屁股坐上了办公桌。

贾区长诧异地张开眼看了看，又轻蔑地一笑，微微阖上眼，张胜的态度令他有些不快，他决定，一会儿还得好好卡卡他。

张胜抽着小烟，悠闲地等了一会儿，才对贾区长道："贾区长，今天我来，还是为了那事。呵呵，我知道你为难，可你再难总难不过兄弟我呀，贾区长，您开开金口，我们就受用不尽了，相交一场，这点事您一定得帮忙。"

贾区长咳嗽一声，慢悠悠地抽出一根烟叼上，等了片刻，不见张胜给他点上，便很没趣地自己拿起火机点燃，吸了一口，吐着青烟慢悠悠地说："小张啊，我已经尽了全力了。三百多亩地，规模太大啦。

官场上的事你不明白，它闲着归闲着，谁也不会说什么。可你要派上用场了，哪怕是于国于民有利的好事，也会马上有一帮王八蛋围上来说三道四。众目睽睽，我也为难呀。"

张胜脸上的笑容收敛了，一字一字地道："贾区长，小弟这次是破釜沉舟、背水一战，全部家当都搭进去了，不瞒你说，购地资金……我是贷的款子，所以，这次我只能成功，不能失败。失败，我就得去跳河！"

贾古文皱皱眉，说道："做生意怎么好不留退路呢？小张啊，你是不是贷款，跟我没有关系，我只能批给你五十亩地，你付我三十万元，怎么样，考虑清楚了吗？"

张胜慢慢站起来，居高临下地看着他，一字一字地说："贾区长，那片烂地卖出近三百万的价，对村里、对乡里，都是一件好事。于您个人来说，得到三十万的好处费，也不算少了，还望您成全！"

贾古文哈哈地笑起来："你没说错，那片没人要的烂地还能卖出去，的确对哪一方面我都交待得过去。不过，同样的，我也知道这地你们一定别有用处。"

他狡黠地看了张胜一眼，说道："你们要做什么，我不知道，也不想知道，三十万要三百多亩地，那是绝不可能的，你听清了，如果你要三百五十亩，那就……拿出一百万来，而且要现在就付！"

张胜一听也笑了："不，我也请你听清楚。三十万元的好处费，取消！我不为难你，每亩八千元，这个价很公道，任何部门也审不出毛病，共计三百五十亩地，一分地都不能少！"

贾区长抬起头，吃惊地看着他，说道："什么？你……你疯了？你还不如去抢呢！"

张胜冷笑道："是！我是疯了！我已经被逼上绝路，再没有第二条路可走！已经走上绝路的人还有什么顾忌的？贾区长、贾大人，你昨天晚上的丑态我可全都录下来了，我的事，你看着办！"

"什么？"

贾区长噌地一下跳起来，烟头烫了手指头，他急忙一把甩开，紧盯着张胜道："你说什么？"

张胜从怀里摸出一卷报纸包着的带子，这是翻录的，啪地往桌上一放，脸上露出一丝讥讽的笑容："贾区长，你昨晚嫖妓的过程我都录下来了，啧啧啧，录像原带在我哥们那儿，我只要一个电话，这段录像就能满世界传开，到时候这天下之大还有你的容身之处吗？"

贾区长气得嘴歪眼斜，嘴唇哆嗦着说："你……你怎么能这样？你怎么能这样？没有这么办事的，做人不能这么无耻！"

张胜哈哈一笑，双手按着桌子，眯起眼向他俯压过去，阴沉地道："为什么不能？我从小就笃信一句话：对君子，以君子之道待之！对小人，以小人之道待之！"

贾区长脸色铁青，目露凶光，指着他怒吼道："你混蛋，你不要把我逼急了，我会告你勒索！诈骗！"

张胜悠然道："贾区长，你怎么又忘了？我才是被逼上绝路的人，光脚的还怕穿鞋的吗？这手段无赖是吧？我一个无权无势的穷老百姓，不这样办还怎么办？你只不过少赚一笔罢了，用得着这么气急败坏吗？"

他走过去，把那烟头一脚碾灭，淡淡笑道："贾区长，你可不要引火烧身，我等你的决定，拜拜！"

张胜二话不说，转身便走。

底牌已经掀开，现在就看贾区长怎么出牌了。

难熬的两天过去了，张胜和徐厂长沉住了气，不曾给贾区长打一个电话。这种时候，他们绝不能露出一点服软的意思给贾区长以幻想。至于好处费，他们也是一分不想付了，贾区长已经是彻底得罪了，既然无论如何关系都已彻底分裂，就没有必要留一线人情了。

第三天下午，贾区长的电话终于打过来了，他的声音沙哑疲倦，了无生气。

"小张吗？你……来一趟，我们面谈。那盒带子原版，你要带来……"

张胜通知了徐厂长，不料贾区长已经打过电话给他了，看来是想找他私下解决，徐厂长对其中的利害关系看得更透澈，彼此的交情已经彻底完蛋，用不着手下留情，他一口拒绝了，贾区长这才又来找张胜。

徐厂长说："你打车去吧，小心一点，我在厂里不动，咱们分开，他才不敢动歪脑筋，狗急了会跳墙，省得他干蠢事。带子先不给他，地皮签下来才能给，这是我们唯一的凭证了！"

张胜冷静地说："我明白！"

他当然明白其中关节，如果被贾区长把带子诓回去，坐牢的可是他，他岂能不小心？张胜这种人，是临战紧张，一旦上了战场，就会为战而战，完全抛弃胆怯。

"带子呢？"一进贾区长办公室，贾古文便像饿狗扑食般抢过来问。

张胜施施然地走过去坐到沙发上，二郎腿一跷，问道："合同呢？"

贾区长急道："合同哪能那么快签好？就算我亲自带你跑手续，也得跑六七个部门盖章，还得等你款子划过来才能生效。"

张胜说："所以喽，等合同生效，带子就给你，你放心，带子保存得很好，绝不会有第三个人看到。"

贾区长目露凶光地道："如果你不守信用，签了售地合同后再用那带子勒索我为你办事呢？"

张胜坦然道："不会，因为我知道，我这也是犯罪，我犯不着冒那风险把你逼急了闹个鱼死网破，这次买卖成功，我肯定把带子交出来，咱们一拍两散。"

贾区长狠狠盯了他良久，才重重地点点头，说道："好！我现在就开始给你跑手续，等合同交到你手上，你敢不把带子交出来，或者事后再用拷贝勒索我，我一定去检查院，要死一齐死，大家全完蛋！"

张胜笑道："贾区长，你放心，我们都不会完蛋，你还是你体面的官员，我呢，只是赚了一笔小钱的商人，仅此而已！"

贾区长咬着牙冷冷地一笑，眼中泛着凶光，却不敢把他怎么样。

张胜洒然一笑，转身走出了他的办公室。

半个月后，全套地皮转让合同都齐备了，张胜和徐厂长赶去，转款、取合同、交出带子，从此两讫，互不相干。

剩下的日子，就等着政府有关部门公布开发桥西的消息。在这段时间，张胜也向徐厂长侧面了解了一下麦处长的情况，徐海生好像颇不愿意谈及这事，只隐约提到经厂里财务核查，麦处长的确贪污挪用了大笔公款，数额至少在一百万元以上，这在当时可是一笔极大的数目，够判死刑了。

张胜听了想起郑小璐的境遇，心中不觉黯然，可他没啥立场去对人家表示关心，最重要的是，他自己人生中最大的一场赌局才刚刚开始，他把自己也押在了这场赌局上，已非自由之身，对小璐的处境也只能徒自唏嘘了。

政府方面迟迟没有开发桥西的消息公布，眼看着天一天天冷下来，政府总不会在冬季开发桥西吧，那就得拖到明年春天去。

张胜的贷款是八个月，时间到明年三月下旬，如果那时政府还没有动作，他连本带息就要背负一大笔债务，可能要被强迫低价卖地，如果卖地的钱还不上债务，他就有可能因骗贷罪入狱。

张胜心急如焚，债务是他的名字，徐厂长再着急也不过是着急这笔钱能不能赚到手，他可是连身家性命都搭上了，那感觉自然不同，他时常骑上车，跑到桥西去，站在高处盯着属于自己的那一大片高洼不平的土地发呆。

已经是入冬的第三场大雪了，再有两天就是元旦。张胜耐不住心中的焦躁，又一次骑车来到郊区。整个郊区高高矮矮、坑坑洼洼的地方全都铺上了素洁的银装，倒不像初冬时尘土飞扬那般难看。

这是一个充满商机的年代，一念天堂、一念地狱，不知多少人一夜暴富，又有多少人折戟沉沙。建设开发区的热潮刚从南方传过来，各地都在纷纷上马项目，而省城目前还没设立一处开发区，张胜相信自己这个赌局的赢面要大得多。

小时候跟在他屁股后面喊司令的二肥子代理啤酒经销发家了，在太平庄附近买房子的人在修建国道时也小赚了一笔，而他从来没有胆量参与，始终只是一个看客。现如今，他也成了一个冒险家，可是……桥西何时会开发呢？

"成者王侯败者贼！"

张胜细细咀嚼着这句话，眺望着属于他的那一片土地，白雪覆盖之下，"千里冰封，万里雪飘。山舞银蛇，原驰蜡象……"默诵了半天伟人诗句，在他心里激起的不是豪情，反倒有几分萧索与无奈。

在命运的棋盘上，他这个小卒子会被推向何方呢？

尽人事，而后听天命，非不为，不可为也！

现在，人事已尽，剩下的，就只能听天命了！

第五章　抢得先机就是抢得财富，豪赌赢得好运来

这是一个充满商机的年代，一念天堂，一念地狱，不知多少人一夜暴富，又有多少人折戟沉沙。成者王侯败者贼！张胜的贷款是八个月，假如到期限政府还没有动作，他连本带息就要背负一大笔债务，可能就要被强迫低价卖地，如果卖地的钱还堵不上债务，他就有可能因骗贷罪入狱。张胜可是连身家性命都搭上了，自然心急如焚。然而就在最后的生死关头，好消息终于传来了！张胜像发疯一样地狂喊一声"终于来了！"一蹦八丈高……

马上要到元旦了，积雪仍是厚厚的，不过阳光却有几分明媚，张胜回了城，进入市区穿过两条街，正在自行车道上慢悠悠地蹬着车，有一下没一下地想着心事，忽然在公交车站看到一个熟悉的身影。

那是郑小璐，她穿着一件灰色泛白的呢子短大衣，竖着领儿，头上戴了一顶毛线织的帽子，只露出一张冻得红通通的小脸，她踮着脚尖站在车站边上，正探头向远处看着，那双眸子如泉水般清澈。

一见是她，张胜下意识地一搂闸，大街上的积雪已经扫光了，却有一层层薄薄的冰，这一刹车整个自行车打滑横着扫了出去，他一只脚撑着地，滑了半圈儿才稳住了身子。

郑小璐这时也看到了他，脸上露出了浅浅的笑，那对小酒窝儿一闪即逝，向他点点头道："张哥！"

她的鼻尖冻的红通通的，脸蛋皮肤极好，由于冻的红了，肌肉明显有点发

僵，看起来像个红苹果。此时的她，就像个十六七岁未长开的孩子，稚纯可爱。

张胜目光一扫，看到郑小璐手里提着沉甸甸的一个袋子，他下了车，推着车上了人行道，停在她旁边说："小璐啊，一早上这是去哪？"

郑小璐怯怯地笑："张哥，我……想去看守所看看……麦晓齐！"

张胜听了不禁默然，麦晓齐要受审那是板上钉钉的事了。据说检察院已经正式批捕，厂子里的传言很多，有说他贪污挪用四十多万元公款的，有说他贪污上百万元的，有的传说更邪乎，说他贪污公款上千万元，原来的三星印刷厂到了濒临破产的边缘，被外商收购，就是他这只蛀虫疯狂盗窃国有财产的结果。

这时代，贪污五十万以上就得判死刑，从徐厂长那里得来的消息应该是最靠谱的，七八十万，足以宣布麦晓齐的人生即将画上句号了。小璐整天生活在这样的流言里，日子不知道是怎么过来的。

郑小璐是和麦晓齐谈过恋爱，虽说那天已经吃订亲饭了，但是还没操办婚礼，更没领结婚证，现在一拍两散，啥关系没有，更轮不到外人来说闲话。现在麦晓齐落得这般下场，换个年轻漂亮的姑娘躲还躲不及呢，她却还记挂着去看看他。

张胜在心里轻轻叹了口气："小璐重情重义，真是个好姑娘。可惜啊，命不好，咋就喜欢了这么个玩意儿？"

两个人都避免去谈麦晓齐的事情，而是谈了谈厂子现在的变化和一些工友的个人消息，这时，一辆公共汽车驶了过来，郑小璐忙提起东西说："张哥，我上车了，有空再聊啊！"

"嗯，你上车吧，我也得回家去了！"张胜说着推起自行车，扭头看着郑小璐上车。

公交车一停，一群人便蜂拥而上，只见灰袍子、羽绒服、军大衣、黑棉袄，挤得风雨不透，"战士们"脚下生根，运足丹田之气，左膀一摇、右膀一晃，拼命在万马军中争取着一线活动空间，以便那脚有机会抬起来踩上踏板。

男的如此，女同胞也是虎虎生风，头拱屁股顶，以腰为轴心，顶得不好意思和她争的大老爷们东倒西歪。

"哎哟!"郑小璐文文静静的,哪争得过他们,脚下一歪,滑坐到地上。

张胜一见,连忙丢了自行车,抢步上前,拉着她的手把她扶起来,说道:"我的天,你小心点呀,这大冬天的要扭个脚闪着腰什么的,你一个人又没人照顾,那可怎么办。"

郑小璐脸色绯红,不好意思地笑笑,露出一口小白牙:"谢谢你啦,张哥,我……平时也不大坐公交,挤不过他们,呵呵,他们太厉害了。"

张胜给她把掉在地上的袋子捡了回来,郑小璐回头瞅瞅,只见车上已经挤得满满登登,下边的人还在喊着:"往里挪挪,嗨,都发扬一下风格,往里边点儿,腾点空儿出来!"一边使劲地推着已经上了车的人。

站在车上的人顾盼自若、八面威风,任你如何推搡,我自岿然不动。直到一直慢条斯理地坐在那儿剔指甲的司机不耐烦地大吼一声:"往里点,门关不上我可不开车!"那最外边的人才晃晃尊臀,容那车门缓缓关上,然后公交车便拖着两条大辫子摇摇摆摆地去了。

郑小璐幽幽地叹了口气:"我自行车冻滑轮了,寻思坐公交去呢,也没和人借辆车,谁知道快过年了,这车太难挤,我都等了四班车了。"

她跺着脚,往手上呵着气,一双黑葡萄似的眼睛忽地瞧见张胜还提着东西站那儿,便腼腆地一笑,细声细气地说:"谢谢你了,张哥,快点回家吧,我再等下一班车。"

张胜苦笑一下,说道:"算了吧,你看还剩这么多人呢,一会儿陆续又得来人,就你这体格,还提着这么多东西……得,反正我今天没事,我送你去得了。"

郑小璐的眼睛霍地睁大了,讷讷地道:"那……怎么好意思,不麻烦你了,张哥。"

"没事没事,别啰嗦了,快来!"张胜不由分说,过去扶起自行车,正了正有点歪了的车筐,把郑小璐的东西放进去,然后偏腿上了车,扶住车把回头道:"快坐上来!"

郑小璐过意不去地道:"张哥,我……"

张胜一瞪眼,说道:"怎么这么磨叽,快点!"

"喔……"郑小璐被他一吼,乖乖地走过来,小心地坐上车,两手各伸出食指和拇指，掐住他的一片衣角。

张胜又好气又好笑地道："干嘛呢这是？这路可滑，你要是这样，万一摔下去落下啥毛病，我不得养你一辈子？"

郑小璐"扑哧"一下笑了，便大大方方地搂住了他的腰。那双小手刚搂上来，虽说隔着厚厚的衣服，根本没啥感觉，张胜小腹的肌肉还是一下子抽紧了，绷得像铁疙瘩似的。

虽然车上多了个人，但是张胜却觉得车越来越轻快了，就连北风刮面也觉得很温柔很暖和，一种既陌生又熟悉的情愫在他心底荡漾着……

张胜知道市看守所在哪儿，便载着她向那儿驶去。

这时出租车虽已普遍，普通工人家庭却不会随意打车。郑小璐起个大早，也是为了尽量节省点钱。

两人路上说着话儿，原来小璐这是第五次来看麦处长了，不过按照规定在判刑之前不能探视，每次她都被挡了架。所以这两个月也来得少了，眼看着就要元旦了，小璐想看在年节的份上，或许好好说说人家能通融一下，这才再次赶来。

其实要说不得探视，具体执行人员未必能那么公事公办，市看守所管理并不严。可是没有关系门路，人家肯定不给你开绿灯的。

两人乘着一辆自行车缓缓行驶在冬日的街头，人流渐渐多起来，不过张胜骑得很小心，稳稳当当的一直没什么危险。

两个人骑了一个多小时的车，才赶到看守所。拐向看守所前的草坪时，张胜忽然看到一辆奔驰轿车从另一个出口驶出去。开车的人虽然在他的视线里一闪即逝，但是因为特别熟悉，他还是认出来了，那是徐副厂长，麦晓齐原来的顶头上司，和自己合作了一笔大买卖的徐大哥。

他怎么来了？

张胜心里忽悠翻了个个儿，看那车子、车牌，分明不是自己厂的，张胜心想："会不会是长得像的人，我看错了？"

路面有薄冰，张胜没敢太分神，两人在门口停了车，郑小璐在登记处出示证件、说明身份，正在办理登记，两辆轿车驶到门口停下了，前边一辆是桑塔纳，麦处长原来开的那台车。

车上下来的果然是麦家的人，他们看到郑小璐，一个个面色不善地走过来。郑小璐有些畏怯地向麦晓齐的父母说："叔叔、阿姨，你们好。"

麦晓齐的姐姐，那个年近四十的女人盛气凌人地瞪了她一眼，问道："你来干什么？"

郑小璐在她的威严之下更胆怯了："我……我买了点东西，想来看看他。"

"他？谁呀？"

"麦……麦晓齐！"

"啪！"一个耳光狠狠抽在郑小璐的脸上，张胜刚刚叼上一根烟卷，一见这场面惊愕地张着嘴，那烟卷沾着下嘴唇，颤巍巍地向下垂去。

"麦晓齐也是你叫的？你来看他，你来看他干什么，你离他远点我就谢天谢地了，滚！"

郑小璐捂着脸颊，含泪道："大姐，你怎么这么说话，我没做什么呀，我只是……来看看他……"

那女人十分刁蛮，抬手就要再抽，那手划了个弧形抡过来，还没沾着郑小璐的脸蛋，就被一只大手扼住了手腕。

"你是不是妈生爹养的？你长得那是人心还是狗肺？你弟弟犯罪，碍着别人什么事？出了问题先从自己身上找找原因，别一便秘就怪地球没引力！小璐欠你家什么？不就是处过对象吗，现在麦处出了事，小璐顶风冒雪大老远来看他，这是人情，你这人怎么四五六不懂？"

一番训斥的话像连珠炮似的斥出了口，那女人一惊，抬头先看到一双喷火的眼睛，再打量打量张胜的穿着，女人眼中露出了轻蔑之色："你是什么东西？充什么大尾巴狼？她男朋友是吧？我弟弟这才进去几天呐，就出双人对了，想来显摆给我弟弟看也找个拿得出手的呀，就你这德性？"

张胜气得发抖，要不是看她是女人，张胜早就扇她那张臭嘴了。

这时麦晓齐的母亲说话了："跟他们废什么话，我们走！"

她头前走了几步，忽一转头，指着郑小璐的鼻尖声色俱厉地道："我告诉你，以后少来，我们家不欢迎！你个扫把星，我儿子不是为了你这个狐狸精，他能出事吗？"

她女婿立刻冲上来，一拨拉张胜，把他老婆的手腕夺了回去，经过郑小璐旁边时，见她噙着泪花呆站在那儿，没好气地一推，喝道："少在这碍事！"

郑小璐一个趔趄，袋子掉在地上，水果和烟撒了一地。

"这是……一家什么玩意儿？你那宝贝儿子贪污受贿有年头了吧？他去年末才和小璐处对象，碍着人家什么事？"

"不是为了给她置办新房子，我儿子也暴露不了！"麦晓齐的母亲喊出一句更加蛮不讲理的话来，气冲冲地走了。

张胜一句话到了嘴边又咽了回去。他弯下腰要帮小璐把东西捡起来，可是转头一看，忽然吓了一跳，郑小璐脸上一点血色也没有，嘴唇发青，那对漆黑的眼珠直直地前视着，可是却根本没有焦距。

她像风中的一片落叶，颤抖着，用猫一般细小的声音辩解着："不是我，不是我，我没害人！我真的没害人！我不是扫把星！我不是，我不是！"

张胜不知道这句话为什么对她刺激这么大，伸手拉了她一把，试探着唤道："小璐，你怎么了？"

郑小璐眼神发直，半天才闪动了一动，转眼看到他，忽然惊惧地扯住他，即像辩解又像哀求似的望着他，不断地重复着："张哥，我不是扫把星，我没害人，我没有，我真的没有，我从来没想过害人……"

她说着，眼泪已扑簌簌地流了下来。

张胜连忙安慰说："当然当然，这和你有什么关系？你还来看他，给他送东西都白瞎了，这一家玩意儿不配！"

郑小璐好像没听见他的话，仍不断重复着："我没害人，不是我害的，我不是扫把星，真的不是我的错！"

她说着，忽然转身跑开，张胜惊讶地叫："小璐，你去哪儿？"

只见郑小璐跑到门口一侧，双手扶着墙，脑袋拼命地朝墙上撞去，她一下一下地撞着，嘴里喃喃自语："是我，都是我，都是我害人！都是我害的，我该死！"

张胜吓坏了，连忙追过去，一把扳住她肩膀，把她扳了过来。

郑小璐的意识就好像全都封闭了起来，对外界的一切已经没有了反应，她把张胜的胸口当成了墙，仍然一下一下地撞着，流着泪自责："是我的错！全都是我的错！我该死！我该死！"

张胜紧抓着她稚嫩的肩膀，一把扯掉她的线帽，发现幸好有线帽隔着，头皮才没磕破，但是额头红肿了一大块。

张胜一把把她抱在怀里，搂得紧紧的，拍着她的后背，安慰道："小璐，不要这样，这和你没有关系，和你一点关系都没有，就算没有你，他一样得被抓，和你没关系。"

郑小璐就像一只惊弓之鸟，清秀的脸蛋上是深深的痛苦、自责，近乎疯狂偏执的眼神，他都看在眼里，他心里不禁画上一个问号。麦处长姐姐和母亲的话虽然蛮不讲理，可也不至于把人刺激到精神失常，小璐现在这种表现，是不是她曾遭受过什么沉重打击？

张胜纳罕地想："小璐……是个孤儿，在她身上到底什么故事，让她对这句话反应这么大？"

张胜的怀抱让小璐的情绪渐渐稳定下来，当她意识清醒之后，见自己正紧抱着张胜的身子，就像溺水的人抓着救命的浮木，忙松开了手，不好意思地轻轻推开了他。

张胜仔细看了看她，担心地说："小璐，你没事吧，方才怎么……"

郑小璐一旦恢复了理智，各种反应倒还正常。她有点羞涩地摇摇头，拭了拭眼泪，低声说："张哥，我没事，让你担心了。"

这里背风，阳光也正好照在这儿，有点暖意。张胜摸出烟来，默默地吸了支烟，见她的情绪完全稳定了，这才把烟头扔到地上碾灭了说道："嗯，哭一会儿渲泄一下心中的委屈也好，有时憋着反会憋出病来！"

他想了想，又抽出一支烟点上，看了郑小璐一眼，说道："小璐，你和麦处长处过对象，虽说他犯事了，被抓了，可他在的时候，起码待你不坏。所以说真格的，要是他一出事你就没影了，我都瞧不起你，那种无情无义的人，比贪污犯还可恨。

你来看看他，这是应当的，是你该尽的情份。可你来了，那就仁至义尽了，你做得已经够了，不就是处过对象么，他们一家这么待你，你不亏欠他们什么，干吗这么委屈自己？"

郑小璐擦擦眼泪，低声说道："张哥，你不用劝我，这道理我都明白，我今天来，就是想探望探望他，其实也没别的想法。他……的父母、姐姐以前挺热情的，我也不知道他们这么不讲理。"

张胜安慰说："就是的呀，行了，别伤心了，这任何事情啊，都有两面性。要用辩证法看问题，就说这事吧，他麦晓齐犯了案被抓了，他们一家人又迁怒于你，确实倒霉。可你反过来想，你应该开心。"

"啊？"郑小璐睁着一双黑葡萄似的大眼睛，莫名其妙地看着他。

张胜说："你看啊，如果没有这些事发生，那会怎么样？你就会嫁过去了，有这么刁蛮的婆婆，这么蛮不讲理的姐姐，你不得受一辈子气？再说，如果你都嫁过去成了他媳妇了，他才犯事被抓，那时你怎么办？不更得欲哭无泪？"

郑小璐脸上泪痕未干，却被他逗得想笑，她忍住了，轻声嗔道："你这人，啥事让你一说，坏事也变成好事了。我没事了，还麻烦你陪我跑这一趟，咱们回去吧！"

"这样就对了，我印象里的郑小璐，一向都是积极乐观的！"

张胜逗着她，两人并肩走回看守所大门旁，要取了自行车离开。这时，只听门内传出一个疯狂的女人声音："怎么可能？我前天来看他，我儿子还好好的，怎么会自杀？一定是你们非法用刑！"

"你讲话要有依据，这里不是你撒泼的地方！麦晓齐是畏罪自杀还是其他原因，我们会调查的，你们不能进入现场，请相信我们会秉公处理！"

张胜和郑小璐骇然互视了一眼："麦晓齐自杀了？"

郑小璐抓着张胜的衣袖，紧张得脸色发白："他……他自杀了？"

张胜脑海中不期然闪过他刚刚到看守所时见到的那幅画面，匆匆驶离的轿车、驾车的徐副厂长、他和麦晓齐密切的关系……这一切，有关联么？

这时，麦晓齐一家人被警察半推半劝地轰了出来。

麦处长的父亲怒声吼道:"叫你们所长出来!他怎么看着我儿子的,收了礼却不办事,我儿子从小没吃过苦、没受过冤,一定是被里边的犯人欺压得受不了才自杀的!"

麦处长的母亲状若疯狂,连撕带打。他们的女儿也是破口大骂,倒是女婿还有几分理智,知道执法机关不能攻击,警察也没理由殴打他的小舅子,不可能是警察逼死的,这么闹不成,所以一直在旁解劝,劝不了岳父岳母,便拉着妻子好言相劝。

他的妻子满脸通红、头发蓬乱,她一把推开丈夫,正想再扑上去理论,忽然一眼瞧见郑小璐拉着张胜的衣角正惊恐地看着他们,立即怒吼一声扑了过去:"都是你这个狐狸精、扫把星,都是你害的!"

张胜哪会再让她伤害郑小璐,那女人张牙舞爪地扑过来,被他一把推开,厉声道:"你再惹事,别怪我不客气!"

话是这么说,毕竟人家家里死了人,他也不愿意和这家人此时再横生枝节,于是一手揽住郑小璐的肩膀,一手推着自行车,急匆匆地道:"我们走!"

"你别走,你别走,你们这对奸夫淫妇,还我弟弟!"疯婆娘甩开丈夫的手,左右一看,见自行车栅栏下有根头部烂掉的墩布木把,立即一把抄起来,向张胜二人猛扑过去。

"喂,小心!"一个警察看见了她的举动,但是只来得及喊了这一句,这女人已经扑到张胜背后,抡起木棍"呜"地一声砸了下去。

张胜刚刚听见示警,便觉脑后生风,躲闪已来不及了,他大喝一声,把郑小璐向前一推,整个颈子上的肌肉都绷紧了。

"喀嚓!"木棒击在后背上应声而断,女人的丈夫吓坏了,生怕妻子闹出人命,这时几个警察也跑了过来。

一个警察问道:"你怎么样,有没有事?"

另一个警察指着那女人恼怒地喝道:"太不像话了,你不要借故闹事!"

郑小璐也紧张地拉住张胜:"张哥,你没事吧?"

张胜活动一下身子,胸腔有点闷,还好是朽了的木棍,这要是铁棒,那可扛不住。他摆摆手道："没事，没事，没什么事。"

那个警察瞟了那女人一眼，对他说："有没有头痛、头晕、恶心？后脑好像也刮着了，那可大意不得，还是去医院看看吧，可别落个脑震荡啥的，需要证明的话我可以开给你，你带上检查结果去派出所就能解决！"

张胜明白这名警察是恼了麦家人的泼妇行为，这是有心帮他忙，但他还真不想和这家人有任何瓜葛，他笑笑说："我真的没事，谢谢你了同志，我们走了，走吧，小璐。"

"你别走，你给我回来！"那女人还在喊，这回她男人火了，一把把她拽了回去，低吼道："你疯啦？关人家什么事？他现在要是往地上一躺，就能讹住咱们，警察给他当证人，你这官司怎么打？还闹！还他妈闹！"

那女人一听，也有点后怕，嗫嚅了两句，便色厉内荏地退回去了。

张胜一手扶着车，一手拉着郑小璐，生怕她被刺激得又像方才一样疯狂发作，不过郑小璐刚刚渲泄过，情绪还算稳定。她被张胜握着细嫩的手腕，一溜小跑地跟着走出好远，脱离了麦家人的视线范围，等张胜的步子慢下来，她才既担心又内疚地问道："张哥，你没事吧？都怪我连累你……"

张胜不知道以前在郑小璐身上发生过什么，却明白这种事对她的刺激很大，生怕她把责任又揽过去，忙说："真的没什么事，那木头朽了，打身上也不咋痛。来，上车吧，咱们走。"

郑小璐担心地说："别，咱还是走一会儿吧，你缓一缓，我听说有时受了重击当时没事，过一会儿才……可吓人呢。"

郑小璐楚楚可怜的表情十分惹人怜受，张胜不忍拂她的意，两个人并肩走了一会儿，张胜看看郑小璐的脸色，试探着问道："小璐，你以前是不是……小时候……"

"什么？"小璐侧头看了他一眼，那双眸子就像探首斜睨的小鸟，十分灵动可爱。

张胜马上把下半句咽了回去，小璐就算以前发生过什么，也必定是她心中最深的痛，就像自己炒股赔上了全部积蓄一样，一直不敢提及，一被人说及，心就像被人撕开了刚刚痊愈的一层皮，重新让它鲜血淋漓一样痛。直到最近，因为手中有了三百多亩转手就会化铁为金的地皮，心中有了底气，旧日的伤痕才淡了一些。

如果问及小璐的伤心事，一定会让她非常难过，想到这里，他及时改口问道："哦，看着你，尤其是冬天，穿得这么多，一包起来只露出张小脸，看着就像个还没长大的孩子，呵呵，想问问你，你小时候有什么理想，路还长，随便聊聊呗。"

小璐真的很孩子气，她抿抿嘴儿想笑，歪着头想了想，她才说："我呀，我的理想……我小时候就想做一个纺织女工，织最漂亮的布，做最漂亮的衣裳……"

说到这儿，她闪闪的眸光忽然黯淡了一下，仿佛想起了什么，一见张胜看她，连忙强露出一丝笑容，反问道："你呢，张哥小时候有什么理想？"

"我？"张胜苦笑一声，怅然说道："我的理想可多了。小学一年级看课本上要实现四个现代化，就想着做个科学家，小学二年级又想着做个保家卫国的革命战士，看《西游记》我希望自己是孙悟空，看《基督山伯爵》我希望自己就是那家财万贯控制一切的主人公。

那时候，我总想着自己能成为拯救全世界的大英雄，结果现在长大了，却发现自己只能扮演等待整个世界来拯救我的小人物……其实这些都是幻想，我……哪有理想？"

他说到这儿哈哈一笑，自嘲地说："那算什么理想，全都是胡思乱想，只能说是幻想。"

郑小璐调皮地说："没有理想，其实也是一种理想。"

张胜瞄了她一眼，打趣道："你也学会辩证地看问题了？"

郑小璐皱了皱鼻子，张胜见她脸上泪痕未干，说道："把泪擦干，天冷风大，别吹裂了。"

"嗯！"郑小璐听话地擦擦脸颊。

张胜又关心地道："回家弄点蛤蜊油抹一抹……"

郑小璐再也忍不住了，"扑哧"一下笑了出来，她娇嗔地看了张胜一眼，捂着嘴道："张哥，你别逗我笑啦，我现在心里挺难过的，真的不想笑。"

张胜讪讪地说："咋啦?"

郑小璐瞟他一眼，说："现在谁还用蛤蜊油啊，听着年代好久远。"

张胜不好意思地说："现在不用蛤蜊油了？那叫啥？雪花膏？嗨，我对女人用的那些玩意儿没研究，家里就我妈用点化妆品，我从来没注意过。"

想了想，他颓丧地道："唉，咋说呢，我这人，没浪漫的本钱，也不懂浪漫。"

郑小璐一双亮晶晶的眸子瞅着他，很认真地说："其实……不懂浪漫，才是真的浪漫。"

"嘿，你这下子还真的学会了……"

郑小璐抢着说道："辩证法!"

两人对视一眼，忽然都笑了起来，发自内心的爽快的笑，虽然小璐脸上的泪痕还未干，心中的创伤还未愈，但是，至少这一刻，她是真的开心地笑了。

张胜载着郑小璐到了来时碰面的那个车站，小璐便执意要下车，其实这里离她住的小区已经不远了，一般来讲，女孩子，尤其是漂亮的女孩子，被男人恭维惯了，把男人的照顾也就视为理所当然。

然而小璐不是这样，别人对她有一点好，她都放在心里，小璐不是那种能够坦然接受别人恩惠的女孩，今天张胜已经为她做了这么多，还因为她挨了打，她心里感到非常过意不去，接受的越多，她就越不好意思。

张胜无奈，只好停了车子，郑小璐跳下车，甜甜地说："张哥，今天真是谢谢你啦。我没多远啦，你就别拐过去了。对了，张哥，你……真的没事吧，被棍子抽得那么厉害。"

张胜笑道："没啥事，我身子结实着呢，天挺冷的，你快回去吧，好好休息。"

"嗳!"郑小璐脆生生地答应一声。

张胜骑上车驶出几步，忽然福至灵犀地哈着腰使劲咳嗽了几声，正想走开的郑小璐果然听到了，忍不住停下脚步，担心地唤道："张哥!"

"没事没事！"张胜摆着手穿过了马路，很逼真地又咳嗽了几声，过了马路他偷空一瞧，见郑小璐还担心地站在那儿，心中不禁浮起一丝喜悦。

"我这可不是趁人之危，她和麦处肯定完了，她现在是自由之身。我又没用老白教的损招。"

张胜一边为自己的小手段找着借口，一边朝家里驶去。

回到家，张胜仍然注意翻报纸、看电视、听声音，注意市政府方面的任何消息。但是眼看着就要元旦了，还没有这方面的消息，张胜按捺不住，给徐厂长打了个电话，徐厂长在电话里安慰他不要着急，答应如果年初还没消息，帮他走走关系办个贷款延期，张胜这才放下心来。

地皮在他名下，他不怕徐厂长抽板走人，如果贷款到期消息还没出来，那么外商看不到相关的优惠政策文件就不会投下大笔资金在桥西置地盖楼，那样的话地卖不出去，贷款债务固然是他的，但徐厂长的先期投入和后期收益也全泡了汤，鸡飞蛋打一场空，所以非到万不得已，他是不会撒手不管的。

马上就要元旦了，虽说中国人重视春节远胜于元旦，不过作为一个重要节日，还是充满了喜庆气氛。弟弟单位发了盒鸡蛋和带鱼，他是开车的，接触人多，还弄到两本挂历，一本是世界名车的，一本是几乎全裸的欧美明星，现在都堆在客厅的圆桌上。

东西撂家里，张清就出去了，估计是找他女朋友了。爸妈正在厨房忙活，一个和面，一个拌馅，正要包饺子。猪头肉、搂钱耙几样过年吃的东西正在锅里酱着，肉香扑鼻。

大盖帘上还"醒"着一排排白面馒头，那都是最正宗的山东饸面馒头，蒸好了晾着的时候硬得赛过石头，一旦蒸软了筋道喷香，一口菜都不用就都吃着香。

按照老辈的习惯，过年时做东西得有余粮，亏得这是小年，要是大年，爸妈做的东西能一直吃到十五，张胜劝了多少次了，老人多少年的习惯，就是不改。

"老大二十好几的人了，自打小饭店关了门，整天也不说找个活儿干，就

85

天天在家这么耗着，唉，真是愁人。"张胜的母亲一边调着馅一边唠叨。

他的父亲个头很高，不过现在背有点佝偻了，身材仍显魁梧，满面红光，看着体格倒是极好。

他一边和着面一边说："算了，马上过年了都，唠唠叨叨的让他听着心里也犯堵。你没看他隔三岔五就往外跑吗？肯定也是联系活儿去了，唉！老大从小就这脾气，有啥心事自己闷着不跟人说，你别操那么多心了。"

被老伴说了一顿，母亲不再提这事儿了，唠唠叨叨地又说起张胜的终身大事来："工作一时找不着合适的也算了，没事和以前的同学、同事也多联系一下呀。整天在家不是看电视听广播就是看报纸，国家大事用你关心？也不说找个对象，你说电视里边还能跑出个大姑娘来？"

张父火了，把一大团面砰地往盆里一砸，瞪起眼道："你咋唠叨起来就没完没了的？要过年了，少说不顺气儿的事成不成？他看电视看不出大姑娘来，你这么唠叨就唠叨出来了？"

张母听了便不作声了。

张胜在屋里听得真切，却没接话茬儿。他贷款买地的事儿是瞒着家里的，父母都是老实巴交的退休工人，要让他们知道儿子贷了两百多万巨款在郊区买荒地，老俩口儿还不担心得夜夜睡不着觉？

张胜想："还是等事情明了之后再说给他们二老听，让他们高兴一下吧。"

电视里全是报喜不报忧的过年话儿，时不时蹦出一串笑容可掬的明星来，一个个点头作揖的，喜庆吉利的拜年话说完，顺手就从屁股后边抻出一个大礼盒，甜言蜜语地劝着大家买来送礼，听得人直犯困。

楼外，小孩子时不时放上几声响鞭，脆响零落，余音在楼群之间回荡，那感觉就像张胜心里一样，空空荡荡的。

忽然，电视画面一转，播音员用热情洋溢的声调汇报起市政府今年为全市人民办的十件大事的落实情况和成果来，张胜有一下没一下地听着，说到最后，播音员报告明年政府工作展望，突然提到了桥西。

张胜整天等的就是这个消息，立即加强了注意力，还把电视声音调得震耳欲聋，好在是过年，外面有零零星星的鞭炮声，爸妈以为他听不清电视里

86

的声音，要不然又得挨顿骂。

电视里说："……按照市政府的安排部署，明年我市将开发桥西地区，在那里建设一个高新科技开发区，经济进步，科技先行，希望藉此彻底改变我市传统老工业基地的落后局面。市政府制定了非常优惠的政策，对入区企业……"

张胜霍一下跳了起来，心怀激荡难以自持，耳鼓胀得嗡嗡作响。

"来了！来了！消息终于出来了！"张胜激动得脸庞通红，终于苦尽甘来了！

他"啊"地一声大叫，把外屋包饺子的老妈吓得一哆嗦，她没好气地骂道："这孩子，一惊一乍地作死呐？"

张胜不答，把手一摆，乐极忘形地唱道："红岩……上红梅开，千里冰霜脚……下踩，三九严寒何所惧，一片丹心向阳开……向阳开……"

张胜的母亲跑到卧室门口，见儿子红着脸又跳又唱，不禁又惊又笑地骂道："这孩子，到底是咋啦？"

张胜兴奋欲狂，继续唱道："红梅花儿开，朵朵放光彩，昂首怒放花万朵，香飘云天外，唤醒百花齐开放，高歌欢庆新春来……"

母亲攥着两手面，莫名其妙地瞪着他，张胜唱着歌，踩着鼓点儿飘出去，唱到"新春来"才止住歌声，一把拉住母亲的手，兴奋地叫："妈，我发财啦！我发大财啦！哈哈哈哈……"

张胜正想把自己发财的消息告诉妈妈，传来"当当当"的敲门声，张胜忙走过去开门，母亲在后边喃喃地说："这孩子，这是啥毛病，咋都魔症了？"

张胜一开门，一下子愣住了，门外站着一个挺漂亮的女孩，是郑小璐。

她还是那件灰呢子短大衣，头上戴着线绒帽，鼻尖冻得通红，很可爱的模样。她戴着手套，手里捧着一个东西，外边套着带绳扣的布袋，上边隐约露出一块米黄色的塑料，像是个保温瓶。

看见开门的是张胜，郑小璐吸了吸鼻子，腼腆地笑笑："张哥，你家真不好找。我跟老白师傅打听过道儿，可我是路痴，刚才爬到隔壁楼上去了。"

她一口气儿爬了五楼，呼吸还不匀，鼻翅翕动，呼呼地喘着。

张胜愕然片刻，才恍然惊醒过来："快，快进屋，你怎么来了？"

张胜从她手里接过保温瓶，引着郑小璐进屋，郑小璐拉上房门，一见他父母都在盯着她看，忙甜笑着打招呼："伯父、伯母，过年好，我叫郑小璐，是张哥的……同事。"

"哦……"老两口恍然大悟，难怪儿子高兴得如疯似狂，感情……啧啧啧，这姑娘……长得真是俊呐。

"哦哦！快请进，快请进！不用换鞋了。"张胜的母亲醒过神儿来，喜出望外地往上迎，她手上都是面，不好上前阻拦，郑小璐还是脱掉了鞋子，换了双拖鞋。她的脚很纤巧，穿了一双白袜子，非常可爱。

张胜的父母见这姑娘秀气水灵，一对黑如点漆的大眼，言谈十分乖巧，这还是头一次有姑娘家上门找大小子，再联想方才张胜的表现，已经确认了二人的对象身份，心里顿时乐开了花。

张胜的父亲笑道："小璐姑娘啊，快请进里屋坐。我们正做饭呢，你瞅这乱得，快进屋暖和一下，我这大小子老实，从小笨嘴拙舌的，也不会让个客人。"

张胜的母亲对儿子佯怒道："愣着干啥，快沏杯茶去，把那花生、瓜子端来。"

郑小璐的声音清脆悦耳，甜丝丝的十分讨人喜欢："伯父伯母，您都别客气。我炖了排骨汤，给张哥捎来，坐一会儿我就走了，别麻烦了。"

张胜母亲坚持道："那哪儿成，来就来，拿啥东西。快进屋坐，来了怎么也得吃了晌午饭呐！"

郑小璐跟着张胜进了屋，张父张母满面笑容地跟进来寒暄了几句，问的不外乎是姑娘多大了，住在哪儿等情况，问得郑小璐也隐约猜出了这老两口把她当成了什么人，一张俏脸越发羞红了，却又无从辩解。

张胜见小璐发窘，连忙推着父母出去："爸，妈，你们快去包饺子吧，哪有那么多话问呐？"

看着姑娘那小模样，再加上那甜甜柔柔的嗓子，一对老人家是越看越满意。基本情况了解清楚，两个老人便赶紧出去了，张胜母亲出屋时还特意把门给他们关上了，这一来弄得张胜也不自在起来。

张胜递给小璐一杯温水，在她旁边坐了下来。屋子不大，一张双人大床，一个大衣柜、一个粗笨的电视柜，再没什么空间了。

两人是坐在床沿上的，张胜这一坐下，小璐就腼腆地往旁边挪了挪。其实她挪动的幅度并不大，只是稍稍抬抬屁股，挪出不到一指的距离，但这反而显出一种孩子气的可爱来，颇像校院里既想接触又非要划清界限，在书桌上画三八线的女学生。

"明天就过年了，厂子里放假了吧？怎么还特意……"张胜看了眼放在电视柜上的保温瓶，转头对郑小璐道。

她已经摘了帽子围脖，但是身上还穿着那件短大衣，头发很朴素，梳得光亮整齐，额前一点刘海都被帽子压平了，贴在白皙的额头上，就像一个清纯的女学生。

她轻轻一笑，鼻子微起皱起，腮上现出两个浅浅的酒窝，那笑意便涟漪般在她俊俏的脸上荡漾开来："昨天害你被人打了，我心里一直惦念着呢，你又不肯去医院，我就……熬了排骨汤，想着让你补补。"

张胜笑了，这一棍子不白挨啊，这下子可是羊入虎口，怨不得别人："你不提我都忘了，其实冬天穿得厚，那木棒又是朽了的，根本没啥大事，你这么在意，倒让我不自在了。"

"没啥的，你是为了我，这点心意是应该的。"郑小璐笑得很秀气。

张胜点点头，忽地问道："他们……家里的人没再找过你麻烦吧？"

郑小璐脸上的笑容消失了，她落寞地摇摇头，手指无意识地捻着床单没有说话。

张胜叹了口气，沉默片刻说："麦处被抓起来都半年多了，我想你现在的情绪也该平静下来了。麦处……是自杀的，其实他就是不死，这辈子怕也没机会出来了，你们两个……没有缘分，别想那么多了。"

郑小璐转着水杯，眼神有点迷茫，幽幽地说："嗯，他刚给抓起来时，我难过得要死，就像天塌下来似的，同宿舍的人见了我那样子都不敢和我说话，每天早上醒来，我的枕巾都哭得湿湿的，足足一个多月才缓过来。

我从小就没有人管，什么都得自律，起床、学习、卫生、直到上班后的生活，都是自己照顾自己，我心里总是没有一点安全感，不知道自己的归宿在哪。自从他开始追我，我才觉得自己是受人重视的，也有人关心我。他会关心我晚上几点休息、和什么人来往、平常都做什么、星期天他没空陪时我会去哪里，觉得我做得不对他会训我，听了好温暖……"

张胜听得下巴都快掉下来了，麦处这哪是关心她呀，分明是不放心她，对她限制得死死的，她居然把这当成关爱。现在的女孩谁不向往自由，谁没有一点自己的私密空间，她被人关得像只笼中鸟，居然……这个女孩的心态还真是成问题。

"他对我真的不错，我本来想嫁给他，伺候他一辈子……可惜……"说到这儿，她又泫然欲泣。

张胜听得不是滋味，劝道："人不能总盯着过去，过了今晚就是元旦了，抛开心事，开始新的一年吧，你这么年轻，未来的路还那么长，谁规定第一次恋爱就必须得成功？"

"嗯！"郑小璐点点头，不好意思地笑笑："你看，马上就过年了，我咋和你说这些话，事情已经过去了，我不会一蹶不振的，像我这样的人，从小就学会要自己坚强，我只是想起来还有些伤心"。

就在这时，张父在外边叫："胜儿，楼下有电话找你。"

张胜一听，忙不迭地对郑小璐说："你等等，我去接个电话。"

张胜跑下楼去拿起电话，刚刚喂了一声，电话里就传出一阵响亮的笑声："小老弟，我们成功啦！哈哈哈，你看没看电视，市政府的新年规划，明确提出开发桥西了。"

第六章　商战冷酷无情，面对大笔金钱谁能做到不见利忘义

徐海生风风雨雨见的多了，为了利益钩心斗角尔虞我诈的事也见得多了，向来都是他和别人争利，猛然碰上这么个人，把大笔的金钱双手奉上，反而弄得他不知所措了。他并不是什么好人，多年来在社会上摸爬滚打，把他的心磨炼得冷酷无情，但是张胜这一番推心置腹的话还是让他那颗冷酷已久的心涌起一股暖流，围在他身边的人不少，但是又有谁对自己这么坦荡？面对那么大笔金钱的时候谁能做到不见利忘义？

一听是徐厂长的声音，张胜也露出了笑容："是啊，徐厂长，我刚刚看到了，刚听到的时候，开心得都说不出话来。"

徐厂长在电话里豪气干云地说："总有人羡慕别人大发横财，咱们这横财发得可不容易呀，一旦败了，那就是倾家荡产，甚至牢狱之灾。机会人人有，就看你敢不敢赌，幸好我们赌成功了，你现在过来，咱们商量一下年后如何用较高的价位把地皮脱手。"

"嗯，好好，我马上去!"

张胜回到家，对郑小璐说："小璐，我有点急事，得出去一趟……"

郑小璐听他要出门，便站起身来，拿起手套、帽子和围脖，笑笑说："嗯，我也正要走呢，咱们一块下楼吧!"

张胜的母亲听了忙赶进来道："小璐啊，马上就中午了，你别走了，留下吃顿饭吧。"

郑小璐一边往外走，一边客气地说："谢谢伯母，我还有事，先走了，以

后有机会再来看您。"

两人下了楼，郑小璐见张胜一脸喜气，不禁笑道："张哥，有什么好消息呀，这么开心？"

张胜眉开眼笑地说："哦，桥西……桥西有几个朋友约我出去吃饭。"

他的心中本来有些自卑，甚至没有勇气追求小璐，现在他马上就要变成大款了，有了追求她的底气，可是有关自己手中掌握着马上翻倍增值的大片地皮的消息冲到了嘴边，却忽然咽了回去。

他不想现在告诉小璐这个消息，原因很简单，男人都有责任感，自己没有那个能力成家立业，没有实力给人家幸福，大多数男人就没有勇气去追求他喜欢的女人，但是当他有了这个能力，他却又不愿意看到自己喜欢的女孩因为考虑到他的经济状况才选择他。

郑小璐打开车锁，轻盈地跨上她那辆二六飞鸽自行车，对张胜说："张哥，我回去了，你少喝一点，大过年的，路上车多，不安全。"

张胜嗯了一声，眼见小璐骑着车走出十多米了，忽然叫了一声"小璐！"

小璐刹住车，停下扭头看来，张胜快跑几步，赶到她身边，心中怦怦跳着问道："小璐，你……晚上有没有事？"

小璐一怔，眼睛里忽然闪过一丝恍悟的神色，脸上的表情顿时不自然起来，她忸怩了一下，细声细气地说："我……没啥事，咋啦？"

张胜说："今晚市政府广场有露天晚会，要放焰火，你有兴趣吗？我……我想约你一块去。"

郑小璐的眼帘动了动，重又张开时，黑白分明的大眼睛带着一丝为难的情绪。虽说麦处被抓已经半年，昨天去探望他又和麦家的人发生了那样的冲突，彼此的关系已经彻底破裂。可那毕竟是她的前男友，他才自杀没多久，就和别的男人一起去逛街，小璐心里有种犯罪般的感觉。

可是张胜对她这么照顾，还为她挨了打，他都开了口了，要是拒绝不是伤了他的心？善良的小璐左右为难，不知如何委婉地拒绝。

张胜见她犹豫，眼神慢慢黯淡下来，他幽幽地叹了口气，低声说："算了，当我没说过，小璐，你回去吧，路上慢点骑。我……我走了！"

说到此时，他的声音哽了一下。张胜转过身，一步一步地走回去，走向自己的自行车，脚步是那么沉重、背影是那么凄凉……

郑小璐看在眼里，一股母性油然而生，她立即喊了一声："张哥！"

张胜停住脚站在那儿，却没有回头。

郑小璐的声音又弱下来，怯怯地、小声地问："几……几点钟呀？"

张胜眉尖一挑，一丝忍不住的"奸笑"出现在他的嘴角，他就知道，对小璐这样善良单纯的女孩子，这个法子一定管用。他叹了口气，故意很沉痛地说："小璐，算了，当我没说过，你不要为难了。"

郑小璐急了，车子又兜了回来："人家哪有为难啊？张哥，你告诉我几点钟，我好准备一下。"

张胜转过头，盯着小璐问道："你真的想去？"

郑小璐现在只想哄得他不再伤心，哪知道是受了他的作弄，于是连连点头："是呀，我还没看过大型焰火晚会呢，真的想去看看呀。"

"那好，今晚八点钟，我去接你吧，九点钟焰火晚会才开始。"

"不用了，去我宿舍还得反着走一段路呢，你说个地方，我到点自己来好了。"

"那哪儿成？放心吧，我有车，还是自行的。"

小璐被他逗得"扑哧"一声笑了出来。

张胜送走小璐，便赶往徐厂长家。土地的事有了着落，他也舍得花钱了，没骑他那辆小两轮，出了小区叫了辆出租车。一路上，他的嘴就没有合拢过。

车上正在放歌曲，一首《爱拼才会赢》听得他心潮澎湃。

"一时失志不免怨叹，一时落魄不免胆寒，那通失去希望每日醉茫茫，无魂有体亲像稻草人，人生可比是海上的波浪。有时起有时落好运歹命……三分天注定七分靠打拼，爱拼才会赢。"

一路上他在心里不住地唱着这首歌，是啊，爱拼才会赢，他拼了，他赢了！

人逢喜事精神爽，连续几年的不如意都过去了。上班几年的积蓄全赔光了又怎样？他现在可是拥有了十倍百倍的金钱；不幸成为下岗职工的一员时，那些天连门都不敢出，臊得慌呀。可现在还在苦哈哈地上着班的同事，干一辈子有自己这一次赚得多么？以前羡慕别人有女朋友，可这一找就是三星印刷厂五朵金花之首啊！

有关土地使用权转让的一系列证明文件和合同就放在张胜家里，他已经不知看了多少遍了，这时一边赶路，一边在心里反复确认着所有文件的合法性和完备性。

因为贾区长被他握住了把柄，所以在文件上不敢做什么手脚，一切文件齐备。贾区长亲自到区里办的手续，因为是废地利用，所以很容易就获得了批准。

根据一九九零年《国有土地使用权出让和转让暂行条例》，国家按照所有权与使用权分离的原则，实行城镇国有土地使用权出让、转让制度，我国境内外的公司、企业、其他组织和个人，均可依照条例的规定取得土地使用权，进行土地开发、利用、经营。

一九九四年的时候，省人大常委会依据国有土地使用权出让和转让协议，又通过了省内农民集体用地使用权的法规，规定了属于集体所有的土地的详细转让条例，并下放权力，由区政府登记造册、核发证书，确认所有权。

依据这两项法规，由区政府核发的各种文件具备完全的法律效力，五十年内，除了地上文物、地下资源和埋藏物之外，张胜对这片土地拥有完全的使用权并受国家保护。

而且张胜最初接受转让使用权的这片土地是农业用地，随着整个开发区的建立，改变用途不但不会被政府阻止，反而是政府希望的。

法律文件搞得这么系统全面，还有赖于徐海生。他考虑到将来要用地的是国家，为了以防万一所以完全走得正常程序。其实农村卖地是很邪乎的，不止是那个年代，就是现在，几个村干部就把村里的地给卖了的事也屡见不鲜。

按照宪法，他们有这个权力吗？没有！但是尽管在这个问题上法律是有的，可是执法过程中却有很多问题。有些基层干部违法行事，而法律没有或没有人有这个能力去提请给予制裁，于是就形成了一些没有法定权力去卖地的官却在干着事实上正在卖地的事。

而张胜持有的是完全合法的文件，张胜核算过，接受转让时它的用途是农业用地，就算政府强行改变政策，把它当成集体用地进行征用，所支付的征地补偿款、安置补助费、青苗补偿费等最低每亩也有数万元之多。

如果是集体用地，那么乡、村各级肯定要有截留，落在农民手里并没有这么多。而他是个人用地，所以即便国家是按集体用地征用，这笔钱也会全部落在他手里。总之，这笔横财，他发定了！

徐海生在家中正在打电话："老邱，你一定要尽快筹措出八百万现款，我有急用。"

"老徐啊，咱们的资金现在相当紧张啊，你也知道，咱们运作的福海水泥厂和东方机械集团的项目占用了大量资金啊。"

"我知道，最近事情太多，我还没来得及了解详情。不过，福海水泥厂的报表不是做成了资不抵债吗？我们以接收全部债务为条件把厂子兼并，只注入了几百万启动资金让它活过来，我算了一下，现在应该可以抽出几百万来应急呀。"

"去他妈的吧，老徐啊，我正忙得焦头烂额呢，福海水泥厂是集体企业，集资入股建造这家水泥厂的，全是福海县的头头脑脑。现在厂子在我们手里活了，他们又后悔了，我们现在把厂子包装完想转手再卖出去的时候，他们这群狼就扑回来了，在方方面面拖后腿、使绊子，对我们进行阻挠。"

徐海生沉吟了一下，冷笑说："厂子他们是休想再拿回去了，现在他们不过是想尽可能多捞回去一些钱就是了。先晾晾他们，福海水泥厂不必急着脱手，你先帮我筹钱，我有大用。"

"你小子又发现什么赚大钱的项目了？饭还是要一口一口地吃呀，摊子一下铺得太大，小心会消化不良。"

徐海生嘿嘿一笑，说道："这个项目，是一本万利，我可以把它买回来，然后慢慢吃！"

电话对面的老邱一听顿时来了精神："这么笃定？好吧，我尽快筹钱回省城……"

这时，门铃响了。

徐海生微微一笑，说："好，就这么定了，尽快筹钱回来，我约的人已经到了。"

他撂下电话，一边习惯性地捋着头发，一边微笑着打开门，张胜就站在门口……

当张胜敲开房门的时候，眉梢眼角还带着浅浅的笑意。徐厂长见了他的表情，知道是年轻人沉不住气，一笑置之，没多问。

把张胜让进屋子，徐厂长打开红木酒柜，斟了两杯 XO，笑吟吟地递给张胜一杯，踌躇满志地往真皮沙发上一坐，跷起二郎腿，晃着晶莹剔透的水晶杯，微笑道："小老弟，苦尽甘来啊，现在我们就等着采摘丰收的果实了。

这两天过年，过了元旦，估计就会有闻风而来的人准备进驻新区了。贷款是二月下旬到期，在此之前把地皮脱手，连本带息还上，哈哈，天衣无缝呀，老弟你也不用悬着那颗心了。"

张胜开心地说："说起来，我只是无意中得了这个消息，要是没有徐厂长大力支持、幕后运作，我也只能眼睁睁地看着这个好机会从手里溜走了。"

徐厂长摆摆手道："嗳，咱们之间就不要说外道话了，以后你也不要叫我徐厂长了，显得外道，就叫徐哥，啊？所谓无利不起早，我这也是有利可图才参与这桩买卖嘛。

过了年咱们就放出风声，主动找上门的最好，有合适的买家我们也可以主动上门推销。三百多亩地要是一个厂家吃不下，那就拆开了往外卖，没有问题的。我估计了一下，应该能卖七八百万上下，至于赚的钱……等结清了银行贷款再算吧，咱们兄弟之间不急，啊，不急。"

张胜欠了欠身子，说："我是这样想，徐厂长……"

看到徐厂长假嗔的表情，张胜笑了笑，不好意思地改口道："徐哥，咱们原来说的刨除贷款本息，所得余款二一添作五，我现在有点别的想法……"

徐厂长一听，握杯的手忽然收紧了，中指上一枚硕大的钻戒猛地寒光一闪，他的双眸也露出了危险的光，但是张胜正沉浸在自己的想法里，没注意到他这细微的变化。

"徐哥，我是这么考虑的，刨除银行贷款本息之后的钱，你请客公关的花销也应该从这里边扣，你能不能报销那是你个人的本事，我不能因为这就当你没花。之后再剩下的钱，五五四五的分，你占五成五，我占四成五，虽然不多，但是也是我一番心意。"

徐厂长一脸愕然，手中的酒杯也凝在空中。

张胜说完抬头看着他的脸色，他还坐在那儿发怔，好半天才眨眨眼睛，不敢置信地问："你……刚刚说啥？啥五……五四五？"

张胜认真地说："我是说，赚的钱重新分，我拿小头，四五成，你拿大头，五五成。"

徐厂长的嘴缓缓合上了，他慢慢举起杯，深深地呷了口酒，让那酒液直接灌进胃里，酒精刺激得脸上顿时升起一片潮红。这才说道："老弟，你知不知道这半成是多少钱？至少几十万呐！"

张胜郑重地点点头，说："我知道！可我更知道，消息是我捡到的，这钱是我不劳而获的，没有你出本钱动人脉，幕前幕后这么运作，我就是累到吐血也弄不到十亩地。"

徐厂长真的感到意外了，两人最初说好的是收益五五分成，而且现在全部地皮都在张胜名下，如果他心黑一点，撕破脸皮不认账，自行把地皮脱手，那自己就等于空忙一场。

虽说可以想办法向他施压追讨，毕竟是件麻烦事，就因为这，消息确定之后，他才迫不及待地让张胜赶来，只是想再确认一下彼此认可的利益分配协议，想不到……他自己拱手让出几十万来，而且他还是那种穷得一万元当成天的下岗工人。

世上真的有这种人吗？

徐厂长实在无法相信，可是他已经询问了两遍，话听得清清楚楚，绝不会错，一时他竟有种做梦般的感觉。

"老弟，这个……"

徐厂长风风雨雨见得多了，为了利益钩心斗角尔虞我诈的事也见得多了，向来都是他和别人争利，乍然碰上这么个人，把大笔的金钱双手奉上，反而弄得他不知所措了。

张胜一笑，坦诚地说："徐哥，其实我心里都明白，贷款的是我，一旦这消息不属实，负责任蹲大狱的就是我。可这么大的收益，这就是我能付出的投资，不然谁和我一起做这笔生意？没有你，我就是想担这责任人家银行都不贷给我。"

徐海生沉默了，他并不是什么好人，多年来在社会上摸爬滚打，把他的心磨得冷酷无情，但是张胜这番推心置腹的话还是让他那颗冷酷已久的心涌起一股暖流，围在他身边的人不少，但是又有哪个对自己这么坦荡？能面对这么大笔金钱的时候做到不见利忘义？

　　张胜，一个没什么出身，一直穷得叮当响的小子，却做到了。徐海生再唯利是图，交朋友还是喜欢张胜这样的爷们的。

　　人都是这样的，不管自己多么卑鄙无耻、两面三刀，但是他自己绝对不愿意交的朋友也是这样的，张胜的话直接触动了他那久违的一种感觉。

　　张胜并没有发现徐海生神情的变化，他还沉浸在自己的思绪中，他也轻轻地呷了口酒，卷起舌头轻轻品尝着美酒的滋味。前些日子跟着徐厂长山吃海喝的，洋酒他现在喝着也能习惯了。

　　他现在对徐海生有着说不出的感觉，虽然两人所谓的合作关系只是徐海生利用他，但是自己能有今天是离不开徐海生的帮助扶持的。

　　说句不好听的，如果没有徐海生，他张胜现在有什么？不管徐海生打得什么主意，毕竟自己是因为他才得到成功。

　　张胜诚恳地说："这些日子跟着你结交各行各业的人物，跑大大小小的衙门，跟着你学习待人接物，见识广了，心里亮堂了，我思考的东西也多了。要是来个道德君子评价一下，可能要说你把我带坏了，可是我感觉却不一样，我这种小人物，一辈子都没机会见识这些东西，见识了，不是享不享受的问题，而是能从中悟出许多东西，这些……都是我的收获。简单地说，因为你领我见了世面，我这只青蛙从井里跳出来了。"

　　徐厂长默默地听着，眸子发亮，压在心底的一句话差点儿脱口而出，但是理智让他的心重又冷静下来，他一仰头，把杯中酒一口饮尽，压住了那颗偶现波澜的心，走到张胜身边，重重地拍了拍他的肩膀，笑吟吟地道："老弟啊，这次买卖，除了钱，我也收获了许多珍贵的东西。你这样的人……可交啊！从今天起，你就是我徐某人的兄弟！"

　　徐海生说完了，当下就要打电话邀几个好友晚上和张胜一块出去喝酒，不过张胜却婉言谢绝了，他已经见识过那种场面，虽然从思想上，他并没有男人一定要守身如玉、洁身自好的念头，那有点矫情了。但是今天是他第一次与郑小璐相约的日子。

小璐在他心中是至纯至净的那种女孩，她聪慧伶俐，既然答应陪他一起去逛灯火晚会，就不会不明白自己约她的言外之意。她答应了，也就意味着同意发展彼此之间的另一种关系。有了这种关系，有了心爱的恋人，他不想去接触那种纯肉欲的东西。

徐海生这些朋友都是酒色之徒，酒为色之媒，喝高了肯定要去爽一爽，自己那时再拒绝，反而惹得大家不开心，还不如早早脱身。所以，他不只是因为今晚要陪小璐，即便错开今日，他也是不想去的。

徐海生见他坚辞不去，倒也没有勉强，他知道这个小老弟和他生意场上的其他朋友不同，不需要用这种方式联络感情，两人商量了一下年后的安排，便送他出门。

等张胜离开，徐海生便打了几通电话，约些朋友晚上一起吃饭，他一个人在国内，小年夜无所事事未免凄凉，自然会找些酒肉朋友狂欢一宿。

张胜回家吃完晚饭，说要和小璐一起去广场看焰火，爹妈一听十分高兴。老妈眉开眼笑地赞道："还是咱们家老大厉害，平常蔫了吧唧的，八棍子打不出一个屁来，这说没对象没对象的，一找就找了个天仙似的姑娘。"

张清一听好奇地问："大哥搞对象了？哪儿的，长得有多漂亮？我说妈你可偏心啊，大哥找了对象你就夸，我打小学五年级就搞对象，也没见你夸过我一句。"

老妈瞪了他一眼，嗔道："就你这种一擀面杖打得出八个屁来的还用夸？不夸都得瑟上天了！"

一家人说说笑笑，这个小年过得十分温馨。

张胜回来比较晚，又要赶着去接郑小璐，所以盘算了一下，他的好消息就没在当晚说出来，否则爸妈老弟问东问西的不免耽误工夫，反正好事不怕晚，明天再说也是一样。

才六点多一点儿，张胜的心就长了草，平时他老觉得时间过得快，可今天墙上的电子钟不知道看了几遍了，总觉得不准似的。他在屋里又磨了一阵儿，实在忍不住了，和家里人说了一声就下了楼。

他穿着那套置办的好西服，外面罩了件大衣，下了楼没骑车，直接打车奔向郑小璐住的女工宿舍。

到了女工宿舍楼下，只见整幢楼乌漆抹黑的，与这灯火通明的夜晚显得格格不入，除了楼道，只有三楼小璐的宿舍亮着灯，张胜这才想起来，单身女工宿舍住的女工大多是为了离单位近一些，今天是小年夜，能回家的全回家去了，没走的寥寥无几，估计也大多有了男友，小年当然不会自己在这过，想必都去男朋友家了，那这楼上岂不是……

想到这儿，张胜心里有点发酸，他暗暗责怪自己不够细心，这种状况早该想到的，今天晚上该把小璐接回家一块吃饭才对，她既然答应出去约会，就不会拒绝这个邀请，整幢大楼空荡荡的，就她一个人在这过年，冷冷清清，无亲无故，多么凄凉。

张胜本来顾及小璐为人腼腆，自己刚刚和她有了点那个意思，还不好意思上楼，想在外边等着，可这一来就按捺不住了。他看看传呼机，才六点三十八，距约好的时候还有一个多小时，便悄悄地上了楼。

小璐住在三楼，厂里为了省电，楼道里的灯又少又暗，一二楼都黑咕隆咚的，到了三楼才算见了点亮。张胜给这幢楼检修过电路，心仪女孩住几楼几室自然一清二楚，便放轻了脚步悄然走去。

这里的厕所、浴室、洗衣房都是公共的，洗衣房的水龙头可能没关好，"嘀嗒嘀嗒"的声音在静谧的楼道里愈发瘆人。

张胜悄悄走到小璐住的那间房门口，门底下透出的灯光比走廊的光稍亮一些，显然里边有人，张胜贴着门站住，正想敲门，里边忽然传出郑小璐的声音："爸，妈，过年了，小璐又长大了一岁，比以前更懂事了。"

张胜暗暗纳罕，她不是孤儿么，哪里来的父母？

宿舍楼老化严重，门上黄色的漆油都起了皮，门的缝隙非常大，张胜哈下腰，贴着门缝往里看去，只见小璐坐在床上，面前摆了个老式招待所的那种床头柜，柜门上还有红五角星，柜上放着一个小面盆，旁边床上铺着报纸，上边码得像银元宝似的，是一个个白生生的小饺子。

郑小璐穿着一件颜色黯淡非常陈旧的毛衣，下边是一条寻常的牛仔裤，腰上系了条蓝底儿白色小花的围裙，正坐在那儿一边包着饺子，一边带着浅浅的笑和对面说着话。

她在厂子里，在人前，永远都是甜甜的笑容，让人看了便从心里向外甜丝丝的，可是现在的笑容却带着点酸楚。

只听她继续说道："妈，小璐长大了，懂事了，不再拿着饺子皮玩，惹你生气了。你看，我还会包饺子，这么乖，你会不会多给我点压岁钱呢？妈要是不给，爸爸一定给我的，爸爸最疼我……"

她拿起一个饺子皮，包进馅去使劲地捏着边，很孩子气地说："这是最后一个饺子，像妈妈一样，我也放了一枚硬币。今天元旦，一会儿咱们全家吃饺子，看谁福气大，吃得到这个饺子。"

对面还是没有一点动静，张胜心里开始觉察出不对劲了，从门缝望去，只见郑小璐站起来走出了他的视线，自言自语地说着："电饭锅水开了，韭菜牛肉馅，两个开锅就能好了。"

只见她走回来，把饺子捡到锅盖上，再放到电饭锅里，然后又走了回来，低垂着头，哈着腰，两手的手指绞在一起，长长的眼睫毛给眼睑留下一抹阴影，那模样，仿佛是个做了错事等着大人责罚的孩子："爸、妈，麦晓齐昨天自杀了，当时我正去看他……我知道他追我是因为我乖、我听话，年轻，而且长得不赖。

我也说不上喜不喜欢他，不过我是真的想嫁给他的，他和爸年轻时长得真像，你们要是看到他就知道了。可他死了，我正要去看他的时候，他自杀了。他家里人……骂我是扫把星，还打我……爸、妈，我真的是扫把星吗？我真的克人吗？"

她忽然捂着脸低泣起来，肩膀一耸一耸的，抽噎着说："爸、妈，原谅我，我再也不任性了，我乖乖听话，不惹你们生气，你们原谅我，你们不要丢下我，我一个人在这世上好孤单……"

张胜现在已经可以确定屋里没有别人了，郑小璐这种异常的举动，很可能是她以前受过极大的刺激。她是孤儿，从她断断续续的话来看，似乎她父母的死，和她有直接关系，在她身上，到底发生过什么事？

郑小璐的心像刀割一样难受，童年的记忆已经很遥远了，许多童年往事都淡了，唯独那天发生的事迄今仍深深镌刻在她的脑海里，成为她永远无法摆脱的梦魇。

那一年，她才五岁，从小就是父母掌上明珠的她，在一个微雨的午后执意要爸爸陪她出去放风筝。父母用正在下雨的事来劝她，但是她不听，她兴奋地说刚刚听过富兰克林雨中放风筝的故事，非要出去玩。

对爱女十分宠溺的爸爸妈妈只好陪着她走出家门，在大院里放起了风筝。风筝被风刮起来了，吹得好高好高，爸爸放着风筝，妈妈拉着她的手打着雨伞站在细雨里看，笑得好开心。

就在这时，风筝被刮上了高压线，那时的电线是裸露在外的，强大的电流沿着被雨水浸湿的风筝线迅速导到地面，爸爸一头栽倒在地，欢笑声永远地停止了，惊慌失措的妈妈丢下雨伞，向爸爸跑去，她也永远地倒在了那儿。

如果不是当时恰好有一个住在大院里的人，正冒着小雨在院子里摆弄自己种的菜，看到这一切猛扑上来按住了哭叫着要跑过去的她，她现在已经和父母生活在另一个世界了。

这件事成了她心中永远的痛，幼儿时期和小朋友发生矛盾，就会被他们用这件事骂，骂她是扫把星，骂她克死了父母，小孩子言者无心，可每次听到，都像是在她伤痕累累的心上洒了一把盐，好痛……好痛……

默默地哭泣了一阵，她忽然跳起来，身影又消失了，想是开了锅，她正在往里洒凉水，屋子里继续传出她的自言自语："再有一个开锅就能吃了。今晚，张胜大哥请我去看晚会，张大哥对我挺好，我看得出他喜欢我……"

门外的张胜听得一阵脸红耳热。

"他喜欢我，护着我，他不会说讨女孩子欢心的话，他的好，我能实实在在地感受到。可我不知道自己该不该接受他，爸、妈，我……我真的是扫把星，克人的命吗？"

张胜听得一阵心疼，难怪她不管对着谁，都永远是一副讨喜的表情，她到底承受了怎样的心理压力，时刻注意着不惹任何人反感，束缚着自己的喜怒哀乐，她小小年纪，那双稚嫩的肩膀到底挑着多么沉重的心理负担啊。

张胜没敢打扰她，如果现在敲门，以她那么敏感的心态，很可能会马上强作笑脸，担心自己等急了不耐烦，随便吃上两口就得随他出门。

"让她吃顿安稳饭吧，和她的父亲、母亲！"

张胜悄悄向外退去，退到二楼的阳台，拿出一支烟，默默地抽了起来。

黑暗中，那一明一暗的火光，伴着外面偶尔传来的鞭炮者，默默地驱散这夜的寂寞……

当张胜叩响房门，郑小璐出现在他面前时，又是那个乖乖巧巧、甜笑怡人的女孩了。知道她心中埋藏着巨大痛苦和折磨的张胜只感到怜惜和不舍。在她身上不知到底发生过什么事，但那刺激显然影响了她的一生，表面上乐观开朗的小璐，其实敏感而自卑，她生怕惹任何人讨厌，在别人面前，永远只让人看到欢乐，把自己的悲伤永远埋在心底。

今晚，小璐换了件羽绒服，浅白色的膨松羽绒服让她苗条的身段陡然胖了一圈，可是套在牛仔裤里的一双长腿结实修长，线条极其完美，腿长臀翘的体形，丝毫没有因为上身的臃肿影响她身体的美感，反而多了几分可爱。

她的衣服一向没有太鲜艳太新款的，但是都很整洁干净。而且她的身段和相貌，其实也不需要什么名牌服饰，哪怕披上一条床单，她的清纯美丽照样显露无遗。

小年不及春节隆重，再加上圣诞刚过，都市里的人们更没有太大兴致，尽管如此，因为市政府广场有焰火晚会，还是吸引了相当多的人，两人赶到广场上时已是人山人海。路边的矮树上都挂着彩灯，广场中央的焰火区更是被挤得水泄不通。

这个广场非常大，但是现在已有人满为患之势。小璐浅白色的身影在人群中是那么显眼，她甜美的笑容、俏丽的容颜、窈窕的身材，常常引起路过者的注目。张胜也时时偷望着身边的女孩，心中充满了幸福感，这一刻他只想时间能够永远停在这一刻，让他的幸福感永远保存。

人流很拥挤，张胜压抑着怦怦的心跳，对小璐说："小璐，这儿人太多，咱们换个地方吧！"他说着，便看似很随意地拉住了小璐的手。

小手微微挣扎了一下，张胜心头一紧，他真担心小璐会拒绝，一直以来他都没有强求过什么，因为他认为自己不配。要是桥西的地还没有确切的消息，他依然没有勇气牵起小璐的手，但是现在他有能力给自己心爱的人幸福，他不想放手。

张胜无视小璐忸怩的挣扎，手握得更紧了，小璐的小手带着微微的凉意，但是掌心温热，肌肤光滑柔嫩，握在手里，他的心便先一荡。张胜脸上露出微带紧张的笑容，对小璐说："小璐，你累不累？前面有家卖热饮的，我们过去看看吧。"

在张胜的注视下，小璐害羞地低下了头，认命地放弃了挣扎，乖巧地点了点头。

张胜开心极了，拉着她的小手，快乐地走向热饮店，就像一对甜蜜的情侣。不，他们就是一对情侣，她没有拒绝自己的心意，不是吗？

两人对面坐在小店里，晶莹剔透的玻璃高脚杯，两根长长的吸管，还有透过冰窗花映进来的迷离的虹光，俏丽的佳人红颜依稀，如梦似幻，幸福中的张胜已经不知今夕何夕了。

喝完热饮，又聊了会儿天，当他们走出小店的时候，张胜再牵起她的小手，已经十分自然了。

小商贩们不失时机地出现在人群中，兜售着气球、面具、雪糕和糖葫芦。松树、杨树上闪烁不已的彩灯，使树木变成了一株株艳丽的花树。

张胜和小璐轻轻说着话，绕着广场慢慢地散着步，周围虽人头攒动，他的眼中却只有伊人，于这喧嚣中，他的心头颇有一种月上柳梢头、人约黄昏后的意境。

郑小璐很喜欢这样的场面，周围欢乐的气氛很快就感染了她的情绪，刚刚开始时与张胜并肩而行的一点拘谨和约束感一扫而空，她变得活泼起来。

前边有个可爱的小男孩，手里牵着一只米老鼠的氢气球，手里抓着丝线，那米老鼠就飘在空中，小男孩一手扯着丝线，一手去摸那"米老鼠"，可惜他摸了半天，甚至向上蹦着，也摸不到气球，不禁咧开嘴号啕起来。

小孩子笨拙可爱的模样逗得他的父母开怀大笑，郑小璐也看得忍俊不禁，但她还是快赶两步，走过去抓着系气球的绳子，把它拉低了，弯下腰笑眯眯地对那小男孩道："小弟弟，不要哭喔，线在你手里呢，揪着线往下拉就能摸到啦。"

小男孩摸到了气球，立即破涕为笑，张胜在一旁看着，心中洋溢着温暖幸福的感觉，树上彩灯的灯光照着小璐俏美的脸庞，那双眸子熠熠放光，单纯清澈的眼神透露着诱人的青春气息，有着小女孩的娇憨与纯真。

"这样的女孩，才是完美的妻子，她会是一个贤妻良母的！"张胜在心里悄悄地说。

"嗵！"九点钟，第一支焰火升空了，大地顿时一亮，那刹那的光彩迷醉了所有人的双眼，巨大的礼花如金菊银丝漫天怒放。紧接着，第二颗礼花、第三颗，在人们的欢呼雀跃中飞上漆黑的天空，一会儿如流星雨，一会儿如火树银花，一会儿又如万千火龙、银色垂柳。

鲜红的、湛蓝的、金黄的颜色，姹紫嫣红绚丽无比，很自然的，张胜在小璐欢笑着跳跃的时候，心满意足地握住了她的小手，再望向天空，那一刹那的惊艳犹如永恒……

焰火放得很快，礼花价格昂贵，即便是政府部门，操办这场为时只有一个小时的焰火晚会，花费也是极为惊人的，此时刚刚十点，小璐不会跳舞，张胜不能带她去舞厅，而且她文静的性格也不喜欢那儿，两人便去附近的影院，发现上一场电影刚刚开场四十多分钟，如果现在入场完整地看完一部电影得超过十二点，在小璐的要求下，意犹未尽的张胜只好送她回家。

不管怎么样，今天已经打开了局面，男女之间的事，不需要像谈生意一样说得那么清楚明白，纯粹是一种感觉。张胜感觉得出，小璐在一定程度上已经接受了他，有了做他女朋友的心理准备，彼此交往来日方长，也就不急在这一时。

出租车到了宿舍附近就停了下来，张胜倒不是吝啬那几元钱，他只是想和小璐多缠绵一会儿。两个人在昏暗的路灯下走了一会儿，张胜就贴近了小璐的身子，牵起了她的手。

小璐的小手柔软纤巧，因为是坐车回来，小手暖暖和和的没有一点凉意，因为张胜牵住了她的手，又是在这样静谧的时候，心里的感觉格外强烈，小璐有点儿紧张，掌心有些潮湿。

时间一分一秒过去，两人就这么牵着手轻轻地走，短短的时间却仿佛过了一个世纪。纤纤玉手在握的感觉真是令人销魂。

玉人在侧，纤手在握，这不是梦，这是美梦成真。

到了楼底下，小璐趁机从他手里抽出小手，也不敢抬眼看他，只是低低地说："张哥，我到了……我回宿舍了！"

她的眸子里闪烁着慌乱和羞涩的神情，在张胜的注视下脸色娇艳欲滴，竟把他看痴了。那灼热的目光让小璐有些承受不了了，她不敢再等张胜的回答，忽然一转身，那娇俏的身影便牵着张胜的一缕情丝，匆匆向楼道内跑去……

"小璐！"张胜急叫了一声，郑小璐疑惑地回过头来："嗯？"

张胜慢慢走近，低头看着小璐的眼睛。路灯月白色的光照在小璐的脸上，像细瓷一般润洁晶莹，那双星光般璀璨的眸子仰视着他，似乎有点畏怯，又似有点迷惑，就像一只既想和人亲近又怕受到伤害的小鹿的眼睛，温驯中带着警惕。

"张哥，什……什么事？"小璐的声音也有点颤抖。

张胜眼睛里带了一丝笑意，即将到手的巨额财富，让他有了勇气和自信，小璐忽然发现张胜像是脱胎换骨变成了另一个人，那双眼睛竟然让她不敢直视。

她畏怯地垂下眼帘，遮住了那双闪闪发光的大眼睛，只听张胜带着笑音儿说："没什么，就是发现你唇上还沾着糖渣呢。"

郑小璐一声轻呼，脸腾地一下就红了，她慌忙去抚嘴唇："真的吗？在哪儿，真是……太丢人了，你也不早点告诉我。"

张胜忽然抓住她的双手，目光灼灼地盯着她的俏脸，说："别动，我帮你拿掉。"

小璐眼中神采一闪，似乎意会到了什么，一时心跳如鹿，紧张得呼吸都屏了起来。

张胜伸出食指，轻轻按在她的嘴唇上，小璐的唇柔软、细嫩，微带着光滑，触感是那样诱人。然后张胜的两只手都伸了过去，像捧了一件稀世珍宝，轻轻捧起她那张俏美的脸蛋。

小璐的眼睫毛轻轻颤抖着，眼看着张胜那双充满危险的黑色眸子越来越近，她不敢再看他的眼睛，眼神畏怯地往下移，越来越近的那张脸，迫得她闭上了眼睛。

张胜平生第一次这么近距离地闻到年轻女孩的气息，是的，这是第一次，这种女孩的味道，在和他并肩吸了一个小时香烟的小姐身上是嗅不到的。他的头开始发昏，整个人就像是在梦里，他一手轻轻地托起小璐的头，一手猛地搂紧了她的腰，忽地吻了上去。

当他们的嘴唇碰到一起的时候，张胜觉得自己的身体就像是爆炸成了亿万片，飘飘袅袅，好半响才还原成了一个人。

她的嘴唇是那样柔软甜美，张胜像是怕碰坏了她似的，轻轻地、似触非触地亲吻她的嘴唇。然后，张胜的舌头开始试探着拨开她的嘴唇，似闭非闭的牙齿在张胜执拗地挑弄了两下之下，怯生生地张开了，张胜一下子就像打通了任督二脉，血脉奔涌之下，立刻狼一般紧紧吮住了她的舌尖。

郑小璐"嘤咛"一声，张胜清楚地感觉到她心跳得急促和她手臂的颤抖，小璐已经不是轻轻地回抱他了，而是紧紧地"抓住"他，不然身子就会瘫软下去……

好久好久，感到窒息的小璐才猛然推开他，羞呼一声转身就跑。

张胜追了两步，在后边喊："小璐!"

小璐站住了，却没敢回头，张胜注意到她连耳根带脖子都是红的，张胜心中一暖，大声说："马上就是新的一年了，小璐，从新的一年开始，你会幸福的!"

小璐没敢应声儿，她顿了顿，便蹬蹬蹬地跑上了楼，张胜摸摸嘴唇，忽然甜蜜地笑了起来。

这才是爱的味道，同纯粹的肉体愉悦不同，这是深深触及灵魂的愉悦，哪怕只是牵住她的小手，吮住她的樱唇，看着她小鸟睐人般的眼神，那种满足、愉悦和幸福，就溢满了他的身心。

何谓不销魂？触及灵魂的爱怎能不销魂？

第七章 在商言商，生意场上只有永远的利益，没有永远的朋友

在商言商。利合是朋友，利分是对手。生意场上只有永远的利益，没有永远的朋友，没有什么情分可讲的，这是商场上的铁律。当他对张胜说把他当兄弟的时候，并不是说假话。如果他有肉吃，他的确不介意分给张胜一点汤喝，就是这一念慈悲，才使他想正正当当地买下张胜的地，而没有用手段压价。但是在他眼中，世上的一切都是有价的，张胜想和他分享更大的利润，那就是亲兄弟也没得讲。

麦处长的死不了了之了。

看守所方面的证词很统一，在麦晓齐自杀前后，除了他的律师之外，并没有什么人违规会见他，看守所内也没有囚犯欺生致使麦处长不堪忍受而自杀。

他是当众自杀的，就餐时用筷子插入喉咙而死，在场的警察和犯人都可以作证，无法怀疑到别人身上。而且他死的时候正是他即将被移送检察院审查起诉的时刻，在他手中说不清的账目金额高达五百多万元，这对一家印刷厂来说，哪怕是市里规模最大的三家印刷厂之一也嫌太高了些，在当时是足以判死刑的，最后只能归结为畏罪自杀。

张胜听到这个消息时，心里不期然地想起麦晓齐自杀当天看到的极似徐海生的身影，尽管很快驱除了这个想法，他心中还是隐隐有些不安。徐海生再不堪，对他却不错，他不希望麦晓齐的死和徐海生有什么瓜葛。

桥西开发自元旦一过，就紧锣密鼓地开始了，已经有工商业界的企业家

开始咨询入区优惠政策，选择建厂地址。社会关系方面自然是徐厂长最熟悉，也最容易尽快找到贸易伙伴，所以他当仁不让地肩负起了这个责任。

这一来张胜只要待在家里静候消息就成了。期间徐厂长打过几次电话，和他通报过消息，已经有几家厂子注意他们的地皮，目前正在和对方谈价钱，等大致有了眉目，再邀他去一块谈判。

但是张胜并没闲着，他通过报纸、新闻、电视搜罗着所有有关桥西的字眼，认真研读，仔细品味其中的含义，一有空闲就赶到桥西，从别人的只言片语中听取有用的信息。

桥西真的变了，这片备受冷落的土地已经比春天先一步焕发了春的气息，变成了一个充满生机的地方。张胜因为投资股市、投资开店接踵失败，主要原因就是因为他对不熟悉不了解的事物盲目介入，痛定思痛之后，这一次他倍加小心。

了解得多了，张胜心里隐隐产生了一个更深远的想法，只是这想法一时还未成形，所以没有说给徐海生听。

张胜和郑小璐自元旦夜的倾情一吻，彼此的感情进展迅速，张胜在恋爱关系正式确定以后，含蓄地向她透露了自己贷款在郊区买地即将发财的消息。

小璐的确很开心，但她雀跃不停地说着的，却是对张胜摆脱生活困境的喜悦，完全未意识到这对她意味着什么，更从未打听过他到底能发多大一笔财，这令张胜很是惭愧。

这世上拜金的女孩可能很多，考虑婚姻时思及经济状况也很正常，但是这些世俗的东西显然与小璐无关，她就像一块纯洁无瑕的水晶，只要你对她好，哪怕两个人只能喝白开水，她也甘之若饴。

这样的女孩的确不多，但是偏偏就像国宝盼盼似的，在这适者生存的进化圈子里保留了一个，很幸运地让他得到了。于是，张胜对她愈加珍惜。

这天，张胜接到徐海生的电话，叫他赶回厂子去见他，说他已经联系好了一家企业，准备转手把地卖出去。正好张胜调查了大量资料后，心中那个蒙眬的打算已经成熟了，想和徐海生商议一下，于是立即骑车赶回厂子。

此时，徐海生办公室。

徐海生放下电话，双脚轻松地搭在办公桌上，轻轻摇动着那双黑色美式三接头皮鞋，鞋面铮亮，几乎能照见人影儿。桌子上放着一个花瓶，里边插着几枝初绽的鲜花，娇艳欲滴。

桌对面是一个嘴角有痣的中年人，微微发福的身材，上身穿一件纯棉印花衫上衣，下身是一件月白色休闲裤，腰带上挂着手机包，那手机不是现在常见的大砖头，而是很精巧的摩托罗拉，看那身份，应该是一位很有经济实力的大老板。

徐海生吸着烟，微笑道："当初，我只是抱着试试看的想法，一来风险大，二来我们的钱都用在运作兼并事宜上，恨不能一分钱掰成两半花，实在没有钱做这笔风险投资，所以只扔出几万做个风险投资，成则一本万利，失也没甚损失。想不到天从人愿，这件事还真的成了。"

他往地板上点点烟灰，笑道："这块地皮正在桥西乡的中心地段，现在地价已经翻了三倍，照理说现在把地出手，也是相当不错的一笔收益。不过我徐海生是能赚一块，不赚八角的主儿，这块骨头里有多少骨髓，我都得把它吸出来。

区区几百万还不放在我眼里，这块地不赚上几千万，我怎么舍得把这块肥肉就这么吐出去？一会儿等他赶来，你就充当购地一方的企业代表，按两倍多至三倍的价钱和他谈，把地全部买下来，然后……呵呵呵……"

那个看起来从容淡定，颇像老板的男人大大咧咧地道："没问题，这小子好对付吗？"

徐海生笑道："他没见过什么世面，几百万能把他砸晕喽，尽管放心好了，一个穷光蛋转眼就能变成百万富翁，他还不欢天喜地的签合同？"

对面的中年人哈哈大笑。

徐海生沉思片刻，悠然道："这个人……真的很不错，可惜他离我们的圈子实在太远了，是不是一块可造之才还很难说，我又没时间点拨他，否则，我倒真想好好提携他一下。"

对面的中年人笑道："能让你觉着惜才的人，应该不错吧，可是……你还不是想吞了他的地？"

徐海生笑笑，说道："这是两码事，在商言商。利合是朋友；利分是对手，生意场上只有永远的利益，没有永远的朋友，没有什么情份可讲的，这是商场上的铁律，我是对事不对人。

其实，对他我已经是大发慈悲了，我要是想对付他，法子多得是，比如放出风去，说这块地的手续不全，吓住想买地的人，再催促银行里的朋友追着他讨债，再低的价他也得卖地。而我让你按三倍上下的价把地买下来，已经舍了厚厚一块肥肉给他吃了。"

那中年人笑道："的确，这可不是你一向的风格。你这条吃人不吐骨头的大鳄鱼做事，向来讲究以最低的代价牟取最大利益，如今也有发善心的时候，真是出乎我的意料。"

徐海生听了但笑不语。

他对张胜说把他当兄弟的时候，并不是说假话。如果他有肉吃，他的确不介意分给张胜一点汤喝，就是这一念慈悲，才使他想正正当当地买下张胜的地，而没用手段压价。但是在他眼中，世上的一切都是有价的，张胜想和他分享更大的利润，那就是亲兄弟也没得讲。

"徐厂长！"张胜进了门，先和他打招呼。

徐海生连忙抽回脚站起身，微笑着介绍道："哦，我来给你介绍一下，这位是东胜冷冻机厂的邱明义先生，他们想把你那块地皮买下来。老邱啊，这位就是我说的张胜张老弟，你们好好谈谈。"

那个叫邱明义的男人忙站起来给张胜递过一支烟，客气地笑道："张老弟，久仰久仰，我们厂子想在开发区建一个分厂，听说你手里有三百多亩地，我打算全部买下来，今天约你来，就是想和你谈一谈，听听你的条件。"

此时的张胜，已经有了些自信和主见，人也变得有点沉稳老练了，不再像没有见过世面之前那样沉不住气，轻易被人牵着鼻子走。他定下神想了想，问道："邱大哥，你想把这三百多亩地全都买下来？价钱怎么说？"

邱明义呵呵笑道："我们冷冻厂在 Z 省可是数一数二的大厂，在这里建设分厂，以省城为据点，从而辐射整个东北市场，这是我们的想法，所以这厂子的规模当然不会小了，三百五十亩地，我们都要，款子可以一次性付清，现在开发区的地最贵的地方是三万一亩，便宜的地方在两万上下，张老弟的地皮，也不是都占了好地方，这样吧，我就按两万四一亩，全部买下来，如何？"

张胜未答，深深地吸了口烟，静静地思考起来。和贾古文那条老甲鱼斗了这么久，他毛毛躁躁的毛病已经改了不少，已经不是那个初出茅庐的小子了。

邱明义微笑道："老弟不是嫌少吧？这可是八百多万，换了别人，可未必消化得了。"

徐海生一直笑眯眯地坐在一旁吸烟，好像完全置身事外，这时见张胜不说话，才呵呵笑道："小张啊，老邱是个爽快人，这个价说起来也算公允，我个人认为，你可以考虑一下。"

他这话说得在情在理，给人的感觉完全是站在张胜一边，张胜的神色动了动，不过略一沉吟，还是摇了摇头。

张胜吸了口烟，轻轻笑起来："两万四一亩，按现在的行情，的确是不高也不低，你是徐大哥介绍来的朋友，我也不和你砍价了……"

他说到这儿，张海生和邱明义脸上都露出了喜悦的笑容，不料张胜话锋一转，继续道："不过，这几天我也在开发区转悠，心里有些别的打算，你要买地，我也愿意出售，不过我最多只能卖给你一百二十亩，别的地块么，呵呵，我不卖！"

邱明义一怔，笑容顿时僵在脸上，好半天才脸色难看地说："张老弟，你这不是要我吗？我说了，我们要建一家大型制冷设备厂，一百二十亩地怎么够呢？你要觉得价钱不合适，咱们可以再商量，无论什么价，只卖一百二十亩，这是什么道理？"

张胜呵呵笑道："邱大哥，你要是觉得那地段好，我可以转一百二十亩地给你，如果还嫌地方小，你可以向周边扩张。我不是有意刁难，在我名下有三百五十亩地不假，可我只能出售一百二十亩，其他的地我根本就没打算卖，什么价都不卖！"

邱明义一脸不可思议的表情，向徐海生飞快地投去探询的一瞥。

徐海生也是满脸狐疑，在他眼中，张胜这么一个商界的小雏儿，那是任嘛不懂的主儿，他什么时候有了这种主见了，而且也没和自己商量？莫非……另有人找他出高价买了两百多亩地,他答应人家了?

徐海生急忙向邱明义使个眼色,邱明义会意,呵呵笑道:"张老弟,你还是年轻呀,做生意嘛,哪有一句话就把事说死了的?一客不烦二主,我东家跑西家跑的,要是旁边的地已经有了主儿,我这厂区还怎么盖?

你不是已经答应了别人吧?行,谁让我看中了这片地呢,咱们都痛快点,你开价吧,多少钱……你才肯把地都卖给我?如果你已经收了别人的定金,连违约金也算上,一共多少钱都可以打进地价,哥哥我够敞亮吧?"

张胜一笑:"的确敞亮!我喜欢和邱大哥这样的人谈生意。但是,我真的只能卖一百二十亩,多一分地都不卖!你出多少钱都不卖!"

张胜语气如此坚决,令邱明义这样的老狐狸也没法接口了,徐海生不知道张胜为什么坚持一百二十亩这个数不松口,他想摸摸张胜的底儿再说,忙笑着打圆场道:"老邱啊,你不是还请了人吃饭吗?有饭局就先去吧,回头再和张老弟继续详谈。

张老弟是实诚人,一言九鼎的主儿。估计是答应了什么人,抹不开面子反悔。小张啊,这我可要说你了,常言道,货卖识家,如果有人出价更高,当然得以牟取最大利益为本,在商言商嘛。老邱这么有诚意,你也不必把话说死了,回头再好好考虑一下吧。"

"呵呵,是嘛!我还有个饭局,这就先走了。张老弟,相信你一时半会儿是找不到比我更慷慨的主顾了,还希望你能慎重地考虑一下。这是我的名片,如果你改变主意了,随时可以打电话给我!"

邱明义趁势站起,笑容可掬地递过一张名气,和张胜握了握手,便向徐海生告辞离去。

待他一走,徐海生便问道:"老弟,你是怎么考虑的?他这个价不低呀,一口吃下三百五十亩,算得上大手笔了,我们怎么不卖呢?"

张胜笑笑说:"徐大哥,其实我今天来就想跟你说呢,这两天没事我都待在桥西,现在心里有点新的想法,本想先和你商量的,可没想到买家也在这儿了。"

他顿了顿,说:"徐大哥,我在桥西了解了一些情况,通过这段时间的观察与分析,同时仔细研究了开发桥西建设高新技术开发区的政府工作报告。

我认为，未来桥西必定是我市发展的桥头堡，现在还没有一家厂子进驻，地价就翻了三倍，再过几年会如何？"

"这块地留在手里，那就是一只下金蛋的老母鸡呀。等到周围厂房林立的时候，等到开发区成为我市的工业中心的时候，这块地要升值多少倍？"

张胜满怀憧憬地说："徐哥，你想想，那时咱们的地，不说是寸土寸金吧，恐怕也不止是八倍十倍那么简单。我是最近反复琢磨才明白过味儿来，如果贪图眼前的利益，稀里糊涂地就这么把地卖掉，等我们回头想明白了，肠子都得悔青了。"

徐海生脸色微变，干笑道："你是说……把那地放着，待价而沽？"

张胜真诚地说："是！就是这个主意，其实我今天来，就是想和你商量这件事。咱们分成是按五五、四五分的，各自负担的贷款当然也是五五、四五的比例。如果大哥你能筹到钱，那用来还贷的地就卖给你好了，比便宜了别人强。

其余的那部分地，如果大哥你急用钱，那么属于你的那五成半你随意处置，我那片儿地还是要继续留着的。如果你也同意留着等增值，那样等的时间就长了，地在我的名下，这么长时间不太合适，咱们先签个书面的东西，明确一下彼此的占比。"

他说到这儿，乐呵呵地道："可惜呀，咱们是贷的款，除了卖地，没有钱还贷款，就这都是天大的损失啊，我想一想都肉疼。"

徐海生听了龇着牙也笑了笑，肉疼，是啊，想一想，的确是肉痛啊！

可张胜的提议合情合理，饶是他奸似鬼，此刻也无法反驳，只得强装欢颜地同意了张胜的建议，半推半就地收下了他写的条子。

徐海生收好协议，拍拍张胜的肩膀，似笑非笑地道："老弟，眼光长远，后生可畏，后生可畏呀！"

张胜一离开，徐海生的目光就阴骘起来。

囤地升值？他何尝不知道这个道理。但他徐海生不是按部就班赚规矩钱的人。在他看来，要赚钱怎么可以用这么笨的办法？漫说把大笔资金压在那儿等升值，就是正正当当办实业，在他眼中也嫌太慢。

如今这时代，商机无限、处处都是机会，他和一些朋友利用国有企业转型的大好机会，正在暗中运作的事情使他们的资本像滚雪球一般不断增长，但是由于战线铺得太长，资金链有断裂的风险，他本来打算利用这块地大做文章，尽快把它转化成资金继续投入，可是张胜的打算却破坏了他的想法。

"怎么办呢？把他也拉进我们的圈子？这小子讲义气、懂变通，学东西快，倒是璞玉一块，好好调教调教，未必不能成器。但是从这段时间的交往看，他这个人原则性太强，终究不是我道中人，调教他的本事容易，但要让他与我们共同谋事……难呐！"

徐海生吐出一口烟，眉心皱成川字型，眼神闪烁不明……

离开徐海生办公室，张胜站在厂区大院里，意气风发。

一个穷小子，马上就可以到手几百万，立即跻身百万富翁行列的诱惑，他忍住了，原来战胜自己，也会有这么大的快感，有这么大的成就感。

自从下岗离厂，每次回来，他心中都有些羞愧，因为在旧日的同事们面前，他是一个竞争失败者，但是这一次不是，他觉得自己已经发生了脱胎换骨的变化，无论是见识、意志，还是自信。再看到旧日的工友时，他的目光已经没有了躲闪和游移。

快中午了，他想等到工厂下班见见小璐。每个人有了自豪的事都巴不得让熟识的人知道，张胜也摆脱不了这种心理。乖巧美丽的小璐现在是他的女朋友，他想让全厂职工都分享他的荣耀和喜悦。其实他来接过小璐下班，相信有些工友看到过，但是光明正大的毕竟这还是头一次。

自从厂子合资以后，管理严格了许多，未到下班时间，没有谁敢随便走出车间，但是科室机关没有关系，他在厂区站了一会儿，原来电工班的老白和胡哥就看到了他，三个人蹲在传达室门口聊了一会儿，张胜想起同他一起开饭店的难兄难弟郭胖子还处在媳妇的水深火热之中，便给他发了个传呼，叫他马上到厂子来，老同事们见见面，一起吃个饭。

郭胖子一听大喜，整天在那儿被媳妇埋怨没有出息，他连个屁也不敢放，早就憋闷得快疯了，巴不得有个借口出来散散心，于是郭伴子立即屁颠屁颠地向媳妇汇报，说厂里让下岗职工回去填个表报区里，以备有解决下岗职工问题的时候予以考虑。这种事他老婆自无不允，于是郭胖子便骑上车，风风火火地赶了来。

张胜见到原来同在一个部门的几位同事，心里非常高兴，说道："今天难得几位老同事碰面，中午我请客，咱们到对面的迎春饭馆吃顿饭，改天我再请你们，去'国府'。"

几位老同事顿时惊讶起来："去国府？胜子，你发财啦？"

张胜笑而不语，郭胖子急不可耐地道："我说胜子，你焉不拉几的现在干什么呢？是做买卖还是在哪儿找了工作，要是有机会可别忘了我呀。"

张胜笑道："放心吧，要有机会，我忘不了你。"

这时，只见一个女人从甬道拐过来，向办公楼走去。

这女人体态妖娆、肤白皮嫩、一双丹凤眼，嘴唇丰满性感，那娉娉婷婷的步态十分迷人，四个大老爷们立即一齐扭头行注目礼，就连快四十的老白也紧盯着那女人丰硕动人的臀部看得毫无顾忌。

这女人是厂里男职工暗中评出的五朵金花之一，叫钟情，男人是给区地税局领导开小车的司机。这女人是厂工会干事兼厂里的播音员，工作很轻闲。

厂子里最漂亮的五个女职工，郑小璐清纯可爱、巧笑倩兮，那是老少皆宜的美人，尤其是她那讨喜的甜笑最是醉人，所以名列第一。但是说到性感惹火，那还得数眼前这个成熟少妇。

夏天的时候，这女人那丰满修长的大腿、丰硕迷人的美臀、细细的水蛇腰，还有那波涛汹涌的胸部，看得人两眼发直。

老白曾经酸溜溜地评价说："难怪她男人瘦了吧叽跟个猴儿似的，这么一只能吸骨髓的妖精，她男人就是铁打的也受不了啊。"

钟情款款扭摆的身影消失在办公大楼里，胡哥咕咚咽了口口水，啧地一声道："真不知道她吃什么长的，这体型……她刚入厂时就这么艳吧？得有五六年了，一点变化没有。"

老白哼了一声，捻着一支烟卷说："日子过那么滋润，当然不显老。瞧人家那屁股扭得，风骚入骨啊！"

郭胖子笑道："我听着你眼馋得不得了啊，唉，谁让咱不趁个一官半职的呢，要不还勾不到手？现在这年头啊，又美丽、又纯洁、又温柔、又性感、又可爱的处女，就像鬼魂一样，只能说一说，有谁亲眼见着了？"

张胜一听，立即反驳道："谁说的？现在那样的好女孩少是少，可不能说没有，自立自强、既美丽又纯洁的女孩还是有的！"

他说着，心里已经浮现出郑小璐美丽的倩影，于是连眼睛都变得温柔起来。

他那悠然神往的目光暴露了他的心思，胡哥忽然想起有人告诉他晚上下班看见张胜来接郑小璐，当时还不太相信，方才见了张胜也忘记问这件事了，这时见他神色，又见他的穿着，好像离厂之后确实混得不错，而且以前他就暗恋郑小璐，莫非他们俩……

胡哥双眼一亮，立即问道："你不说我还忘了，听说你已经有对象了，还是咱们厂的，是不是真的呀？你小子不地道啊，有对象了都不告诉我们……"

张胜脸一红，嘿嘿地笑起来，但那笑却既幸福又得意。

郭胖子马上凑趣道："张胜你小子不够意思啊，竟然在咱们厂有了好几个对象了，都不告诉我们……"

老白年纪最大，却全无长者之风，他们在一块扯淡惯了，见小胡和郭胖子调侃张胜，也跟着戏谑道："张胜你小子不够意思，竟然在咱厂有对象都不告诉我们，还怀上了……"

郭胖子马上接口道："张胜你小子不够意思啊，竟然在咱厂有好几个对象都不告诉我们，还全都怀上了……"

郭胖子咳了一声道："现在插播广告：三星牌阿胶，补血益气，肾虚者加入枸杞饮用效果更佳！"

胡哥一拍大腿，也乐不可支地学着广告说："北京医院 DNA 亲子鉴定，一个一千二百元……"

郭胖子摆手道："不用，咱滴血认亲，一斤起滴，不收钱！"

张胜笑骂道："放屁，一斤起滴，那不成了放血了？要我的命呐？"

哥几个正在那耍贫嘴呢，郑小璐急匆匆地跑了过来，想是有人看到了张胜和她说起，她以为张胜一直在等她，所以才急急跑来，气喘吁吁地说："胜……张哥，你怎么来了？"

其实两人私下已很亲密，没人的时候小璐都亲昵地叫他胜子，这时因见老白几个人也在，感觉有些不好意思，这才急急改口又叫张哥。

胡哥一扯老白，小声说："我靠，还以为别人瞎掰，原来胜子真把咱厂第一朵花给追上了。"

老白一听悲愤地道："真的假的？这还有天理吗？这还有王法吗？凭什么呀？"

几个损友在旁边说着，张胜已经站起来迎上去。

郑小璐穿着蓝色工作服，里边是酒红色的毛衣，毛衣领儿裹着修长的颈，脸蛋粉莹莹的，长长的睫毛在阳光下扑闪扑闪的，看得张胜爱意油然而起，声音也轻柔起来："还没午休你咋出来了，我又没啥事，在这等你呗。"

小璐温柔地一笑，说："没事儿，马上就午休了，我就早出来两分钟，跟班长请假了。"

可不，小璐刚说完，厂子里的大喇叭就响起了轻音乐。

这时胡哥扯着嗓子唱起来："老婆在哪里呀……老婆在哪里，老婆就在小张胜的眼睛里……"

张胜的眼睛里有什么，那双炯炯有神的眸子里不正是自己的影像？

郑小璐的脸腾地一下红了，她害羞地看了胡哥一眼，不敢搭理他的调侃。

张胜的脸也有点红，不过不是因为害羞，而是因为幸福。他回头瞪了几个损友一眼，拉起小璐，很甜蜜地说："走，咱俩去那边说。"

后边老不正经的老白仍在起哄："嘿！张胜这小子也脸红了，他也害羞呀？难得、难得！"

郭胖子嘿嘿笑道："其实你老白也常常害羞呀，只不过你一害羞，脸就发白。"

老白莫名其妙地问："为啥？"

胡哥抢着说道："因为你的血全充到下边去了。"

老白："……我靠！"

轻音乐结束了，钟情报起了本单位新闻："职工同志们，自从去年下半年我厂引进四台新型彩印机之后……"

厂播音室是新装修的，隔音效果特别好，地上还铺着吸音地毯，钟情穿着件浅粉色的毛衣，坐在广播台前，声情并茂地广播着："最后，是对全厂职工的呼吁，现在有些员工不注意出行安全、不注意文明骑车，上下班的时候，骑车蜂拥进出厂门，速度还很快，很容易伤人。请各位职工注意行车安全、遵守我厂规章制度，进出厂门时下车推行……"

她正说着，房间门无声地打开了，徐副厂长笑吟吟地走了进来，顺手把门插上了，钟情风情无限地白了他一眼，继续做着广播。

徐厂长一笑，脱掉上衣挂在衣架上，拿起钟情的水杯毫不见外地喝了几口，然后绕到她后面，轻轻环住她的腰，一只手从毛衣下边伸进去，在她的身上轻轻揉捏起来……

钟情白嫩的脸蛋儿顿时腾起一抹红晕，她风骚地向后拱了下屁股，在徐海生手上掐了一把，匆匆结束了文明安全进出厂门的宣传，然后"啪"地一下把喇叭开关合上。回头娇嗔道："干什么呀你，马上就要吃饭了。"

徐海生满打满算凭空要赚上几千万的大生意被张胜硬生生给劈出一块去，偏偏他连一句反对的话都说不出来，心头着实郁闷，这股子邪火正没处发呢，原本只是想跟老情人亲热亲热，舒缓一下情绪。

结果被钟情这小妖精颇具女人味儿的动作、眼神一勾，顿时有些把持不住。他有两个星期没找女人了，这一起性还真憋不住了，徐海生嘿嘿一笑，揽着钟情柔软的腰肢，一下子把她掀翻在桌子上，手猛地伸进她的裤子，一把握住那软绵绵的一团蹂躏起来。

徐海生动作粗暴，钟情却不怪他，她嘤咛一声，晕生双颊，那双眼睛已经湿润得像要滴出水来……

徐海生的手一边在她丰腴柔美的胴体上活动着，一边说："不在厂里吃了，我下午就说出去联系一笔业务，你跟我去，咱们出去喝个痛快。"

钟情乜斜了他一眼，娇哼道："都冷落人家这么多日子了，今天想起我来啦？我不去，还要下楼吃饭呢。"

她拿腔作势地站起来，徐海生的手一使劲，把她再度按倒在桌子上，另一只手在她肥臀上使劲一拍，嘿嘿淫笑道："小妖精，这可由不得你！"

他一边脱着自己的裤子，一边急不可耐地说："这些日子可不是有意冷落你，真的是事太多，忙呐。这不，一有空儿，就来看我的小情了？乖乖的，宝贝儿，哄我开心了，明天再给你买个钻石戒指。"

他说着，已松开皮带，裤子滑到地上，使劲一扯钟情的裤子。钟情穿的是松紧带的那种薄棉裤，这一扯连内裤一块扯下来……

厂区门口，张胜对小璐说："一会儿我请老白哥几个去对面饭店吃饭，你一起来不？"

因为职工都下了班去食堂打饭，有些人远远地指着两人说说笑笑，弄得小璐很是不好意思。听了张胜的话，她羞红着脸说："不了，都是你的朋友，说话口无遮拦的，在他们跟前儿不好意思，我还是去食堂吃吧，今天有我最爱吃的四喜丸子。"

"就咱厂食堂？"张胜说："那四喜丸子做得跟六味地黄丸似的，还干硬干硬的，有啥吃头？"

小璐辩解道："不是呀，合资以后，厂子里的伙食好了挺多呢，四喜丸子味道好多了，个头也大……"

她刚说到这儿，就听广播喇叭又响了，里边传出钟情的一声娇呼："啊！……"同时还传出类似咀嚼的声音。

这时又听喇叭里说："你别性急呀，等我翻过来……"

张胜一愣："翻啥？今天食堂还有鱼吗？伙食真是改善了啊！"

可是紧接着又听钟情说道："讨厌啊你，硌得人家后背都起印儿，要是到晚上消不掉让我男人看见咋跟他说啊，也不知你今天哪来这么大的邪火。"

张胜听得目瞪口呆，好半天才回过神来，他瞧了小璐一眼，小璐虽然单纯，可不代表啥都不懂，一张俏脸早就涨得像红苹果一样了。

此时只听广播里徐厂长的声音嘿嘿淫笑道："嘿嘿，我就是喜欢你这能占半铺炕的大屁股……"

说着传出一声清脆的响声和女人的娇呼声，想必是徐厂长在她屁股上狠狠拍了一巴掌。

这时站在厂区里兴冲冲地赶来收听实况转播的职工越来越多，这些工人大哥大嫂们粗犷豪放，平时开点荤笑话都不带脸红的，听着广播里传来的污言秽语，他们嘻嘻哈哈，笑得前仰后合。许多员工从车间、办公室和食堂里往外跑，加入听众大军。

厂子与港商合资以后，财务和生产方面的厂长换了新人，供销方面由于还要接收、消化原有的渠道和网络，暂时安排的还是原厂领导。

至于一把手，则是真正的香港人，叫关捷胜，四十多岁、头发梳得亮光光，西装笔挺，唇上两撇八字胡，样子特别像某港星，显得特别正经严肃。

他出来得晚，一时还没弄明白发生了什么事，所以看着跟过大年似的职工，颇有点莫名其妙。

旁边的女秘书附着他的耳朵用粤语嘀咕了一阵，关厂长的两撇胡子向上一翘，忍俊不禁地笑了几声，忽又发觉这态度不是一个领导的作为，便急忙敛住笑，看看左右亢奋的人群根本没注意，这才摆摆手让人赶快去阻止。

出了这种事，其实早该有人去阻止了，不过普通的职工只想看热闹，至于领导层的人则各立山头、派系众多，自港资入厂，这种钩心斗角的局面更加严重，一时还没得到整合。

盯着徐厂长位置的人自然乐见他出丑，哪怕是和他亲近的人，也知道这次是保不了他了，谁愿意这时冒头显得自己和一个即将下台或调离的人关系密切？所以根本没人去通知他。

直到关厂长下了令，才见厂办宣传秘书小陆健步如飞地向办公楼奔去。

"喔……呜……好烫……今天怎么这么多呀……"喇叭里传出钟情含含糊糊的声音，特别销魂，那异样的声响和暧昧的语音不禁让人猜测两人现在是一种什么方式。

可怜徐厂长还不知道发生的一切，播音室是他负责财务时改造的，那时刚刚和钟情勾搭成奸，正是情热无比的时候，一方面是为了讨好情人，一方面也是为了有个隐秘的地方方便偷情，这播音室简直是按照专业录音房的标准改造的，隔音效果极好。这回可真是作茧自缚了。

房间里两个人还在打情骂俏，郭胖子走到张胜身边，幸灾乐祸地说："比看录像刺激啊。"

张胜木然，如果换个男主角，他也会听得兴高采烈，可徐厂长与他这段时间来往密切，就算是利益关系，也有些感情，听了只感到无奈。

此时厂子里已经像文革时代在厂文宣队鼓动下全厂闹革命一般，许多职工一改这大半年在合资厂的温驯劲儿，恢复了昔日的粗俗随便，他们笑着，吹着口哨，敲着饭盒，有个职工敲着饭盒忘乎所以地唱起来：

"汤是什么样的汤，真精大补汤；

鱼是什么样的鱼，钟情大黄鱼；

人是什么样的人，小潘爱西门；

情是什么样的情，奸夫淫妇的情；

枪是什么样的枪哇……跑马闪电枪！"

旁边一帮工人大哥大嫂们纵声大笑起来。

关厂长站在食堂里的一张桌前，身体做着剧烈的动作，浑身充满了爆炸性的力量。他说话喜欢佐以强烈的动作，于是那张饭桌便在响亮的"鸟语"声中砰砰作响了。

这场面，颇像港片里的总督察在教训属下，只是没有人一直喊着"Yes，sir"来捧场罢了。

旁边的翻译听着厂长的话，不断翻译给对面的徐海生听。关捷胜说的是粤语，声调又快又急，她居然翻译得非常麻利："关先生说，你这样做非常没有职业道德，不符合一个领导者的素质。你可以找女人，但是你不该和同事发生这种有悖道德的恋情，那非常不道德……"

徐海生坐在对面，架着二郎腿，嘴里咬着一支香烟，抬头瞟了关厂长一眼，似笑非笑地吸了一口，很轻佻地吐了个烟圈过去，问那翻译："就这些？他没骂人吧？"

关厂长厌恶地一挥手，把飘到眼前的烟圈挥散，大声又吼了一句粤语，听那语气，极像是句骂人话。

徐海生眉毛一挑，轻轻地敲着桌子，问那个女翻译："这孙子又说什么了？我怎么一句也听不明白。"

关厂长一听"这孙子"，立即瞪起眼睛吼道："我是你的顶头上司，你对我要保持基本的礼貌和尊重，这是一个下属必须遵守的！"

他说的竟然是字正腔圆的北京片子，徐海生扑哧一声乐了："操！你这孙子会说普通话啊？你会说还弄个女翻译装什么大瓣蒜呐？整景呢？"

关厂长还要说什么，徐海生霍地一下站起来，向前一俯身，隔着饭桌探过身去，一把揪住了关捷胜的西装领子，把他半个身子都扯了过来，关捷胜两条大腿被桌沿硌得生疼，徐海生对着他那张脸咆哮起来："靠你大爷！娘希匹的！俺日你姥姥，你个灰孙子！"

他骂完了一把放开关捷胜，关捷胜被他的态度弄得愣住了，傻呵呵地站在那儿。

徐海生把烟头往桌上一捻，整了整衣领，摇头叹气地道："我原来觉着每天对着单位里这群白痴讲话，纯属对牛弹琴。今天我才知道，原来最可怕的不是对牛弹琴，而是一头会说鸟语的牛对着你弹琴……妈拉个巴子！"

他大摇大摆地走到食堂门边，很潇洒地一摆手，淡淡地道："告诉他，老子不干了，炒他鱿鱼！"说完咣当一脚踹开了食堂的大门。

厂区里许多员工正在看热闹，一见他出来，立即停止了说笑盯着他看。徐海生目不斜视，走出大门招来一辆计程车扬长而去。

关厂长掏出洁白的手绢，擦了擦一脸的唾沫星子，追出食堂，见徐海生已经离开，气得指着门外又是一番叽叽喳喳的，旁边几个副厂长连忙劝慰不止。

关厂长愤愤地转过身，嘴里仍在不断斥责徐海生毫无素质，他目光一扫，忽地看到人群中的郑小璐，眼睛顿时一亮，又仔细地盯着她看了几眼，这才板起脸朝办公楼走去。

张胜见了徐海生离去的场面，也替他觉得难堪，请老白几人吃了午餐之后，他对小璐说："你先回去上班吧，我晚上再来接你。"

郑小璐甜甜地应了一声，转身进了厂区，厂子里仍热闹非凡，许多人站在一块儿议论纷纷，拿那广播中传出的只言片语意淫着两人的交合动作。

张胜送走了小璐，立即拦了辆车赶往徐厂长家……

张胜赶到徐海生家，不料却扑了个空，徐海生根本没回家，张胜犹豫了一下，放弃了打电话给他的想法，径直回了自己家。

晚上，张胜赶来接小璐下班，行不多远便问道："小璐，下午徐厂长回过厂子吗？"

小璐说："没有，听食堂的师傅说，徐厂长被香港新来的关厂长叫去后，关厂长拍着桌子冲他吼了半天，最后徐厂长火了，反骂了他一顿，然后就摔

123

门走了，说是随便厂方处置，他不干了。"

张胜咧咧嘴，想笑没笑出来："说得也是，如果换我出了这档子事，我也没脸在厂里待下去了，何必听他那驴叫唤呢？"

小璐一听，忽地停下了脚步，一双眼睛危险地眯起来："如果换成……你？"

张胜马上赔笑说："女主角当然是你！"

小璐脸蛋儿腾地一下红了，羞得扭头就走："讨厌，就知道占人家便宜！"

张胜嬉皮笑脸地追了上去："这是占便宜么？这是做丈夫的权利，我要是娶个老婆只能看不能动，不是亏大了？"

小璐一笑，急忙又掩住嘴，横他一眼，似嗔还喜地道："臭美，谁说要嫁你啦！"

如今已是三月桃花开，路边就是一棵棵桃树，小璐自花枝下回头，那神韵风情，真比开得正艳的桃花还要美上三分。

张胜看得怦然心动，情不自禁地握住她柔软的小手，低声说："嫁！一定要嫁！有了你，就是我这辈子最大的福气！"

情人的情话是这世上最有效的化妆品，小璐的颊上顿时就像抹了两晕最动人的胭脂，眼睛里放着光，既羞且喜地瞟了他一眼，满心甜蜜地接受了他的恭维。

两个人牵着手默默地走着，一种心心相印的感觉充溢在张胜的心头，他真想就这样一直走下去。幸福之中的小璐却幽幽地叹了口气，说："真不知道钟情姐怎么会和徐厂长……不知谁打电话告诉钟情姐的爱人了，她爱人开着车来接她，脸色铁青。在厂里他没动手，可看那样子，回了家钟情姐一定会挨打的。唉，钟姐平时挺精明的一个人，怎么会这么糊涂。"

说着，她忽然又嗔怪地瞪了张胜一眼，说："你们男人呀，哼，不管什么样的，其实心里都想做韦小宝！"

张胜立即接口道："那你就是小双儿！"

双儿温柔可爱，谁不喜欢？郑小璐脸上果然露出了甜美的笑容，但笑脸随即一收，娇嗔道："那……谁是最漂亮的阿珂？"

张胜很遗憾地叹了口气，说："如果现在是在清朝，我又恰恰是韦小宝，保不齐还真要弄个七美在堂，不过最喜欢的一定是双儿。现在这世道，只能一夫一妻了，所以……"

郑小璐紧张地盯着他，问道："所以怎么样？"

"所以……鱼与熊掌不可兼得，就算真的有个阿珂，我还是喜欢我的小双儿！"

郑小璐转嗔作喜，轻声道："讨厌！"

张胜嘿嘿笑着说："哄得媳妇儿开心了，来，大功告成，亲个嘴儿。"

郑小璐俏皮地瞪了他一眼，抬起一只手，张胜嘟起的嘴正好吻在她娇嫩的掌心上。郑小璐怕痒地一缩手，哼了一声道："谁说我开心啦？你什么比喻呀？人家是熊掌吗？"

张胜舔舔嘴唇，叹口气道："我可不就是刚刚吻了一只熊掌吗？嗯……味道还挺香的。"

郑小璐不依，嘻嘻笑着追着他，两个人打闹着跑开了。

第八章 囤地涨价那是土财主的买卖，只有通过投资赚钱才是成功的商人

你只看到了土地升值的商机，于是思维就被禁锢在这儿，只想着囤地涨价，打算有朝一日把土地换成钱，却没想过可以直接以土地为资本进行投资，让它利滚利钱生钱。赚死钱是最笨的土财主，能盘活资产，吸引资金，通过资本投资来赚钱，才是一个成功的商人！这个过程就是贷款买地，以地抵押还贷款。抵押贷款到位以后，一部分用来还贷，余款用来建造厂房。然后再用厂房做抵押，再度进行贷款，获得第二笔资金……这就是充分利用政府的优惠政策进行正当的投资买卖。

张胜送小璐回到宿舍楼下就离开了。那些女工的嘴巴都厉害得很，小璐脸嫩，受不得她们的取笑戏谑，所以张胜不好上楼让她们看见。待小璐上了楼，他想了想，又向徐厂长家赶去。这事装糊涂也不是办法，冲着两人的交情，他也得去看看。

张胜准备了一套说辞本想安慰徐海生一番，不料一见徐海生，那到了嘴边的词儿全都咽了回去。徐海生神情自若，哪像自己刚下岗那阵子垂头丧气的。

"徐哥，今天……"

张胜还没说完，徐海生就哈哈一笑，摆手道："嗳，不提它，不提它。大三元这座小庙，现在还装不下我徐某人呢，此处不留爷，自有留爷处，我早就想走，只是一直没找到机会罢了。"

他这番话可不像是被迫离职故意说的场面话，张胜看得出来他的确是一

身轻松，眉眼之间还带着喜气。

"你来看我，我就承情了，找点什么做不能发财？对了，按你的打算地要出手还得几年，你最近找到什么事做没有？这两年准备就这么混着？"

张胜笑道："那怎么会呢？就算不为了钱，我也要找点事做的，如果不做点事，就和社会脱节了，前些日子我去一些厂子应聘电工，不过这种部门的需求不大，结果没找到。"

徐海生抓抓头发，摇头笑道："没志气，没志气，你才二十出头，年轻人，要有点儿闯劲，当个电工就满足了？"

张胜笑笑说："那也不是，我也有别的打算，这些天闲着没事我就大街小巷地走，正琢磨着呢。我准备把我名下的地再出售几亩，然后在市电大对面开个刻字复印社，上电大的学生大部分都是成年人，有经济基础。复印个资料、卷纸什么的舍得花钱，如果在那儿开家复印社，收入应该很稳定。"

徐海生沉沉一笑，说："嗯，在那地方开复印社，那是一定赔不了的。不过……你不觉得像我们这一次做的这种生意既惊险又刺激、获利又大，只有干这种买卖才能发大财吗？人无横财不富，小打小闹太没劲了。"

张胜苦笑道："徐哥，我哪有您那本事呀，这一次要不是无意中得到了这次机遇，我还不是坐在家里发愁。现在再让我继续干，我也没有门路呀。"

徐海生咬着烟，龇牙笑道："说得也是，我正在投资证券业，可惜你没本钱，这个行当可是资产再分配、贫富大洗牌的地方，是个创造奇迹的地方。"

张胜一听股票蓦然变色，双手连摆道："不不不，那一行我可不做，就是有钱也不干，我还是喜欢按部就班地生活。"

徐海生靠回沙发沉思片刻，忽又哑然一笑："按部就班？你呀，守着金山拾柴，没出息，真是没出息！"

张胜疑道："守着金山拾柴？你的意思是？问题是那地现在动不了呀！"

徐海生敲着沙发轻笑道："谁说动不了？要看你准备怎么动，这三百多亩地运作好了，那就是一台随取随用的提款机，一座取之不竭的金山！"

张胜身子向前一倾，问道："徐哥，你仔细说说，怎么个运作法？"

徐海生定定地看着他，目光隐隐闪烁，不知在打什么主意。

张胜被他古怪的目光看得心里有点发毛，他不自在地打量打量自己，窘道："徐哥，你……你这么看着我做什么？"

徐海生摩挲着下巴，忽然很诡异地笑了笑："我在想，你要是成为一家企业的董事长，会是什么样子？"

张胜大吃一惊，失声道："董事长？"

徐海生问道："怎么样？有没有兴趣做？"

张胜怔然道："我现在哪有钱做生意？再说……我哪有那个本事？"

徐海生淡淡地道："没有人天生就会做什么，谁不是后学的？朱元璋一个放牛娃，做皇帝做得也蛮不错。现在满街拎着大哥大咋咋呼呼的大老板们，原来都是些什么人？有几个是从大学里出来的？一个泥腿子喊得出‘王侯将相，宁有种乎？’你连做个老板的野心都不敢有？"

张胜按捺住激动的心情，说道："徐哥，就算你说得在理，可我拿什么开厂？"

徐海生目光一闪，说道："土地！"

张胜疑惑地说："徐哥还是认为我该把地卖了，然后用卖地的钱来开厂子做生意？这地用不了几年，肯定还要再翻几番，而做生意却未必赚得了这么多，与其冒那个险，何如囤地增值？"

徐海生指着他哈哈大笑："你小子，就跟你和我下棋时一样，永远都是未虑胜，先虑败，畏首畏尾，不思进取！这样的人，怎么能够成功？你忘了你这块地是怎么来的了？一无所有，借钱买地，卖地还钱，多么成功的运作？现在你有地在手，要玩借鸡生蛋更是易如反掌，要不要大哥我点拨你几招？"

张胜忙点头道："你说！"

徐海生习惯性地又点起一支烟，吞云吐雾地说："你只看到了土地升值的商机，于是思维就被禁锢在这儿，只想着有朝一日用这硬通货去换些可以直接流通的纸币，却没想过直接以它为资本，让它利滚利、钱生钱。赚死钱是最笨的，能盘活一切可用资本来赚钱，才是一个成功的商人！"

这时，徐海生已经决定让张胜参与到他正在谋划的大事中来，他对张胜不全是利用，但也不全是提携。他没有要害张胜的意思，不过是想利用他掌握的资源。

但这种参与是有限度的，以张胜现有的历练，让他骗个贷款、冒险买地，已经是不得已而为之了，要是知道自己空手套白狼的种种招数，不把他吓跑才怪，所以徐海生最终让张胜看到的，注定只能是冰山之一角。

徐海生见张胜听得入神，继续解释道："受你囤地增值的想法提示，我仔细考虑过了，其实要想获取最大利益，我们根本不需要出让土地，要想获得暴利，我们就直接注册一个公司，自己干！"

张胜插嘴道："启动资金从哪儿来？如何能有赚无赔呢？"

这些名词他还是和徐海生交往后学来的，现在说起来倒也头头是道。

徐海生听了不禁哑然失笑，说道："我先回答你第一个问题，有关启动资金的来源。启动资金的来源，就着落在我们的土地上。现在，桥西区已经是开发区了，政府各项政策都在向开发区倾斜，银行必然放松贷款条件以扶持新区发展。

"因此，我们可以用地皮做抵押，获得第一笔启动资金。也就是说，我们连一亩地都不必卖，全部拿去抵押，抵押贷款到位以后，一部分用来还贷，余款用来建造厂房。这个过程就是贷款买地、以地抵押还贷款，我们已经到手的土地没有丝毫损失。

"目前盖厂房都是工程方先垫付大头，所以我们只需先预付一小笔资金就可以启动，这样，等厂房盖完，我们就可以用厂房做抵押，再度进行贷款，获得第二笔启动资金。这笔钱用来支付工程余款，同时签订合同让工程方继续开发第二片地块，仍然只付头期款，大头由建筑公司垫付。

"这时我们手头的资金就相当充裕了，盖好的厂房用来出租或出售，随时还能产收大笔收入。这一大片地我们自用是消化不了的，大部分地皮都可以这样运作，留下一小片地方可以设立一家企业，然后用厂房抵押贷款来购买机器设备，机器设备再抵押贷款，后款还前款，资金就可以源源不绝。"

徐海生打了个响指，眉头一挑道："借鸡生蛋，以蛋生鸡！启动资金问题就能完美解决！"

张胜听得目瞪口呆，同时也听得怦然心动，他从来没有听说过这样的融资手段，可是他知道，徐海生说的这一切，完全可以实现。

他跑过银行，知道银行最容易审批的就是抵押贷款，有抵押物的贷款在目前国家经济高度腾飞、货币投放相对宽松、信贷额度不断上调的大环境下，再加上政府对开发区企业的扶持和政策倾斜，这种运作即便在正常情形下也有八成的可行性，何况徐海生在银行界还有许多朋友，更是没有问题。

但张胜心里总觉得有点不妥，到底是哪里不妥又说不上来，忍不住问道："真要是办厂，那可是个技术活儿，我什么都不懂，能行么？"

徐海生喷出一口烟圈，悠然道："谁说我们一定要办厂了？"

张胜不解道："徐哥，你又是建厂房，又是买机器的，不是要办厂是做什么？"

徐海生跷着二郎腿，指尖轻叩着沙发扶手，眯成缝的眼睛里透出一道精光："只是地皮的增值，那是远远不够的。我们要把这块地皮变成一个聚宝盆，让资本如滚雪球般越滚越大，充分利用好这块地皮的每一分价值。

"我们真正需要付出的，只是第一期厂房的启动资金，通过合理运作，后续建厂资金会源源而来，而每批修建好的厂房随着时间推移都在不断增值，或租或卖，进退自如。至于机器设备，实在无用时可以高价抵押给银行，但流动资金在我们手上，在这个商机无限的时代，那可就是无尽钱潮滚滚来呀。"

张胜听得似懂非懂，目眩神迷，心里暗暗涌起的雀跃与冲动，把刚刚浮起的一点不安抛置到爪哇国去了。

徐海生见不能甩掉张胜吃独食，便干脆开公司一块干。他提议用修好的厂房向银行抵押贷款，采用后款还前款的方式，房子越修越多，资金也越滚越大，同时还利用时间差拖欠工程款，目的就是把这块地变成他的提款机。

因为徐海生正在利用国有企业转型的机会伙同一些人搞兼并重组，大量侵吞国有资产，运作上急需大量钱款，所以他唯一的目的就是把地变成钱，同时又得保证土地的最大收益，所以才会不停地修厂房、贷款、再修再贷。这个过程，把钱先搞到后再生钱，而不是坐等土地升值。至于开公司，一是为了稳住张胜，二来以公司的名义也方便操作和进退。所谓狡兔三窟，徐海生做事从来不会一味蛮干。

张胜缺乏经商经验，徐海生自信能完全控制公司，所以公司让张胜来当法人代表，其实也是徐海生这种专搞投机的老练商人规避风险的一种手段，有利他拿大头，有风险有张胜来顶缸，也算是一举几得。

　　这种事在上世纪九十年代初期并不少见，当时有些投机分子开皮包公司，就有人找大字不识的老农当董事长兼法人代表，这样的董事长毫无主见，自然任由他们摆布，一旦出了事，傀儡就成了弃子，去替他们顶缸。从法律上，拿这些真正的蛀虫却毫无办法。

　　但是这种举动同时也是在玩火，因为在法律上这个傀儡承担了全部责任，相应也拥有法律所赋予的全部权力，所以如果不能有效地控制他，偷鸡不成蚀把米，被傀儡反噬也不是不可能。

　　但是在徐海生眼中，这种事是绝不可能发生的，张胜再怎么成长、进步，也不可能跳出他的手掌心，况且三五年之后，找个适宜的时机把土地厂房一出手，两人一拍两散，那时他已借这东风赚了个盆满钵满，至于公司的空架子，谁爱要谁要去。两个人在人生这盘棋上的对弈，合则两利，分则输赢早已是定局。

　　张胜兴奋得有点脸发红，眸子里闪动着对财富与成功的向往没有逃过徐海生的眼睛，徐海生微微一笑，接着道："你的第二个问题，如何做到有赚无赔。我告诉你，没有办法！那样想的人是最没有出息的人，一点风险都不想承担、不敢承担！"

　　张胜被说得面红耳赤，但徐海生毫不留情，继续说道："那样的人成不了大事，也没有人愿意和他共谋大事！你要做一件事，只需要想着怎么样获取最有利的条件，为自己营造最有利的环境，而不是先要别人向你承诺你绝不会有什么损失，然后才去做！"

　　张胜站起来，满脸涨红，肃然道："徐哥，你不用说了，你说得对，我是谨小慎微惯了，这个毛病从今天起就不再属于我了！你说，要怎样创造最有利的条件？我想请你指点一下。"

　　徐海生满意地点点头："我领你进门，但是许多东西要靠你自悟。当然，你也不必妄自菲薄，所谓天纵英才纯属扯淡，古往今来的大人物们，全都年轻过、幼稚过，犯过令人好笑的毛病，只是他们一旦成功，就没有人再会想起他们当初的青涩罢了。想当初，我刚进社会的时候也是愣头青一个，还不如你现在稳重成熟呢，坐，坐下说。"

张胜重新坐下来，徐海生微蹙着眉想了想，说："我也是刚刚有这个想法，一些思路还不太成熟，不过可以和你说说，要尽量规避风险，首先，你不能一个人干，毕竟你没有从商办厂的经验，需要有人扶持才成。"

张胜插嘴道："我没有经验，但是有你徐哥，再说，咱们那块地，你占着大头，就算真的办厂，这董事长也该由你来当才是。"

徐海生立即摆手道："不不不，那可不成。胜子，知道我为什么离开大三元一点不在乎吗？我和一些朋友目前在资本市场上有一些运作，以前我一直苦于无法抽身，现在终于给了我离开的理由，我就要把主要精力放在这方面。独自管理一个企业，我可没有足够的精力，不过你放心，这厂子我也占了一半，不会袖手旁观的。"

张胜点点头，说："那么……这块地皮具体该怎么操作呢？"

徐海生颔首道："首先，我们要设立一家公司，公司名字要响亮大气，又要带点高新开发的气息。新成立的公司缺少信誉度和市场人脉，我们可以拉一家大企业参股，不为别的，要的就是他们的商誉。

"哈哈，拉大旗、做虎皮，这和某些人结婚时郑重其事地念某某明星的贺电是一样的，就是要尽量抬高这家公司的影响力，做生意可不能一味地老实。

"第二，国家的优惠政策要充分利用，注册资金越高，我们能获得的优惠政策也就越多。现在有专门代办验资的公司，验资通过后再抽回资金，只收取一定费用，我们的注册资金不足，可以找一家这样的公司帮忙。

"第三，如果办成中外合资企业，则在税率等方面还有很大的优惠，我爱人现在是外籍华人，我可以让她在境外注册一家公司，再以这家公司的名义投资入股，只要外资额度占到总股本的百分之二十五以上，我们就可以顺利成为一家合资公司了。

"第四，现在你作为公司的法人代表，一要搞好自我形象包装，二要多结识一些商界大佬，逐步在商界站稳脚跟。数年后的桥西，焉知不会升起一颗名叫张胜的商界新星？"

一席话说得张胜热血贲张，恨不能马上付诸实践。徐海生饶有兴味地看着张胜，眼神中有一种一切尽在把握的得意。

公事说完了，徐海生顺手打开电视机，一看到那新闻画面，就笑了："来来来，你看看，新闻里那个穿蓝西装的是宝元集团的张总，这是你进入商界必须要认识的一个人，我打算拉的合资入股人就是他！"

张胜抬头一看，播放的是省内新闻，只听播音员说："由我省著名民营企业家张宝元先生投资建设的首家五星级大酒店宝元大酒店及精品商场项目在省城市中心最繁华地段奠基。

"该项目总投资三亿七千万元，总建筑面积十一万平方米，项目主体建筑高二十一层，建成后拥有各式客房四百五十套，并配有各式餐厅、会议室、游泳池等设施，是集酒店、商务、休闲、娱乐、办公、公寓等功能于一体的高档商务办公酒店。

"项目工期二十五个月，计划于1998年4月28日前建成并投入使用。省外经贸委副主任商红枫、市人大常委会副主任窦富明、市政协副主席杜洪才及市有关领导出席了奠基仪式……"

画面上看，有几个省市领导看着的确面熟，前些日子整天关注本省和本市的新闻，张胜没少看报看电视，所以认得。中间那个穿蓝西装的是个看起来六十岁上下的老人，颧骨很高，脸庞黑红，皱纹浓密，头发乌黑，估计是染过。他对着镜头笑得灿烂，发黄的门牙有点凸，身材高大且微微有点驼背，蓝西服里面是件皱巴巴的T恤衫，下边的裤子有点肥，而且是黑色的，不是配套的西装裤，镜头一晃，张胜还看见他穿了双千层底的黑面子布鞋。

这个打扮如此怪异的老农，就是传说中身家超过七亿元的宝元集团董事长张二蛋。张胜以前只是从铺天盖地的广告中听说过这个人，一直没有认真注意过，现在自己即将步入商界，对这位耳熟能详的商界前辈倒真想好好看看。正在这时，门外忽然传来拍门声。

徐厂长门上安了门铃，这人却不去按，用是用巴掌砰砰地拍着，声音忽大忽小，听着像淘气的小孩子在捣乱。

徐海生不禁恼怒道："这是谁呀？"

张胜抢先站了起来，说："我去看看！"

他走过去刚刚拉开房门，一个人就倒进了怀里，张胜吓了一跳，刚想把那人推开，忽然发觉那人一头凌乱的长发，竟然是个女人。

他急忙把那人放正了，果然是一个女人，脸上青一块紫一块的，嘴肿起老高，还沾着血丝，一只眼睛乌青，只留下一条缝，眼球也充了血，看着真是吓人。

徐海生也走过来，问道："什么人呐？"

张胜隐约觉得这女人面熟，仔细看了半天才吃惊地说："是钟情？徐哥，是钟姐。"

"什么？"徐海生急忙凑过来一看，骇然道："钟情，你……这是怎么了？"

钟情哽咽着，泪水涟涟地道："海……海生，我……只能来投奔你了，杨……杨戈快把我打死了……"。

徐海生眼中闪过一丝厉色，勃然大怒道："他妈的，下手这么狠？"

张胜眼见钟情那么妖娆动人的一个美人被揍得成了猪头，看得人触目惊心，忙说："徐哥，现在不忙生气，得赶快送钟姐去医院，这伤势太严重了。"

"哦哦，是是，等等，我换衣服！"

徐海生恍然大悟，赶紧换了外衣，取了车钥匙和张胜一左一右搀了钟情下楼，这时很多人用的还是黑砖头似的大哥大，不过徐海生特喜欢新鲜事物，大哥大自然也早换成数字机了。

他摸出银灰色外壳的西门子 S3，先打了一个电话，听内容是打给医院熟人的，车子开到市三院，雨搭下已经站着好几个白大褂，推着一辆抢救车等在那里。二人下了车，把人抬上手术车，便急急地推进了医院。

徐海生看来在这里很有影响力，他和一位笑容可掬的副院长说了说，这边正进行救治处理，那边已经把高档病房安排好了。张胜一见这里帮不上什么忙，被打的又是徐海生的情妇，自己在这儿人家也不方便，便向徐海生告辞。

本以为出了这档子事，徐海生这两天一定没空去拜访张二蛋，不想徐海生还挺上心，临走时特意嘱咐张胜明天上午九点半来接他，一块儿去守备营宝元集团总部。

次日一早，徐海生开着一辆黑色奔驰，果然来了。看到这辆车，张胜不期然地想上次在看守所看到的黑色奔驰，心里不由一动，但想了想还是忍住没问。

路上张胜问了钟情的伤势，徐海生苦笑一声，摇摇头说："那个瘦皮猴，没想到竟下得了这么重的手，钟情怕得休养半个月以上才行，我已经安排人护理了。"

张胜心道："自己老婆和你私通，丢了这么大的人，他怎么可能忍着？只是……把一个女人打成那样，也真是太不像话了。你可以离婚，这样打人算什么？"

徐海生闷哼一声道："打电话的也不知是谁，他妈的压根就没安好心，电话打到税务局，直接跟接电话的人说的，闹得整个税务局都知道了，瘦皮猴脸上挂不住，想瞒都瞒不下来。算了，别提这事了，想想就烦。"

张胜见他悻悻然的，便不再言语。

守备营距市里并不远，再加上路修得非常好，一个小时的车程就到了地方。这里原本是个名不见经传的小镇子，现在因为出了一个张二蛋而名闻全省。

这位农民企业家的名字虽然极俗气，但他的身份可不一般。宝元集团董事长张二蛋是市政协委员、县人大代表、著名农民企业家，是他，凭一己之力造就了整个守备营镇的繁荣昌盛。

这位张董事长农民出身，小学文化，曾因流氓罪被判刑十年，其实说是流氓罪，按现在的标准却不够判刑的。起因是张二蛋和一个比他小十多岁的寡妇勾搭成奸，两个人在一起勾勾搭搭，也不怎么背着那寡妇的女儿。

十四五岁的小丫头，正是情窦初开的时候，总是耳濡目染这种事情，渐渐动了春心，一次趁母亲不在，就主动勾引张二蛋。小姑娘虽不漂亮，可是年轻啊，张二蛋稀里糊涂就和这女孩上了床。

世上没有不透风的墙，这事后来终于露了风声，那寡妇恼羞成怒，便反咬一口，去派出所告他要流氓，张二蛋倒也始终没说出和这寡妇有一腿，那寡妇也不敢逼得太狠，没说他强奸，只说是调戏她的闺女。

但那时流氓罪也够重的，张二蛋就这么进了监狱。他于八十年代初刑满释放，出狱后靠拉板车糊口。

正常情况下他这一辈子大概也就这么度过了，可是他被人生幽了一默之后，大概老天爷也觉得亏欠了他，于是在他浑浑噩噩度日的时候，忽然给他

135

送来了一份机遇……

张二蛋还在蹬板车的年代,大部分中国人都不喜欢借贷,觉得贷款就是欠债,大家都老实地过日子,除了有个病呀灾的连借钱的事都不干,农村信用社追着人贷款都没人敢要,一个信贷员为了完成放贷任务,硬拉着张二蛋去小酒馆喝酒,趁他喝得颠三倒四,劝他应承下来贷款五百元。

张二蛋酒醒了后悔也晚了,他这人有一个好处,那就是一诺千金,答应了人家就不反悔。于是,款子贷下来了,张二蛋觉得这钱直咬手,总得找点事把利息给人家赚回来呀,于是就一边骂那个信贷员丧尽天良欺负他这个穷老百姓,一边用这贷来的五百元钱硬着头皮开了个生产被单被罩的小厂。

他肯吃苦,没日没夜地干活,然后用三轮车推着产品到城里的招待所、旅馆去推销,想不到这家小厂居然开成功了,赚了第一笔钱。张二蛋的脑袋瓜子就此开了窍,以这笔钱又开了面粉加工厂,再度获得成功,然后是砖瓦厂……张二蛋的生意越做越大,一个拉板车的劳改犯就此发家,直至今日成为坐拥七亿元资产的超级富豪,名下产业无数,创造了一个属于农民的传奇。

张二蛋为人脾气倔,以前叫这名,发了迹也不肯改,只不过这名字太土了,没人公开这么叫,媒体上通常以集团公司的名字代替,称他张宝元。

第九章　要想成功，除了胆量还需要智慧，最好拉张大旗作虎皮

　　具体该怎么操作呢？首先要设立一家公司，公司名字要响亮大气。新成立的公司缺少信誉和市场人脉，可以拉一家大企业参股，不为别的，要的就是他们的商誉，这叫做拉大旗作虎皮。我可以把著名的宝元集团拉来入股。其次，要充分利用国家的优惠政策。第三，如果办成中外合资企业，则在税率等方面还有很大的优惠，我爱人现在是外籍华人，我可以让她在境外注册一家公司投资入股。第四，你作为公司的法人代表，一要搞好自我形象包装，二要多结识一些商界大佬，逐步在商界站稳脚跟……一席话说得张胜热血贲张，恨不能马上付诸实践。

　　一进镇子，你就可以感觉到这里的繁华，这个镇子到处都是幢幢小楼，同普通的乡镇截然不同。家电市场、鞋帽市场、副食品批发城、面粉厂、机械厂，这些大都是宝元集团的下属企业。

　　在挂满琳琅满目招牌的长街上，还有一家长满杂草的砖厂。这家砖厂早就停工了，但它是当年张二蛋发家的根基之一，所以和那家小小的被单被罩厂都保留了下来，作为纪念。

　　到了镇子东侧，一座气派的大门出现在眼前，两旁的立柱是两双手的造型，手中托着一只金球，立柱上挂着一排排招牌，有块横着的金字招牌上写着"重合同、守信用企业"的金色大字。

　　院中喷泉假山、绿草茵茵，宽阔的广场对面，是一座乳白色的楼群建筑，高十一层，建筑采用不规则的多边形，这在当时清一色四四方方楼群建筑中

可谓独树一帜。楼顶是圆塔式建筑，既庄重又豪华。

　　这里，就是张二蛋的经济帝国，宝元企业集团股份有限公司的总部，宝元大厦。

　　车子刚开进大门，就看见一辆黑色牌照的凯迪拉克迎面驶了出来。

　　"你看，这就是利用合资企业免关税的优惠政策购买的，宝元集团花了三分之一的价钱就买进来了，不过它的密封性能太好了，张二蛋坐着老晕车，后来又买了辆林肯，也是三开门的，这辆车就由公司总部作接待用车了。"说到这儿，徐海生转头对张胜笑了笑，说："等我们的合资公司成立了，也给你配辆奔驰。"

　　张胜惊讶得"啊"了一声。

　　"什么叫包装？人无我有，人有我奇。没有个大奔撑门面，谁会高看你三分？"说着，徐海生顺手从车后拿起一个精致的包装盒递给张胜，"这是我上次托人从香港带回的摩托罗拉9900，还没用呢，便宜你小子了。"

　　张胜手脚无措地还想推辞，被徐海生一瞪眼，只好乖乖地收下了。

　　摩托罗拉在手，张胜的心中有种眩晕的感觉，财富的大门正在缓缓向他开启，他除了目眩神迷，心中更多的却是惶惑。有时候富贵繁华来得太快，会让人有失真的感觉。

　　徐海生对张胜的反应视而不见，继续笑着："张二蛋喜欢大车，觉得威风气派，个头儿小点的车再好他也不要。哈哈，说起来还有一件有趣的事，他原来的家在一条巷子里，巷子太窄，这么大的车开进去调不了头，每回都是开着进去，倒着出来，一进一出差不多得折腾大半个小时，后来他实在不耐烦了，才在镇上重新盖了别墅。"

　　张胜总觉得他的语气和笑容里带着些调侃和轻视，显然这位农民企业家虽说家资亿万，但他农民化的思维和做派，没有让徐海生产生应有的敬意。

　　大楼前修得十分漂亮，居然还有一个人工湖、湖上有山水亭和汉白玉的小桥，倒柳垂杨，轻拂水面，企业的实力可见一斑。

　　徐海生把车在楼侧停好，带着张胜走进大厦，只见里边十分豪华气派，暗红色的大理石地面照得人影清晰可鉴，登上二楼开始，墙壁上开始悬挂着一副副彩色大照片，镜框庄重大方，相片的内容都是各级领导来厂参观、视察的内容。毫无例外的，画面都是张总陪同视察或热情握手的画面，相片下面都注明了年月和领导的姓名、官衔。

张胜打量着华美的吊灯、金色的欧式楼梯扶手、名贵的草木鲜花，疑惑地说："张总在十一层？我看这装修建造的规格不一般呐，怎么没个电梯？"

徐海生嘴角一歪，似笑非笑地说："秦始皇巡狩天下时，你说是放下窗帘让那御辇日夜疾驰呢，还是打开窗子，巡视着万里江山徐徐而行呢？"

张胜听了哑然，看来这位农民企业家的怪僻还着实不少。

大楼里很寂静，偶尔有进出的工作人员见到徐海生也没有什么特殊表情，看来他和张总关系虽挺密切，集团的工作人员对他却不怎么熟悉。

第十层楼整层楼都是一间豪华的大会客室，十一楼是董事长的办公室。他们上到十一楼时已经有些气喘了，一上去就是铺着阿克明斯特豪华地毯的地面，一张高档办公桌，后边坐了一个一身职业装的年轻女孩，看起来二十四五岁年纪，模样一般，脸上、鼻子上还有一些雀斑，但是气质不错。

一见二人上楼，那女孩便站起身，脸上挂着职业性的微笑，客气地问："请问二位有预约吗？"

徐海生一扬手，说："喔，早上打过电话的，我姓徐，要见见张总。"

那个女秘书显然是受过董事长的吩咐，一听他的姓氏，脸上的笑容变得亲切了，忙说："请跟我来。"

走到一间办公室门前，她推开门说："董事长正在公司里巡察，马上就回来，二位请先坐一下。"

说着推开房门，向他们做了一个请的姿势，待二人走进去，又殷勤地为他们沏上茶水，这才微笑着退了下去。

这间办公室好大，窗户是整面的落地玻璃，那一面玻璃墙宽足有二十米，最尽头一张巨大的办公桌，阳光照在半张办公桌上，映起一片光芒，桌上插着三面小旗，中间一面是国旗，其余两面花花绿绿的就不知是什么了。

前边的厅中央，摆着一圈进口沙发，一面墙上挂着巨幅油画和书柜，另一面是苍翠欲滴的各种植物，栽种的植物中间隐现出三道门，显然还通向不同的房间。如此奢华、现代的顶级办公间，不由令人对它的主人充满了遐想。

徐海生看看手表说："唔，我们来得是早了点儿，先喝口茶等一等吧。这位老总每天早上五点半起床，洗漱完毕就绕着他的厂子巡视一圈，从他办厂那天起就是如此，从来都是风雨无阻。不过他现在下辖的企业太多了，只是就近转转几个主要下属企业，也得耗费相当长的时间。"

张胜意外地道："这位宝元老总如此敬业？"

徐海生似笑非笑地打量他一眼，问道："在你印象中这些民营老板该是什么样儿？"

张胜脸一红，没有说话。

徐海生笑笑说："你不要相信影视剧里的那种描述，民营企业家不是那样子的，至少大多数并不是。人们往往只看到企业家坐好车、上大饭店，但是却看不到他们创业的艰难、工作的劳累。

"就拿这位张总来说，每天到晚上十一点以后才能休息，午饭只吃十五分钟，这还包括从办公室到食堂的往返时间。他资产数亿元，但没有一个早上能睡懒觉，从来没有星期天，能发财的人都很打拼的。

"当然，第一批能站起来的这些人，底子多少都是不太干净的，那也是环境使然，大多是不得已而为之。至于发了财之后，有人开始享受生活，洋车楼房和美女，那也是天公地道，算不得素质低下，更和他是不是民营企业家无关，换作其他人，做到他们今天这位置，又有几个不受金钱的诱惑？不会像他们一样享乐？

在我看来，大多数民营企业家受人诟病的不是他们享乐的事，只盯着这些事的人根本就是红眼病，他们真正的弱点是……"

他刚说到这儿，房门开了，一个爽朗的笑声传了进来："小徐子，你可有日子没来啦！"

随着笑声，这个经济帝国的主人，著名农民企业家张二蛋先生健步如飞地走了进来，身后的房门被他顺手一带，喀嚓一声便随之关上了。

一件对襟布扣的白褂子、一条肥大的黑色功夫裤、脚下一双手工做的千层底布鞋，张二蛋很开心地笑着向他们迎上来。

徐海生连忙从沙发上弹起来，双手做握手状，热情地迎上去，说："张总，您好！"

张二蛋的大手扬起来，从徐海生的两手之间穿过去，扬过头顶，又重重地拍下来，一掌落在他的肩头："哈哈，快坐吧，别整那没用的。"

徐海生被拍得肩膀一歪，龇牙咧嘴地苦笑一声，一见张二蛋第二巴掌又要拍下来，他急忙往回一缩，老老实实地坐回了沙发。

张胜忍着笑打量着张二蛋，这位传奇性的民营企业家穿着对襟布扣的白褂子，里边露出一件发黄的背心，背心上还印着"挖渠突击队标兵"几个暗红色的大字，如果他的脖子上再搭条白毛巾，简直就是一位六十年代的老农打扮。

可是这样的打扮，穿在这位董事长的身上，置身于这处豪华现代的办公室里，却给人一种很特别的感觉。

他身上没有一件超过二十块钱的衣服，但他是那种已经不需要任何昂贵的服饰来彰显身份的人物，就像香港电影里演的一群西装革履的大人物中间突然出现一个穿着青袍长褂、手里托着水烟袋的老头儿，人们不但不会有一种时空错乱的感觉，反而会马上知道，这一群人中，他才是大佬中的大佬。

徐海生笑道："张总日理万机，我怎敢常来打扰啊？哈哈，这位就是我跟你提过的张胜，他在桥西有几百亩土地，而且都地处中心地段，听说张总有意进驻桥西，我这不就把人给你带来了。"

张二蛋在对面沙发上随意地坐了，上下打量着张胜笑道："嗯，小伙子很年轻嘛？你也姓张，那我们五百年前是一家了。不过，你可比我当年强多了啊，小小年纪就已经是个小地主了，呵呵。"

张胜忙欠身笑道："呵呵，张总说笑了，我这小生后辈，哪敢与张总当年相提并论呀？听说张总想在桥西办实业，我这不就毛遂自荐来了？只是不知道张总想办什么样的实业。"

张二蛋嘿嘿一笑道："你小子消息倒是灵通呀，我才有这么个打算，你倒已经找上门来了，是不是小徐子走漏的风声呀？"

徐海生笑而不答。

张二蛋接着说道："我是有这个打算建个中型冷库，不过建在哪儿，还只是考察阶段，桥西紧临市区，地理位置是不错，但各项配套设施还不完善，也并不算最佳选址。"

张胜一听，忙答道："就目前看，桥西的配套设施是不够完善，但我最近都待在桥西，从我所了解的情况看，市政府自设立开发区起，就加大了对桥西的投入，目前总体规划已经完成，配套设施已经开始动工。桥西往北五百米就是城南火车站，往东二百米是全市最大的屠宰场，周围是本市蔬菜主产地，城南公路从桥西横穿而过……"

张胜这段日子都泡在桥西，对桥西的地理优势是了如指掌，这时候娓娓道来，如数家珍："我市现有成规模的水产批发市场只有三个，全部集中在市内，因此发展规模受到限制，水产品的储藏、运输也受到限制。现在酒店和家庭越来越侧重对水产品的消费，需求量越来越大，市里地皮有限，很难满足水产商扩张经营的需要，因此这家近城郊的大型水产批发市场一旦建立成功，风险并不是很大。

"正常来讲，批发市场建立的头两年一般都是不赚钱的，甚至还要倒贴，直至吸引了大量买卖商户的光顾，有了人气才能形成越来越稳定、越来越丰渥的收入。不过开发区税收、管理等政策的优惠、再加上市民对水产品需求的不断扩大，现在开设的话可谓占尽天时地利，必定事半而功倍。"

他说到这儿，谦虚地笑笑，说："不过，不管做什么生意，说着容易，真要把它做大做好，可不是肯吃苦就一定办得到的。张总是我省杰出的民营企业家，办企业的经验丰富、目光长远，我想和您合资，有您的指点，我想一定能够成功。"

张二蛋嘿嘿一笑，抓抓头皮道："嗯，这想法不错，你考虑的是对的，有了好的条件和地块，没有好的经验方法，也未必就能成功。这几年五金城、家具城一个赶着一个建，建完了招不来商，租不出房，有的一片萧条，还有一些厂房都没盖完就成了烂尾楼，所以说天时地利之外，还得有人和，缺少人脉和影响不成啊，你小子调查的功夫做得足，有点像我当年啊，做过几年生意了？"

徐海生刚想插嘴，张胜已真诚地说："张总，我没什么经商经验，我是风翔机械技校毕业的，学的电机维修，毕业后……被市三星印刷厂招收做了电工，去年下了岗，开了个小饭店，结果还赔了。"

张二蛋把手一挥，大声道："好啊，你这孩子实诚，一是一，二是二，我就喜欢这样的。我张二蛋最讨厌那种来了就吹牛皮，地球上除了他没能人的，那样的人吹出个驴叫唤来我也不待见。"

他踢掉鞋子，盘膝坐上沙发，点上一支烟，说道："现在就是这个样子，分配就是瞎胡搞嘛，学外科的扔下手术刀去学杀猪，学企业管理的跑去火葬场干殡葬……嗯，扯远了，你那地，我改天找人去看看，要是合适的话，我就买一块……"

张胜看了徐海生一眼，徐海生笑吟吟地道："张总，小张的意思是……"

张二蛋马上一摆手说："嗳，不用你讲，张胜，你来说！"

张胜说道："张总，您误会了，我不是想卖给你几亩地，其实我今天来的目的，是想请您参股我的公司……"

张二蛋闻言笑容一收，眯起眼睛上下打量张胜一番，才缓缓道："参股你的公司？你的公司在哪儿？有什么值得我参股的？说说看！"

这张二蛋自一进屋，给人的感觉就是个很普通的农民，但是这时正经谈起生意，立即焕发出一股精明劲和属于成功商人特有的自信，张胜感到一种无形的压力，让他紧张得都要说不出话来了。

他缓缓地吐出一口气，镇定了一下情绪，这才说道："张总，是这样，我想通过关系联系一家外资企业搞块合资的牌子，以最小的代价成立一家公司。启动资金我准备以土地为抵押，通过贷款来解决。有了资金，就在地块上修建标准厂房，现在开发区的土地随风涨，厂房价值也必然水涨船高，到时候或租或卖，都能创造巨额利润。请张总参股，主要是想借助张总的影响力。一家有实力、有背景的企业，才会在招商引资的时候，占据更多的优势，吸引足够的客源。"

张二蛋嘿嘿一笑，目光闪过一丝狡黠："喔？你们的资金能够自行解决？唔……创业不易，这是利用我的人脉和影响给你铺路了？那么……我是吃干股喽？"

吃干股在现代中国是不允许的，不过上有政策，下有对策，因为工业产权、非专利技术等无形资产可以作为出资股本，因此就有人以没有实际利用价值的一些无形资产来评估入账，变相吃干股。

张胜和徐海生想拉张二蛋入股，图的就是他的名声和在政商各界的影响力，说它是无形资产也不为过，许多花了钱办不成的事，或者要浪费一两年时光，盖上几十个章才可能办成的事，这位宝元集团老总打个电话也许就能解决。

　　但是张二蛋财大气粗，二人可没打算让他吃干股。如果能争取他出资，无论出多少，总是一件好事。

　　所以张胜耐心解释道："张总说笑了，您是我省工商业界的名人，宝元集团家大业大，哪一项投资少于几百几千万了？在我们这小小的公司里吃点干股，传出去不是惹人笑话。请您出马是仰仗您的威名，这坏您名声的事，晚辈可不敢做。"

　　张二蛋豁然大笑起来："你这小子，很会说话啊。哦……建标准厂房出售出租，是个好主意。不过……现在桥西还没有企业进驻吧？道路也不好走，目前不是良机，有点操之过急了，反正地是你自己的，不必急在一时，我看不如等桥西的各项基础设施健全之后再做打算，如何？"

　　徐海生听他的意思是想一毛不拔，便笑道："张总，提携晚辈，也是您这样德高望重的老前辈该尽的义务嘛，小张是想让您参百分之十的股份，这点小钱还放在您眼里吗？您老拔根汗毛都够别人吃一辈子了，说到建厂时机，商机得抢嘛，如果被人占了先，岂不被动了？"

　　一听徐海生的话，张二蛋便摇头笑道："小徐子，这不是嫌多嫌少的问题，我是觉得入区企业大多还只是意向阶段，现在就开始投资建厂房是不是早了些呢？"

　　张胜一直在紧张地思索着说服张二蛋的办法，他想起徐海生说过，宝元企业在许多领域都有投资，而且他还说过张二蛋的一些趣闻，比如张二蛋买车专好买大的、建楼不设电梯，就是为了有一种帝王般的感觉。这些大大小小的方面，无不体现着张二蛋的性格特征：这个人做企业喜欢求大求全，好大喜功，自己大可以从这方面入手。

　　于是张胜立即接口道："张总，常言说锦上添花不叫美，雪中送炭才叫真。省里在省城附近建设的开发区，这是第一个，政府方面必然高度重视，一定希望把它做大做强。那么越是先入区的企业，必然会受到政府越多的欢迎和给予的方便。所以最早进驻的企业，在各个环节一定会得到相应的照顾，这是其一；再者，张总您是我省著名民营企业家，威望甚隆，如果您带头响应政府号召，参与开发区建设，并有幸成为第一家在开发区参资入股办企业的人，您想，对您个人和宝元企业是不是也是一笔巨大的财富呢？"

张二蛋听了神色不由一动，张胜对症下药，这番话正对他的胃口，立即打动了他的心。徐海生对张胜投以欣赏的一瞥：这小子，一点就通，果然是块材料啊。

张胜继续奉迎道："张总做的是大买卖，我是难望项背的，厚颜请您出面，就是指望着能在您这棵大树底下乘凉。"

张二蛋听得渐渐露出了愉悦之色，张胜顺势道："要说，以您老的威望，就凭宝元企业的金字招牌和您个人的名望，那是无价的，占多少股都不算多，不过晚辈是小打小闹的买卖，顶多注册个三五百万的资本，在您眼里是一盘小菜，可对我来说，那已经是天大的一笔款子，您要是白占去百分之十的股份，那我也没剩下多少了。

"张总，这件事，说到底不过是我求个小利，您图个好名，百分之十的利润哪放在您老的眼里呀，您说是不是？不过有这笔投入，您老再多关照着点儿，这企业每年的股利分红就当是晚辈受您扶持，孝敬您老的'大红包'了。如果您老愿意参股，我将来修建的整个工业园区的名称，都可以冠以宝元的大名，我也沾沾您的福气，您看怎么样？"

这一说，张二蛋眼底顿露喜色，他这人从骨子里就好大喜功，恨不得各行各业都有他的产业，然而即便以他的实力和扩张速度，也不可能占领所有领域。张胜邀他入资，是借他的名，而注册名字带上宝元两字，又送他一个名，正称他的心意，这一来他也不太计较能够得到多少实际利益了。

徐海生察言观色，笑道："是啊，这正是合则两利的好事嘛。至于基建设施不健全，其实也不用那么担心，公司还没有开起来嘛，等到厂房建成，基础设施应该就同步建好了，而且张老弟的那块地皮正贴着城南公路，运输本来就不成问题的。"

张二蛋呵呵地笑起来："嗯，看你们一唱一和的，如果这样嘛……那好吧，我就意思一下，投入一百万，跟你们合作办厂。不过，地皮是你出的，我可不再额外增资了。"

"那是,那是!就冲张总的这张招牌,那可是无形资产呀,多少企业想送干股给张总还请不来呢,况且张总这是投资参股我这公司,张总这样提携小辈,小辈们只能是感激不尽了。"张胜连连点头应承道。

张二蛋趿鞋下地,说道:"没有意见?行,那……就这么着,事儿就这么定了,小张提出的建水产批发市场的主意是不错,不过目前投入还是操之过急了,我认为还是先建冷库,水产批发市场作为后续投入可以待机而动。他笑着说:"我的外甥也是城里人,这才刚刚下岗,跑到我这儿找营生。我让他跟你去看看地块,选个合适的地建冷库,需要用到我张二蛋为你出头的事,就让他代我去跑。"

他说完了,扯着嗓子就喊:"陆秘书,陆儿啊,小陆……这扯不扯,弄个门还隔啥音呐。"

张二蛋走回办公桌旁按了按铃,对着小喇叭大声说:"我说陆儿啊,你进来一下!"

张二蛋吩咐完了,对张胜说:"楚文楼是我外甥,年纪比你大不了多少,你们年轻人有啥事也说得到一块儿去。"

这时房门一开,那个戴眼镜的女孩出现在门口,张二蛋未等她说话,便道:"你马上给财务部打个电话,让楚文楼上来一趟!"

徐海生吸着烟,微笑着拍拍张胜的肩膀,说:"看到张总办事的风格和魄力了吧?你跟她下去接一下吧,这位楚兄弟看来就是今后张总这边负责和你接洽的联络员了,彼此要好生相处。"

张胜一听,便起身道:"张总,我去迎一下吧!"

张二蛋点头道:"好好好,去吧,去吧,你们书都读得多,不过毕竟还是年轻,光读书是不够的,要把学问做活了才能成才,今后你们互相帮衬一下。"

房门一关,张二蛋又坐回沙发上,徐海生奇怪地问道:"张总也有意想在桥西办实业?我怎么事先都没听你通气儿呢?"

张二蛋摆手道:"嗨!树大招风呗。出来混,就是互相给面子的事,是市里领导找到我,说我是什么民营企业的杰出代表,应该率先支持开发区的建设。正好前一阵子省里一位领导来视察时建议我建个冷库，做做水产和储藏方面的生意。

"不过，这投入可不小，光是建冷库基地就得五百万，还得耗巨资购地，嘿嘿，你这位小兄弟来找我，正是愿者上钩、一拍即合。这一来，我花钱不多，省市两位得罪不起的大领导就都奉承到了。

"对了，小徐啊，现在我手上投资在建的大型项目有好几个，资金比较吃紧，我要的那三千万你筹措得怎么样了？"

徐海生道："张总，我那边运作最难的地方就在于要涉及方方面面的关系，需要平衡方方面面的利益，现在几条线铺开了都在做，这个时候如果抽资，就会造成一系列的失败。"

张二蛋挠挠头皮，说道："唉，都怪我太相信那些老毛子了，价值两千多万的肉制品只收了百分之十的订金就打过去了，到现在他们也不付余款，我已经派了几拨人过去催账，只要来几车皮木头、还有几辆伏尔加。现在新建的皮草加工厂、炼铁厂、水产养殖公司，都需要大笔的后续投入，难呐。"

徐海生皱起眉头说："现在外边拖欠的货款不止俄罗斯那一笔吧？账要不回来，资金紧张，就该收缩规模，暂时不要建设新厂嘛，怎么这又……"

张二蛋摆手道："不成不成，这几个项目都是省市领导倡议的嘛，怎么好停下来呢？"

徐海生苦笑一声，也默默地摇了摇头。

陆秘书在办公桌前打了个电话，然后对张胜笑道："张先生，楚经理不在办公室，我到楼下找找吧。"

张胜为了以示诚意，便道："麻烦你了，我陪你一起去吧，正好见见楚经理。"

两个人往楼下走，张胜问道："楚经理现在在什么部门供职啊？"

脸上有点雀斑的陆秘书说："楚经理刚来，原来是市第五粮油供应站的会计，下岗后到了宝元企业，现在在财务部做一个部门的副经理。"

陆秘书带着张胜到财务部找了一圈，不见楚文楼的踪影，于是问了他的大哥大号码，结果一连打了几次都占线，听说他就在侧楼，二人便下楼去找。

两人出了主楼，刚刚向左侧走出不远，便见一个男人举着部大哥大紧贴在耳朵上，整个头歪向一侧，一边声音高亢地喊着，一边向这里走过来。

陆秘书立即扬声道："楚经理，老爷子叫你上楼一趟。"

那人向她点点头，脖子一挺一挺地继续嚷："喂！老 K 啊，我是楚文楼啊……对对对对，我说……你能不能帮我订张机票啊，怎么也得五折起吧？对……我丈母娘要去深圳看我小姨子，对对对对……什么？搞不到这么便宜的机票？那算了，我还是让她坐火车吧！"

这人就是今后很可能跟自己长期合作的伙伴？

张胜认真打量起来：楚文楼二十八九岁年纪，身高不到一米六五，漫说是张胜，就是站在身段苗条的陆秘书面前，都显得像个煤气罐儿。他上身穿着棕色西装，下身牛仔裤，脚上一双耐克旅游鞋。一条鲜艳的红色领带半掩在衬衫里，还是"一拉得"的那种。他打完电话握着"大哥大"走过来，胳膊半端着，西装袖口上"大维"的商标牌赫然在目。

"陆秘书，老爷子找我什么事啊？"楚文楼笑眯眯地道。

这个人身材臃肿，其貌不扬，一双金鱼眼，嘴岔子很阔，俗称的嘴大吃八方的那种。脖子又粗又短，几乎找不到，肚腩高高挺起，看其形象，既像蛤蟆精，又像大老板。

陆秘书指着张胜说："楚经理，这位是老爷子的客人张先生。"

"喔……你好，你好！"楚文楼急忙迈着外八字的步子迎上来，紧紧握住了张胜的手，连连摇晃，状极亲热。

"楚经理你好，鄙姓张，张胜。"

"你好，你好，你到宝元集团是……"

"哦，我有笔生意要与宝元集团合作，张总想指定楚兄做我的合作伙伴，我特意下来见见你呀。"

楚文楼一听大喜，张二蛋的七大姑八大姨比他近的亲戚多的是，人人都在企业任职，他刚刚从城里过来，一直图谋不到更好的差使，所以蹲在财务部挂了个副经理的衔领空饷，没有什么实权，这下总算见了亮。这人既然能和宝元企业谈生意，想必还是有一定实力的，自己能代表宝元跟他们合作，那可算是走出冷宫了。

楚文楼天生一双短粗胖的罗圈腿，平时最怵爬楼见老爷子，这一下气力陡生，和张胜一气儿爬上十一楼，居然面不改色，有说有笑。

张二蛋对二人又做了正式介绍，说了自己的投资意向，要楚文楼跟着去桥西考察，验证各种证明文件，待合作意向签订后，由他作为宝元企业投资代表，与张胜合作办企业。

张二蛋做事向来风风火火，一笔生意决定去做了就决不瞻前顾后，三言两语就交代明白。四人寒暄几句之后，由徐海生开车带着楚文楼和张胜前往桥西，徐海生是见人说人话、见鬼说鬼话的主儿，楚文楼也是一个油滑的社会人，彼此有心结纳之下，车行一路，三人已是十分熟稔了。

实地看过了张胜名下的地皮之后，这时已经到午饭时间，徐海生作东，拉了两人到了附近的一家饭店。

徐海生踌躇满志地说："张总的第一笔款子一打进来，我们先找工程队进驻施工，先盖一处办公大楼，同时抓紧时间注册公司，张胜答应张总企业名称要冠以宝元的名字，我看……咱们这家企业就叫宝元汇金实业开发股份有限公司，怎么样？"

楚文楼一听双手一拍，谄笑道："好名字，好名字，又大气，又响亮，又喜庆，就冲这公司的名字，我们不发财都难啊。"

这时，楚文楼的大哥大响了，他拿起电话，习惯性地歪着肩膀，调门儿自然地提高起来："喂？啊！凝儿啊，我回市里了，没在厂子里，对对对对，一会儿我就回家去，对对对对……咱妈的机票？别他妈提了，老 K 一天尽胡咧咧，真让他办事就不成了……"

也不知是信号太弱还是嫌酒店里太吵，楚文楼举着电话往外走，站在外面窗子旁抑扬顿挫地大声喊起了话，看那情形，好像是和老婆说着买机票的事。

徐海生瞥了他一眼，趁机对张胜道："张二蛋在各届影响很大，省市各级官员都很熟悉，把他拉进来，我们运作中很多难题都能迎刃而解，所以这个人一定得拉住，他把楚文楼这个搞财会的表外甥派来，对你的厂子显然还是有点不放心的。你不妨大方一点，回头先许诺让楚文楼就任公司财务部经理，示之以诚，让他放心，这样张二蛋才会放心划款注资，卖力帮我们跑手续。"

张胜点头道："我明白的，徐哥，这叫疑人不用，是吧？既然合作了，要是对人家还总是防着避着……谁也不傻，你不掏心，别人也就不会对你以诚相待了。徐哥，公司要成立了，这新公司不管怎么说，你都是占着大头的，不挂个职务说不过去，况且，我还真需要你帮我掌舵把关。"

徐海生笑笑说："我占着股份嘛，给我个常务董事就行了。具体的事还得你来办才成。对了，当初咱们签的地皮转让合同，用途是农用地，现在要改变用途，得跟开发区管委会打交道，还得去区上补足契税。虽说咱们这块地要是真的拿来种菜，那才叫开发区头痛，不过去办手续难免少不了吃拿卡要。尤其是……听说贾古文那老小子投机钻营，跑到开发区管委会做了一个副主任，要是让他知道了，肯定找咱们的麻烦。你不要露面，这些事儿就让楚文楼打着宝元企业的招牌去办就好。"

张胜听说贾古文也跑到开发区任职，不由吓了一跳，听了徐海生的主意，连忙点头称是。贾古文对他们再怎么有看法，也不敢刁难张二蛋的，张二蛋是省市各级领导眼中的宠儿，要是他在省市领导接见时顺口发几句牢骚，那这条老甲鱼就要吃瘪了。

徐海生说完，笑吟吟地举起了杯："来，大事已定，咱们哥俩喝一个！"

张胜也兴奋地举起了杯，"当"地一碰，一杯白酒一饮而尽。

烈酒下肚，他的心都热了起来……

第十章　王侯将相宁有种乎？沐猴衣冠人模狗样董事长

张胜每日与财务经理楚文楼一起跑工商、税务、银行，忙得脚底冒烟。有了张二蛋这块金字招牌，果然诸事顺利。接下来便是注册、验资、贷款、设计施工……在股权分配上，张二蛋出资 100 万元，占了 10% 的股份，张胜占了 40% 的股份。徐海生以妻子在海外的注册公司出资入股的方式占了 30% 的股份，正式落在他个人名下的股份只有 20%。一切顺遂，一个半月后，张胜拿到了宝元汇金实业开发股份有限公司的营业执照，正式成为这家新成立的股份公司的董事长。

饭后，徐海生接到个电话，与张胜二人寒暄几句就匆匆离开了。临行前，他从包里拿出一个信封递给张胜，半开玩笑地说：“你平时不修边幅也就罢了，现在可是我们公司的法人代表，不能掉了公司的价。这里是一万块钱，今天我以公司常务董事的名义要求你，为了公司形象，你必须对自己包装一下。”

楚文楼笑嘻嘻地插话道：“徐哥这话在理，形象就是身份的象征，现在的企业老总，哪个不是一身名牌？像我们张总，衣着虽不讲究，出入也是名车代步，说句不怕见外的话，第一眼看到张总你，我还以为是宝元新招聘的小职员呢。”

张胜本想推辞的，听了这话只好收下了信封。以前他从没有想过自己的着装问题，上次狠心置办了套一千多的“美而雅”，都让他肉痛了半天。而现在他所有的积蓄已经消耗在买地应酬中，要让他拿出钱来置办点高档服饰，就他目前的经济状况还真办不到。

楚文楼因为想着以后需要与张胜共同谋事的地方还多，而且虽是宝元外派人员，终究要在人家手下做事，有心与他结交，便笑道："这样吧，反正我下午也没事，我的审美眼光还是不错的，我陪张总去包装包装吧！"

说罢拉着张胜便走，一踏进当地最有名的九龙商城，楚文楼就兴冲冲地带着张胜按照自己设想的大老板标准开始采购打扮起来……

张胜推开更衣室的门，迟疑地走出来，忸怩道："楚哥，这打扮……不……不合适吧？"

楚文楼双眼一眯，两只胖手一拍，赞叹道："好！这才像样！你呀，天生的衣服架子，这么一穿，得迷死多少大姑娘小媳妇儿呀？有点自信成不成？这才像个大老板！"

"会……会吗？"张胜期期艾艾地说着，转身看向更衣门上的镜子。

一身笔挺的黑色西装，里边却是艳丽的大红衬衫，衬衫开着三个扣子，楚文楼说这叫粗犷，敞开的领口内露出一截黄灿灿的金项链，看起来足有手指粗。细皮带，横穿了一个手机套，里边挂着沉甸甸的手机，把那一段裤腰坠得有点下沉，手指上戴了两个硕大的金镏子，脚上一双锃亮的尖头皮鞋。头上戴着一顶微歪的礼帽，嘴角微微上翘，那张英俊的脸上带着一点邪邪的笑意，说他打扮俗气吧，偏偏因为人品的出众，带着种特别的魅惑力。本来在一旁捂着嘴窃笑的服务员也不禁露出了欣赏的目光。

张胜缓慢地转着身子，仔细照了半天镜子，总觉得自己像个盲人，于是抬手摘下了那副几乎遮住了半张脸的黑色大墨镜。这一来，那双澄澈的眸子令他的气质陡然一变，张扬、邪气的装扮，却是一副腼腆、纯朴的气质，两种感觉很完美地组合在一起，那种味道说不出的特别。

"很好，这才像个成功的企业界人士，你说对不对？"

楚文楼对自己的设计非常满意，一边打量着张胜，一边洋洋自得地问旁边的服务员。

那女孩很会说话，她含蓄地说："嗯，这位同志的相貌、气质非常好，这套打扮穿在他的身上……有种很特别的味道。"

张胜的脸有点红，本性不喜欢张扬的他对这种打扮有点抵触，不过楚文楼和售货员都说这么打扮出色，他便有点高兴起来。

他真想马上穿着这样鲜亮的衣服去见小璐，女为已悦者容，男人何尝不是？

"喏，雪茄，ZIPPO 火机，好了，这下齐全了！"

楚文楼把新买的这些东西一一放进他的口袋，张胜头一回打扮成这个样子，心里还是有点不好意思，忙道："好了，楚哥，我们走吧。"

"好，我们走，嗳，帽子戴好，墨镜、墨镜，别拿着呀你，戴上！"

"楚哥，这墨镜镜片好像颜色太深了……"

"你不懂，眼睛是心灵的窗户，深一点好，就是为了不让人看清，这样谈生意时，别人很难猜出你的想法，我们就容易掌握主动。"

"问题是……楚哥，这楼里有点暗，我好像看不清道……"

"戴上，戴上，我牵着你，出了大厦就好了……"

郑小璐锁好她的飞鸽，脚步轻快地向宿舍楼走去。

今天回来得很晚，不过她却很开心，因为今天她被调到厂办当行政助理了，回来晚就是因为要交接工作，才耽误了些时间。

交接工作的时候张胜来过电话，问她几点下班，当着被接替的同事，她不好把这个好消息告诉张胜，便只对他说今天加班，时间还无法确定。她知道张胜正在郊区忙着他的新厂，这些日子没空来接她下班，准备找个合适的时间再把这喜讯告诉他，让他也来分享自己的欢喜。

这些日子张胜工作太忙，有点冷落了她，但小璐心里一点也没有埋怨。她认为做一个好女人，头一条就是男人干事业的时候，女人应该本分点，就算不能给他什么助力，至少也不能去纠缠他，分散他的精力。

可是有了喜悦的事，她真的想第一时间让张胜知道。想着张胜为她开心的样子，小璐脸上溢出了甜甜的笑。

门洞里很黑，估计是廊灯又坏了，小璐蹙了蹙眉，正想快步走进楼去，一个黑影忽然从楼里闪了出来，正堵在楼洞口。

高高的个子，还歪戴着一顶礼帽，就像电影里的黑社会，小璐不禁吓了一跳。她脚步一顿，等了片刻，那人却没走出来，好像就是站在那儿等着她似的。郑小璐的心不禁急跳起来，她左右看看，不见有路人经过，心里更慌了，眼见那人动也不动，小璐悄悄攥紧车钥匙，壮着胆子问道："你……你堵着门洞干啥？快让开！"

"嘿嘿嘿嘿……"那人笑起来，笑得小璐心惊胆战。

然后，那人慢慢地探手入怀，小璐立即紧张地举起了钥匙，钥匙尖对着他，靠着这把可怜的武器给自己增添几分搏斗的勇气。

那人摸出来的东西比她的钥匙可长了不少，难道是匕首？小璐心里一紧，只听"啪"的一声，火光亮起来，原来是一支雪茄。火光映红了那个人的脸，那人低着头，礼帽遮住了大半张脸，脸上还架着一副流里流气的蛤蟆镜，嘴使劲地裹着雪茄，脸颊微微有点内陷。黄澄澄的金镏子，长长的雪茄，尖尖的下巴，上翘的嘴角，诡异的笑容……他不流氓谁流氓？

郑小璐浑身一震，浑身的汗毛刷地一下竖了起来。

"啊！啊……抓流氓，打坏蛋啊……"

小魔音穿脑般的高分贝尖叫震撼着张胜的耳膜，在楼道里回荡起来。张胜哭笑不得，他打扮得一身光鲜，本想给心爱的女友一个惊喜，没想到她居然认不出自己，还错把自己当流氓了。他急忙丢了雪茄，扑上来一把揽住她的腰去捂她的嘴，口中低叫道："别喊！别喊！是我！"

郑小璐攥着钥匙正想去划他的脸，忽地听到他的声音，那只小拳头不由僵在空中："胜子，是你？"

张胜摘下墨镜，苦笑道："可不是我吗？你连我都认不出来了？"

郑小璐余悸未息，轻拍着胸口瞪了他一眼，嗔道："谁让你打扮成这副鬼样子跑出来吓人啦？我还以为是流氓呢！"

张胜很郁闷地道："流氓？这造型不像许文强吗？"

郑小璐白了他一眼，哼道："许文强不就是流氓？"

就在这时，只听楼道里也传出一声尖厉的大叫："快来人呐，郑璐出事了！"

张胜没想到惊动了别人，连忙回头解释道："没事，没事，纯属误会……"

楼道里黑漆漆的什么也看不清，但是声音却在二楼喊得响亮："郑璐，你怎么了？快来人呐！"

"郑璐？是郑璐姐，快走！"小璐一拉张胜，急急地跑进了楼，张胜这才想起本厂还有个叫郑璐的女工也住在这幢宿舍楼。

二人连忙向叫喊的地方跑去，各个房间的女工闻声都跑了出来，张胜闯进一间屋子，见几个女工围在那儿，当下也顾不得说什么，急忙分开众人闯进去，中间地上躺着一个人，这是个年轻的姑娘，长的有些秀气，身材略显肥胖。

旁边的女工惊慌失措地说："不知道小璐怎么了，在二层铺上看着信，忽然就又哭又叫的，然后一头从上边栽下来，吓死我了。"

另外有女工便叫："郑璐，郑璐，哎呀，这么晕迷不醒的，是不是摔伤了脑子？"

有个年岁较大的女工一眼看见张胜，不由喜道："张胜，你怎么在这儿，太好了，我们都是女人，力气小，快帮我们把她送医院去。"

这种事当然不能撒手不管，张胜便抱起这位郑璐姑娘往外走，小璐便也跟着下了楼，会同郑璐同室的一名女工打了辆车一起去医院。

还没到医院郑璐就醒了，醒来后仍是又哭又叫的，到了医院一检查，脑袋摔了一下，但不是太严重，不过医生把张胜和她同室的女工叫到一边，问清了他们的身份和病者的关系后，很严肃地说："这位同志的伤势并不要紧，不过在精神方面似乎有点问题。"

那心直口快的女工惊讶地说："不会吧？郑璐平时挺文静的，没见她神经方面有啥问题呀。"

医生扶了扶眼镜，纠正说："是精神，不是神经。平时平静，不代表精神方面就没有疾病，有时候，一些特殊事情的刺激就会成为诱因，诱发精神方面的疾病发作。这位女同志……希望你们能和她的父母沟通一下，最好带她去做精神类专科医院做个细致的检查。"

那女工连连点头，等医生离开了，嘀咕道："这扯不扯，不就是对象要分手吗？不会真急成神经……哦，精神病吧。"

郑璐姑娘伤得不重，能走能动，只是精神不太好，一直时哭时笑的向她同室的姐妹诉说男朋友原来对她怎么好，怎么海誓山盟绝不分手，现在却绝情绝义。

张胜不便听这些女孩的私房话，便拦了辆出租车让那女工载她回去，自己和小璐则利用这难得的机会去附近的小公园散步。

张胜坐在长条椅上，轻轻揽着小璐柔软苗条的腰肢说着话，小璐偎在他怀里，很惬意地闭着眼睛，享受着他的温柔。

"对了，胜子，告诉你一个好消息！"小璐忽然想起一件事，忽地坐直身子，喜滋滋地说："我现在被调到厂部当行政助理了，工资涨了好多！"

"真的？"张胜一愣。

郑小璐歪着头看着他，问道："怎么，不替我感到高兴？"

张胜笑了："高兴，当然高兴，你……喜欢这份工作？"

郑小璐奇怪地道："这还用问么？谁不想有份好工作？当厂办行政助理和以前当检字员哪个好？我当然开心啦，你问得好奇怪。"

张胜揽着她的腰，耳鬓厮磨着，温柔地说："我不是不高兴，只是……我的厂子马上就要正式开业了，我还想让你去我那里帮忙呢。"

郑小璐笑道："你搞的是房地产、冷库和水产批发，我去做什么？"

张胜道："当然是帮我管账，一家企业最重要的就是财权，这点道理我还是懂得，没个绝对信得过的人帮我看着金库，我怎么放心？"

郑小璐摇摇头，很认真地说："胜子，我不懂财会，去了帮不了你什么忙。而且，我不赞成你任用私人，不管什么企业，但凡任人唯亲的，就没个好。对了，你这一说我还想起来件事，昨天我去看望伯父伯母，恰好你表姑带着你的两个表哥上门来，听那意思想让伯父跟你说说，让他们都到你厂里上班。

"他们是你的亲戚，照理说，我不该跟你搬弄是非，可我希望你能成就一番事业，不能毁在这些家长里短的事上。你的两个表哥，一看就是不肯踏实干活的人，去了只会给你惹麻烦，到时，你管他们就伤感情，不管这厂子就没法办。我估摸着等厂子开起来，亲戚朋友少不了用这种事来烦你，你可得有点心理准备。"

张胜皱眉道："你不说我也知道，这两个活祖宗我可不敢用。我二表哥吴虑整天不务正业，从小就是偷奸耍滑的主儿；大表哥吴悠就更别提了，原本在政法委开车开得好好的，多难得的工作，可他一点不珍惜，结交些不三不四的朋友，不安心工作。有一年冬天，下着大雪，政法委书记打电话让他去接，他把车借给朋友玩来不及开回来，就让书记自己打车上班，你说这干的叫啥事？后来车子撞了，又私下修好，压根儿没告诉单位，直到单位检查才发现一些部件换了。

"接连出了几次事，政法委待不下去了，表姑夫托关系走后门好不容易把他调到了司法局，嘿！这位大爷，去的当晚就开着局长的小车带女朋友逛街，结果车子没锁被人偷走了，气得表姑夫大病一场，他的正经工作也彻底丢了。你说他在机关单位都干成这副德性，到了我这个表弟开的厂子里，还不给我搅和了？表姑夫这不是坑我吗？"

郑小璐点头道："嗯，这是品行不端的，就算肯老实干活的，你说都是你的亲戚朋友，去了你好意思就让他当工人被外人指挥着干活？他们心里能平衡吗？别人能尽心管吗？给个一官半职吧，可他们是那块料吗？如果没那个能力，还不是好心办坏事？"

张胜默默地点头，说："嗯，你说得有理。"

郑小璐掠着发丝说："正因为如此，你那里我更不能去，一来，我学的东西不适合去你的厂子工作，二来，你要是不用他们，我却去了，你还不被亲戚朋友戳脊梁骨？"

张胜刮了一下她的鼻头，感慨地说："我现在真是有点得意忘形了，多亏你提醒我，娶妻当娶郑小璐，你呀，真是我的贤内助！"

郑小璐扮个鬼脸笑道："人家什么时候成了你的贤内助了，我是大三元彩印厂的厂助好不好？在那儿我有工资领的，你又不发工资给我。"

张胜涎脸笑道："你还需要发工资吗，我的还不就是你的？"

张胜"嘿嘿"一笑，静静地抱着她。

风徐徐而来，带着花的馨香。过了许久，张胜用风一般温柔的声音说："明天一早我就得回去，这些天筹备的事很多，恐怕不能回城，你会不会想我？"

"想你干吗？离得那么近，我又不是不知道你在忙正事，我专心工作，在这儿等着你就是了。"

"星期天也不去看我？"

郑小璐从鼻子里哼了一声，说："星期天你要是有空自然会回城的，你要是没空，我去了不是浪费你的时间？有那空儿我不如去陪陪伯父伯母呢。"

张胜气不过，说道："怎么？对自己这么有信心呀，就不怕我在外边学坏？"

郑小璐瞪了他一眼，说道："你敢！你要是敢学坏我就告诉伯父伯母，让他们打断你的腿！"

张胜嘿嘿一笑，灼热的眼神盯着她柔美的脸蛋，目光闪闪发亮。郑小璐被他盯得发慌，她刚想逃开，张胜就俯身下去，一口吻上了她的嘴唇，让她连抗议的声音都发不出来。

吻着吻着，张胜的手就不老实地滑下去，在她浑圆结实的臀上捏了一把，可惜郑小璐穿的是牛仔裤，布料厚厚的，这么扭身坐着又绷得紧，无法体会那里的柔软弹性，那手便又向她的胸部偷袭上来。

郑小璐被吻得心荡神迷，可是张胜的动作她还是感觉得到的，张胜的手刚刚移到她的乳房轮廓，还没来得及体味它的曼妙，小璐就用舌尖使劲顶出他的舌头，然后飞快地跳了起来。

她红着脸说："我们回去吧，明天一早你还得赶去桥西，这些日子太操劳了，回家好好休息一下。"

郑小璐穿着白色 T 恤、蓝色牛仔裤，长发随意地束在脑后，透过树影的灯光斑斓地洒在她的身上，她的美和俏就像灯前的花影，迷离醉人。

张胜看得心痒痒的，可惜，小璐虽容他说些亲热话和情侣间适度的爱抚，却始终不肯做过度亲热的举动，不止在这静谧的小公园里不肯，就是两人在张胜家里插上房门说悄悄话的时候也不肯。

张胜知道她个性既腼腆又敏感，内心深处总是缺乏安全感，在名分没有得到法律的承认和保证之前，她总有种不确定感，因此也不愿逼迫她，当下只得装作很不情愿地站起来。

郑小璐立刻讨好地挽住他的手臂，张胜哼了一声，不甘心地在她的小翘臀上狠狠拍了一巴掌，惹来小璐一声痛呼，这才心满意足地揽住了她的纤腰……

接下来的半个月里，张胜每日与财务经理楚文楼一起跑工商、税务、银行，忙得脚底冒烟。有了张二蛋这块金字招牌，果然诸事顺利。

办理营业执照时，徐海生找了一家专门帮助别人注册验资金的公司，这家公司财力雄厚，收取了百分之三的好处费后，马上划款入账，验资完毕又动用关系悄然将款项划回。

土地抵押贷款也顺利到位，还了前款，大约还能有两百多万的流动资金，张二蛋的一百万投资款也到账了，张胜便开始张罗着修建办公大楼，投建标准厂房。

关于办公大楼，张胜本想请市工程设计院的人进行工程设计后再行修建的，可徐海生不同意，认为办公楼不过是面上光鲜的事，公司初期运营需要耗用资金的地方很多，犯不着如此大费周折，于是最终决定修一楼一底，这样节省下来的钱还能装修豪华些。

招聘的工程队进驻工地后立即热火朝天地工作起来，反正那是一片空地，日夜可以施工，不需担心扰民问题，办公大楼盖得快捷无比。张胜这些天忙得整个人都瘦了一圈，不过眼看着自己心中的蓝图一天天勾画成现实，他的心里还是美滋滋的。

在股权分配上，张二蛋出资一百万元，占了百分之十的股份，张胜占了百分之四十的股份。徐海生通过妻子的海外关系，以妻子在海外的注册公司出资入股的方式占了百分之三十的股份，正式落在他个人名下的股份只有百分之二十。

一切顺遂，一个半月后，张胜拿到了宝元汇金实业开发股份有限公司的营业执照，正式成为这家新成立的股份公司的董事长。这时，办公大楼主体工程已经完成，收尾工作加上装修再有一个多月就能全部完成，届时公司就可以正式挂牌营业了。

钟情住院近一个月伤势才痊愈，这段日子她的老公杨戈打听到她住的医院，便跟到医院去纠缠，杨戈倒不是不想离婚，而是心中气不过，所以存心折腾她。可怜钟情本来艳若桃李的一个俏女子，连伤带气、日夜难眠，待到伤愈出院，气色已经跟鬼差不多了。

其实钟情和杨戈的感情一直就不好，杨戈是开车的，早几年的时候司机是很吃香的职业，税务局的司机那更不必说了，领导或办事人员去哪儿他不得跟着，到哪里查账人家大包小裹的往车里塞东西时不给他捎一份儿？

钟情家境一般，年少虚荣，觉得这样的老公才拿得出手，就栽在了他的糖衣炮弹之下。这种爱的基础本就勉强，杨戈的习气又不正，常在外边捻三搞四的，钟情对他就更谈不上什么感情了。

徐海生虽说四十出头，比杨戈大了十多岁，可无论身材相貌、谈吐气度，哪是那个猥琐的瘦皮猴儿能比得了的？他是一个事业有成的成熟男人，又会哄女人，两人在一个办公楼，一来二去就搞起了办公室恋情。

虽说徐海生有妻有子，不过钟情可是真心喜欢他，把他当成了自己的亲汉子。如今奸情暴露，她有家难归，娘家也没脸回去，走投无路之下，只好来投奔他。

这一来徐海生可犯了难，他看钟情风骚妖媚，这才刻意勾引，不过是想找个玩物而已，平时如何甜言蜜语都无所谓，他也舍得花钱送钟情些珍贵的首饰化妆品，可让他把这女人一直留在身边他可不干。吃鸡蛋就得养只鸡？蠢人才那么干。

钟情抽泣着说完了自己目前的处境，徐海生耷拉着眼皮道："你难，我也不易啊，我现在也下岗了，自己还不知道该怎么生活呢？再说我们没名没分的，把你留在我家里算怎么回事？"

徐海生的话让钟情彻底绝望了，她万万没想到徐海生对她竟然没有一点真情实意，根本是把她当成一件泄欲工具，她哀声道："姓徐的，你当初勾引我的时候是怎么说的？我怎么就被你的甜言蜜语给迷了心！"

徐海生抬起眼皮瞟了钟情一眼，漠然道："情……钟情啊，我们都是成年人，应该为自己做的事负责，他要离婚，那你就回娘家嘛，就凭你这模样，上什么地方找不到一份工作？这件事让我也很烦，我看我们两个以后不要再联络了。"

钟情跟跄退了两步，悲愤地道："我活该，我犯贱！找个男人，图他条件好；再找个男人，图他体贴人；我怎么就看不透你们的心呢！"

徐海生怫然道："这叫什么话？你被打伤，我送你去住院，前后花了七八千块，已经是仁至义尽了，还想要我怎么样？男欢女爱，是你情我愿的事，我强迫过你吗？"

钟情脸色苍白地道："没有，你没有强迫我，是我瞎了眼，是我自作自受！你根本就是一个人面兽心的畜生！"

徐海生笑了，他抚了抚整齐的头发，讥诮道："佛曰：人生为己，天经地义，人不为己，天诛地灭。我也只是为自己打算而已，算什么人面兽心？披着人皮的人，有几个不为自己打算的？你找我，难道是为了公义？还不是为了你自己？"

钟情脸上两行热泪簌簌而下，她惨笑着点点头，忽然转身便跑，跑到阳台上推开窗子就要跳出去，徐海生一见吓了一跳，急忙冲过去抓住了她，脸色铁青地道："他妈的，你要干什么？"

钟情失魂落魄地道："我不活了还不成？"

徐海生一把将她推开，恶狠狠地咒骂道："要死滚到外边去死，不要从我家跳楼，临死还要恶心人！"

这么绝情的话把钟情的心彻底击碎了，她的眼睛里了无生气，茫然地爬起来，喃喃道："好，我换个地方去死，我走，我走……"

眼见她像喝醉酒似的跟跟跄跄走到门边，徐海生心中隐隐有些不安，他忽然想到一个打发钟情的去处，忙道："你等等……这样吧，我给你联系一份工作，保证你老公找不到你，再帮你请个律师处理离婚的事。我能帮你的只有这么多了，希望你以后不要再来打扰我。"

钟情的脸抽搐了几下，低低地说："你放心，我不会见你了，永远也不会！"

徐海生松了口气，说："好！你回去吧，我还要联系几个朋友谈事情，过几天送你去一家企业上班。"

钟情冷笑一声，说："不敢劳您的驾，也不想靠你的关系，我来找你，只是因为把你当成我的男人。没有你，我一样能活下去，我会自己找工作，自己养活自己，不用您操心了。"

说完，她摔门而去。徐海生笑笑，不以为然地坐回沙发抄起电话……

第十一章 什么叫投资？用别人的钱做 自己的买卖，那才算真本事

　　宝元汇金公司在临近环城公路的地块划出来大约 13 亩的土地开始建造水产品批发市场。水产品批发市场的规划十分宏大，共有固定商铺 28 个区，流动商铺 8 个区，配备建设了水产品运输专线和 3 个制冷保鲜仓库，此外还有大型停车场、市场管理办公室等设施。接下来便大打招聘广告，显得公司实力雄厚。这叫做搭台唱戏挖池养鱼，估摸着客户将会哭着喊着抱着钱来，为抢一个摊位打破头……那么，宝元汇金公司就等着数钱吧！张胜慢慢懂得了：什么叫投资？用别人的钱做自己的买卖，那才算真本事。

　　宝元汇金公司在建造办公楼的同时，在临近环城公路的地块划出来大约十三亩的土地开始建造批发市场。

　　按照张二蛋最初的设想，现在就建水产品批发市场时机尚不成熟，但这人做事喜大喜全，现在不需要自己投资买地了，省下了一大笔预算，至于目前就建批发市场时机是否合适，他就不那么在乎了，地皮占着反正也不是他的资产，尽快大兴土木搞建设，这事反映上去，省里市里那两位领导才会觉得自己重视他们的意见。

　　水产品批发市场的规划十分宏大，市场建成后共有固定商铺二十八个区，流动商铺八个区、配备建设了水产品运输专线、三个制冷保鲜仓库，此外还有大型停车场、市场管理办公室等设施。

　　目前，楚文楼这位财务部长又兼会计、出纳于一身，眼看着市场就要启动，订购的机器设备也要运达安装了，张胜便和楚文楼找徐海生商量，考虑

招聘工作人员。

三人敲定了招聘人员的条件，张胜高兴地说："行，那就这么定了，明天咱们就去人才市场！"

徐海生摇头道："不不不，不去人才市场，在报上打广告，连打三天的大幅招聘广告。"

张胜一怔："徐哥，那又是一笔钱呐，何不到人才市场呢？"

徐海生笑道："这个广告，既是彰显咱们的实力，同时也等于给咱们在报上又打了一次招商广告啊。除了应聘者，你想想那些大大小小的水产商能看不到吗？一举两得的事为什么不做？"

张胜恍然大悟，楚文楼竖起大拇指，摆出一副谄媚的笑脸凑趣道："高！实在是高！"

徐海生和张胜看了他滑稽的样子放声大笑。

翌日，张胜和楚文楼赶到日报社洽谈招工广告事宜，第一个条件就是申明广告必须打在头版。市报广告部罗主任打量打量眼前这两位黑社会大哥似的人物，一时摸不清他们的来路，沉吟片刻才道："两位先生，我们是市级报纸，半版的广告费价格是三千五百元，但是在头版打广告，费用要高得多，每版需要六千元。"

张胜伸出食指，扶了扶鼻梁上的墨镜，楚文楼立即抢着道："价钱不是问题，我们董事长要的就是这个派头，否则何必来打广告，直接去人才中心招聘不就成了？我们就要头版，不是头版还不做了，要连打三天，这是支票！"

楚文楼说着，已掏出支票填好数字递了过去。

市报广告部主任接过支票验看了一下，笑吟吟地道："那好，请把招聘广告词给我，我们来安排一下，明天开始登出。"

广告词大量介绍了这家水产批发市场的规模、配备、交通和地理位置，相对于城里寸土寸金的地面，更着重强调了在这里投资租铺的种种优势。最后是招聘名单，看那规模招聘人员得上百人。

一个成熟的水产市场，所需工作人员也不过五六十人，张胜的公司刚成立，根本不需要这么多人员，故意打出大量招人的广告，不过是给有心人造成一种财大气粗的印象而已。

二人走出报社，楚文楼笑问道："董事长还回厂子吗？"

张胜刚要说话，手机忽然响起来，他摸出电话，里边立即传出一个幽魂似的声音，凄凄惨惨地道："喂……胜……胜子啊，我是你郭哥……"

张胜奇道："郭胖子！你怎么整出这么一副动静？又被嫂子收拾了？"

"哪……有啊……哥哥我……去澡堂子泡澡，让人给……打啦……哎哟哟，我这老腰啊……兄弟啊，我不行了，你快来看看我吧。"

"喂喂，你在哪儿呢？"

"我在……友谊路派出所，哎哟哟……"

电话里陡然传出另外一个声音，大声怒吼道："你他妈的少装死！"

声音刚落，电话就咔嚓一声挂断了。

张胜收起电话，忙对楚文楼道："老楚，先送我去友谊路派出所。"

楚文楼从宝元调来，张二蛋给他配了一辆七成新的捷达，此次到报社两人乘的就是这车。当下两人上车，急急忙忙赶往友谊路派出所。

进了派出所，两人四下张望，不知该到哪儿去找郭胖子。这派出所是丁字型的建筑，中间一个门脸，进去后是一条横着的走廊，两侧都是房间，因为是老楼，显得有点阴暗。

张胜见一个片警走过，连忙拦住问道："同志，请问有个洗澡时被人揍了一顿的胖子，他在哪儿呢？"

那个警察看了他一眼，往斜对面一间屋子一指，张胜忙道了谢，和楚文楼向那儿赶去。这间屋子在走廊的内侧，后边又被一幢楼挡住，连夕照都照不到，所以总是黑沉沉的。门斜开着，进屋一看，灯也没开，里边靠窗一个办公桌，靠门的左侧一张床，床上只有一个草垫子，上边躺着一个人，正在哎哟哎哟地叫唤。

旁边还站着一个傻大黑粗的男人，张胜估计是和郭胖子打架的人，也顾不上看他，急忙便冲床上喊："胖子！郭胖子，你怎么样啦？"

他一扶那人肩膀，却是个近六十岁的老头儿，张胜不由愣在那儿。这时，身后一个颤巍巍的声音道："胜子啊……哥在这儿呐！哎哟，我不行了，腰痛，肾一定是被踹坏了。"

张胜一扭头，原来门后边还有一张床，上边躺着一个胖子，哎哟哎哟地叫唤着，正是郭胖子。

张胜连忙赶过去，一瞧郭胖子那形象，一只眼睛肿得跟鸡蛋似的，另一只眼睛也是一圈乌黑，嘴唇肿得像挂着个香肠，一见面便惨兮兮地拉住他，眼泪汪汪地道："兄弟啊，你可来了，多亏你前几天把手机号码给我了，要不然我都想不起来找谁。"

"你他妈的现在不装死啦？"那黑肤大汉怒吼一声。郭胖子的声音马上便像立刻就要断掉的钢丝似的颤悠起来："兄弟……啊……我身体……不好，有心病啊。我要被人打死啦，可怜了我那胖儿子……可惜了我那漂亮老婆……"

张胜连忙道："行了行了，你快说说，到底是怎么了？"

这时，一个警察走到门口喊了一嗓子："严虎弟，扶着老爷子过来做个笔录！"

那黝黑皮肤的大汉一听，连忙扶起他二叔，老头儿颤颤悠悠的，好像气力稍大就要断气似的，两个人一离开，郭胖子就像屁股上装了弹簧，嗖地一下就坐了起来，急急地道："我说胜子，哥认识的能人可就你一个，不管咋说，你现在也是要当大老板的人了，你得帮我！"

对方是个老头儿，可浑身上下看不到一点伤，而郭胖子却被打得其惨无比，说他欺侮人，张胜实难相信，他忙道："你快说说，到底怎么了？"

郭胖子道："我去澡堂子泡澡啊，你知道的，我洗完了澡喜欢坐那儿抽根烟歇歇气再出来。我打开放衣服的柜儿，拿出烟正在那儿抽，那个姓严的就扶着那老头儿进来了。当时澡堂子满了，他见我要穿衣服，就招呼我快点儿。我就说，我得吸支烟，不就洗个澡嘛，急个什么劲儿？那姓严的小子就把我好一顿打。

"澡堂老板打110叫来了警察，那死老头子见了马上就装作被我打了，还说他有脑血栓后遗症。一个老头儿被我欺侮，这不到了派出所了吗？我见他装死，怕事情对我不利，所以也得装得半死不活。奶奶的，我本来就有心脏病嘛，谁怕谁啊？"

张胜苦笑道："就你现在这形象，还用装吗？"

楚文楼贼眉鼠眼地跟着那姓严的叔侄俩出去逛了一圈儿，这时刚刚回来，鬼鬼祟祟地道："张总，我刚才跟出去听到点情况，那个姓严的小子好像认识这个派出所的副所长，刚刚打电话找人呢，那个副所长出去办事了没在，不过回了个电话，我听做笔录那小子的口风，这案子怕不那么好断了。"

郭胖子眯着肿成一条缝的眼睛，噘着香肠嘴道："被打的可是我呀，澡堂子里的人全都看见了，我还没说呢胜子，我小腿好像骨折了，疼得厉害！"

这时，一个警察走了进来，后边跟着严虎弟和他二叔。警察看看郭胖子和张胜，说："事情我们已经了解了，双方不过是在澡堂里因为口角争执，进而发展到动了拳脚，性质不是很严重，何况双方都有人受伤，我们现在居中调停一下，你们双方当事人愿不愿意私下和解？"

"和解？"张胜恼了，"警察同志，对方的确是个老头儿，可是动手打人的可是五大三粗的一个汉子，我这朋友的眼睛被打得跟熊猫似的，你们都看在眼里，他们这么打人可不成，我们不接受调解！"

那个警察一听脸色冷了下来："那好吧，案子我们已经登记了。既然你们不愿和解，这就去市公安医院做检查吧，同时找个地方照张二寸标准照片，把伤处拍摄下来。相关的鉴定和相片交回来后，我们再做进一步的调查并拿出处理结果。"

很显然，警察是听说对方认识副所长，有意偏袒。张胜压着火，冲楚文楼一摆手，说："来，咱们把郭哥架起来，别碰了他的腿，去公安医院！"

严虎弟一听，冷笑道："二叔，我搀着你，咱们也去检查。"

张胜把郭胖子架上楚文楼的车，严虎弟招了辆出租，两辆车先后离开了派出所。

"胜子，他们认识派出所所长，咱这官司打得赢吗？"郭胖子可怜巴巴地道，"要检查治伤又得花一大笔钱，要不……我回家养养算了。"

张胜怒道："胖子，人穷志不能短！这官司无论如何得打！检查、治病、打官司，钱我垫着，这官司一定要打，一定得打赢，这些钱都得让他们掏出来。"

楚文楼开着车，手指上夹着一支烟，悠闲地笑道："郭哥，别担心，咱哥们儿不欺人，可也不能容人欺负了。我刚才听那小子说话，就知道这案子不那么好断了，不管他，先去检查住院治伤吧，官司的事你不用担心。"张总，回头给宝元打个电话就行，这个区分局艾局长的小舅子就在咱们宝元上班，让老爷子给他打声招呼。不斗法斗人缘？那就斗呗，看看是局长大还是所长大！"

张胜一听心中大定，点点头道："嗯，回头我给老爷子打个电话。"

郭胖子一听大喜："怎么着？你还认识公安局长？哈哈哈……哎哟，好，好好！胜子啊，你是真出息了，哥替你高兴，也羡慕你啊。"

张胜笑笑，说："胖子，咱们哥们儿别说那些没用的。你好好养伤，案子我帮你打，等你养好了伤来给我帮忙。"

郭胖子一听，肿成一道缝的小眼睛里放出一缕惊喜的光："真的？胜子！听说你表哥你都不用，所以我一直不好意思跟你说，你……你真的肯用我？我什么都不挑的，什么工作都成。"

张胜笑道："当然是真的，做个保安队长怎么样？带上一帮小兄弟，就不怕有人欺负你了。你是电工出身，巡逻、保安、电机、电路上的事你也用心帮我看着点，可不是白养活你，怎么样？"

郭胖子有了工作，以后不用在老婆面前低声下气了，美得鼻涕冒泡，他不断地点头应声，连身上的痛楚都不觉得了。

三人在路上找了家照相馆，先给郭胖子照了几张惨不忍睹的照片，然后才赶往公安医院，到了那里张胜挂号、交款，推着郭胖子楼上楼下做检查，始终不曾看见严虎弟和他二叔。这两人根本没有伤，怎么可能来检查验伤？

郭胖子伤得不轻，头部血肿，眼球血肿，左右瞳孔不对等、视力下降，口唇损伤影响面容、发音和进食，对他初步鉴定为轻伤乙级，要马上住院治疗。

张胜把他安顿住了院，已经过了晚饭时间了，便歉意地对一直跟着忙前忙后的楚文楼道："楚哥，不好意思，你跟着忙活这么久，到现在累你连口饭都没吃上。"

楚文楼笑道："区区小事，你客气什么？现在郭哥已经安排住院了，要是没什么事，我就先回家去。"

张胜忙道："好，你先回去吧。我还得陪陪这胖子，就不送你了。"

　　这家医院或许不太景气，三个人的病房，只有郭胖子一个病人，这一来张胜要陪护就方便多了，只是那两张床没有病患，所以没有枕头和被子。

　　张胜一身名牌，郭胖子的衣服则皱皱巴巴不成样子，张胜就脱了外套，然后把郭胖子的衣服卷巴卷巴叠成枕头，和他躺在床上聊天，讲自己的理想和创业的故事，越说越是兴奋。

　　由于有些检查项目明天才能出结果，郭胖子明天还要复检，目前只是用了外伤药，做了包扎，不需要太多的关照。一晚上张胜也没见到郭胖子说的那个可爱的小护士，快十二点的时候，两人才沉沉睡去。

　　此时已经是秋天了，醒着的时候不觉得怎么，可是睡着了这寒气就渐渐重了。第二天一早张胜起来去上厕所的时候，觉得喉头哽得有些发硬，估计是有点感冒了。

　　由于郭胖子上午还要做检查，所以张胜对自己的不适没太在意。他从厕所出来回病房的时候，发现斜对面的护士值班室的门开着，一个小护士正站在里边。

　　她身材娇小，身上穿一件洁白合体的护士服，侧背对着门口，可是光看背影，那纤细合度的腰身就透着一种别样的美感，很有味道。

　　张胜注意地看了几眼，这个值班的小护士夜里应该是偷懒睡了一觉，头发稍嫌凌乱，俏脸因之带着些美人慵起的美感。

　　"你看什么看?"小护士凶巴巴的，一双眼睛又大又亮，看来张胜的偷窥并没瞒过她的眼睛。

　　这女孩圆圆的脸蛋，明眸皓齿，甜美可人，再穿上纯白无瑕的护士装，更像一位天堂里来的小仙女。张胜忽然觉得有点眼熟，却想不起在哪里见过这么清纯可爱的小护士。

　　小护士细细的眉毛儿蹙得紧紧的，上下一打量张胜，眉头更紧了，也不知为什么一见了他就不耐烦。其实张胜的模样挺耐看的，尤其是一身成功人士的打扮，除了西装上衣的老板金笔，还有颈间那条粗得吓人的金链子看着有点俗气，也没什么讨人厌的地方。

眼看女孩凶巴巴的，张胜摸摸鼻子道："我……没看什么呀，就是想问问……我朋友什么时候做复检。"

小护士白了他一眼，鄙夷道："借口！别以为我不知道你在偷窥！变态狂！"

张胜失笑道："喂，怎么说话呢你？我偷窥你什么了？你脱衣服了吗？你在洗澡吗？看看你能掉块肉呀？"

小护士皱了皱鼻子，说："被你这种人看着恶心！"

这时，长廊尽头女护士长站在那儿喊："若兰，你过来一下！"

这时，张胜才注意到小护士的胸牌上有她的名字、职务和科室，她的名字叫秦若兰，这个姑娘也算质若幽兰？明明是个小辣椒嘛！

不料张胜这一盯着看，小护士又误会了。男人看大姑娘，目光高一点那叫欣赏，目光低一点那就是流氓了，他盯着人家姑娘虽然娇小却不乏挺拔的胸脯儿瞧，姑娘气不过，便用很不引人注意的动作在他锃亮的皮鞋上狠狠踩了一脚，这才把胸一挺，一扶头上的燕帽，小皮靴咔咔作响地去了。

张胜无奈地笑了笑，推开病房的门回了屋。

不知为什么，这个女孩好像对他很有成见，不过她虽无理，给人的感觉却像个喜欢淘气的小妹妹，让你无法真的和她生气。

男人欣赏女人，水平是大不一样的。水平最低的男人，看女人的脸蛋；稍有层次的男人，欣赏女人的胸部；上档次的男人欣赏女人的臀部；品女人造诣最高的男人，则是欣赏女人的整体印象和气质。至于看见女人就想到XXOO的男人，纯属业余，根本不入段。

这个女孩的气质和形象、形体、相貌的完美搭配，让她充满了甜美的亲和力，让人油然生起一种宠溺的感觉。大概平时被人宠惯了，所以她的脾气才特别娇纵。

"胖子，昨天没来得及定餐，早上还得出去买，你老人家早上吃点什么？"

"来碗炸酱面吧！"

走在清晨的街头，张胜觉得头有点发热，身子也隐隐有些软弱无力，这些日子操劳开公司，没早没晚地到处奔波，其实体力早已透支了，只是凭着一股意念在支撑，这点小病，把他的乏劲儿全勾起来了。

张胜没有什么食欲，到了小吃部要了碗豆浆喝，然后又到特色面食部点了份炸酱面，提在手里悠荡着懒洋洋地回到了医院。

"喏，吃吧!"张胜把装着面条的一次性饭盒放在桌上，又把装着香菜、榨菜和炸酱的塑料包往床头柜上一扔。

郭胖子打开饭盒，想把佐料包打开，可那佐料包上粘了些油，特别滑手，郭胖子又被包扎得像个木乃伊似的，忙活了半天，佐料包没打开，反倒弄成了死扣。

张胜见了，有气无力地下了床，说："我来吧!"

他正解着佐料包，小护士秦若兰板着脸走进来，先瞪了张胜一眼，然后对郭胖子说："你得进行几项复检，今天感觉好点了吗? 你的腿肿得不轻，我在门口放了辆轮椅，一会儿……让你朋友推着，先到一楼拍个片子。你吃东西快一点，过一阵儿病人就多了，到时候……"

张胜不知道这个俊俏的小护士为什么横看竖看就是看不上自己，这时听到秦若兰说话，张胜有心改善一下自己的形象，连忙接过话茬儿说："秦护士，你放心，马上就好，马上就好。"

他嘴里说着话，手上一使劲，一下子把那酱包撕开来，炸酱一下子甩出去，溅在了秦若兰的胸口。

其实溅在她胸口的炸酱并不多，不过一件雪白的护士装哪怕溅上一点脏物都嫌碍眼，何况星星点点的? 张胜一见，顿时呆若木鸡。

秦若兰的一双杏眼瞪得溜圆，气得俏脸涨红，她狠狠地瞪了张胜半晌，才一字一顿地道："给、我、舔、干、净!"

秦若兰平素和自己养的小狗狗说话惯了，浑然不觉这句话有多暧昧，郭胖子听得想笑，又不敢笑出声来，一张胖脸憋得肥肉乱颤。

张胜手足无措地说："没事，没事，就一丁点儿!"

他被女孩激怒的表情弄得慌了神，再加上伤风症状越来越重，脑袋昏昏沉沉的，这句话说完，见女孩瞪着他不说话，忙昏头昏脑伸出手去，在人家姑娘的胸脯上拍弄了几下，赔笑道："你看，这样就看不出来了。"

秦若兰也傻了，她傻傻地低着头看着张胜的大手在自己从没被男人碰过的胸脯上拍了几下，又眼看着他拿开手，居然一点反应都没有。

郭胖子目睹此情此景，肿胀的双眼立即爆发了医学史上的一个奇迹，那肥厚的眼皮居然睁得开开的，露出两只红彤彤的眼睛，惊愕地看着张胜。

"你……你……"秦若兰这时才反应过来，她指着张胜，素手乱颤，气得一句话都说不完整了。

"我……我……"张胜忽然醒过神来，半晌，忽然又说了一句不搭调的话："对不起，对不起，我……我买一件赔给你。"

秦若兰刷地笑脸一收，咬着牙根狠狠地道："男人可以风流，但是不可以下流，你要是再敢这么龌龊，看我不毒死你！"

张胜苦着脸道："你……你是五毒教的啊？护士小姐，我真的不是故意的。"

秦若兰小手一挥，蛮横地道："少来！本姑娘这回放过你，你给我好自为之！在公安医院还敢耍流氓，反了你了！"

她上下看看张胜那一身名牌和金链子、金笔、金镏子，不屑地冷哼一声："有俩臭钱烧的！"说完一转身，风风火火地去了。

一早上，赵金豆还没到，张胜就推着郭胖子楼上楼下跑，做各种检查，CT、彩超、验血、验尿……这幢楼是老式的医院大楼，楼梯中间专门修了可以推车而行的斜坡，横着刻了许多波浪纹以加大阻力，但郭胖子体型过于沉重，往下推时得用力拽着，往上推时得用力顶着。

张胜感冒症状越来严重，心慌气短，体力越来越弱，身上直出虚汗。当他推着郭胖子从五楼下来时，台阶上不知谁吐了一口痰，张胜推着轮椅没注意，脚下一滑，他只来得及踩下轮椅的刹车，因为怕把轮椅撞翻了，自己往旁边闪了一下，一溜跟头儿地摔了下去。

张胜一直摔到四五楼之间的缓步台上才止住了摔势。他睁开眼睛，只觉眼前一片漆黑，还以为自己摔坏了眼睛，一阵恐慌刚刚涌上心头，忽然眼前一亮，然后一个凶巴巴的女孩斥责道："钻我腿底下看什么？哟，又是你这个流氓？真下本钱，这种招都使啊？说！看到什么了？"

张胜一见那个护士，不由暗暗叫苦，这真是冤家路窄，怎么偏偏又是那个刁钻野蛮的秦若兰？

"胜子，你怎么样啦？"郭胖子坐在轮椅上担心地叫。

张胜没空答理他，只是向居高临下怒视着他的小护士软弱地辩解着："我什么都没看到。"

秦若兰哼了一声说:"废话!我穿着牛仔裤呢!"

张胜:"……"

秦若兰歪着头看看他,忽然笑吟吟地蹲了下来,手托着下巴,柔声细语地道:"呀,你的头流血了耶!"

张胜有气无力地在头上摸了一把,果然一手是血。

秦若兰点头直笑,用脆生生甜丝丝的声调儿说:"欢迎您入住公安医院,本院是市属二级甲等医院,设备优良,服务周到。救死扶伤,是我的天职,您放心吧,我一定会……好好、照顾、你的,老板!"

张胜睁开眼,就发现眼前一片洁白,恰如郭胖子所说,白色的天花板、白色的床单……

一见他醒来,郭胖子立即喜道:"胜子,你醒了?没有事吧你,可吓死我了。"

张胜看着这位难兄难弟,苦笑道:"我没事,昨晚没被盖着凉了,谁想身子虚成这样。"

这时房门吱呀一声,赵金豆风风火火地走进来,手里提着一个蓝色的大布口袋,里边也不知装了些什么,鼓鼓囊囊的。

"胖子,你怎么样了,被谁给打了,啊?胜子……你……你怎么了?"赵金豆愣在郭胖子床前。

张胜苦笑一声,说:"嫂子来了,快坐吧。我没事,坐下说吧。"

赵金豆长得很漂亮,一米六七的个子,黑亮的秀发披肩而下,五官精致,有种很明朗的线条,她的孩子都上小学了,可身材一点没有走形,修长丰盈,极具活力。一件深灰色衬衫很普通,可是衣内鼓起两座挺拔的山峰,顿时便掩盖了衣裳的黯淡。下身是条绒裤子,竖直的纹路令那修长的双腿显得更加笔直,腰肢便也衬托得更加纤细了。

她坐在两张病床间的凳子上,那副俊俏年轻的相貌和那窈窕标致的身材,恐怕谁见了都很难相信她右侧那坨"牛粪"就是她的老公,倒是左边病床上的张胜看起来与她更般配一些。

郭胖子见了媳妇很开心，他添油加醋地把自己被打的经过和张胜受伤的原因跟媳妇说了一遍。赵金豆一边听，一边把布袋里的东西掏出来，塞进床头柜里。牙膏牙刷、毛巾手纸搪瓷杯和水果等等，全是日常用品。

等郭胖子说完了，赵金豆也把这些东西利利索索地摆放到了床头柜里。听完了他的话，赵金豆训斥道："你说你到底干什么行？洗个澡都能和人打起来。一大一小，全是好惹是生非的孩子，真不让人省心！胜子，我不是说你，是说他们爷俩。真是对不住了，我家老郭连累你也摔成这样……"

这时，秦若兰捧着一个白托盘走了进来，一见张胜旁边坐着个美丽的少妇，便很和气地道："你是患者的爱人吗？我要给他包扎一下伤口。"

"哦，我给您让个地方！"赵金豆赶紧站了起来。

郭胖子在一旁清咳一声，纠正道："其实……那是我媳妇儿！"

赵金豆狠狠白了他一眼，说道："你不说话没人把你当哑巴！"

郭胖子摸摸鼻子，不吭气了。

张胜警惕地看着秦若兰，生怕她公报私仇，不过出乎他的意料，秦若兰很认真地用镊子夹起棉球蘸了碘酒给他清理创口，敷药包扎，没有任何异动。

"好了，你的伤不严重，不用担心。只是你同时在感冒、发烧，已经帮你开了药，一会儿帮你挂上点滴。你那位朋友做主，让你也住院治疗，你就在这儿休养一下好了，是公费吧？"

张胜一听，有点着急地说："公什么公啊，我公司那边还有很多事没处理呢，挂完点滴我就得走。"

说到这儿，他想起郭胖子的案子还没着落，生怕那个蛮不讲理的严虎弟活动完了，派出所已经做出定论，忙掏出手机给张二蛋打电话，张二蛋声音洪亮，震得张胜把手机举得老远，秦若兰站在旁边都听得到。

"我知道了，这事交给我就行了，好歹咱们现在是合作做生意嘛，谁敢欺负我张二蛋的人就是断我的财路，你的事就是我的事，放心吧。片子、病历啥的都拍完了吧？你找个人马上送到派出所去，我立即给艾戈打电话，看看派出所咋个断案。"

秦若兰看了张胜一眼，她是公安医院的护士，知道区分局局长的名字，没想到眼前这个暴发户还真认识几个能人。

"好好好，这事就麻烦老爷子您了。"

"客气啥，一句话的事，对了，你那位被打的朋友有什么要求吗?"

张胜捂住电话，对郭胖子说："张老爷子问你有什么具体的要求?"

郭胖子看了眼媳妇，嗫嚅道："也……也没啥，起码这治疗费、检查费和住院费他们得给我拿吧?"

张胜对着电话重复了一遍，张二蛋笑道："就这么简单? 你朋友还真是老实人，跟你一个奶奶样，哈哈哈，放心好了，我张二蛋的面子就那么不值钱? 误工费、营养费，一个也不能少，怎么也得让他知道肉疼，下回伸拳头的时候得先寻思寻思，就这样吧!"

张二蛋说完，先把电话挂了。

张胜合上手机，喜滋滋地道："成了，宝元集团的张老爷子亲自出面，那个派出所所长不敢偏袒断案的，咱们得尽快把病历和片子送去。"

赵金豆听了道："那一会儿我去送吧，胜子，这事嫂子真得多谢你了。"

秦若兰低下头，拉过张胜的胳膊，在他手背上拍了拍，白藕色的护士装，一缕流海从端庄的燕帽帽檐下探头嬉戏，清新、别致、脱俗……整个人就像一朵花苞素净的兰花，但她的眼神……怎么那么亮?

张胜有点胆怯了，眼见秦若兰举着针头就要刺下来，他忽然道："护士，我的头……感觉不那么疼了，你包扎得真好，真不愧是白衣天使啊!"

"嗯?"秦若兰疑惑地瞟了他一眼，不知道他突然示好是什么意思，她眼珠转了转，眸子里忽然流露出一丝了悟，不禁又好气又好笑地横了张胜一眼。

张胜想起自己住院，还没对徐海生说一声，今天上午怕是过不去了，于是掏出手机打电话给他。徐海生在电话里问了他撞伤的情形，笑道："这阵子也真够累的，你别忙着出院了，好好休息一下，这边的事交给我就好。"

秦若兰挂完水回到护士值班室，手机响了，秦若兰打开手机，闷声闷气地道："喂?"

手机里一个银铃般的女孩声音笑了起来："怎么了，又受病人气了?"

秦若兰听了冷哼一声："当然不像你啦，你是专门训人的，我是专门被人训的，哪儿能比呀？"

手机里的声音格格笑起来："好啦，好啦，谁叫你自己当初爱心泛滥，立志要当南丁格尔的？对了，我告诉你一个好消息，我转正啦，留在了市刑警大队。"

秦若兰一听，也有些开心了："真的？刚毕业就留在刑警大队，你好厉害呀，若男。"

对面的女孩得意地道："那当然，不看看你姐我是谁？我可是还在警校的时候，就协助刑警大队侦破过一起重大贩毒案件的天才干探，不用我用谁呀？"

"喊！"

秦若兰不屑一顾："也不知道是谁回来时后怕得要死，说要不是有贵人相助提醒了你一句，在包房里就得被人先劫色后劫人，从此沦为毒贩子的情妇。"

电话里的女孩咯咯地笑起来："不说惊险点，怎么吓唬你这傻丫头？知道我在什么部门吗？我现在是刑警队经侦支队的，很多人托关系走后门都进不来呢。"

经侦支队专攻经济案件，是刑警队油水最肥的部门，专门和诈骗犯还有犯罪的工商企业人士打交道。队里常发奖金，都是案件的提成，那是公开的，合法的，因为案件的受害人总是心急如焚地盼望着他们尽快破案，心甘情愿地提供各类物质奖励和办案经费。

秦若兰一听顿时两眼放光，喜道："真的？太好了，那我以后的鞋子、包包、衣服不用找爸妈报销了，哈哈哈哈！"

手机里的女孩马上说道："喂喂喂，亲姐妹，明算账。我的是我的，你想挥霍去找个大款男朋友吧，不许打我的主意。"

两姐妹正说笑着，门"吱呀"一声开了，护士长唬着一张脸出现在门口："若兰，急救车马上就到，告诉你尽快到手术室去准备的，怎么还在这儿聊电话？"

秦若兰吐吐舌头，急忙对电话说："今晚我休息，找几个朋友去逛街happy，你来不来？"

手机里立即一口回绝："我喜欢在家看看书，可不喜欢出去疯，想让我去给你埋单是吧？门儿都没有。"

"小气鬼！"秦若兰急忙挂了电话，对脸色越来越难看的护士长赔笑道："嘿嘿，马上就去，我马上就去。"

护士长的声音已经像是怒吼了："不是马上，而是现在、立即！"

"好好好，我立即就去！"秦若兰像游鱼一般从护士长身旁绕过去，一阵风儿地奔向手术室。

原打算挂完点滴就走的，所以张胜没告诉小璐，免得她担心，现在要在医院住两天，就不能不告诉她了。张胜考虑了半晌，点滴挂完又找来位护士把针拔了，他便给印刷厂打电话，小璐听说他摔伤住院，担心极了，详细问了伤势，说下午要请假来看他。

想来是办公室里没有人，临了小璐还大胆地要他亲亲自己，说三声"我爱你"才肯挂电话，张胜只好嗯嗯啊啊地答应着，出了病房，站在走廊里看看左右没人，便对着手机"吧唧吧唧"连亲三口，然后鬼鬼祟祟地说："我爱你！我爱你！我爱……"

秦若兰一手扶着腰，一手推着门，看着张胜神经分分的德性。

"……你！"

"啵，我也爱你！"

"咔嚓！"电话挂了。

"咔嚓！"护士房的门也关了。

张胜握手机，抬望眼，半晌无言。

赵金豆去派出所送郭胖子的检查报告，同时有批小百货下午到，需要回去点收，所以送完材料就不过来了。毕竟郭胖子的伤势只是需要静养，她点收了货物就得去接儿子放学。为生活挣扎的穷人，没有那么多时间用来缠绵。

中午的时候郑小璐到了，见张胜的伤势不像自己想象的那么严重，这才松了口气。她先去了张胜家里，因为张胜嘱咐过不要告诉家里，免得他们担心，因此只说去看张胜，给他带来了换洗衣物。

郑小璐上午十点多就请假离开厂子了，特意买了只小鸡给他炖了汤，顺带着郭胖子也沾了光，不过"木乃伊"郭胖子一身绷带，也只能自己端着搪瓷缸子"滋溜滋溜"地转圈儿喝热汤。

张胜只不过额头磕破了一块皮，胳膊腿有点小擦伤，外加伤风感冒，现在却倚着枕头坐得高高的，跟老太爷似的享受着小璐的服务。

小璐用小汤勺舀上一口汤，凑到嘴边轻轻吹吹，然后才喂到他嘴里，汤味鲜美可口，还有煮得稀烂的肉块，最重要的是有一个如此明眸皓齿、善解人意的小美人服侍，当真是羡煞旁人。

秦若兰进来转悠了一圈，给张胜量体温。不知怎么的，她一见张胜就有气，忍不住想奚落他，看到他在自己面前手足无措或者低眉顺眼的样子，心里就有一种恶作剧的快感。要说真的厌恶，倒是谈不上。

平心而论，一个病区那么多病房、病人，好像就和他打交道的时候心情最轻松，至少女人的直觉告诉她，不管自己对他怎么发脾气，这个人都逆来顺受，绝不会去投诉她。不像在其他人病房里，心里再不痛快，脸上还总得带着一副假笑。

见郑小璐尽心服侍张胜的模样，秦若兰心中有些纳罕：真是好女配锉男啊，这么清纯如水的女孩，怎么会看上那么个大色狼了？莫非是为了他的钱？她歪着头细细打量了一眼郑小璐，只觉得她清丽端庄，脸上情意流动，满是关切，瞎子都看得出对张胜是动了真情的。

"真是奇怪了！"秦若兰心里嘀咕道，忽然想起张胜对付自己的种种手段，自己心里好像也并不特别讨厌他。她恍然大悟：原来这家伙是个泡妞高手，一定是用了什么手段，骗得姑娘死心塌地跟着他，一定是这样！

郭胖子一边大口喝汤，一边说："小璐的手艺真是好，张胜这小子找了你，可真是几辈子修来的福气。"

小璐听了脸色微晕，却很是欢喜。

郭胖子趁机恬不知耻地提要求道："你一定要天天来看他啊，多带点好吃的，这食堂的饭菜跟你做的没法比。明天换换口味，来个鲫鱼汤吧。"

小璐抿嘴一笑，说："没问题，不过……鱼汤不行吧？胜子是外伤，水产品是发物，听说吃了伤口不易愈合的。"

郭胖子一拍油亮的脑门儿，恍然道："啊，对，我把这茬儿忘了。"

秦若兰在另一侧示意张胜取出腋下夹着的体温计，听见小璐的话，忍不住说道："这是民间的说法，其实并不科学。失血会使病人体内蛋白质和营养物质丢失，从而消耗体内的营养贮备，如不及时补充足够的营养，才会使伤口愈合时间延迟。伤口愈合不良主要是不注意卫生发生感染，禽、畜、鱼、蛋、奶等动物性食品都含有丰富的蛋白质和丰富微量元素及维生素 B，有利于伤口愈合，并不存在水产品忌口的事。不过……"

郑小璐听了，眨着漂亮大眼睛忙问道："不过什么？"

"不过，他的病情主要是感冒发烧，感冒病人忌油腻，你给他熬点粥喝比较好。"

秦若兰说完，心里暗自得意地一笑："哼，还想喝鱼汤，喝白粥吧你！"

张胜笑笑，深情地对小璐说："不用了，你工作那么忙，也不用费时间我为熬粥了，我这里休息两天就好，等有空了……我还是喜欢喝你煲的排骨汤。"

排骨汤是郑小璐第一次上张胜家的时候给他带的礼物，张胜这么说自然别有所指，小璐含情脉脉地瞟了他一眼，心中甜甜的。

秦若兰撇撇嘴，转身离开了。

吃过午饭，郑小璐逼着张胜到洗手间把内衣裤都换了，去水房把衣服都洗干净，又督促着张胜吃了药，这才依依不舍地离开。关厂长摸清厂子情况后，对臃肿的机构进行了精简，厂办吃闲饭的人少了，现在一个萝卜一个坑，每个人都有自己的一摊工作，她不能待得太久的。临走时，她把张胜的外套也拿走了，上边沾了点血迹，得拿去干洗一下。

郑小璐离开后，郭胖子对她的容貌、手艺、性情脾气大加夸奖，张胜听得美滋滋的，比夸他自己还开心，就在这时，一名护士推门进来，后面跟着一群人。人未到，呻吟声倒是先到了。

一个病号由家属搀着走了进来，张胜和郭胖子忙坐起来表示欢迎。这个病号四十五六岁，身材高大，国字脸、浓眉，说话声音洪亮。他得了急性阑尾炎，听他和家属的意思，是想做个手术把阑尾切掉，一了百了。

那个病号长得和郭胖子差不多一样，虽说被病痛折腾得有些狼狈，但是人挺乐观，躺在床上呻吟着，还不忘与张胜二人寒暄几句。

他正说着话，忽然看见张胜手背上一片乌青，不禁问道："张老弟这手是谁扎的？怎么造得乌青？"

张胜抬起手看看，苦笑一声道："别提了，让一个姓秦的小护士给扎的……大概有五针才找着血管。"

这时，秦若兰走了进来，说道："三床，现在先帮你挂上点滴，然后再安排手术的事。"

三床病人一听，急忙说："打点滴？可得给我找个经验丰富的护士啊，有个姓秦的，是不是实习生啊？可不要给我安排，听邻床这个小老弟说，他被扎了五针，手造得乌青。"

秦若兰的脸腾地一下红了，脸红脖子粗地辩解道："谁说扎了五针？明明是四针，你这人怎么添油加醋呢？"

张胜狼狈不堪地道："不……不是这个意思，我只是说我挨扎的次数比较多，这个……咳，我血管比较细，肌肉有点萎缩，所以不太好扎，其实秦护士的手法挺高明的。"

"哦，这样啊！"三床病号将信将疑地看向秦若兰，秦若兰马上露出一副甜美可爱的乖乖女笑脸，三号放心了，他拍拍肚皮，又问："护士，我脂肪厚，会妨碍做手术吗？"

秦若兰脸抽动了一下，忍笑道："不会的，没有关系。"

"哦，这样啊！那……能顺便给我做个抽脂吗？我是公费。"

秦若兰虽在气头上，还是被他逗得"扑哧"一声笑了出来。

下午张胜又接了楚文楼的一个问候电话，他一天两瓶滴液，除了给伤处换药，其他时间没什么事。三床病号是小手术，手术回来接着打滴液，可能是麻药药性未过，三床的谈兴健旺，张胜闲极无聊，在郭胖子和三床病号打屁聊天的时候，便一个人溜到水房去抽烟。

此时天色已经将晚，夕阳西下，这背阳的一面特别阴凉。张胜正站在窗口吞云吐雾，手机忽然响了，这是小璐忙里偷闲打来的电话，两人缠绵了一会儿，刚挂了电话，就听见身后脚步声响，一回头，见是秦若兰走了进来，手里拿着香皂盒，在水池旁洗手。

她好像心情很好，嘴里哼着歌，洗了脸、手，还整理了一下鬓边的发丝。

张胜想起在病房内发生的事，心里有点不好意思，人家是护士，是靠这一行吃饭的，恐怕最难堪的就是被人说技术不过硬，于是他丢掉烟头，干笑两声道："秦护士，下午……真是对不起，是三床问起来，我随意说了一句，其实没想说你坏话。"

秦若兰瞟了他一眼，淡淡地道："没什么，在这地方工作，什么难缠的病人都见过，你算是好的了，对了，中午那个女孩……是你媳妇？"

张胜笑笑，说："我女朋友，我还没结婚呢。"

秦若兰一边把娇憨俏丽的短发拨到耳后用发夹固定起来，一边若无其事地问："那么，你是享受已婚待遇的未婚青年？"

"嗯？"张胜脑子转了一圈儿，才想明白这句话，不觉为之汗颜。不知道是卫校女生说话都这么大胆还是这个秦若兰特别新潮，张胜总是招架不住她犀利的言语。他开玩笑地端起架子，说道："我……咳咳，你看我这么老实本分的人，衣冠楚楚、相貌堂堂，像是那种人吗？"

秦若兰笑眯眯地，绵里藏针地说："所谓衣冠，然后禽兽，有什么是不可能的？"

张胜的肩膀又垮下来："你就损我吧……"

秦若兰"咭咭"地笑起来，她甩净手上的水滴，摸出一张纸巾擦着手说："结婚证和生产许可证差不多，唯一的区别是它不挂在墙上。违章经营的也不少嘛，你是经商做生意的，接触最多的就是这个，少跟我装纯啦！本姑娘对纯情处男不感冒，泡女人不是这么泡的。"

张胜郁闷地道："我根本没有什么想法，只是和朋友在瞎扯淡而已。"

秦若兰顺手一抛，纸团准确地落入纸篓："这倒是，你有一个那么漂亮温柔的女朋友，要是还花花肠子，可真是天理不容了。我现在知道了，你不是风骚，而是闷骚。我要下班了，今晚和朋友去 happy，再见吧！"

张胜被她可亲的笑容感染了，情不自禁地伸出手去，握住了她的小手："这算是相逢一笑泯恩仇吗？"

秦若兰皱皱鼻子，说："我和你有仇吗？等我再上班，你就离开这儿了，谁还记你的仇呀？"

张胜如释重负，说："不管怎样，真心感谢你当班时对我的照料。"

秦若兰扮个鬼脸道："要是有人在外面敢对动手动脚的，他早就完蛋了，你应该感谢我这身护士装，因为我从来不打自己的病人，很有职业道德吧？"

张胜苦笑道："嗯，有……不打自己的患者，多不容易呀。"

秦若兰又皱皱鼻子，喊道："行啊你，讽刺我！"

她一转身，脚步轻盈地向水房门口走去，右手轻扬，很潇洒地说："本姑娘今天心情好，大人大量，不跟你计较，再见……"

张胜忙道："再见！"

不料秦若兰还没说完，"见"字拖着长音，拐出了水房后半句话才出来："……流氓！"

张胜手扬在空中，哭笑不得地站在那儿。

第十二章 投资关键在风险，当断不断 反受其害，下决心壮士断腕

　　做生意最需规避风险，讲究顺势而为，因时而变。市场瞬息万变，有时候你甚至不知道风往哪个方向吹？因此，必须根据市场动向随时调整投资经营的方向。哨子和李尔分析说，小城市水产品的需求量也就那么大，搞大型的批发市场未必合适，不但风险大，而且回报慢。这倒是张胜始料未及的，他也开始觉得原先的思路有问题。他思考再三，果断地压缩了批发市场的建设规模，转而把钱投到扩充冷库的规模和品种上。这样改变投资方向，风险小，好运作，最重要的是，冷库可以辐射好几个大城市，短板成了优势，再加上李尔他们有现成的客源可以介绍过来……按照这个思路，坐收渔利，挣钱易如反掌。

　　晚饭时，郑小璐还真拎了一保温桶粥来。熬得糯糯的八宝莲子粥，再配上几色清淡小菜，令张胜食欲大开，连吃了两大碗。郭胖子在准备盛第三碗粥时，看到空空的桶底，只好意犹未尽地一旁啃面包去了。

　　看到张胜吃得香甜，小璐脸上挂着甜甜的笑，打算明天再送粥来。张胜忙劝阻了她，说自己明天就出院了，让她安心工作，不用挂念自己。两人又说一会儿体己话，眼看天色暗了，小璐才离去。

　　晚上八点多的时候，徐海生和楚文楼联袂赶来看望张胜，两人来得急，在路上商店买了些当时正流行的保健品、口服液一类的东西。

　　徐海生来之前，已经在电话里与张胜通了个气儿，意思是公司现在正式成立了，财务需要规范化，楚文楼作为张二蛋的代理人，应任命为公司副总，

具体负责冷库及水产批发市场的事，这样一来避免他会计出纳于一身，把财权全部掌握在自己手里，二来场面上也说得过去。

张胜听得在理，便同意了，想来徐海生在路上已经给楚文楼说了此事，楚文楼进门时便一脸的喜气。

张胜的伤不重，感冒在挂过滴液之后好了许多，三号病人不断有亲戚朋友来探望，地方比较狭窄，张胜便和徐海生、楚文楼出了医院，到马路对面找个地方聊天。

对面只有一家上档次的酒店，这家酒店布置得如曲苑回廊，一间间包房，其实都是玻璃壁隔开的，一人高的地方以下用横的木艺栏杆保护着，这样一来从外面很难看得清包房内的人物，但是包房里的人从栏杆缝隙里却能看清大厅里的情况。

三个人进去要了个包间，点了几个菜。张胜借口感冒、头上有伤不肯喝酒，楚文楼兴致很高，不依道："养伤归养伤，头上碰破掉皮、加上小小伤风感冒，就能让咱北方爷们连酒都不喝了？你少喝可以，不能不喝。"

张胜只好苦笑答应。三人在单间内边吃边聊，徐海生问了问张胜受伤的经过和伤势，又向他讲了讲厂区的工作和进展，楚文楼说："广告的效果已经出来了，今天不下二十人打电话询问招聘条件，还有几户商户咨询入驻条件的，你的伤……下周一的招聘面试要不就不参加了吧？"

张胜摸摸额头，笑道："我没事，一点小伤，其实要是想走，现在就可以离开。"

楚文楼道："嗯，其实周六周日上门应聘的人才最多，为什么非要定成周一呢？中间还空了一天广告期。"

张胜解释道："周六周日人是多，但是其中有不少是有工作的人，咱们的企业刚刚成立，还存在着种种困难和问题，这些人朝三暮四，只可共富贵，不可共患难，忠诚性太小，招进来也留不住，不如直接把他们筛掉，找些肯踏实工作的人。"

徐海生挟起一筷子腊肉荷兰豆，微笑道："张胜说的有道理，你对人的心理很了解呀。"

张胜腼腆地笑道："徐哥过奖了，我哪有这么高明，只是……我也是下过岗的人，为了找工作到处碰壁，这些人的心态我多少了解一些。"

张胜从木栏缝隙间随意地向大厅里张望了一眼，大厅里已经上了八成座，食客极多，就在他座位玻璃幕墙外就有一张六人位的方桌，一个女孩站在座位旁，背对着包房，冲着门口的方向正在打手机。

这个女孩个头儿不高，但是下身比例很长，一双修长笔直的腿紧裹在一条有点破旧发烂的牛仔裤里，却更显得漂亮结实，破烂的牛仔裤更显出几分野性的味道。

她上身是一件满是兜兜的牛仔上衣，腰间系着一条银色金属链的宽腰带，小蛮腰细得不堪一握，衬得浑圆的臀部出奇地丰隆。张胜特别注意到她，是因为有一条黑眼圈的贱狗正贴着她的小腿蹭来蹭去。

张胜没见过几次这种狗，但是这两天来已经是第二次见到了。那女孩打完电话，回过头来向对面坐着的一个女孩高兴地说了几句什么，张胜看到她的脸，果然是已经道过别，本以为没有机会再见到的秦若兰。

在她对面的女孩，瘦高的个子，长得还算标准，眉眼清淡，颧骨较高，皮肤像牛奶般白皙，纤巧白净，斯斯文文。秦若兰翘翘的嘴角，弯弯的眼梢，总是流荡着甜美的风情，两人坐在一起，这风采可就被秦若兰全夺了去。

两人旁边的座位上放着几个购物袋，想是逛了街来到这里用餐，一会儿工夫，三个男孩从外边风风火火地赶了进来，和她们俩有说有笑的，看来是约来吃饭的朋友，也不知道其中有没有秦若兰的男朋友。

因为是认识的人，张胜对她就比较注意起来。大厅里人很多，虽没人大声喧哗，聚集在一起那声浪也不小，几个年轻人说话声音都很大，大部分对话张胜都听得很清楚，挨着秦若兰坐着的帅气男孩叫李浩升，看他俩勾肩搭背的模样，张胜初时猜测他是秦若兰的男友，不过后来见他同对面那个女孩打打闹闹的亲热样，却又不像了。

几个人有一搭没一搭地聊着天，讲着公司未来的运作打算，聊了一阵儿楚文楼去洗手间，张胜再回头时，见外面几个人正在斗酒，喝得脸色通红，秦若兰也在张牙舞爪，全无一点身着护士装时的娴雅文静。

只听一个长头发的男孩子大声说道："我先来一招'夜叉探海'！"他要来一个小碗，倒满一碗啤酒，弯下腰把嘴伸到碗里往里吸，随着酒液降低，他的嘴也越探越低，撮着嘴唇，直到碗中滴酒不剩。

那个高挑个头儿、细眉细眼的女孩看来也上了状态，招手让服务员给她拿来一个大杯，倒了大半杯啤酒进去，然后端起她自己那个盛满啤酒的小杯，平平地托在掌心里站起来，得意地扫了眼几个朋友，忽然手掌一翻，只见一只盛满酒的杯子托在她的掌心里，翻来转去，也不知使的什么手法，最后手掌平端在胸口，那杯酒仍是稳稳的一滴未洒。然后她把那只小酒杯放进盛了大半杯酒的大酒杯里，杯子一放进去，大杯的酒就上升到杯口与小杯平齐了。

她小心翼翼地端起这大杯套小杯的酒杯，呵呵笑道："哨子，我朱大小姐这招'潜艇入海'比你的'夜叉探海'强多了吧？"说完端起酒杯，张胜也没看清她是怎么喝的，反正大杯小杯的酒都是一饮而尽。

其他几个年轻人顿时鼓噪起来，秦若兰起哄："怎么样，被震住了吧？真掉价，大老爷们被我们女人压着做酒头，成碧，好样的！"

第一个喝酒的哨子颜面无光地哼了一声，旁边男孩拍拍他的肩膀，站起来豪爽地说："行，我李尔来个'楼上楼'让你们看看眼，免得小瞧了我们爷们！"

所谓"楼上楼"也就是一只手四个指头缝儿里各夹一杯一齐往嘴里倒，四只酒杯有上有下，上杯灌下杯，直到全部入口。这一手的难度的确比那个叫朱成碧的姑娘高明三分，张胜看得津津有味，徐海生扭头瞧见了，便笑吟吟地向他解释这些手法的名字和使用窍门。

这时外面的人起哄让秦若兰喝酒，她哼了一声，对李浩升道："凭什么我先喝呀？我压轴，你先来。"

坐在她旁边的李浩升知道她说一不二的脾气，笑嘻嘻地答应一声，把三只小杯摆在掌心里，一一斟满伏特加，然后张开大嘴一齐往嘴里灌，徐海生说道："这招叫'三星照月'，这小子酒量真不错。"

李浩升喝完了酒，亮了亮杯，那意思是该秦若兰了，其他两个男孩立即起哄："'活吞一条龙'，小兰，来一个'活吞一条龙'！"

徐海生笑道："'活吞一条龙'就是把十几个杯子一溜儿倒满酒，一口气喝完，这一手不考技巧，纯看酒量了。有一回张二蛋宴请来视察的市领导，一杯酒怎么也劝不下去，就用了这么一招，十二杯茅台，一口气干掉，把那位领导给镇了，手中一杯酒只好一饮而尽。"

张胜想起在香港电影上看到过类似的斗酒，不禁担心地道："那怎么成？喝那么急，还不醉倒了？"

徐海生哈哈笑道："酒桌上嘛，玩的就是一个痛快，尽情释放平时的压抑。喝酒不把人拼倒，还有什么意思？"

张胜担心秦若兰真的来个"活吞一条龙"，幸好她没答应，只见她倒满一杯啤酒，站起来退开两步，双手往身后一背，乜着眼睛瞟了一眼几个伙伴，然后哈下腰去。

张胜以为她要咬住杯沿，把这杯酒仰身灌进嘴里，这一招他见厂工会主席使过的，可是秦若兰的确咬住了杯沿，但不是靠她的一侧，而是杯子的外沿。

张胜心中大奇，这样咬住杯子，一仰身酒还不全洒身上了，谁有那么大的下巴，可以兜住整杯酒？

却见秦若兰咬住了杯，却没有仰身，而是将上身弯了下去，不知她是怎么做的，双腿立得笔直，上身一边向下弯，一边吞咽着流出的酒液，居然上身倒立着把一杯酒全干了。

张胜目瞪口呆，惊笑道："她怎么做到的？太厉害了！"

徐海生笑道："的确有难度，腰力不够不行、弯不下去不行、喉部肌肉的吞咽无力不行，一个掌握不好，酒洒了、呛了或者灌进鼻子，那就丢人了。这小姑娘厉害，哈哈，张胜啊，你以后也少不了应酬，等文楼回来，咱们也斗斗酒，你多少得练着点儿。"

楚文楼回来，一听斗酒顿时来了精神，搓着手道："好啊，徐哥，你说，咱们怎么个斗法。"

徐海生笑道："咱们比不得那些年轻人，来个文斗吧，斯文点。我写三个条子，分别是皇上、娘娘和奴才。抽到哪个条子，在今天饭局结束之前，对抽到条子的人都得按这种称呼，比方说我抽到皇上，你抽到奴才，直到离开酒店之前，只要说话，就得称呼我皇上，自称奴才，我说话呢，就称你奴才，自称为朕，说错了话的就自罚一杯。"

这么有趣的斗法，让张胜和楚文楼都听得笑了起来，当下徐海生就用餐巾纸写下三个称呼团成一团，各自抓阄。

张胜摊开了纸条一看，是皇上。徐海生打开纸条一看，是娘娘。二人一齐拿眼去看楚文楼，楚文楼苦笑一声，无精打采地道："不用看了，我他妈的肯定是个奴才。"

徐海生用新称呼商量事情："皇上，本宫以为，一开始不用招那么多人，一个会计、一个出纳、一个司机、一个门房、一个办公室文秘再加一个保洁员，这就差不多了，麻雀虽小，已是五脏俱全，至于广告上怎么打，不过是为了扩大影响嘛。"

张胜忍着笑道："娘娘，朕觉得，公司总该有个公司样子，何况冷库马上就要开，水产批发市场也在建，厂房建设那边也得有私人，再说……奴才也不能总是光杆儿司令一个呀。"

楚文楼咧咧嘴说："是呀，皇上、娘娘，奴才的腿都快跑细了，身边没有人用可不行，公司多了不招，一二十个跟班总得有吧，要不让人家看了，也小瞧咱们企业的规模。"

徐海生和张胜听他这"奴才"说得有趣，忍不住哈哈大笑。

张胜说："娘娘，朕明天在医院再住一天，然后就去工地帮忙，下周末就要开业了，朕的办公楼装修这周内必须完工，厂房修建也得加快进度，这样领导来了才有看的呀。"

"皇上放心吧，装修队正在日夜赶工，本宫这两天要联系一下道贺的企业，场面该讲还得讲嘛。对了，奴才，招聘合同要印正式的，这些小节得注意。"

楚文楼别别扭扭地道："奴才知道了，已经印了四十份，一式两份是吧？明天我拿给你看看，要是不合适我再改。"

徐海生道："奴才你都印好了，本宫还看什么啊？只要没有大错误……嗳，不对不对，什么'我拿你给看看'，你说的不对，罚一杯，罚一杯！"

楚文楼无奈，只好自罚一杯。

徐海生说得越来越溜，楚文楼大概是对奴才俩字儿有抵触，经常说错话，没多久就喝得醉醺醺的了，张胜虽也被罚了几杯，不过比他机警得多，出错的时候极少。这一来徐海生便专门拿楚文楼开刀了，总是故意逗他说话，一时满屋子都是本宫、奴才的对话，不知道的一脚踏进来，还以为跨越时空到了大清朝。

张胜见二人玩得有趣，趁机喝几口茶醒酒。他的目光无意间向外一看，恰好看见秦若兰和那个叫朱成碧的女伴拉着手去洗手间。

她一离开，原本坐在她身边的李浩升立即把哨子和李尔叫到身边，神色诡秘地说起话来，说了片刻，李浩升拿过秦若兰的酒杯，往里倒了点伏特加，又加满冰镇啤酒，然后投了颗青色的小东西进去，拿起她的筷子轻轻搅拌起来。

张胜心里"咯噔"一下，忽地想起当初在酒店碰到的那个生意人下药骗奸女孩子的事来，他们这是干什么？难道旧事又要重演吗？

包房外，李尔揽着李浩升的肩膀，嘿嘿地笑道："浩升，真要灌醉你表姐呀？"

李浩升道："我二表姐酒量大着呢，不用这招她醉不了，每回找我们喝酒都是我们酩酊大醉，今天我得灌醉她一回，看看她的醉态，省得她老跟我吹嘘。"

李尔担心地道："里边掺了白酒，她会不会品出来？"

李浩升道："不会，少量伏特加掺冰镇啤酒，再用青橄榄调调味，度数提高不少，但是喝的时候根本尝不出来！"

哨子一听，兴致勃勃地道："你从哪学来的，还有这种秘方？来，我给成碧也调一杯！"

李尔赶紧阻止："不行，她一醉就哭，哭起来就没完，这种酒品，她喝醉了你哄她呀？"

哨子一听，赶紧打消了主意。

三个人揽着肩膀说话，张胜就听不清了，看他们窃窃私语，更怀疑他们不怀好意，这一来张胜就关心起外边的动静来。

徐海生刚才也注意到外面那个女孩了，他眯着眼仔细打量过，很清爽、很甜美的一个小姑娘，却不是他中意的成熟少妇类型，看来张胜挺喜欢这种类型的女孩。

徐海生淡然一笑，只当张胜饱暖思淫欲，手里有了几个钱，就开始想姑娘了，所以并不在意。出来混，老婆早晚要换的，这种事他见得多了，再说，张胜如果好财好色，更易于被他控制，变成他的同路人，徐海生对此是乐见其成的。

秦若兰和朱成碧回来了，张胜仔细看了一眼，酒中青色的东西还在，他放心了，秦若兰不像喝多的样子，她不会看不到酒里有东西。

秦若兰坐下，果然发现了杯中的东西，只见她扭头向一旁的李浩升问了几句什么，就笑嘻嘻地端起了酒杯。

张胜的心一下子提了起来，他还来不及阻止，秦若兰已经一饮而尽，杯底静静地留下了一粒青青的东西，秦若兰把它倒在掌心，张胜这才看清是一枚青橄榄，他不禁哑然失笑。

一朝被蛇咬，十年怕井绳，自己大概是因为上一次的事，弄得有点神经过敏了，朋友间喝酒搞搞恶作剧是很正常的，看那三个年轻人好像比秦若兰还小着两岁，毛还没长齐的小子敢做什么？自己真是多疑了。

包房内外的斗酒仍在继续，楚文楼喝得直往桌子底下出溜，现在奴才这个自称他已经说得很溜了，只是一会儿皇上、一会儿娘娘的老叫错，于是那酒便也一杯杯不断地灌下去。

包房外也喝到了一个小高潮，朱成碧和李尔在玩"空中加油"，一个人昂起脑袋坐着，张开嘴巴，另一个人用嘴小心翼翼地叼起高脚酒杯的底座，把酒慢慢地倒入对方的口中……

秦若兰则跟李浩升和哨子两个人在划拳，输的人便喝一杯，张胜注意到两个人趁秦若兰不备，还是经常给她倒那种勾兑过的酒，她却一点没有察觉。

张胜见了不禁暗暗摇头："唉，真是个粗心大意的丫头……"

快十一点的时候，张胜和徐海生驾着楚文楼走出酒店，徐海生酒量好，只是微醺，楚文楼烂醉如泥，张胜比他好得多，但是一来也没少喝，二来感冒毕竟影响精神，所以也有点头重脚轻。

秦若兰一行人也于此时走了出来，秦若兰酒量虽好，但是喝了至少十多杯加料的酒，结果还是喝醉了。她的身子软得像面条儿似的，毫无形象地被表弟李浩升扶着，醉眼蒙眬，东倒西歪，还在口齿不清地大声吹牛："我……

告诉你，李浩升，你……你想……灌醉我，别说……门儿！窗儿都……没有。我……我三岁……爸爸就蘸着酒喂我……"

这句话还没说完，她就头一垂，"壮烈牺牲"了。

李尔幸灾乐祸地道："这回她可真醉了，哈哈，小心她明天找你算账。"

张胜隐约听到一些，他不放心地回头看了一眼，身边楚文楼还在喃喃自语，对他的听力造成了一些干扰，所以支离破碎的听不全。

李浩升一脸奸笑地小声道："她敢！我有绝招对付她。她喝成这样，我不送她回去了，省得挨姑妈骂，我带她回我家睡。"

张胜侧耳倾听，只看到他的一脸奸笑，还有最后那句"回我家睡"，张胜心头顿时一紧，他最担心的事还是发生了，真是无耻！为什么男人总喜欢灌醉女人占她们便宜呢？蹂躏一个没有知觉的女人就那么开心？

"她不是总夸自己酒量好，是千杯不醉秦若兰么？我带回去拍几张她醉成一摊烂泥的照片，那就是把柄，到时候丑态毕露，照片在手，她敢向我问罪？哈……哈……哈……"

李浩升仰天大笑三声，一低头，一个陌生的男人已经瞪着喷火的眼睛站到了他的面前，这人头上还缠着绷带，那模样实在古怪。

"呃？你是谁？干吗挡道？"李浩升奇怪地问道。

徐海生架着楚文楼正在叫车，楚文楼的体重一下子全压在他的身上，扭头一看，原来是张胜忽然跑开，跟那伙刚刚走出酒店的人正在说话。

"终于忍不住上前搭讪了！"徐海生淡淡一笑，扭头向远处的一辆出租车招手。

"她是你朋友？"张胜忍着满腔怒火问道。

李浩升和李尔互相看看，点头道："就算是吧，怎么了？"

"就算是？"张胜大怒，伸手就要把秦若兰抢过来："把她给我。"

李浩升一拨他的手，不悦地道："哎，干什么你，你是她什么人？凭什么把人交给你？"

张胜见这几个小流氓体格比他好得多，硬抢怕是抢不过来，他急中生智，忽地想出一个理由，一般来说，临时有了色心的人听到这个理由都会理屈放弃的。他把胸一挺，理直气壮地喝道："我是她什么人？你说我是她什么人？

我是她男朋友！你们几个想干什么？少说废话，快点把人给我！"

"男朋友？"李浩升的眼睛眯了起来，一丝危险的气息在他眼底浮起："她住哪儿，多大年纪，做什么工作？"

张胜一愣，吃吃地道："她……她是护士……我……为什么要告诉你这些？你算老几！"

这时哨子迈着太空步走了过来，摇摇晃晃地问："出……出了什么事？"

李浩升冷笑道："没什么，一个想泡小兰的流氓，居然弱智地冒充她男朋友，结果被我问住了。"

哨子酒量浅，喝得有点高了，一听这话，想也不想，抡起拳头就是一个电炮："我靠，你胆子挺肥的！"

哨子壮得像台机器，练过几年的散打和拳击，这一拳下来，张胜立即感觉自己脱离了地心引力翱翔在宇宙之中，满天星斗都在他的身边盘旋。

徐海生刚刚打开车门，还没把矮胖如猪的楚文楼塞进去，就见张胜被人一拳打飞出去，他立即快步赶来，厉声喝道："喂，几位小兄弟，怎么动手打人？"

"徐……徐哥，快报警，他们……他们意图对……对那姑娘不轨！"

张胜勉强说完，就头一歪，晕了过去。

李浩升听他说话似有蹊跷，连忙拦住还想再踹他几脚的哨子说："等等，等等，好像有点误会，搞清楚再说。"

楚文楼没有人扶，一下子就出溜到地上，滚烫的脸贴着马路牙子，凉凉的很舒服。有了凉意，他的大脑也清醒了些，便爬起来一溜歪斜地走过来，他一见张胜仰面倒在地上，立即惊叫一声，大着舌头道："啊！娘娘这是怎么啦？"

"啪！"

他给自己的胖脸一个响亮的大嘴巴子，流着口水傻笑道："错……错啦！不是娘娘，嘿嘿嘿嘿，是皇上，我……罚……罚……罚酒一杯！"

早晨，空气清新，阳光灿烂。

张胜悠悠醒来，耳畔立即传来一阵"呼噜呼噜"猪抢槽的声音，向旁一看，郭胖子脑袋上缠着绷带，跟个伤兵似的，手里捧着大搪瓷缸子吃得正欢。

一见他醒来，郭胖子便笑嘻嘻地道："大英雄醒啦？快起来吃东西吧，再过会儿就凉了，猪肉大葱馅的馄饨，香着呢，趁热吃。"

张胜脑袋发晕，有种时空错乱的感觉，好半晌才把自己的记忆理顺了，他惊叫一声坐了起来："我怎么在这儿？坏了！坏了坏了！这下坏了，昨天晚上有几个小子不地道，把秦护士灌醉了想非礼她，我……去拦来着，想把她抢回来，然后……然后……然后怎么了？"

郭胖子笑得浑身肥肉乱颤："然后你被人家表弟当成不怀好意的色鬼了，他朋友一个电炮就把你悠起来了，哈哈哈哈……"

张胜愕然道："表弟？谁表弟？"

三号床的大哥笑道："就是秦护士的表弟嘛。张老弟啊，你是个热心人呐，现在这样的人可不多了，不过你昨天可搞错了，年轻人喜欢胡闹，那三个小伙子只是跟秦护士恶作剧，故意捉弄她，那个要带她回家的是她表弟。结果你这一拦，他们倒把你当成了不怀好意的色狼，后来你朋友总算和他们说明白了，是他们几个帮着把你抬回来的。"

张胜发呆半晌，才消化了三号床说的话，他窘道："原来是这样！我……把他们的话听误会了！"

郭胖子连汤带馅地吃完了馄饨，抹抹油嘴道："太有创意了，'我是她男朋友'，哈哈哈……好老套的英雄救美，好离奇的英雄末路，哇哈哈哈……"

张胜恼羞成怒，瞪他一眼道："滚你的，我那……两位朋友怎么样了？"

还是健谈的三号床回答说："他们没什么事，你有一个姓楚的朋友喝太多了，掐着嗓子扮太监，一口一个奴才地乱叫，被值班护士往外赶，你另一个姓徐的朋友就送他回家了。秦护士的表弟和两个朋友很过意不去，还说今天来看你呢。"

张胜一听满脸通红，没想到自己搞出这种乌龙事来，要真把人抢过来也算了，结果充了半天好汉，自己却被人一拳悠回了医院，哪好意思再见人？他急忙说："我今天就得出院回公司去，不能在这待着了，一会挂完滴液就办出院。"

他正说着，房门忽然开了，一时间如推窗望月，月照庭前，娉婷一枝梅花瘦，一个清爽宜人的美人出现在门口。黛眉是上弦月，笑眼是下弦月，俊俊俏俏的一张脸，头发梳成两络垂在胸前，白色的 T 恤衫，胸前拱出一个樱桃小丸子的夸张大头像，一件松松垮垮的牛仔裤，透出几分休闲。

"秦……秦……"张胜喃喃地说不出话来。

秦若兰调皮地一笑，轻盈地飘了进来："今天我不当班，不是护士喔！你怎么样了，没被那个蠢蛋打伤吧？"

张胜脸一红，忙道："哦，我没什么事，当时也是喝多了点，睡一觉就好了。你……你昨天醉得那么厉害，没想到恢复得这么快。"

秦若兰得意地一笑，一挑额前刘海，自吹自擂地道："那当然，他们要是不耍诈，想灌醉我，别说门儿，窗都没有。我三岁的时候爸爸就蘸着酒喂我喝，我的酒量之大，可不是一般二般的战士……"

张胜忍不住"扑哧"一声笑了出来："嗯，你这话我已经听说过了。"

秦若兰惊奇地睁大了眼睛："是吗？谁告诉你的？我表弟说的？"

张胜忍俊不禁地道："昨天晚上你自己说的呀，怎么，你不记得了？"

这一说，秦若兰的脸也红了，她没好气地冲外边喊："你们三个，都滚进来！"

门外立刻有三个年轻人鱼贯而入，就如侍候在娘娘身边的小太监，规规矩矩的，眼观鼻、鼻观心、心观自在，正是李浩升、李尔和绰号哨子的三个青年。李浩升捧着一个看起来有点夸张的大花篮，李尔和哨子则一人捧着一摞大大小小的礼盒。三人在张胜的病床前一字排开，斜着眼睛去看秦若兰。

秦若兰把俏眼一瞪，三人立即无奈地向前一弯腰，李浩升扯着嗓子道："张大哥，昨晚对不住了，我们哥仨有眼不识泰山，还请张大哥恕罪则个。"

秦若兰抬起腿照着他的屁股就是一脚，笑骂道："有点诚意好不好？还则个，则个屁，你以为你是鲁智深啊？怎么不先唱个肥喏再说？"

她这一说，李浩升三人已先忍不住笑起来，郭胖子和三号床也跟着大笑起来，气氛顿时放松下来。张胜连忙下地道："别客气，别客气，也怪我，没搞明白状况，把你们当成了坏人，我想救人又怕打不过你们，所以才想玩点花样，没想到这办法太蠢，反而引起你们的误会。"

李浩升呵呵笑道："张哥这法儿其实好使，不管谁正打着坏主意，人家的

193

真命天子到了，都得收敛一下。"

李尔笑道："可惜，我们和这位二小姐整天一起混，她要有男朋友，是瞒不过我们的。"

张胜苦笑一声，摸着鼻子道："我要知道这位兄弟是她表弟，也不敢这么说了。那一拳把我打得整个人都飞起来了，到现在胸口还痛……"

秦若兰听得眼波一闪，那眸光就像风吹过镜一般的湖面，荡起一层涟漪："男朋友？这个家伙，还真能掰乎。"

她大大咧咧的性子一向爽朗大方，可是不知怎地，一听到"男朋友"这三个字，竟然有点忸怩了。

哨子嚼着口香糖，大大咧咧地向张胜伸出手："张哥，昨天动手的是我，不好意思，兄弟当时也喝多了。听说张哥也是生意场上的人？小弟整天在家混吃混喝，还没个正经工作，不过我老爸还管点事，是万客来超市的总经理，你生意场上要是有点大事小情的跟我说一声，要能帮上点忙，就算我给你赔礼了。"

超市当时是新生事物，万客来超市是省城第一家大型超市，每天的营业额达数百万元，货物吞吐量惊人，但凡做生意的，还没几个不和它打交道，不想和它打交道的，张胜一听不禁又惊又喜。

秦若兰哼了一声，鄙视道："用不着见了人就抬出你老爸，啥时候自己有出息了，说出去才光彩。李尔家里也是做生意的，搞水果、蔬菜、酒类批发，李氏批发你听说过吧？至于他们本人，都是些不务正业的二世祖，除了吃喝玩乐啥也不会，你是踏实干实业的人，不用搭理这些二流子。"

曾经的暴发户加变态小流氓，变成踏实肯干的创业者，如此巨大的转变，不过是秦二小姐一句话的事。

张胜可没注意她对自己评价的改变，他现在就像一口气干了一大海碗的高粱烧，已经晕晕乎乎不知所以了。一个是省城最大、日营业额数百万的大超市，一个是批发行业的巨头，自己无论是建冷库还是开批发市场，如果能和他们搭上界，得到他们的支持与合作，那是一种怎样的场面？这真是踏破铁鞋无觅处，得来全不费功夫，都是贵人啊！

赵金豆去派出所送材料的时候，接待她的是派出所副所长郑洪飞，此人正是被告严虎弟结识的那位派出所领导。

　　郑所长与赵金豆握手时热情得很，半天都没撒开，可是一听来意，知道她是郭胖子的家属，那架子便端了起来。他随意看了看医院的病历和鉴定结果，拿腔作势地道："我派人去现场调查过，是你丈夫先动的手嘛，虽说他的伤势较重，但是事情是他挑起来的，我们警方是不会支持他过分的请求的。"

　　赵金豆年轻漂亮，做生意做久了又惯会察言观色地说小话，虽然张胜说过已经托了人，她也不敢得罪这位郑所长，赔着笑脸说了会话，哄得郑所长眉开眼笑，语气便和缓下来，又说如何妥当地解决这件事，他们还需要进一步考虑。

　　也不知郑所长是比较健谈，还是特别喜欢和她说话，东拉西扯说了半天，也没有让她离开的意思，渐渐地便由案情聊到了赵金豆的家庭和工作。听说她在小二路市场卖小百货，郑所长便特意提及他的孩子学习需要买个台灯，他的老婆有风湿病，想要买个电热毯，可是工作太忙，一直没顾得上云云，话里话外的用意不言而喻。

　　赵金豆心里对这个人无比厌恶，面上却又不敢露出形色，只得耐着性子陪他东拉西扯。

　　郑所长跟赵金豆正粘糊着，忽地接到个电话，电话是分局艾局长打来的，问清了接电话的人，便询问浴室斗殴事件的经过和调查情况。郑洪飞不明分局长的用意，小心翼翼地探问一番，艾局长说："哦，没什么，报案的那个姓郭的，是我一个朋友的晚辈，我受人之托问问案情的进展，你不要有什么负担，尽管秉公而断。"

　　郑洪飞心里"咯噔"一下，他偷偷瞟了赵金豆一眼，见她好像不知道和自己说的事情正和她有关，便咳嗽一声道："局长，这个案子还在调查之中，目前还没有处理结果。您放心吧，我会把案子调查清楚，秉公而断的。等有了处理结果，我一定第一时间向您汇报。"

　　撂下电话，郑洪飞既没心思跟赵大美人索要东西，也没心思跟她套瓷了，他悻悻然地送走了赵金豆，立即打电话给严虎弟，第一句话便是："老弟，你的案子不好办了，这回坏菜了！"

严虎弟在电话里满不在乎地嚷嚷道:"郑哥,你不用这么唬人吧?这一片儿里还有你老哥摆不平的事?"

郑洪飞一听急了:"虎子,我这说正经的呢,你别在那瞎咋呼。我哪知道那死胖子看起来蔫不拉叽的,居然能搬动分局的艾局长为他说话呀,我看这次的事,真他娘的不好办了。"

严虎弟一听也着急了,忙道:"郑哥,真的那么严重?我也没怎么他呀,不就是踹了他两脚吗?"

郑洪飞打断他的话道:"得了,人家的验伤报告现在就在我手里呢,轻伤乙级,够拘留你了。我看艾局长那语气还不是太严厉,只要把那死胖子应付好了,应该没太大问题,你说吧,是愿意破财消灾呢,还是进去蹲个十天半拉月的?"

严虎弟一听顿时没了声,郑洪飞不耐烦地道:"怎么着?你这下句让我等到明天去?我明天就得给局长回话了。"

严虎弟吭哧半晌,才肉痛地道:"听说里边的哥们特别欺生,进去……那不得给扒层皮呀?郑哥,你看,要不,我拿一千块钱行不?"

郑洪飞一听怒道:"你说行不?你自己寻思吧!"说完就放了电话,严虎弟再打也不接了。

一个小时后,严虎弟就乖乖送来了三千五百元钱,又赔着笑脸约他吃饭,郑洪飞这才答应帮他周旋。

第二天,也就是张胜在医院里悠悠醒来的时候,赵金豆接到郑洪飞通知,说案子调查有了进一步结果,让她去一趟派出所。

这一次,郑所长的口风完全变了,说是经过他细致入微的工作,亲自赶去,反复询问浴池老板,并走访当时在场的客人,终于弄明白了事实真相:双方先是口角冲突,之后严虎弟动手打人,致郭胖子受伤住院。肇事者行为恶劣,后果严重,派出所准备予以严肃处理,必要时将给予行政拘留处分,今天叫她来,是想询问一下受害者家属意见,尽量圆满解决这个案子。

赵金豆按张胜说的,提出了经济赔偿请求,郑洪飞听了顿时松了一口气,他还真怕郭家不接受经济补偿,而是坚决要求严惩肇事者,这时听她提出的是经济方面的赔偿请求,立即一口答应,说马上去找被告交涉,务必满足受害者的要求。

等赵金豆走了，郑洪飞在所里磨蹭了一个多小时，才亲自赶到小二路市场，把治病费用和所谓的误工费、营养费共计三千元钱交到了赵金豆手里。赵金豆欣喜之下，便要送他一套台灯和电热毯，郑洪飞义正词严地予以拒绝，说啥也不要。

赵金豆无奈，便到旁边做牌匾锦旗的铺子给他要了面锦旗，那店主是她朋友，拿面锦旗自无不妥。不过锦旗一般是定做，这一幅是店主做出来挂在墙上充样子的，内容并不十分贴切，郑所长打开锦旗一看，上面写的是"雷霆出击、破案神速"。

郑洪飞哭笑不得，只得收了锦旗，灰溜溜地去了。

赔偿费到手，郭胖子在医院里再也待不住了。穷人的身子骨不值钱，要不是听张胜说得笃定，说有贵人相助，可以替他讨回公道，郭胖子哪敢住院？顶多在心里 YY 一把，如果有一天严虎弟落到自己手里，一定要让他尝尝满清十大酷刑的滋味，让他求生不得，求死不能，如此等等。阿 Q 完了，还不是得自认倒霉，灰溜溜地回家将息着了。

现在赔偿到手，再让郭胖子多花一分钱也嫌肉疼，于是收拾收拾就嚷着出院。此时李浩升、李尔几个人都在，听张胜把事情经过一说，哨子笑道："张哥，你因为帮助郭哥而住院，因为帮助兰子而与我们结识，这也是场缘分。如今郭哥出院，就让兄弟做东，咱们去对面喝上几杯庆祝一下吧。"

张胜有意结纳这几个年轻人，于是欣然应允，郭胖子因为案子赢了，也是心花怒放，吐气扬眉。当下秦若兰便帮张胜和郭胖子办了出院手续，郭胖子和张胜都是一脑门的绷带，让哨子和李尔几人架着，兴冲冲地闯进了酒店。

张胜和李浩升、李尔、哨子几个人很谈得来，酒席宴上聊了一阵，感觉甚是投缘。这三个年轻人虽被秦若兰称为二世祖，其实从小都循正常途径接受教育，虽说家财万贯，可是平常连零花钱拿的都不比普通孩子多。

他们的父辈都是靠精明和勤奋打拼出一片天地，这和一般的暴发户截然不同，创业的艰辛，让他们对后代的教育也不敢稍有放松，所以在李浩升这一代身上并没有浮躁、狂妄的脾气，只不过比一般的同龄人自由空间更大罢了。

三个人毕业后在自家企业打零工，熟悉各个环节的工作经验，所以年纪虽轻，耳濡目染之下，商场上的知识和见识却比张胜高明得多。

　　哨子仔细听了张胜的打算，和预备建设的冷库规模、成本以及生产加工、贮存、运输等条件后，帮他分析道："现在人们生活水平和营养意识不断提高，越来越多的人反季节食用水果、蔬菜，因此保鲜食品量日益增多，相应的水果、蔬菜及肉类的冷藏业效益也就相当可观。由于企业生产规模、生产方向经常根据市场需求进行调整，所以耗资自建大型冷库的企业并不多，这一来，建冷库进行招租就很热门了。我觉得你不该贪多，应该要着重发展一点，把冷库先做起来。"

　　李尔笑道："张哥，哨子说得有理，心急吃不得热豆腐，我也不赞成你同时铺开两条线。一个批发市场想形成规模、想拥有人气，不是一朝一夕的事。我家就是搞批发的，我告诉你吧，投建批发市场，一般头一两年都是保本甚至赔钱经营的，目的就是聚拢人气。从你的情况看，你目前是没有资金实力布局的，批发市场不妨先缓一缓。

　　"你准备建批发市场那片地不是刚整理出来吗？我建议你先停一停，省下来的钱投在冷库建设上，你原打算建三个冷库，全是冷藏冷库，我觉得你可以在规模和品种上扩张一下，建造冷冻冷库、保鲜冷库、速冻冷库、冷藏冷库和双温冷库五种中型冷库。

　　"张哥，这样风险小，好运作，我和哨子可以帮你介绍客源，蔬菜、肉类、冷饮、食品、花卉、茶叶、药材等等各个行业的客源都可以吸收。那些客户批发都要经我家，销售要经过哨子家的超市，我们老头子说句话，在哪儿储藏都是储藏，你的客人就上门了。

　　"单是出租的话，按存放每吨货物的库房纯收入为二元/日计算，一个中型库，日纯收入为一千八百至二千元，月收入五万四千元万至六万元，每年按八到几个月计算，一个库年纯收入就能达到五十万元。等你立住了脚，可以自己收购商品，应季储藏反季出售，那样的话，年收入还能翻倍，张哥，你觉得我的建议怎么样？"

　　张胜仰起脸来仔细想了半响，长叹一声道："听君一席话，胜读十年书！和你们一比，我实在是……这商场上的东西，我要学得太多太多了。"

秦若兰微笑道："你也不必妄自菲薄，闻道有先后，术业有专攻，他们那是老子种树儿乘凉，没吃过猪肉还没见过猪跑？不比你白手起家，全靠自己！"

张胜难得听到这泼辣的小姑娘鼓励自己，心下很是感动，但还是谦虚地道："我说的是真心话，哨子他们年纪虽轻，可是这份眼光见识，我实在远远不及。"

秦若兰笑嘻嘻地道："哪里哪里，昔有赵高指鹿为马，今有张胜指狗为猪，这份本事，他们也是远远不如！"

张胜没想到她还记着这件事，不禁苦笑连连。李浩升听着十分好奇，连声追问不已，问明了事情经过，他大笑道："女人都是小心眼儿，是万万得罪不得的，针尖大的事，她们也能记上十年。兄台，对女人，敬而远之才是王道啊！"

张胜配合地拱手笑道："贤弟至理名言，受教，受教！"

秦若兰哼了一声，说："王道？王道嘛……就是皇宫里的路，以为护士不会玩手术刀吗？再敢在我面前说女人的不是，信不信我让你们一个个都走上皇宫的康庄大道？"

几个男人一听，立即闭口不言，不过一个个挤眉弄眼，互相传递的信息不外乎是："敬而远之，才是王道啊！"

第十三章　说一千道一万关键还是人，人才人马人脉，招兵买马办实业

宝元汇金实业公司招聘开始了。在张胜心中，这是非常重大的时刻，他要招兵买马，干一番事业了。然而，徐海生却没有太大的兴趣，他并不热衷于搞实业，他最擅长的是投机资本的运作，股市、房地产、期货、兼并重组、货币市场才是他真正长袖善舞的地方，他对实业投资没兴趣，也不认为张胜能干出一番大事业。而张胜却不这样想，他认为资本运作确实一本万利，但是，有了第一桶金以后，脚踏实地做好实业才是根本。张胜坐在招聘主考官的席位上心中感慨万分：说一千道一万关键还是人，人才人马人脉，如今自己坚持招兵买马办实业，成败关键就在这里。

酒席散后，哨子要开车送二人回家，二人婉拒不过，便让他送郭胖子回去了，张胜头上的伤还没好，回到家里老爹老妈难免又要唠叨，便直接去了工地。

一见到徐海生，张胜便把哨子和李尔的建议，按照自己的理解重新整理后对徐海生说了一遍。一开始徐海生就不赞成开批发市场，只是张胜一心想办实业，张二蛋又一味求大求全，徐海生才一笑置之，如今刚刚铺开摊子，自己又改了主意，张胜说着颇为不好意思。

徐海生笑道："没什么，做生意讲究的就是活、就是变，顺势而为、因时而变，随时根据市场动向变更自己的投资意向和经营方向，漫说咱们现在还没建批发市场，就是已经盖了大半了，如果判断不赚钱、风险大，也得有壮士断腕的勇气马上停建，宁可已经损失，绝不扩大损失。"

张胜在心里默默地消化着他的话，暗自点头称是。

这时楚文楼顶着个酒糟鼻子兴冲冲地跑进来，他平时鼻子没事，只是一喝醉了就堵得慌，总拿手揉来揉去的，硬给搓成了酒糟鼻子。

一见张胜，他惊讶地道："张总，你出院了？咋也不说一声，我好去接你呀"。

张胜道："我的伤不重，本来就不想住院的，不过是为了就近照顾朋友罢了。如今他的案子解决了，他回家养伤去了，我就回来了。你没事吧？昨天喝那么多。"

说到这儿，他想起昨夜皇上娘娘奴才的酒令，忍不住笑起来。

楚文楼觉得有点不好意思，他揉了揉通红的鼻子，也笑道："没啥，跟徐哥斗酒令醉得一塌糊涂，不过睡一宿也就醒了。对了，我刚刚接到天津保税港的电话，说咱们订的平治300已经到货，尽快带齐手续去提货。"

张胜听得一头雾水，以为没和他打招呼又订购了什么进口车，连忙追问道："什么平治300？咱们不是就订了一辆奔驰吗？又订别的车了？"

徐海生失笑道："老弟啊，平治就是奔驰呀，香港那边习惯这样称呼，国内大多称为奔驰。就凭咱们公司的注册资金，这都还托了张二蛋的关系，外经委才给批了这么一台车，想再买一台，难喽！"

那时国家对外资企业、合资企业相当优惠，营业税三年免，两年减半，进口设备免关税，所以进口车等高消费品必须严格控制，否则一家合资企业只要大量进口免税轿车，再转手倒卖，赚钱也比印钞票容易。

张胜这才恍然大悟，楚文楼喜滋滋地道："这车还真到得巧，抓紧时间提回来，正好能赶上开业前上牌照。开业时有辆黑牌照的奔驰装点门面，那才威风。"

楚文楼说完，挺胸收腹，一脸的踌躇满志，矮胖的身材仿佛也高大了几分。

张胜也被他的兴奋劲儿感染了，徐海生在一旁说："那就得马上派人去天津提货了，我走不开，谁去好呢？"

楚文楼忙拍拍胸脯道："我，我去好了，保证把车安全、准时地开回来。"

徐海生笑着摇摇头："不行，公司开业在即，方方面面的关系需要打理，我现在恨不得生出三头六臂来，你哪里还走得掉？再说，你那车技我也看过，

201

还不到一年的车龄吧？跑长途取车，又是一个人，太危险了。"

张胜忙道："不如委托别人去吧，付点辛苦费就成了。我弟弟是跑长途大客的，认识许多开车的朋友，我找他介绍个人来？"

徐海生点点头，说："一个人不行，太容易疲劳了，得换着开，这样吧，文楼啊，你向张老爷子借个司机来，跟咱们张总找的司机一块儿去。"

楚文楼不能第一时间开上新车，未免有点遗憾，不过想想自己原本是粮食局系统的一个会计，学车本没多长时间，方才光顾高兴了，听徐海生这一说，他才想起自己还从没上过高速，可别出点什么事，于是便点头答应了。

宝元汇金实业公司的招聘在周一准时开始了。在张胜心中，这是非常重大的时刻，他要招兵买马，干一番事业了。

但是徐海生却没有出现在招聘现场，徐海生热衷于捞偏门，最擅长的是投机资本的运作，股市、房地产、期货、兼并重组、货币市场才是他真正长袖善舞的地方，他对正经生意没兴趣，也不认为张胜能干出一份大事业。

他之所以答应划出十来亩地搞冷库，并筹备时机成熟时建水产市场，只是为了拉住张二蛋、稳住张胜，让他们安心做任由自己摆布的棋子，他的精力并不在这儿，所以当然不在乎张胜招些什么人来。

张胜坐在会议室主位上，面前摆着招聘的牌子。他今天穿着十分正式，坐在这儿，他就掌握着所有求职者的生死大权。这是何等风光的大事，这是张胜以前想都不敢想的。

当初他找工作的时候，对这些掌握着自己命运的招聘者何尝不是怀着战战兢兢的心情？想不到一转眼的工夫，他也有资格决定别人的命运了。

真的要感谢郭胖子心脏骤停的那一刻，真的要感谢那位气势汹汹的崔知焰崔副主任，世事有时就是这么奇妙，一件看起来很荒唐的事都有可能改变你的一生！

有几个职位已经内定了，比如保安队长兼冷库看守员是郭胖子，郭胖子胖得连猪都追不上，让他撸个电棍当保安似乎不太合适，但是他肯定能帮自己看好这个家，只要能带好他手下的人就成了。再加上他是电工，巡视冷库的时候连安全保卫带电路检查都齐了。

财会方面，徐海生介绍来一个很有经验的会计和一个出纳。这套财力班子就能搭起来了，这是一家企业的核心部门，全部用刚刚招聘的人还真不放心，既然是徐海生介绍来的，张胜便一概录用了。

剩下的岗位便不是很多了，眼看着外边排的长长的队伍，想想自己真正要录用的不过寥寥数人，张胜颇能体会那些求职者的心情。

宝元汇金公司的广告打得响亮，扣在上面的宝元这顶帽子更是贴金，所以前来应征的人很多，足有三百多人。

一个高个儿女孩推开门，先是礼貌地向两位主考官浅浅一笑，这才姗姗走了过来。这是第一百零四位应聘者了，张胜从早晨坐到现在，接待的人形形色色，现在已经没了刚开始的劲头。不过这个女孩身材出众，打扮得也十分艳丽，倒是令人精神一振。

"请问，你应聘什么职位？"张胜掐灭了烟头问道。

女孩绽颜一笑，柔声说："我应聘文秘！"

张胜盯着她艳红的嘴唇，心想："唇膏太红了。"

见张胜盯着自己看，那女孩有意地挺了挺特别饱满的胸，很有味道地瞟了他一眼。

"咳！你有文秘方面的工作经验吗？"

"当然啦！老板……"女孩眨眨眼，说得很暧昧："唱歌、跳舞、处理文案，人家都在行，而且人家是外地人，一个人在本地，如果单位要经常加夜班的话……那也没有问题的。"

楚文楼正嚼着茶叶，一听这话，一口茶叶根全吸进了嗓子里去，强憋了片刻，便满脸通红地钻到桌子底下咳嗽去了。

张胜淡淡地道："好，履历表上有你的联系方式吧？把材料放下，你先回去吧，我们会通知你招聘结果的。"

"老板……"女孩娇滴滴地说。

张胜摆摆手，说："回去等公司电话吧，三天之内一定会通知你结果的。"

女孩欲言又止，扭转身气鼓鼓地去了。

楚文楼从桌子底下钻出来，盯着这个女孩鼓腾腾的后半部分，心头一阵遗憾。

张胜叹了口气，这一上午，形形色色，什么样的人都有。这个女孩……真是开玩笑！我招的是文秘，又不是小蜜，唱歌跳舞加夜班？我连陪女朋友的时间都没有呢。他有气无力地道："下一位！"

下一个是个农村姑娘，身材高挑，眉清目秀，肩后两条乌黑的大辫子直垂到后腰下。她的衣着十分朴素，看得出家境不是很好。她叫白心悦，桥西本地人，高中毕业，应聘的是冷库保管员。

张胜见她谈吐朴实自然，看得出是位能吃苦的姑娘，就留下了她的联络方式，让她第二天就来报到，白心悦欢天喜地地出去了。

张胜看看表，对楚文楼说："上午差不多了，咱们休息一下，下午……"

他刚说到这儿，门被推开了，一个瘦削的男子走了进来。张胜瞥了他一眼，说："我还没叫下一位应聘者呢。"

那个男人笑笑，傲然道："但是上一位应聘者已经离开了。时间就是金钱，无论对您还是对我，都是如此，所以……我来了，我可以坐下说吗？"

张胜听这人口气甚大，特意地打量了一下，这是个四十出头的中年人，短发、瘦脸、双眼有神，打扮也很得体，只是神情有些过于矜持。

"莫非，我这小庙竟然招来一个诸葛亮？"张胜心道。他点头笑笑，向那人示意道："好，那我们就好好谈谈，请坐，请报一下你的简历，以及你想应聘的岗位。"

那人在对面的椅子上慢慢坐下来，用很自信的声音说："我来，是想应聘公司高层管理职位，我的工作经历比较丰富，三言两语怕是说不明白，你可以抽点时间看看我的履历表吗？"

张胜点点头，打开了他递过来的文件袋，抽出了履历表，嚯！这位简历洋洋洒洒，仅简介部分就密密麻麻的足有六页，字倒是写得十分漂亮。

张胜简单地看了看："方轻愁，男，1955 年 6 月出生。华州管理学院毕业（本科四年制）。工作经历：1980 年 7 月 – 1983 年 2 月，在新大陆食品厂工作，历任车间技术员、科研员、车间主任等职，开发罐头新品种三十多个，实际投产七个……"

再往下，全是他在厂子所起的骨干作用、所做出的巨大贡献，最后他严厉批评说，新任厂长上任后任人唯亲、管理不善，导致企业严重亏损，于是他愤而转到第二家企业。在新的企业，他继续发挥骨干作用、继续做出巨大贡献，为厂子创造了几千万的产值，受到企业领导高度重视，并被选派进修……随即话锋一转，说由于晋升机会太少，工资偏低，于是……

张胜皱了皱眉，他想不通受到领导高度重视并被选派进修过的人何以晋升机会偏少、工资偏低，这其中的逻辑关系……他有点被绕糊涂了。

张胜继续看下去，只见他又转到一家新厂，在这里他继续起到……继续做出……使公司成为当地行业的领头羊，但是……主管领导素质低下，自以为是、黑白不分、刚愎自用，导致工作失误，企业损失惨重，于是本人被迫离开……

张胜匆匆看了一遍，发现这位仁兄以平均两年到四年的速度跳一次槽，每到一个新单位，他都能起到起死回生的巨大作用，每次都因为领导者的昏庸无能而让他壮志难酬。

张胜还注意到，这个人就职过的企业有两家非常有名，其中有一家山东的电冰箱厂，1984 年成立之初还是个街道小厂，从 1992 年开始突飞猛进，目前已是当之无愧的全国第一家电企业，而这个人辞职的年份恰恰是 1991 年。

张胜看到这里，抬起头似笑非笑地瞟了他一眼。

方轻愁见他看完了，以非常自信的语气说："本人在国营、私营、合资和外资的工作中积累了丰富的工作经验，熟悉生产系统、营销系统各个部门的工作，具备组织协调和管理能力、具备领导能力。我相信，我的加盟一定能给宝元汇金公司创造巨大效益，希望能受到贵公司的赏识。"

张胜敲着桌子半天没有说话，方轻愁蹙了蹙眉，强捺住不悦道："张先生，如果你还有什么想了解的资料，可以直接问我。"

张胜咳了两声，指指那份简历，说："方先生的工作能力……我现在还不了解，不过……我觉得，方先生应该先提高一下为人处世的能力。"

方轻愁怫然不悦，"这是什么话？我有什么失礼的地方吗？"

张胜苦笑一声道："很抱歉，方先生，您的工作能力可能真的很强。可是一个企业、一个团队，最重要的是合作精神，从您的简历来看……我很怀疑你能和同事合作愉快，老板各个都这么没用，你怎么不自己当老板？宝元汇金是一家刚刚成立的企业，我想……我很难给你提供发展所长的舞台，你还

205

是另找一家企业看看吧。"

方轻愁一听勃然大怒，指着张胜的鼻子道："你们这些人就是这样，有了点臭钱就自以为是、刚愎自用！你有我这样丰富的管理经验吗？你有我这样高的学历和职称吗？"

"请这位先生离开，咱们去吃点东西，休息一下！"张胜站起来，伸了个懒腰。

楚文楼站起来推着方轻愁往外走："去去去，请你出去，不要在这里大声喧哗。"

方轻愁被人往外一推，自尊心严重受伤，忍不住悲愤地骂道："这他妈的什么世道？从小到大，人人告诉我说读书才能成才，结果呢？别人上初中的时候，你们这些垃圾旷课逃学搞对象；别人上高中的时候，你们批发电子表打火机沿街兜售；别人上大学的时候，你们倒买倒卖尽是假冒伪劣；别人毕了业想找份工作的时候，你们这些垃圾连本科学历都看不上了！读书人为生意人卖命，文人为文盲打工，我天天在过愚人节，这是他妈的什么世道？"

"行了，行了，愚人节快乐！"楚文楼把他硬推出去，咣当一声关上了门。

方轻愁走后，张胜苦笑："天下之大，无奇不有！"
"是林子大了，什么鸟都有！"楚文楼笑着回道。
张胜对走回来的楚文楼道："招了多少人了？"
楚文楼用铅笔点了点手中的名单，说："招了三个保安、一个门房，会计和出纳已经有人了，仓储部、冷库部各召了三个人，现在办公室文秘、司机等几个岗位还没有定下来。还不错，估计下午能再挑选几个出来，公司开张的时候就不至于冷冷清清连个人手都没有了。"

张胜脸上露出欣然的笑容："嗯，先到这里吧，咱们下馆子去，犒劳犒劳自己的肚子。"

他站起来伸了个懒腰，说："我到里屋换件衣服，这么西装革履地坐了一上午，领带勒得我喘不上气来。"

走到里屋门口，他扭头对楚文楼说："告诉外面的人，上午应聘到此为止，咱们休息一下，下午一点继续。"

楚文楼点点头，走过去推开门，冲外面摆手道："上午到此为止了，大家下午再来吧。"

许多应聘者担心下午排不上号，都没有走开，有人大声问道："经理，下午几点开始招聘啊？"

楚文楼不耐烦地道："下午一点开始，好了，大家都散了吧……"

他的目光从招聘者身上一扫，忽然发现一个很漂亮的少妇，双眼顿时一亮。

她站在正对楼梯的地方，身后是一面大镜子。镜子里反映出她窄裙里凸出的硕圆翘臀和葫芦形的纤腰，那背和腰肢的弓线就极其诱人。

这个女人大约二十六七岁吧，身穿一套浅黑色的套装，娉娉婷婷，体态妖娆，看起来成熟得像一枚水蜜桃儿。浓密的乌发盘在头上，瓜子脸略施脂粉，秀挺的鼻梁上还架着一副金丝边的眼镜，下边是颀长美丽的颈子，周身散发出一种淡雅、知性的气质，偏那火辣的身材又无比性感，真是一个难得的办公室尤物。

楚文楼情不自禁地冲她指了指，问道："你，就是你，过来过来，你叫什么名字，应聘什么职位？"

那女子没想到这个招聘者会特别注意到自己，先是一愣，马上意识到机会来了，于是大大方方地迎了上来，微笑着说道："您好，我叫钟情，我想应聘办公室文秘。"

她伸出手，微笑着和楚文楼握在一起。

以楚文楼的身高，恰好对着钟情那 V 字型的领口，深色印花衬衫内饱满、结实的部分把胸前每一朵印花都撑得没有半分褶皱，那弧线流动般的轻柔美态，挟着淡淡的香水味道让楚文楼醺然欲醉。

楚文楼恋恋不舍地放开她的手，打趣道："钟情？一见钟情的钟情？好名字，我们公司刚刚成立，业务都没有理顺，迫切需要一个文秘处理公文，可是这都一上午了，还没招到个合适的文秘，来来来，你进来，我们还有几分钟才休息，先看看你的资料吧。"

钟情优雅地掠了掠头发，嫣然笑道："谢谢您！"然后扭着水蛇腰款款地飘进了办公室。

旁边有个满脸青春痘的女孩马上嚷嚷起来："我是文秘专业毕业的，我排在她前面的，您先看看我的材料吧。"

楚文楼的脸刷地一变，指着她义正词严地道："文秘最重要的是什么？是知道领导需要什么，是善解人意、是有眼力见，这样的人才能胜任这份工作。在领导身边工作，该说的话说，不该说的话坚决不说；让你做的事去做，没让你做的事坚决不去做，更不可以胡乱插嘴。你连这点都做不到，还说自己是文秘专业的？我很失望，真的很失望，就凭这一点，你给我的第一印象就不好，很不好！"

那个满脸青春痘的女孩被训得面如土色，唯唯称是，楚文楼这才冷哼一声，把办公室的门关上了。

人群中有人阴阳怪气地说："听到了吗？要善解人意，要有眼力见，一纸文凭不如女人的一张脸蛋啊！"

楚文楼只做未听见，他转过身，见那美貌少妇正礼貌地站在那儿等着他，便向老板台前的椅子一指，亲切地笑道："请坐。"

钟情微微颔首，款款地向那位置走去。

楚文楼眯着眼打量她的背影，纤腰紧致，翘臀浑圆，窄裙下一双肉色丝袜把一双修长笔直的腿衬得粉嫩光滑，媚呀！

张胜如今是鸟枪换炮，奔驰都开上了，我楚总经理……仿佛看到一台崭新的"宝马"正在向他抛着媚眼。

他喜滋滋地走过去，在他内定的"宝马"对面坐下，见她还站在那儿，忙热情地道："坐，坐坐，坐下来谈嘛。"

钟情捋捋筒裙，很期文地坐了下去，那优雅美感的坐姿弄得楚文楼又是一阵心跳，那种紧张而兴奋的感觉，倒像钟情是主考官，他才是竞争上岗的那个人。

钟情的心里也在打鼓，不知道这份工作自己能不能得到。她是高中毕业，现在城里只要招工就要大学文凭，上班这几年她也没寻思过混个电大文凭，这第一道门槛怕就过不去。

钟情自印刷厂的广播事件之后，也没脸再回厂子里上班，本想在徐海生那里找点依靠，换来的却是那等绝情的话，让她彻底死了心。后来徐海生给

208

她打过几个传呼，她都直接删掉了，看清了徐海生的薄情寡义，她再不愿与他有半点瓜葛。

在一个小旅馆里委顿了几日之后，钟情开始寻思谋生之道了。现在她有班不能上，有家不能回，娘家又没脸回，迫切需要有个工作养活自己。

她曾试过去人才市场应聘，待遇好工作轻闲的，人家当她是花瓶，有了徐海生的前车之鉴，钟情已经是一朝被蛇咬，十年怕井绳，不再对男人抱以幻想，更不愿成为男人的玩物。现在的她就想凭自己的能力养活自己，可连碰了几次壁之后，她才发现，女人，想仅靠自己的能力生存，也并不是一件容易的事。

杨戈最终还是与她离了婚，但却不放过对她不依不饶的捣乱。钟情每到一个工作岗位，干不了三五天，只要被杨戈得到了消息，少不了会上门骚扰一番，结果钟情始终没找到固定的工作。

眼见手上的积蓄越来越少，正在走投无路的时候，她在报上看到开发区有家企业要招工，考虑一则这里跑市中心远些，而且报上说厂子可以提供住宿，这样可以避开杨戈的骚扰，二则这是一家合资企业，待遇比较高，所以才赶了来。

她并不近视，为了显得有气质，才特意弄了副金丝边的平光镜戴上，希望能给企业领导有个好印象。

眼前这人一看就是个老油条，不是那么好糊弄的人，钟情还真怕又被人拒之门外。

楚文楼笑了笑，道："嗯，先把你的学历证书给我看看。"

"哦……学历……"钟情紧张地扶扶眼镜，楚楚可怜地说："经理，我毕业都六七年了，学历证书一直放在家里也用不上，家里搬过几次家，现在证书不知压在哪儿了，一时还没找到……"

"这样啊……"楚文楼弹着手指瞥了钟情一眼，心中隐隐明白了几分。

钟情紧张地道："经理，我有办公室工作经验，档案管理、文件处理、迎来送往，这些工作我都处理得来，此外，我还会开车，已有四年驾龄，外企不是最重视实际工作能力吗？您可以给我一个试用期，看看我的工作表现再决定是否正式录用，这样还不可以吗？"

钟情的前夫杨戈是税务局的司机，当年就是借公车手把手地教会了钟情开车，顺便俘获了她那颗虚荣的心。现在，驾驶执照倒成了钟情除了美貌外唯一可以倚仗的资本了。

楚文楼微微一笑，还想再拿她一把，压到她心生绝望的时候，再来个柳暗花明。女人一旦对男人有了感激和依靠的心思，要勾引起来也就容易多了。

不料张胜半开着房门在后边换衣服，恰好听到了外边的对话，他的学历不高，所以对只重学历不重能力极为反感，听外边这女人说自己有办公室工作经验又会开车，他就上了心。

他的新车马上就运到了，正琢磨找司机的事呢。女人开车比较小心，安全一些。再说自己正在学车，到时有个文秘兼司机，在自己不方便开车的时候替一下就行了，还省了招专职司机的钱。

这个女人说话得体，适合办公室工作，做办公室文秘，迎来送往、待人接物的事是少不了的，而且她知进退，主动提出以试用期考察，如果真的不胜任工作到时再辞退就是了。

于是张胜一边往身上穿夹克衫，一边赶了出来，还没出门儿便道："老楚，我看可以把人留下，试用一段再说。"

张胜出来瞧见钟情，目光先是一亮，这个人不错啊，这样的秘书，形体气质都极尽完美，带出去也不掉份儿，不过……怎么有点面熟呢？

钟情也觉得眼前这人有点面熟，主要是两人的打扮都换了，以前的张胜一身油渍麻花的工作服，钟情的打扮则是艳丽妖娆，现在彼此的装束气质都改变了，所以一时没认出来。

楚文楼被张胜抢先说出了招聘的话，失去一个做人情的大好机会，心中暗暗着恼，好在自己难为她的话还没说出来，于是双掌一拍，大声笑道："我就是这个意思，我们这是中外合资企业，员工个人素质、业务能力要过硬，外貌形体也要过得去才成，我看钟情小姐的个人条件不错。"

"钟情？钟姐，果然是你！"

"你……你是张……张……"

"我是张胜。"

"啊！"钟情顿时臊得满脸通红，只想马上逃走。

张胜连忙一把拉住钟情，闭口不谈让她难堪的往事，故作大方地笑道："钟姐，原来应聘的人是你呀，你也不在三星干了？呵呵，这可太好了，你原来就在办公室工作，工作经验丰富，我刚开的企业，许多事都抓不着个头绪，以后还请多多帮忙。"

钟情这时才听明白他是老板，不禁惊讶地道："这企业……是你的？"

张胜还不知道她和徐海生已经决裂，顾及到她的面子，不好在她面前提起徐海生，便含糊笑道："是啊，我离开厂子后贷款在郊区买了块地，本来想盖大棚做些生意，没想到政府正要开发桥西，地皮升值，于是就办了实业。"

楚文楼惊讶地道："张总，你和钟情小姐认识？"

张胜笑道："是啊，我和钟姐原来是一个厂子的。"

楚文楼笑道："哎呀呀，那可巧得很。钟小姐，这下你就安心在这工作吧，都是老同事，合作一定愉快。"

钟情确实需要找份工作，又不知道这企业徐海生也有份儿，她见张胜绝口不提她的丑事，心下稍安，神色也缓和下来。看看自来熟的楚文楼，钟情有些疑惑地道："这位是……"

张胜忙介绍道："老楚是我公司的副总。"

楚文楼赶忙踏前一步，再度与钟情热切握手："鄙姓楚，楚文楼。天门中断楚江开的楚，道德文章启后贤的文，故人西辞黄鹤楼的楼！哈哈，哈……"

钟情启齿一笑，客套道："楚总好文采！"

楚文楼被她嫣然一笑，身上的骨头顿时一轻，连忙眉飞色舞地答道："哪里，哪里，钟小姐过奖了。"

张胜道："钟姐，走吧，咱们一块去吃午饭，回来再详谈。"

钟情正容道："张胜，我……再这么叫你一次，既然这是你的企业，我是你招聘来的员工，那在企业里，咱原来的称呼就不能用了。你可以直接叫我钟情，我得叫您张总，不能没大没小没了规矩。"

张胜脸上笑容顿时一僵，楚文楼见忙打圆场道："钟小姐……小钟说得对，没有规矩不成方圆啊，再说，总是钟姐钟姐的叫，也把这么一个美人给叫老了。"

张胜苦笑道："好好，依你，走吧，吃饭去，下午还要接着招聘呢。"

张胜偷个空儿悄悄告诉楚文楼，在钟情面前不要提起徐海生的名字，楚文楼极为纳罕，连连追问缘由，张胜恰见钟情向他瞟来，怕引起钟情疑心，只是摇了摇头，没有多说什么。

　　三人在国道边上的小酒店随意点了几个菜，酒桌上，楚文楼仍不断向钟情献着殷勤，但是自从知道她和张胜是旧识，又听张胜很诡秘地告诉他不要在钟情面前提起徐海生后，楚文楼一时摸不清他们之间的关系，一时不敢起些别的念头了。

　　不过，美人如玉，芬芳扑鼻，听听她的声音，看看她的笑脸，也是好的。

　　张胜假意去上厕所，绕到饭店后边给徐海生打了个电话，电话一接通，张胜便道："徐哥，你安排钟姐来这里上班的?"

　　徐海生在电话里静了静，反问道："钟姐? 哪个钟姐?"

　　张胜笑道："就是钟情，今天招聘……不是你安排她来的吗? 你说一声就行了，怎么还让她排队呢?"

　　徐海生吸了口气，喃喃道："她……也来应聘?"

　　"什么? 徐哥，不是你安排她来的?"

　　徐海生苦笑一声道："不是。"

　　张胜隐隐听出了什么，试探地问道："徐哥，你们之间……"

　　徐海生干笑道："你不用问那么多了，我和她之间已经一点关系都没有了。她跑到这儿来应聘，看来在市里是没有立足之地了，你和她也是旧识，多照应一下吧，我尽量少在她面前露面就是，不用提起我。"

　　张胜听得一头雾水，不过这种事他又不便打听，只好简单应承下来。只是在如何对楚文楼解释颇费了些脑筋，最后只好委婉地暗示徐钟二人已经分手的事实，楚文楼本就是个人精，一听这话还不明白其实的原委? 得知钟情是徐海生的旧情人，他不以为嫌，反而心中窃喜，这女人既然一向裤腰带就比较松，自己更有可能得偿所愿。

　　钟情就此成了宝元汇金实业公司的正式一员，由于她是文秘兼司机，薪水提高了一半，对这个结果，张胜、钟情和楚文楼都十分满意。

　　目前公司即将正式开业，筹备工作紧锣密鼓十分繁忙。招聘会结束后，张胜就召集所有的聘用人员，学着电视里的样子开了个动员誓师大会，会上张胜热情洋溢地描绘了公司的未来规划、发展蓝图及员工福利等，同时也坦陈创业之初面临的种种困难，希望大家既然来到这里，就是来共同创业，共同创造属于自己的美好明天。

一席话听得新员工们眸子发亮，热血沸腾，所有公司成员仿佛同时进入了蜜月期，彼此合作也十分融洽，人人都怀着热切的心情和殷切的希望尽心竭力地工作。

徐海生这段时间都在跑国土、规划、房产等部门，因为第一批标准厂房即将建成，尽快把手续跑全，才能实施出租、出售，进而完成银行抵押，获取第二笔启动资金。他本来就是想把公司当成一个取之不尽的提款机，并不热衷搞实业，这回有了钟情做幌子，更是得其所哉，名正言顺地不在公司出现了。

不过张胜这段时间学了很多东西，经验日渐丰富，又有李尔、李浩升这些朋友指点，独自挑梁担纲，倒也干得有声有色。

楚文楼知道了钟情的来历和身份，总是想方设法地接近她。以前他还时常回趟市里的家，现在因为钟情就住在公司里头，他连家都不回了。他的异常热情早让钟情感觉到了什么，她的应对倒是不愠不火，既不至地得罪这位副总，又不致让他以为自己有什么意思．

钟情是在性骚扰中长大的，她发育得比较早，十四五岁时胸部发育就颇具规模，公交车上经常会遭遇到骚扰。长大后由于她艳丽超群，天生一张情妇脸，很容易勾起男人的欲望，言语上、动作上的一些骚扰更是不计其数，要应对这个从未成功勾搭过一个女人的老男人，自然举重若轻。

这一来倒弄得楚文楼心痒痒的，总觉得钟小姐好像不是很讨厌他，却又不知如何让两人之间温温吞吞的关系更近一步。

明天，公司就要对外营业了，张胜站在粉饰一新的办公大楼前，望着属于自己的这家企业，一时感慨万千。前年的一名小职工、去年的一名饭店小老板，现在也成了一家企业的董事长，世事之变化莫测莫过于此。当初决定买这块地时，是抱着事不成则蹲大狱的决心拼下来，没想到竟然有了今日的规模，今后又会如何呢？

张胜想想，自己也觉好笑，不觉朗声吟道："本是沿路打劫，不想弄假成真。"这话是朱元璋当皇帝后对刘伯温说的，想必他当时站在金銮殿上，也是这般做梦的感觉吧。

他把客人名单又仔细翻阅了一遍，细细捋了一遍明日庆典的过程，忽地想起李尔和哨子几个人还没通知，他在商界的地位还不够资格惊动这几个哥们儿的父亲，他邀这几个朋友来也并没有攀龙附凤的意思，只是因为彼此情投意合，希望他们也能分享自己的快乐。

张胜打电话通知了李尔、哨子，告知明日开业的消息，几人都连声道贺，并表示一定来捧场。撂下电话，张胜才想起还忘了一个朋友：秦若兰。

他没有秦若兰的电话，这时再打电话给李浩升，不免让人觉得过于刻意。他想了想，秦若兰的班是上一昼夜休一昼夜，今天正好她当班，明天休息，便想着亲自去跟她说一声，然后再去见小璐。这一阵子两人都忙着自己的工作，只是电话联系，他真的有些思念小璐了。

张胜下了楼，正好见到楚文楼、郭胖子和钟情站在大门口比比划划地说着什么。郭胖子穿着一身保安服，皮腰带上挎了根电棍，旁边还有两个保安不时插嘴说话，看来是在安排明天一早的庆典。

郭胖子来上班之前，张胜就特意打电话告诉了他钟情的一些情况，并一再叮嘱他到时见了面可不许嘴臭。郭胖子为人虽说喜欢贫嘴，但怜香惜玉之心还是有的，想想一个娇滴滴的美人落得如此下场，心里还真有几分不忍。除了骂几声徐海生不够爷们儿，不仗义，见了钟情的面倒是本分得很，钟情初见郭胖子时的尴尬才慢慢释然了。

见到张胜下楼，楚文楼、郭胖子和他打了声招呼。郭胖子伤还没好利索，但是开业在即，他不想在家里泡着，便赶来公司上班了，此刻，他的眼眶还是乌青色的，只是淤肿已经消了。

"张总，我们正在安排明天的庆典，还有什么不放心的地方吗？"楚文楼递过一支烟，笑嘻嘻地道。

"哦，有你们在，我还有什么不放心的？我回市里一趟见个朋友。"张胜笑着接过了烟。

郭胖子挤了挤眼，笑道："想小璐了吧？呵呵。"

张胜脸一红，咳了一声道："开业庆典筹备得怎么样了？"

钟情这时才抬起头来回答说："张总，你放心好了，乐队、司仪全都定好了，礼仪公司包揽了大部分工作，明天五点钟就开始安排。我下午又去了一趟，和他们把整个庆典过程重新敲定了一遍，不会出什么岔子的。"

张胜满意地道："那就好，我回市里一趟，今晚还会赶回来的。"

郭胖子插嘴道："张总，你打算怎么走？"

他初到公司时仍是一口一个胜子，楚文楼和钟情私下都对他说过，个人交情归个人交情，在公司里这么称呼，未免公私不分，于是郭胖子也改了口。

张胜笑答道："我坐公交车回去吧，现在才五点多，来得及。"

他的奔驰已经到了，是弟弟张清的一个朋友和宝元集团的一个司机去天津提的货。楚文楼第一时间就欢天喜地地开去上了户，现在正锃亮地停在公司前院里待命。张胜现在正在抓紧考证，目前还不能独自上路。

钟情把手里的一块文件板塞给郭胖子，说："现在开发区公交车新开了一条线，车次少得可怜，我开车送你回去好了。"

张胜犹豫了一下，推辞道："算了，你还有许多事情要安排，就不麻烦了。"

保安乔羽笑嘻嘻地道："张总，是该让人送送，你要是坐公交车咣当回市里，也太丢份了。"

钟情笑笑，说："我们站在这儿也只是闲磕牙，事情其实已经安排好了，成败都在明日，现在也想不出什么来，还是我送你吧，我本来就兼司机，不是吗？"

张胜本不想麻烦她，听他们这么一说，便笑了笑没再拒绝。钟情去车库把车开出来，张胜上车，车子驶出了厂区。

这儿几条主要干道已经修好了，道路又平又阔，有些驾驶学校把这儿当成了免费练车场，路上常见这儿画个圈，那个竖根竹竿，形形色色的车辆跟蜗牛似的缓缓移动的情景。但钟情的车开得十分熟练，在他们之间穿过去又平又稳。

张胜劳累了一天，身子有些疲乏，他想吸支烟解解乏，刚刚把烟掏出来，车窗就缓缓降了下去。张胜赞赏地瞥了眼钟情，点着了香烟深深地吸了一口，烟草的味道缓缓沁进他的身体，疲乏的身子轻松了许多。晚风吹拂着他的头发，张胜眯着眼望着前方平坦宽阔的道路，和道路旁平地而起的一幢幢厂房，悠悠地吐了一个烟圈，成就感和满足感溢满了他的胸膛。

车子上了环城公路，道路出奇的畅通。

张胜扭头看了钟情一眼，她穿着黑白线条相间的女装短裙，坐在驾驶座上时裙裾上卷，露出了一截浑圆的大腿，大腿上没有一丝赘肉，可又不失丰满，透明裤袜显得大腿粉光细致，圆润的膝盖处闪耀着两道柔和的弧线，她上身穿一件乳白色的职业装，没有扣扣，里边低胸束腰的胸衣把她本就高耸的乳房勒得更加凸出。这样成熟美艳的一个少妇坐在旁边为他开车，万一让小璐看到……不太好吧？张胜忽然觉得自己有点欠缺考虑，后悔方才没有拒绝。

钟情专注地把着方向盘，但是眼角的余光仍然注意到了他的凝视，她不禁扭头瞟了张胜一眼，眼中神情疑惑。

张胜若再不说话，未免有偷窥之嫌了，于是笑笑说："你的车开得真好。"

钟情勾了勾嘴角，却没笑出来。

"是他教的。"

车子又驶出片刻，钟情才淡淡地道。

张胜不知道这个"他"是她的情人徐海生还是她的老公杨戈，只好含糊答应一声。钟情继续目视前方开车，张胜则扭头冲着窗外抽烟，车内原本恬静的气氛忽然变得尴尬起来。

过了一阵张胜忽然觉得身旁有些异样，他扭头一看，只见迎面而来的车灯映着钟情的脸，她满脸都是斑驳的泪痕，不禁吓了一跳，手足无措地道："钟姐，你……"

钟情一直强抑着哭声，这时被他发现了，也不想再掩饰了，她忽然一打方向盘，车子发出一声刺耳的刹车声，在路边戛然而止，钟情伏在方向盘上放声大哭。

张胜不知该如何相劝，他默然坐了半晌，才从西装口袋里掏出一方手帕递了过去。钟情接过手帕，扭过脸去擦擦眼泪，把手帕还给他，重新启动了车子。

张胜见她情绪有些异样，忍不住说道："钟姐，要不……我来开吧？"

"你的证考下来了么？"

张胜语塞。

钟情抿着嘴角，看也不看他一眼。她一挂档，车子蹭地一下，像离弦的箭似的蹿了出去，张胜被重重地砸回靠椅，奔驰破风而过，发出呼啸的声音，沿着环城高速如流星般疾驰起来，车窗徐徐关上了，张胜手忙脚乱地还没扣好安全带。

环城高速上一辆松辽吉普正在疾行，车里是陆仁、凤鸣空、王子野、叶星辰几个艺校的朋友，他们借了辆车去海滨玩，现在正在回城的路上。

几个朋友兴致很高，陆仁弹着吉他，长发被风吹得飘飘扬扬。破吉普以近一百公里的时速飞快前进着，这辆车跑到一百公里也就到头了，如果开到一百二十公里，整辆车就会在轰鸣中颤抖，车体随时都会散了架。

凤鸣空一边开车，一边跟车里的朋友大声说着话，车旁一个车影忽然呼啸而过，片刻的功夫就只剩下一里多外的一个淡影。

凤鸣空吓了一跳，一下子把头探出了车窗，扯着喉咙叫起来："我靠，这谁呀这是？环城高速开这么快，活够啦？"

他说话时，那车已经遥遥不见踪影了……

车子开进市区时，发泄过后的钟情神色已经平静下来，坐在副驾驶位置上的张胜却脸色煞白，额头冒汗，眼神呆滞，着实吓得不轻。车子在钟情手里，就等于自己的命在她手里，张胜一路上连半句话都不敢讲，他屏住了呼吸，比开车的人还紧张，如今到了市区，车速降了下来，张胜提着的心才放了下来。

车子开到公安医院门口，张胜下了车，暗暗抹了一把冷汗，心道："我靠，从今天起，谁跟我说女人开车比男人安全，我跟谁急！"

张胜双腿发飘地走进医院大门，到了四楼外科病区，秦若兰却不在护士值班室。张胜逐个病房地找，到了 405 病房时，看到一个眉清目秀的年轻人站在窗口，指着玻璃说道："护士，你看，这都秋天了，那上边还有蚊子。"

一个女孩声音很不耐烦地说："那就打死它呗，这也要跟我说？"

"我……没有苍蝇拍!"

一个苗条的身影从里边闪了出来,顺手从床上抄起一张报纸,麻利地卷了卷走到窗边,瞄准那只蚊子"啪"地一抽,然后把报纸扔在窗台上,不耐烦地看了那青年一眼。

张胜笑盈盈地走进去,只见病床上躺着个五十岁左右的男人,两只胳膊被架起来,抬得很高,像是展翅飞翔的样子。

秦若兰一转身瞧见张胜,立即眉飞色舞地道:"张胜?你又来住院了?"

张胜哭笑不得,翻翻白眼道:"你就盼着我住院呢你,我不住院就不能来看你?"

秦若兰嘿嘿一笑,和他并肩走出病房,顺手带上房门,调侃地道:"才不信你那么好心,还特意来看我。除非你生了病,哪还想得起我是谁呀?"

张胜呵呵笑道:"你呀,这张嘴就是不饶人。对了,方才那病人什么病啊?怎么两手老那么举着?"

秦若兰说:"刚才那个?他才做了切除术,他有狐臭。"

张胜奇道:"狐臭也要做手术?他都五十多了,年轻时找对象不做手术,反倒现在来做?"

秦若兰嘻嘻一笑,说:"那时经济条件不允许吧,他现在情况越来越严重,已经严重到影响家庭和单位团结了,不做切除术不成了。"

张胜想起她方才对病人的态度,忽然停下脚,郑重地道:"小兰,我有些话,不知当讲不当讲?"

秦若兰好奇地瞟了他一眼,调皮地做了个甩水袖的动作:"爱卿但说无妨,本宫概不追究。"

张胜笑笑,说:"可能你并不很在乎这份工作,可是你既然在这儿工作,就该注意一下,这些护士里我注意了,其实你活儿并不比别人干得少,相反,还最勤快,可是你心直口快,太容易得罪人。就说刚才,蚊子你也帮着打了,就因为多说了那么一句,我看那小伙挺不乐意的,要是碰上个喜欢找茬儿的,还不到护士长那儿告你的状?"

秦若兰听了,笑容一敛,撇嘴道:"本姑娘爱憎分明,从小就这性格!我喜欢的人,怎么看都好。我不喜欢的人,怎么看都烦,那是没法改了。你说刚才那小伙，我看着就烦得要命，哪还有好脸色给他？就那个废物，别说打蚊子，他连袜子都不会洗，还大学生呢，说是来陪护，什么都不会。最可笑的是，他从学校请假来陪护，坐公交车居然迷了路，这么大人了，愣是让警察给送来的。感情这人从小到大什么事都是爹妈给他张罗，离校返校都是他爹接送，冷不丁自己上个街都不会问道儿，你说这样的人你看着生不生气？"

张胜见她越说越气，激动得满脸红晕，不禁笑道："你呀，各人有各人的活法，人家爹妈没准还觉得自己儿子特有出息呢，你说你跟着上什么火？"

秦若兰生气地挥手道："行了，不说他，也不知这种儿子养来有什么用，你今天特意赶来，就是为了教训我是不是？"

这丫头的脾气，张胜还真有点吃不消，他无奈地笑笑，说："当然不是，我今天来，是因为鄙人的公司明天就正式开业了，特意邀请你秦小姐大驾光临的。"

秦若兰余怒未消地瞟了他一眼，问道："你这么晚来，是特意邀请我出席你的开业典礼的？"

张胜笑道："当然！"

秦若兰的心情忽然好起来，她展颜一笑，爽快地说："好，那我明天一定出席，哪怕天上下刀子，我也一定准时出现！"

离开医院，张胜给小璐发了个传呼，却没见她回讯息，张胜便要钟情向她的宿舍楼开去。他曾经要给小璐买个手机，小璐嫌贵，说她也没啥大用处，坚决不要，只买了个中文传呼，花了一千二百多块，就这还让小璐好一顿埋怨。

小璐现在是助理，工作性质重要了些，但是却不需要像在车间一样经常加班，正常情形下，现在应该已经下班了。

但是张胜到了宿舍楼，小璐却还没回来。张胜心中纳罕，就回到车中，和钟情一边聊天，一边等着小璐。

小璐此时正坐在关厂长的公爵王上。今晚的饭局是那种很正式很普通的，八点多就散了席，关厂长很绅士地亲自开车送小璐回家。

张胜正坐在车里等着，忽然见一辆公爵王驶了过来，车上下来一个窈窕漂亮的女孩，秋风一吹，裙裾飞舞，月光满身，俨若精灵，张胜不禁仔细看了两眼，这才认出那女孩正是小璐。

开车的人也下了车，那人四十出头，留着两撇小胡子，一身笔挺的西装，是那种成熟、成功的企业界人士打扮。小璐上前道别，那人张开双臂，似乎要和她来个拥抱，小璐机灵地退了一步，伸出手去，和那人礼貌地告别。

关厂长耸耸肩，无奈地笑笑，和小璐握了握手，又在她臂上拍了拍，说道："好好休息，我先回去了。"

小璐礼貌地笑道："厂长再见！"

关厂长轻叹一声，无奈地上了车。

从第一眼见到小璐，关厂长就喜欢上了她。他调小璐去厂办，就是因为那天在人群中，见到小璐那双乌溜溜的像小鹿般灵动的大眼睛，印象特别深刻。都市女孩，像小璐这样相貌清纯、身材窈窕，和男人说话还总带着些羞涩稚嫩的，实在不多了。和小璐在一起，他感觉自己一下子年轻了二十岁，好像回到了初识异性的青年时代。

如今他在老丈人面前不受欢迎，被发配到东北来创业，远离了夫人的魔掌，眼见一些来内地发展的朋友甚至他的几个副手都悄悄地找了第二夫人，出双入对、甜甜蜜蜜的，他的心眼也活泛起来。

如今这时代，一听说对方是港商，一见他开黑牌照的车子，不少年轻貌美的姑娘就会主动贴上去，可惜他中意的这位小璐姑娘和其他女孩大不一样，这位小璐姑娘唯一不吝给他的就是那副甜甜的笑颜，想抱抱她的纤腰都不可得。

关厂长偏又有点死心眼儿，喜欢了一个，怎么看她都好，况且小璐的确长得甜美可人，关捷胜越是吃不到，心里越是馋，偏偏这姑娘始终不上道，于是关厂长的第二春也便遥遥无期，不知何时才能焕发了。

张胜在车里看到这一切，他愣了片刻，脸上渐渐涌起一片阴霾，他把烟头狠狠一扔，推开车门就走了出去。钟情想要唤住他，随着车门"嘭"的一声关上，她的话也咽了回去，只是轻轻地摇了摇头。

小璐挎着带亮片的小坤包，哼着歌，脚步轻快地向楼门走去，忽地旁边一辆车子打开，一个男人从里边钻出来，快步向她走过来，小璐警觉地向那人瞟了一眼，看清了那熟悉的身影，不禁欣喜地叫了一声："胜子!"

张胜站住脚，脸色有点阴沉："你怎么才回来，看到我的传呼了吗?"

"今晚公司宴请客户，和几个同事去了酒店，里边太吵，我还没顾上看传呼呢……"

小璐快乐地笑，并没注意张胜的冷意，她上前挎住张胜的胳膊，甜甜地道："胜子，你怎么来了?"

张胜嗅了嗅，蹙眉道："你喝酒了?"

"嗯!"小璐很乖地点头，乐呵呵地竖起两根手指："就喝了两杯，没醉。这几天公司就要开业了吧? 你要是太忙就不用来看我了，不要误了正事。"

张胜冷哼一声，道："我再不来看看，我女朋友就要被人拐跑了。"

小璐推了他一把，娇嗔道："胡说什么呀你?"

张胜看看消失在小区门口的那辆公爵王，问道："那人是谁?"

小璐扭头看看，忽然"嗤"地一笑，扭过头来，眸波流动，满脸笑意地道："那是我们关厂长啊，怎么了? 吃醋啦?"

那张光洁如玉的俏脸，在淡月之下逾增清辉，恍若月中仙子，稚纯而甜美，丝毫不见做作。张胜见了，疑虑消了几分，转而用劝告的口吻道："小璐，那个关厂长，我瞧着不像好人，你得小心着点儿。"

郑小璐听出男友的关切，心里甜丝丝的，她轻笑道："你放心吧，我是厂办行政助理嘛，参加酒宴的又不是只有我们两个人，这都是为了工作，又不是和他两人出去。"

张胜悻悻地道："他刚才的举动可不像是领导和下属，这是在大陆，玩什么拥抱? 你让一步，他就进一尺，下一回就该吻别了。"

郑小璐"咭咭"地笑，轻轻地摇着他的胳膊，撒娇似地说："才不会呢，人家只和胜子一个人吻。呵呵，你放心吧，关厂长人不错的，就是喜欢开开玩笑，不用那么封建吧?"

张胜不放心地道："我也是男人，我还看不出吗? 他表面是看玩笑，不过是以此为幌子，想占你便宜。"

"就算是吧，我对他不假辞色，他敢把我怎么样啊? 总不成人家看我两眼，我就把人家眼珠子挖出来啊? 我又不是笑傲江湖里的任盈盈。"小璐见张胜仍沉着脸，不禁嘟起了小嘴："好啦好啦，胜子哥，笑一个嘛，乖！好不容易来看人家一次，脸还拉这么长，真是的。常言说爱美之心人皆有之，还不行人家看啊？这说明你女朋友漂亮啊。上回，你跟我逛平原街，还不是盯着前边一个穿皮短裤的大美女看了半天？"

张胜一听，立即叫起了撞天屈："天地良心，我什么时候盯着她看了？"

郑小璐小嘴一撇，酸溜溜地道："喊！撒个谎都不会，你不但看了，印象还挺深呐，否则怎么我一说，你就立即记起这人了？"

张胜摸摸鼻子，心虚地降了一个调门儿，嘀咕道："我哪有……"

郑小璐从鼻子里哼了一声，说道："就有！我掐着表呢，一共盯着人家看了一分二十七秒，直到人家进了一家服装店，这才恋恋不舍地回头。"

张胜哑口无言。

小璐见他吃瘪的样子，开心地笑起来，她吃吃地笑了一阵，反过来安慰张胜道："看就看了吧，别难为情了，我知道你这人，也就是看看，其实没啥别的心思，杨过还活动过心眼儿，是吧？关厂长也是啊，就算他好色，也是个好色的商人，不是好色的土匪，还敢强抢民女不成？"

张胜一想也是，毕竟好色是男人的天性，小璐那么可爱，不引人注意才怪，以前厂子里盯着她看、背后议论她的工人也不少，又有哪个真敢动手动脚了？

何况，他也希望小璐走出来多见识一些世面，并不愿意把她约束在一个小圈子里当一只笼中鸟，现在小璐的性格比以前活泼开朗得多，这是工作环境改变，增长了见识的结果，张胜也乐于见到她的进步。

女人的美貌能靠青春来维系的不过区区几年，年过三十的知识女性仍然可以心素如简、人淡如菊，一个年过三十的村姑绝不会婉约如水、气质脱尘，这就是有无内涵的区别。只有让她跳出原来的生活圈子，见识更多的人和事，她才会真正的成熟和有内涵。

未曾见过世面的乖纯，不代表她的心就是纯真，只是不在那个环境里，她没有接受过考验而已。正如一句话说的：女人无所谓纯洁，纯洁是因为受到的诱惑不够；男人无所谓忠诚，忠诚是因为背叛的筹码太低。如果让她见识到真正的繁华诱惑之后，仍能保持一颗忠贞之心，那才是真的纯净如水。

张胜想到这里，叹了口气，柔声道："好吧，你自己小心些，以后再有应酬，时间太晚就自己打车回来，不要坐他的车。"

小璐嗯嗯地点头，笑眯眯地听着他的吩咐。

这时，奔驰车里火光一闪，映出一个姿容婉媚的女人，她点着一支女士香烟，吸了一口，很优雅地把手探出了窗外，小璐只看到了火光亮起的那一瞬间，一个姿色出众、气质绰约的女人，下一刻就只见一个朦胧的剪影了，小璐的笑顿时凝在脸上。

张胜继续语重心长地叮咛："男人女人整天腻在一起，尤其是只有两个人的小空间，哪怕原来不想发生什么事，到后来也会不由自主地发生，这叫什么来着？对了，办公室恋情！你想想，只有两个人，他又不是出租司机，一道上能不说话？聊啊聊的，俗话说暗室可欺，男女共处易出轨啊！"

"嗯……张老师说得好有哲理啊。"

"那当然，没吃过猪肉，我还没见过猪走路？"

"那么，你车里的……那个……很漂亮的女人……是谁？"

张胜正在滔滔不绝，一听这话顿时窘在那儿，心中警铃大作。

"胜子？"

小璐本来只是以其人之道还治其人之身，调侃一下张胜，并没有想更多，这时见张胜支支吾吾的样子，心里反倒疑惑起来了。

"啊……你说……她啊……"

张胜的大脑以每秒数千万次的速度飞快运转着，在小璐气鼓鼓地噘起小嘴，准备再次发问之前，他已经想到了一个非常完美的答案。他轻轻叹了口气，用很深沉的语调说："她……就是一个活生生的例子啊，你没看出来她是钟情？"

"钟情姐？她怎么……"

"嘘……小点声，不要让她听到。唉，你也知道，钟情没法再回厂子了，她和男人离了婚，可是那人仍经常骚扰她，没办法，徐哥就把她安排到了我的厂子。唉，说起来也真是可怜，我平常不安排什么活给她，大概她自己也不好意思吧，听说我今晚来接你，知道我驾驶技术还不行，就送我来了。"

"这样啊……"

小璐恍然大悟，连忙也压低了声音："钟情姐真可怜，她是做错了事，可她男人也真没品，打人不算，还去厂子里把她剩余的工资全带走了，去的时候还带了两个很风骚的女人，像是生怕人家说他没本事似的。"

张胜暗暗抹了把冷汗："是啊，是啊，所以照顾到她的自尊心，我也不好意思不让她送，免得她觉得我是看在徐哥面上白养活她，伤了她的自尊心嘛。"

小璐的同情心立即泛滥起来，方才张胜的指责未免有点太大男人主义，属于占有欲特别强烈的表现，若是换个姑娘，可能会对他这种管束非常不满，爱美之心人皆有之，但凡长得漂亮的，别人总会多些喜欢。一个单位，若是漂亮的女职工，领导见了打打趣说说话的机会也比旁人多些，不过也仅止于此罢了，除非有幻想症，否则谁也不会整天紧张兮兮地因此就怀疑人家要把她勾上床。

小璐更是如此，天性善良，总是往好的方面想别人，很少把人心揣测得那么坏，这时一听车里是钟情，不但没有什么怀疑，反而开始为钟情操上心了："胜子，其实你小看钟姐了，她真的是个很有能力的人，不会让你白养活的。你不知道，我现在接手的工作，只是钟姐当初手头工作的一部分，她不仅兼着厂里的播音员，而且文秘公关样样精通，现在还有很多客户对钟姐念念不忘呢，说只要是由她的嘴里说出来的话，听着就是让人心里熨帖，为人处事这方面我比钟姐可差远了。钟姐走后，她手头的工作现在由三个人分担呢，所以我觉得，你可别拿她当花瓶，给她些实际工作，才是对她真正的照顾，对一个女人最大的尊重，应该是尊重她的能力。"

张胜本来还有点担心的，现在看小璐一门心思地为钟情说着好话，忍不住在她可爱的小鼻头上轻刮了一下，满含笑意地说："小璐，你真的变了。"

小璐娇嗔道："人家怎么变了？"

张胜笑着继续道："变得有主见了，变得能言善辩了，变得有思想了。以前的你，就像一只笼中鸟，只有善良，却没有主见，缺少这种灵魂。呵呵，好了，你回去收拾一下，我们走吧。"

郑小璐听了张胜的夸奖，心里正甜甜的，忽然听说带她走，不由奇道：

"走？去哪儿呀？"

张胜在她脑门儿上弹了一下，责怪道："笨丫头，刚说到我明天开业，你就忘了？当然是接你去我公司。"

小璐揉着脑袋，对他说："哎呀，我去不了呀，厂子现在引进好多新技术，承揽了好多生意，现在不止印刷书籍、票据，还印刷俱乐部贵宾卡、光盘、企业画册、广告摄影平面什么的，每天好多工作。前几天你住院，我请假来看你，回厂就被关厂长叫去训了一小时，从员工职责到企业效率，再到关心我的生活困难，人家心里别扭死了。这次要是请一天假，你不怕关厂长再把我叫去单独开导两小时？你要送他这个机会，我还不肯呢。"说完吃吃笑起来。

张胜一听，有点气闷道："可明天我的公司开业，这是我生命中有重要意义的一天，我希望有你陪在我身旁。"

小璐见他有些不开心，忙赔着笑脸解释道："你别生气嘛，明天一定去很多生意场上的朋友，对吧？我和他们不熟，就算在场也帮不了你什么忙的。再说，我们是一家人啊，你在哪儿，我的心就在哪儿，在不在场的形式有这么重要么？"

眼看小璐赔着甜甜的笑脸，张胜有气也发不出来，只好无奈地叹息一声，有些失落地说："我现在真后悔当初没把你拉进我的公司，一开了业，我们就更忙了，以后又有多少时间相聚呢？"

小璐调皮地说："男儿志在天下，越是创业初期，越是忙得顾不上家庭。通常来说，这时候心有怨言的，该是他的女人才对，我没怨，怎么你倒满腹怨言了？我要真是整天腻着你，让你什么也干不了，你喜欢吗？"

张胜被她说得笑起来，无奈地摇头道："你呀，光是这张小嘴，就能迷死人。就算你说得对，你装装样子，满足一下大男人那可怜的的虚荣心成不成？你这么说，让我感觉你根本不重视我似的。"

"才不是呢，我只是在用我的方式支持你。小璐不是那种恃宠而骄，只顾个人感受，巴不得男人把所有精力都关注在她身上的女孩，为自己爱的人奉献和牺牲，那才是好女人。不是说每一个成功的男人背后都站着一个女人吗？那就让我做你背后的那个女人，默默地支持你，无怨无悔。"小璐凝视着张胜的眼睛，轻轻地道："我不想成为你的负担，不想让你对我有累的感觉，你懂吗，胜子。"

张胜忽然想起她因往事创伤形成的特别敏感的性格，颇为感慨地揽住了她的肩，半晌才道："人有所得，必有所失，这就是成功的代价吧。"

小璐漫声吟道："两情若是长久时，又岂在朝朝暮暮……"

张胜一笑，摇头道："你呀……"

"胜子……"

"嗯？"

小璐抬起头，一双熠熠放光的眸子锁紧了他的眼："我唯一担心的是……我不常在你身边，你会不会……会不会变了心，喜欢了别人？"

张胜失笑道："怎么可能？"

小璐咬咬唇，幽幽地道："怎么不可能，有人说，男人可以为你流血流汗，唯独不会花很多的时间等你。再好的男人也没什么耐性，无论你多值得等，他都不会等得太久的。"

张胜怒道："这是谁说给你听的？"

"王三娘。"

张胜一愣："王三娘是谁？这个小区的？"

小璐道："不是。王三娘，是古龙小说里的一个女人。"

张胜愣了片刻，忽然放声大笑，笑得弯着腰喘不上气来。

小璐奇怪地瞪大眼睛看着他，张胜笑着笑着，忽然揽住她的腰，向她的唇上印了下去。

小璐对他的表情动作已经非常熟悉了，他刚欲动作，小璐就抬起了手，用掌心迎上了他的嘴，羞涩地道："别，钟情姐还在旁边呢。"

张胜亲昵地刮了一下她的小鼻头，笑道："你呀，真不知你那小脑袋瓜里都装了些什么，你放心吧，我只爱你一个，永远都不会变心。"

小璐仰视着他的眼睛，很认真、很认真地说："我也是，胜子，我也不会变心，永远永远……永远不会……"

张胜低头凝视着她，迎着他的目光，小璐轻快地眨了眨眼。

张胜笑了，小璐也笑了，月光灯光，清辉交映，她脸上的笑容像暗夜乍放的昙花，美丽、娇艳、如此迷人。

奔驰车内，路灯的光照进里面，清冷如星光。钟情静静地沐浴在这星光下，淡淡的烟如云似雾，轻笼着她的脸，只露出一双朦胧如星辰的眸子。

她若有所思地看着车外那对热恋中的年轻人，眸中一片深深的寂寥和落寞……

一辆美洲虎驶进了公司大门，车门一开，一个娇俏得像香扇坠儿似的娇小美人率先从车里钻了出来。

"乌鸦嘴啊你！秦二小姐！"

张胜打着伞迎上去，一见秦若兰下车，立即抱怨道："报上说今天没有雨的，谁知道从一早就开始下，都是你说了句'下刀子都来'，看吧看吧。"

司机座位上的车窗降了下来，李浩升探出头笑道："这叫贵人出门风雨多，哈哈哈。"

张胜一身黑西装，举着黑雨伞，头上歪戴一顶礼帽，仍然是大流氓许文强的标准打扮，只是少了一条白围脖。

秦若兰笑嘻嘻地钻到他的伞下，那娇小的身子就像偎在他的怀里，她调皮地说："下雨有什么不好的，水主财运嘛。"

她穿了件乳白色的套衫和黑色短裙，白嫩的脸蛋，薄薄的樱唇，贝齿雪白，唇红齿白分外动人，领口露着一抹细嫩雪白的胸肌，精致的锁骨显示出她骨架的纤细，浅浅梳妆，清秀可人，只因一下子就扑到了张胜的伞下，倒没看仔细她姣好的身段。

张胜鼻端嗅到一股淡淡的高品香水味，不觉心中一荡，心魔一生，便做不到那么洒脱自然，他不自在地退了一步，将自己半个身子暴露在细雨里，掩饰道："还说呢，这郊区路段修得还不完善，一下雨有些地方就泥泞了，典礼也不好在院子里开了。"

李尔和哨子从另一侧下了车，撑开雨伞，哨子笑道："哈哈，活该呀你，邀请我们只打个电话，倒是特意跑回去一趟邀请秦二小姐，你这不是自找的么？"

张胜脸一红，嘿嘿笑着，陪着他们往大厅里走，随口问道："你们怎么来得这么早？还没到八点呢。"

秦若兰打个呵欠，说道："是我把他们叫起来的，闲着也是闲着，踏雨出游，也是一种格调嘛。"

张胜瞟了她一眼，关心地问道："怎么，昨晚没睡好？"

秦若兰丢给他一个白眼，抬腿踏上了红地毯："我昨晚值班哎，大哥！"

张胜哼了一声说："少来了，我没见过你值班睡觉吗？"

哨子向李尔挤挤眼，秦若兰捂着嘴又打了个哈欠，说道："昨晚还真没睡，送来一个病人，我还以为发生了大案子，结果是喝酒喝多了，送来的时候全身发紫，完全没有呼吸和心跳，瞳孔放大得吓人！我们马上采取了人工呼吸、电击等抢救措施，半小时后才恢复心跳，不过部分部分脏器已经严重损伤，大脑也受伤严重，现在虽恢复了呼吸，却进入了植物人状态。"

张胜吃了一惊，说道："这么严重？你们几个全是见了酒不要命的主儿，今后可得注意了，不要因为自己年轻就不小心，我可不希望你们有一个落得这种下场。"

秦若兰懒洋洋地道："遵……命……你呀，又来扮大哥……"

楚文楼、钟情等人都迎上前来，秦若兰说道："行了，我们不是外人，不用招呼，你们忙你们的，胜子，给我找个地方，我先睡会儿，从医院直接过来的，真是又困又乏。"

张胜忙让钟情引着她上楼去休息室，李尔和哨子三个人嘻嘻哈哈地到处参观，指手画脚，张胜陪着逛了一阵，郭胖子急匆匆地跑了来，说又有客人到了，张胜忙告了罪赶去迎接。

客人们陆陆续续地赶来，淅沥沥的小雨也在九点钟之前停了，天色挂起一道绚丽的彩虹，张胜心情大爽，在"噼里啪啦"的鞭炮声中，宝元汇金实业公司的开业典礼拉开了序幕……

第十四章　贷款投资，再贷款再投资，钱滚钱利生利子子孙孙无穷已也

都说发财的人就是有点发财的命，你看张胜太他妈的一帆风顺了。都说万事开头难，他却是三下五除二，通过买地得到了第一桶金；然后合资建厂再融资。这次，他先是通过关系找人评估，将出口转内销的制冷设备抵押给银行，转眼又贷出了四百万。他就像变戏法一样，钱滚钱，利生利。有人开玩笑说，银行就是为他张胜家开的。张胜心理何尝不明白，他比别人强在哪里呢？就是因为他弄懂了一个道理：银行要得利，就会把钱借给你；有人借钱给你你还怕什么呢？贷款去投资，投资再贷款，贷款投资再贷款再投资……子子孙孙无穷已也，愚公也把两座山挖走了！

从八点半起，便陆续有客人到来，张胜持续保持微笑笑到面酸，与人热情握手握到手酸，不过心里倒是很舒畅。

虽说钟情统计的拟道贺人员名单，张胜已经反复看了不下十遍，按他估计，开业时能到场十之五六，已经算是大有面子了，没想到今天这架势，倒是到场了十之八九，不得不紧急通知请来的酒店厨师多备十多席的材料。

不知道是不是为了回避钟情，徐海生没有到场，把这个光耀的舞台完全让给张胜表演了，不过他并没有完全置身事外，联系了许多商界朋友赶来助阵。

张二蛋率领宝元及其下属企业、关系企业的领导也纷纷到场祝贺，与他随行的还有两名报社记者，两人一到现场就镁光灯咔嚓响，随意取了两张宝

元汇金公司的办公楼及热火朝天的工地外景后，镜头就追踪着张二蛋等商界名人而去了。原来这张二蛋有个嗜好，只要是出风头露脸的事，不论大小，他总是孜孜不倦，乐此不疲的。

当然，张胜作为开业公司的董事长，也跟着沾了不少光。

最令张胜激动万分的是，原先不在他预料之中的开发区管委会牛主任也亲自赶来道贺，令张胜大有面子。

张胜为了避开现任的管委会副主任贾古文，但凡跑管委会的事，一直都尽量避免亲自出面，所以他和管委会的交往并不多，原没奢望管委会会派人来参加。

但是一家企业是兴起还是败落，受不受政府支持，有时并不因企业领导和政府管理层个人之间的亲密程度而决定，而是出于更大的政治需要。

桥西开发区的设立曾经饱经坎坷，并不像外界想象得那么顺利。市委市政府就是否设立桥西开发区，是经过几番明争暗斗的，所以立项报告呈上去，就连市政府和市委内部都没人能确定最后是否能够通过。

新任市长为了创造政绩，最终还是悄悄去上面活动，谋求到上层强有力人物的公开支持，设立桥西开发区的决定这才在元旦前仓促决定下来。因此开发区建设的成功与否，与市长个人的官运仕途产生了紧密的联系，他极为重视开发区的建设工作，特意把他的心腹，年仅三十八岁，年轻有为的牛满仓委派到桥西开发区当一把手，主抓开发区的经济建设。

张胜是第一个在开发区投资搞开发的，该企业又有省内著名民营企业家张宝元参股，牛主任热切希望通过宝元汇金公司成功带动其他企业进区，他亲自带人来参加开业庆典，其实是向所有与会企业家释放一种政治信号。

所以这位牛主任不但来了，还带了几个副主任及开发区城管、税务、工商、公安等各个部门的头头脑脑。各公司、单位祝贺的条幅从楼顶直挂到一楼窗户，整个楼面都变成了一片鲜红，花篮摆出十多米去。

作为企业的董事长，本该由张胜上台致辞答谢并讲话，但是张二蛋一见到会祝贺的人这么多，方方面面的头脑都有，一时兴起，不需人邀请便越俎代庖，主动上台致辞了。

"非常感谢市委老领导刘江淮书记、开发区管委会牛满仓主任、各位副主任和开发区各个管理机关的领导、企事业单位的各位同仁。刘书记、牛主任对宝元汇金公司的建设十分关怀体贴，投注了大量心血，为公司的设立提供了最关键的支持、事无巨细的支持……"

　　张二蛋是个依赖型的企业家，他吃过被权力部门管束过甚的苦，也尝过被他们大力扶持的甜，尤其是当他成为民营企业的一个标杆，享尽了鲜花、掌声、荣耀和权力的方便之后，最初艰苦奋斗的作风渐渐被对权力的崇拜所代替。他认为，政府既然把他树立成为典型，肯定是不会让他倒掉的，什么事都会对他大开绿灯，那样还有什么事情是他办不成的呢？这种思维一直影响着他的后期经营风格，如今牛主任是开发区的一把手，所以他才下意识地恭维一下，帮张胜拉近一下关系。

　　牛满仓年富力强，前途似锦，重视仕途，所以为人比较清廉正直，希望在自己任内多创造些政绩。开发区建设要主动招商引资，不能等客上门，扶持入驻开发区的企业，让它们尽快获得成功，对处于观望状态的企业来说，就是一种鼓励和吸引，他当然真心希望宝元汇金能红红火火。

　　牛主任听了张二蛋的话，微微一笑，轻轻点了点头。张二蛋的致辞虽然不尽其实，他也用不着反驳，帮人贴金是好事嘛。

　　张二蛋发言完毕，就邀请牛主任上台发言。

　　牛满仓上台笑道："张宝元先生方才说得太客气了，我们开发区管委会当然要为驻区企业尽可能地提供方便，这就是我们的职责所在嘛。张宝元先生经商办厂的经验丰富，是我省数一数二的著名民营企业家，张先生也是汇金实业的股东之一，希望今后还能多多帮助我们开发区的企业加强建设。宝元汇金是开发区第一家正式成立的公司，我希望宝元汇金能够成功，能够以此为契机，吸引更多的企业到开发区经商办厂，衷心祝贺宝元汇金实业公司的成立，希望它能一炮打响、一炮走红！"

　　贾古文冷冷地瞥了眼站在牛主任旁边红光满面、踌躇满志的张胜。这小子，当初一个畏畏缩缩、谈吐青涩的穷小子，一年不见，居然也西装革履、人模狗样起来了，瞧他在那么些企业家和政府官员们面前谈笑风生，还真像那么回事。

贾古文并没有忘记被人要挟被迫屈服的耻辱，可张胜现在有那么多人支持，而且牛主任又明显站在他一边，他只是三个副主任之一，背景又最薄弱，现在还不敢使什么坏水。听了牛主任的话，他只是咬着香烟龇牙笑了笑，假意开玩笑地说："能一炮走红的那都是女明星，没想到宝元汇金老总也有这本事，啊？哈哈哈哈……"

旁边几个人听了忍俊不禁放声大笑，兰副主任听了，轻轻拉拉他的衣袖，低声道："老贾，你是政府官员，代表政府形象，怎么能开这样低俗的玩笑，以后在这些企业家们面前说话，应该注意一下。"

"是是，我也是看大家高兴，随便说个笑话！"贾古文打个哈哈，又饱含恨意地狠盯了张胜一眼。

开业典礼由原市委书记刘江淮、开发区主任牛满仓、宝元集团公司董事长张二蛋、宝元汇金公司董事长张胜共同剪彩。典礼完毕后，牛满仓特意与张胜进行了一番谈话，听了张胜的未来发展规划，他对张胜务实的作风很是满意，表示开发区会全力支持汇金实业的发展。

随后的冷餐会上，张胜周旋于各个企业老总们之间，频频举杯致意，向人致礼，也接受祝贺。楚文楼也打扮得衣冠楚楚，踌躇满志地同老总们聊着天。钟情有条不紊地安排着宴会的程序，郭胖子则指挥保安们把一份份礼品移到门口，等着企业老总们离开时赠送方便。

一个年轻俊俏的姑娘骑着一辆天蓝色的飞鸽赶到了宝元汇金，额头冒着细汗，脸蛋儿热得泛起健康的红晕。放好车，悄然走到门口，站在鞭炮铺成的"红地毯"上，她倚着门框，看着西装革履的心上人漫步在企业家们中间，如鹤立鸡群，脸上不禁露出了甜甜的笑意。

其实小璐没必要骑车来的，可是人节俭惯了是不舍得花钱的，就像张胜的姥姥，穷日子过惯了，什么东西都喜欢攒着，张胜送去一箱苹果，不放到烂了都不舍得吃。小璐计算了一下往返的时间，整个午休时间足够她往返一趟，所以就骑车来了。

她本想上前与张胜相见，可是见他正周旋于企业老总们之间，互相说着寒暄的话，谈着生意上的事，于是停住了脚步，只是站在门口，欢喜而满足地望着他。

小璐的目光一直追随着张胜的身影，十分钟后，她抬起手腕看了看手表，又看了看张胜，贺客如云，张胜初次经历这种场面，终究还不能做到游刃有余，所以有些应接不暇，脸上虽挂着从容的笑意，对他极其熟悉的小璐却看得出他内心的紧张和忙碌，她轻轻叹了口气，到底没有上去打扰她，只是深深地凝视了他一眼，转身走出了公司。

"东西都放好了？"郭胖子腆着肚子走出来，"乔羽，份数再点一遍，可别少了。"

刚刚直起腰来的乔羽一听，又弯下腰点起来。

郭胖子无意间向外一看，恰好看到一个苗条的身影骑着自行车刚刚闪出公司大门。

"咦，好熟的身影，好像是小璐……"

郭胖子疑惑地抓抓头皮，他回头看看正安然擎杯站在人群中，专注地倾听几位公司老总谈话的张胜，又轻轻摇摇头，否定了自己刚刚的看法……

宝元汇金公司成立，第一单大买卖是出租厂房的事，还有半个月第一批厂房就完全建成交付使用了，办产权证的事刚一有了眉目，徐海生就已经与另一家银行接洽好了抵押贷款事宜，而张胜则在各大报纸和电视上打起了厂房出租广告。

张胜的最终目标是要兴办实业，因此在建冷库的事上更用心些。

设备安装试运行成功了，徐海生走关系找了银行的人来评估，明明是出口转内销的制冷设备，换个标牌就成了进口产品，设备上加装一个液晶显示器，就说是最新数字设备，值一百万的机器最终估出八百万的高价，用之做抵押，又贷出约四百万。

冷库试运行成功之后，张胜高价从某国营冷库挖出几个技术人员管理，引进了比较成熟的管理经验和技术。冷库主要的作用就是储藏商品，运营的好坏哪怕只产生一点影响，储藏成本就会上升，所以必要的技术人员是不可或缺的。

在李尔和哨子的斡旋下，张胜拜见了他们的父亲，求得了他们的帮助。超市的货物上架都是售后收款，一旦遭到投诉或超市认为市场欢迎度太低，就有可能撤柜，所以供应商们对这家第一超市是极力巴结的，万客来总经理只是稍作示意，这些供应商自然心领神会，每个客商照顾一点，对张胜来说就是一笔大生意。

李氏批发也是如此，大批发商下面还有许多小批发商，层层向下如金字塔，李氏批发就是这金字塔尖上的企业，他们的下线货物进出频繁，货物吞吐量也更大，其中有一部分把货物委托汇金冷库储藏，其数量就难以估量。

当然，商人逐利，也不全是看在那两位商界大佬的面子上，张胜的冷库地处开发区，再加上是合资公司，享有各种优惠政策，所以冷冻冷藏成本低，运输也方便，供货商们在此储藏商品，每年可以节省大量资金，一举两得，何乐而不为？

这一来，原本预计要经过一年半左右的运营，最好的状况才达八成储货量的，结果仅仅一个半月，公司的五个冷库就全部爆满。一时头脑发热的张胜喜出望外，几乎马上决定投资再建五个冷库，他打电话和李尔商量，却被泼了一盆冷水，李尔在电话里说："招揽到客户只是第一步，还不代表真正的成功，现在应该抓管理、抓运营。管理要到位，不能出什么岔子，在客户之间树立良好的信誉，彻底站稳脚跟。在内部，努力积累管理经验，降低消耗，科学储藏，在外部，以此为契机，扩大和稳定客户队伍，等时机成熟些才扩大生产。"

张胜没有刚愎自用的毛病，只要人家说得有理，立刻唯唯称是，打消了仓促扩张的想法。他购买了许多企业管理、冷库管理方面的书籍，每天马不停蹄地跟各种客户，还有相关政府职能部门的人员打交道，又利用一切时间废寝忘食地研究、学习，忙得团团转。

幸好钟情是个很合格的秘书，把各种事情安排得井井有条，张胜现在就像任何一个创业成功者初期一样，全心全意扑在工作上，要不是与客户打交道需要，他连头发都顾不上理、胡子都顾不上刮，至于饮食和睡眠更是可有可无。这一来钟情还得兼任他的生活秘书，连他的起食饮居都得照顾了。

又是一年春天到，张胜在办公室忙碌了一个上午，有些疲乏地站起来活动着身子，轻轻推开了窗户。经过一个冬天，窗沿上落了一层灰，角落里还有一点未融化的积雪，但是风已经暖暖的了。

纵目远眺，一幢幢高楼正在建设之中，挖掘机、打桩机在工地上轰隆隆地开着，远远近近的，已有一些厂房竖立起来。那些正在施工的，张胜名下土地上的厂房，也有其他进驻开发区企业雇佣的建筑商，一派兴旺气象。

开发区正发生着日新月异的巨大变化，而张胜也脱胎换骨，与往昔大不相同，就连他的挚友郭胖子，在私下面对他的时候，都不再嬉皮笑脸地叫他胜子，而是发自内心地敬称张总。人的威严，随着成熟和权位的巩固，如影随形，那是遮掩不住的。

张胜眺望着远方，状似休息，心中仍在思考着事情。

企业的发展异乎寻常地顺利，他开始有意把原本暂缓实施的水产批发市场提上日程了，因为现在条件已经成熟，他的冷库名声在外，结识了众多的企业界人士，保证了客源。多品种的储藏为他提供了供货渠道，此时就近建批发市场，可以和冷库有效地配合起来，固定旧的客户群，吸引新的客户群，一举两得。

冬季是储藏淡季，现在生意又开始红火了，冷库那边的院子里，正有一辆辆大卡车进进出出。张胜还顺带承揽了市内一些商场、超市和大酒楼的蔬菜、肉食供应，也就是说，他现在开始尝试自己购货销货了，这当然远比代人储藏更赚钱，但是耗费的精力也更大。

张胜满足地舒展了一下腰肢，踌躇满志地笑了。

电话铃声响了，张胜转身拿起了电话，一听到电话里甜甜的声音，张胜的疲乏就一扫而空。他坐在老板台上，抓过烟盒，麻利地弹出一支烟叼上点燃，和电话里的人款款诉起了衷肠。

电话是小璐打来的，张胜自开业典礼之后，就投入了紧张的创业工作，和小璐相聚的时间越来越少。小璐自己工作也很繁忙，星期日的时间则一天用来看望他的父母，一天赶到桥西来看他，聚少离多，大多数时间只能在电话里一慰相思之苦。

小璐和弟弟张清的理解和支持，的确产生了很大作用，七大姑、八大姨，九竿子打不着的穷亲戚们纷纷上门甚至直接来公司要他安排这个安排那个的几乎没有了，人家连自己的女朋友、亲弟弟都没安排到厂子里，纵然心里不乐意，也没法挑剔什么了。

两人已经定下了婚期，准备今年十一结婚，现在小璐已是他的准老婆了。

张胜和小璐亲热地聊了一阵儿，又开始郑重地叮咛这个那个，直到小璐大呼吃不消，吵着要去食堂打饭，张胜这才嘿嘿一笑，问道："老婆，你那边有人吗？"

小璐说："哪儿有人啊，全都打饭去了。"

听着那娇嗔的声音，张胜几乎可以想象她薄嗔似怨，红唇微噘的俏模样，不禁心中一热，说道："嗯，那你也去打饭吧。"

"好，拜拜！"

"嗳，别挂，还没亲呢，来，亲一个。"

电话里静了片刻，然后小璐对着电话"啵啵啵"地吻了三下。

张胜邪里邪气地一笑，捂着话筒低笑道："亲爱的，你这三下都亲我哪儿啦？"

"大流氓！"郑小璐脆生生地说了一句，"喀嚓"一下撂了电话。

张胜捏着下巴陶醉地笑了起来，现在称呼已经从流氓晋升为大流氓了，下一次会叫什么呢？期望啊！

"当当"，办公室的门响了两声，便被人推开了。

张胜没有抬头，就知道是钟情。郭胖子和楚文楼进他的办公室一向是不敲门的，别人敲门没听到他允许是不会推门的，只有钟情，介于两者之间。

"张总，你该吃午饭了。"

"嗯，知道了，下午还有什么事？"张胜笑吟吟地问道。

钟情一身乳白色西装，一进来就如同一轮皎月，令人眼前一亮，庄重、

236

优雅、矜持、性感，事业与女人味兼得的气质，很是赏心悦目。

白色西装内，偏偏是黑色的内衣，黑色的胸衣、雪白的肌肤，贲起如球的乳房，在胸口挤出一道诱人的乳沟，黑色把她的性感映衬到了炉火纯青的地步。她穿着兽皮纹的尖顶小皮靴，娉娉婷婷地走到了张胜身边。

会表现自己的女人，可以用生动的肢体语言来彰显自己的美，钟情无疑就是这样的一个女人。她的腰肢摆动的幅度并不大，步伐似猫步却又不夸张，可是配合在一起，简直就像是她的身体在说话。

贾宝玉说女儿家是水做的，见了便觉清爽，这比喻却未包括成了亲的女人。其实如果成了亲的女人能完成这步蜕变，那便是以水为肤，以蛇为骨，周身之媚，无以复加。

女孩，只需要经历一次就能变成女人，但是要变成一个成熟、性感的女人，许多人一辈子也完不成这个蜕变，钟情无疑是这蜕变过程中的一个幸运儿。

"下午没什么要紧事，你整天这么忙碌会把自己拖垮的，适当休息一下吧。王得富拖欠了十六万元冷库储藏费，已经催过几次了，也不开口说还。他刚刚派人送来请柬，邀你周四赴宴，看样子还想再拖下去，你得有点心理准备。"

张胜点点头，王德富是批发蔬菜水果的大户，一时资金紧张也是有可能的，非不必要，张胜还是想私下协商索回欠款，不愿意诉诸法律。

张二蛋当初做生意还经常让人赊账呢，这正是张二蛋打赢许多正规厂家，迅速抢占市场的法宝之一。生意场上是无法一是一、二是二，一切都按规矩来的，像贾古文那么不上道的，他才会铤而走险。对自己的客户，可不能动不动就打官司，凡事留一线，日后好相见，免得别的客户见了心寒。

钟情走到他身边，浅浅一笑道："说是人家欠咱们的，就是咱们欠人家的了。咱们现在欠的电费金额较大，供电局派人催过几次了。"

张胜皱皱眉，说道："咱们的流动资金很宽裕啊，总是拖欠着做什么？"

钟情耸耸肩，道："这要问你啊，出租厂房和冷库运营收入结算下来，扣除各项运营成本，流动资金也该几百万了。王经理负责财务，我也不知道他为什么一直拖着不付。"

公司成立这半年多来，张胜从最初招聘的十几个人中择优提拔了些中层干部，徐海生介绍来的会计王昌明已经升任财务部经理，钟情升任公关部经理，郭胖子仍是任他的保安队长，不过由于冷库开业，工程扩建，他手下人马已经扩充到近二十人。

张胜拍拍额头，忽地想起来了，王昌明跟他汇报过，结算工程款、设备款等要马上支付一大笔钱，由于第一批标准厂房的成功出租，现在他的整片地皮都在热火朝天地开工，这个支出也不小。由于整个开发区都在建设，信誉卓著的施工单位成了抢手货，供需易势，工程方垫资款的额度就没那么多了，所以他资产虽多，现在却是过路财神，大把的钱在他手里流来流去，还不能随意支配。

张胜点点头，说："喔，想起来了，这事我知道了，回头我和楚总研究一下，能拿出来就尽快付给人家，如果不能，你安排个饭局，请他们延个期限。"

"嗯！"钟情点头，顺手从他嘴上把烟头夺过来，掐熄在烟灰缸内，嫣然一笑道："好了，先去吃饭吧，你要是倒下了，我的饭碗可就不保了。"

她往跟前一站，张胜居高临下正看清她的胸部，就算不是有意，也窥个正着。她穿的是黑色蕾丝内衣，黑白花边勾勒出胸部的完美曲线，渗透着致命诱惑。

张胜的眼神不由一凝，钟情敏感地注意到了他的目光，立即不着痕迹地率先转身。那纯黑色的胸衣衬托出白色的肌肤，贲起如球的胸肌光滑如玉，身体稍一移动间，仿佛有一痕月光在上面倏然流过，好一个妩媚而不张扬的OL美人。

张胜笑笑，随着她向门外走去。这段时间，一直由钟情照顾他的饮食起居，工作上他安排钟情，生活上却习惯了钟情的吩咐和自作主张了。

高跟儿鞋发出清脆的"咔咔"声，节奏不急不缓，钟情继续汇报着工作："今晚有饭局，你下午还是好好休息一下吧，你欠觉时候一喝酒就头痛。"

"今晚有饭局吗？和谁？"

"德阳公司的卓老板啊，他有一批建筑材料，不是想推销给你吗？"

张胜恍然笑起来："哦！是他啊，想起来了。"

钟情瞟了他一眼，轻声提醒道："张总，他已经邀请你多次了，看来是急于把货脱手，这样我们还能压压价。不过现在建材是紧销商品，他似乎没有必要这么急切，我想……我们要买当然尽量买便宜货，但是他的钢材质量可能未必如他吹嘘的那么好，咱们盖的是厂房，最好先验妥了再说，这种事马虎不得。"

张胜笑笑，说道："嗯，我明白！"

他笑起来时嘴角微微上翘，显得有点邪，但是他非常英俊，双眼特别明亮，那一点邪笑就完全没有了讨嫌的感觉，反而特别具有个人魅力。

钟情见了会心地一笑，心中也充满了愉悦。

现在的张胜已非吴下阿蒙，在商场日以继夜的磨炼中他已渐渐成熟，举手投足间不知不觉地焕发出一种成功成熟男性的魅力，非常有吸引力。

钟情作为他的助手，眼看着他从最初心中存了一点事就睡不着觉，一遇到难题就四处打电话求教的人，渐渐变成一个有自信的男人，心中颇为欢喜。

男人的魅力不在于英俊与否，高矮与否，强壮与否，而在于自信，钟情喜欢他成竹在胸的模样。

这种欢喜非关男女之情，她现在没有亲人，没有家庭，这家公司就是她的一切，张胜如今就是她的事业。亲眼见证了张胜的成长，就像亲眼见证她精心照料下的一株小苗长成了参天大树，那是一种难言的成就感.

所以，钟情对张胜，有种很莫名的情感，是下属对上司的忠诚还是女人对男人的倾慕，是亲情还是友情，连她自己也说不清。

也许每一个女人潜意识里都需要一个自己为之奉献全部的男人，当然，她也需要一个为自己奉献全部的男人。前者满足女人追求保护的柔弱本性，而后者满足女人奉献母性的牺牲本能。她追求前者的目标最初是杨戈，之后是徐海生，结果是令她心灰若死。她追求后者的目标则是张胜，张胜没有令她失望，他正在渐渐成为亿万众生中的一个强者……

省城最精彩的时刻当属夜晚。当然，游荡在大街小巷的普通人是无法体会这种精彩的。当夜色笼罩了整座城市，无数的霓虹灯就开始在这座城市的各个角落演绎起一场场声色的迷幻来。

夜色是迷幻的、灯光是迷幻的，然而最迷幻的，还是那些出没于灯光夜色下的女人。发廊、休闲中心、KTV、洗浴中心、夜总会、私人会所……只要你有钱或者有权，就能成为这里的常客，成为那些美艳女子的座上客。

风华国际酒店，距市委大院不过两里路，规模宏大，气势招摇，明眼人一看就知道它的幕后老板背景不一般。

今天卓新就选在这里宴请张胜，曾几何时，张胜是宴请别人，巴结关系的人，现如今，一些所谓的大老板也得巴结着他了。

卓新是八十年代就发家致富的第一批人，远比张胜早得多，生意最兴隆的时候，他的资产达数千万，但是近两年来经营颇为不顺，财产缩水得厉害，如今不得不向晚辈低头了。

卓新烦躁地敲着桌子，一边等着张胜光临，一边盘算着自己的处境。实在不行，那辆奔驰得先卖了，多少还能挤出点流动资金，家里那辆公爵王虽说旧了点，也还凑合用。这批建材占用的流动资金必须尽快回本，否则再压下去就得血本无归……

旁边，女秘书抱着他的胳膊抵在自己丰满的胸脯上，喋喋不休地说着前天刚刚看中一款钻戒，如何美丽，如何喜欢，卓新有一句没一句地听着，也没往心里去。

老卓这些年包过许多女人，但是在身边留的时间最长的还是这个宁可儿，原因无他，不过是她能给自己装点门面罢了。宁可儿身高一米七一，肤白皮嫩，长相可人，而且是英语系毕业的高材生，带着她面子上好看。

但是这个女人有点贪得无厌，自从和他上床之后，就不断地索要东西，最初卓新正宠着她，再加上生意做得也顺，那是有求必应，宝姿时装、古芝皮包、倩碧口红、名贵腕表、手机住房等应有尽有，可这女人不知足，老卓只要和她一上床，呻吟声中总夹杂着什么东西很漂亮，央求他下次买给自己的话，弄得老卓兴致缺缺。如今生意越来越难做，他开始觉得这辆专车有点太"耗油"了。

而且时间久了新鲜感就没了，他对这个女人的兴趣也降低了，最近他在自己公司刚刚又觅到一个新鲜年轻的女孩，虽说跟着他的女人大多是图了他有钱，但是这女孩还是个小家碧玉，要东西还有点忸忸怩怩的，目前算是小排量的省油车，所以他很中意，正准备开了宁可儿，座驾换人呢，哪可能给她乱买东西。

"卓老板，不好意思，劳您久候了。"张胜一进门，就笑吟吟地伸出手。

卓新连忙起身迎上去，满脸堆笑地道："哎呀，张总，见你一面可真不容易啊。"

"哪里哪里，大家都是生意场上的人，你也知道，一忙起来黑白颠倒，昼夜不分啊。"

张胜不卑不亢，笑容倒挺亲切。对卓新，他了解得比钟情掌握的还多了那么一点，胸有成竹，自然稳若泰山。今天答应赴宴，是觉得把他晾得差不多了，再消磨一下他的傲气，就可以狮子搏兔，亮出底牌了。

他接过卓新递上的香烟，就手点着了，瞧见宁可儿，便笑问道："这位是……"

卓新道："这是我的女秘书宁可儿，可儿，来来来，见见张总，张总是宝元汇金实业公司的老板，家财万贯、年轻有为啊。"

自张胜一进屋，两个男人寒暄的时候，两个女人也互相评估地审视了一下对方。

美丽的女人对美丽的女人，无论相貌、身材、气质，总是喜欢比较一番。但是她们彼此打量了几眼，钟情就若无其事地移开了目光，显得没把她当成对手似的，宁可儿正觉有些愠怒，一听老板介绍，连忙换上一脸的甜笑迎向张胜。

宁可儿陪了老卓几年，主要工作就是陪着他出去应酬，脑满肠肥的人见过，身家亿万的大老板见过，三千多一瓶的酒喝过，一千多一樽的极品燕吃过，言谈举止自是落落大方。

"张总，您好，我是宁可儿，还请多多关照！"

宁可儿握住张胜的手，向他嫣然一笑，很自然地飘来一个妩媚的眼神。

241

张胜淡淡一笑，对卓新道："卓老板，可儿小姐风采照人，令人羡慕呀。"

卓新暧昧地笑起来，他瞟了钟情一眼，满脸难掩的惊艳，呵呵笑道："彼此，彼此，钟小姐才是令人一见惊为天人的美人呀。"

他几次三番去邀请张胜，和钟情打过交道，所以知道她的名字。

钟情听懂了他的潜台词，有些厌恶地蹙了蹙黛眉。

她现在陪着张胜没日没夜地工作，从无一丝怨言，就是希望用实际行动来证明自己的能力，证明自己不是一个只能依靠男人的女人，所以特别反感别人误会她的职位是同权势男人有什么关系才得来的。

但是那个时代，在大多数人眼中，女秘书同暧昧是密不可分的朋友，如果是漂亮的女秘书，那便与情妇是一母同胞的姐妹了，她也无法辩解自己这个公关部经理兼女秘书的区别，只能默不作声。

张胜和卓新客套几句，四人一齐落座，服务员便送上了菜单，杯筹交错中，晚宴开始了。

卓新是经营建材的，目前仓库里积压了一大批劣质建材，压在那儿出不了手，形势对他很是不利。

其实前几年老卓生意做得很顺，在商场历练多年，他有自己的一套经营理念，那就是买东西要便宜，一定要找私企，私企成本低，买的便宜，而卖东西想赚大钱，则一定要找国企，跟国企做生意只要搞定了单位负责人，那就什么都好说；交货时间晚两天，没问题；结算时多报上点运费、保险费，还是没问题。

爱钱的可以用钱击倒他；不爱钱的，给他送女人；又不爱钱又不好色的，可以安排他的子女去国外读书。既不爱钱又不好色、又没有子女的国企领导，老卓还从来没遇见过。这么做生意非常容易，人皆有弱点，还几乎没见过他搞不定的人。

但是这一两年，他的生意接连出现失误，赔了不少钱，这次进了一批建材，就是想利用到处都在开发建设的好机会，狠狠赚它一笔回本的，所以投入几乎占用了他的全部资金。可天有不测风云，这批货刚刚运到，就出了一件大事。东风市体育馆刚刚建成就垮塌了，钢筋水泥砸得一塌糊涂，叫人看

242

了不寒而栗。幸好当时没有比赛项目，否则怕是要闹出一场震惊天下的大事故。

相关人员的处理就不用说了，这件事的副作用就是建筑市场一片严打，一时间风声鹤唳，严厉打击豆腐渣工程的呼声甚嚣尘上，没有什么人胆大包天敢顶着掉脑袋的风险买他这些规格不符合标准的建材了。

这一来一切倒置了，国营企业的生意不好做，反而是私营企业的生意好做了。私营老板所得都是个人利益，他敢卖非标建材，自然有人敢买非标建材。可是找了一溜十三遭，目前除了张胜，没人能吃得下他那么大数目的货。

老卓今天要做的，就是攻下张胜这道关，借他张胜一颗熊胆，让他吃下自己的货，否则，他就要走投无路，血本无归了。

为此，老卓才纡尊降贵地再三邀请，请张胜赴宴谈生意。为了攻下张胜这道关，他还不惜高价从到本市访问演出的外国舞蹈团联系了一位金发碧眼的美女。

这位国际友人消费一夜的价格是七千元人民币，老卓眼睛都不眨就答应了，条件只有一个：无论如何得把他的客人陪好。

卓新白手起家，像做梦似的有了今天这份基业，这一路上他见过太多比他更成功的人士——倒下去。从一天只吃一个盒饭的穷人到挥金如土的豪绅，从家财万贯的豪绅再到一贫如洗的穷人，这个轮回是那么残酷，又是那么真实。人生不是童话剧，一旦倒下，东山再起谈何容易？他不想成为其中一个，张胜成了他的救命稻草。

卓老板一边劝酒，一边观察着张胜的表情、动作，揣测他的心态，以便在适宜的时候把买卖提出来，他的女秘书宁可儿很合格，巧笑倩兮，笑脸迎人，把张胜陪得眉开眼笑。一时间，总见二人咬着耳朵说悄悄话，卓新想插句嘴都难了。

"张胜似乎很喜欢可儿……"老卓咬着牙想，"要不把可儿也送给他享用一番？"

想到这儿他的脸有点火辣辣的，虽说他现在开始有点厌烦可儿了，但是一个占有欲强烈的人，哪怕是自己用过了打算弃掉的东西，也不愿意让人分享的。作为一个男人，如果这么低声下气，太有损尊严。

可是形势如此，不能不低头啊。老卓自惭地想："戴它一夜绿帽子，权当冲晦气了。那个金发碧眼的美人都花了大价钱买来了，还差个宁可儿？只要张胜把自己的女人都要了，送他什么都可以。"

似曾相识的画面，再次闪现在眼前。

张胜眯着眼，眼前烟雾缭绕，耳边谀词如潮。这一切，曾经出现在他面前，只不过那时他才是有求于人的人，周旋于一群村官中间。

卓新嘿嘿地笑："做生意，讲的是诚信，我老卓在社会上混了这么多年，这点信誉还是有的，关于建材的质量，你尽管放心，价钱方面……哈哈哈……你尽管放心，一定让你满意就是。"

张胜喝得不多，眼神还很亮，并没有被卓新的话所打动，他不置可否地笑笑，说："卓老板，我现在摊子铺得很大，的确很需要建材，而且由于资金紧张，需要便宜一些的建材。不过自从东风体育馆出了事，现在检验相当严格，你的质检报告……呵呵，我觉得还是眼见为实的好。"

"那是，那是！"卓新笑着，心里已经接连冒出了几个在验货时鱼目混珠、偷梁换柱的好主意。他亲热地揽住张胜的肩膀，暧昧地低语道："张老弟，今晚我还特意给你安排了一个余兴节目，她今晚有表演，一会儿演出结束就能过来，嗯……你的女秘书不碍事吧？要不要先把她打发回去？"

张胜似笑非笑地说："她？没关系。"

卓新心领神会，只道张胜和钟情之间的关系就和自己跟宁可儿一样，说话便没了那么多顾忌："嘿嘿，张老弟好眼力呀，挑了一个极品。不过老哥哥今天介绍给你的可不是一般货色哟。"

张胜瞟了他一眼，不动声色地问道："演员？"

卓新哈哈大笑，一拍他的肩膀道："嗯，演员，还是舞蹈演员，那身体的柔韧度，什么高难动作难得了她？"

宁可儿见两个人咬耳朵，便在另一边攀住了张胜的胳膊，软绵绵地偎在他身上，娇滴滴地说："张总，跟我们老板嘀咕什么呢？"

张胜一笑，举杯道："哦，没什么，卓老板在跟说他的创业史，真是一把辛酸一把泪，不容易呀。来，宁小姐，我们为李老板今日的成功干一大杯。"

宁可儿嫣然一笑，举起杯来与他"当"地一碰，一饮而尽。

"宁小姐真是豪爽，真有我们北国女儿家的豪气呀！"张胜哈哈笑道。

卓新趁热打铁地道："张总，关于建材的价格……"

张胜见宁小姐把酒干了，也举杯饮酒，卓新见状只得耐着性子等他把酒喝完，然后接着话茬儿道："张老弟，你看这价格……"

张胜轻轻一拍大腿，说道："卓老板，不瞒你说啊，你别看我现在公司红红火火，可是需要花钱的地方实在太多了，我要的这批货不算少啊，一次付清那肯定是办不到的。"

"那是，那是，分期付款嘛，这个是可以接受的，关于这个价格……"

他刚说到这儿，宁可儿说了句什么，张胜就侧过耳朵去听，看那架势，整个肩膀都顶进宁可儿那波涛汹涌的前胸里去了，对他的话却带理不睬的，卓新眼中不禁闪过一丝怒意。张胜笑眯眯地回头时，他的脸马上又多云转晴了。

卓新见张胜似乎无意现在就把生意谈妥，心中越发焦急，眼见张胜和宁可儿谈得开心，他把心一横，靠近张胜，拍拍他肩膀，耳语道："老弟，看来你对可儿很有意思呀，如果你吃得消那匹洋马，那老哥就把可儿也借给你，让你玩个尽兴，怎么样？"

张胜一听，连忙摆手："嗳，别别别，那可不行，君子不夺人所好。"

卓老板豪爽地道："此言差矣，所谓兄弟如手足，妻子如衣服，何况小蜜乎？你要喜欢，老哥把可儿借你玩几天都行，什么时候腻了什么时候还！"

张胜还没开口，一旁的宁可儿在歌声中隐约听到在提她的名字，立即兴致盎然地凑过来，妩媚地笑道："你们说我什么坏话呢？"

卓新笑道："怎么会说你坏话呢？张总说，和你相处很愉快，有时间想带你去来个香港双飞七日游，想不想去啊？"

宁可儿雀跃道："好啊好啊，我还没去过香港呢。张总，你是不是说真的啊。"

张胜眼底闪过一丝好笑，他抬头瞟向钟情，钟情听到两人的对话，神色更为不悦了，见他拿眼望来，钟情举起杯，赌气似的一饮而尽。

张胜笑笑，向她举起杯，然后呷了一口酒，那样子倒像钟情在向他敬酒似的，气得钟情把头一扭，不跟他照面儿了。

张胜弹了弹烟灰，这才向宁可儿敷衍地道："好啊，如果以后有机会，我就带宁小姐出去玩玩。卓老板不会舍不得吧?"

卓新连忙道："不会不会，当然不会，你们都是年轻人嘛，呵呵，玩得到一块儿去，出去见见世面很好嘛。老弟，可儿很会服侍人的，试过了你就知道了，嘿嘿嘿……"

卓老板三番五次提起生意上的事，都被张胜不阴不阳地搪塞开了，火气已经消磨没了，如今自己的枕边人都搭上了，步步退守，心防已到最后一关，想着女人是男人最津津乐道的话题，便想以此为突破口，不料张胜还是不阴不阳的，弄得他这碗温吞水实在不知该怎么喝了。

卓老板万般无奈，只好单刀直入，低声下气地道："张总，你看……这批建材的价格，咱们是不是大致先敲定下来，细节嘛，回头商量起来就方便了。"

张胜见他已被撩拨得沉不住气了，这才笑道："也好，那就先谈谈，不知卓老板想以什么价格把货转给我?"

卓新心头急跳，连忙道："建材商品，目前有的紧俏，有的过剩，如果张老弟愿意都从我这儿进货，那么……咱们就不必分类计算了，总价我再比市价压低一成半，如何?"

由于东风体育馆事件，现在建材和建筑市场查得严，大多数来路不太正规的建材都在降价，如今的市价价格已经极其便宜，卓新在此基础上再降低一成半，可以算得上是大出血了。

张胜沉吟了一下，摇摇头道："卓老板，高了。"

卓新一怔，咬咬牙，非常肉痛地伸出两根手指，说道："那么……比市价低两成，如何?"

张胜想也不想，再度摇头，卓新怔住了。这趟货，他是准备趁开发区大搞建设时捞一把的，可体育场的垮塌，连带建材的市价狂跌了两成，他再降两成，等于按原定卖价的六成出手，扣去运费和保管费，他已经分文不赚了，想不到张胜还不满意。

停了片刻，他才试探着问道："那么，张老弟的意思是……"

张胜笑笑，说道："卓老板，我不习惯讨价还价，所以咱们就开诚布公地谈谈吧，你这批货我不管你进价多少，我全包了，价格是行价的三成，如何？"

卓老板一听像屁股上装了弹簧似的，嗖地一下跳了起来，怪叫道："三成！你是不是说反了？七成还差不多。"

张胜双眼微眯，淡淡笑道："没说错，我说的是三成，十分之三、百分之三十、千分之三百！呵呵呵……"

卓老板脸色大变，含怒道："张总，你耍我？有点诚意好不好？压价也没有这么压的，这价根本不靠谱！"

钟情也抬起头来，吃惊地看着张胜：压价压到三成，没有这么谈生意的，商人之间转手买卖比不得服装市场的小贩卖货物给个人，那时砍价先一刀砍到脚脖子上寻常得很，而商人之间不会有太大的浮价，一开口就压去了七成的价格，这根本不可能。

张胜笑道："卓老板激动什么？这价不靠谱吗？不见得吧。卓老板，你知道，自从东风体育馆出事，现在建材市场查得有多严，房产验收有多严，建筑企业谁敢用你的材料？那是豆腐渣中的豆腐渣，要掉脑袋的。可是我敢！我全包了！但是……卓老板，我那可是盖楼啊，这风险全是我担着，高风险没有高收益，谁还肯冒险呢？"

卓新脸色发紫，愤愤地争辩道："哪儿有砍价砍到三成的？张老弟，没有这么做生意的。"

张胜稳坐钓鱼台，犹若装神弄鬼的姜尚，淡淡一笑道："卓老板，我又不是强买强卖，你觉得不合适，不卖就是了，东西还是你的，我还能抢走不成？"

钟情虽觉得自己老板这价压得有点太凶，基本上不可能谈得成，但是他开了口了，就得尽心竭力地支持，于是温婉一笑，侃侃而谈道："卓老板，你要是零敲碎打，我相信你这批建材也能卖出去，可那就不知道是猴年马月的事了。而且，到那时钢材风吹锈饰，价格大跌，其他时效性短的材料更不用说了，水泥呢？油漆呢？隔热材料、防火材料、石灰、石膏、涂料等等这些东西呢？放到那时候还能卖出去吗？"卓新快哭了，颤声道："老弟，你们不用一唱一和的，我……我要是按这价出手，得赔死了，跳楼价也不是这么个跳法。"

张胜淡淡地道："卓老板，无论是在生意场上，还是论岁数，我都是你的晚辈，有些事不用我教你。做生意本来就是有赔有赚，有风险要担，否则还不人人都去做生意了？还不人人腰缠万贯了？我出这个价，是因为我觉得我担的风险，这个价能勉强接受，你也可以选择不卖！"

张胜言辞虽然客气，但是言语铮铮，隐隐有杀伐之意，卓老板听了，面容惨淡，脸色灰败，整个人如被放了气的皮球般瘪了下来。他扶了扶椅背，终于支撑不住似的坐了下去。

张胜一鼓作气，继续说道："卓老板，曾经有一位商界前辈告诉我，做生意就要有壮士割腕的勇气，一旦发现错了就要及时去改，而不能抱着侥幸心理将错就错。你能白手起家，有了今时今日的局面，这笔生意就算赔了，也没到血本无归的地步，难道连再搏一次的勇气也输了？这样吧，你考虑清楚再回复我，我等你三天，三天之后如果还没有消息，我从别处进货就是了，相信价格会比你高出不少，但是至少没有那么大风险。有风险的事，没有足够诱惑的价格，相信就是你卓老板也不会去做吧？"

张胜说完向卓新和宁可儿点点头，转身走向门口，卓新急忙站起唤道："张总！"

张胜停住了脚步，卓新张了张嘴，却一句话也说不出来，他伸出去的手慢慢缩回来，整个人重新坐回坐椅，张胜整了整衣襟，淡然走出了包厢，钟情见状，连忙抓起坤包追了上去。

卓新腮上的肉都在突突乱跳，两只眼睛突出来，就像一只垂死的青蛙。

"老板……"宁可儿眨着媚眼，扑到卓新的身边做小白兔状。

"啪！"一杯酒狠狠地摔在地上，把宁可儿吓得一下子跳起来，胸前一对玉兔一阵活蹦乱跳，看得人眼花。

"滚！滚！滚出去！"卓新声嘶力竭地叫。

宁可儿怯生生地道："老板……"

"滚出去，让我一个人静一静！"

宁可儿见他大发雷霆，这才慌慌张张地退出门去。

"张总，我觉得你不能进这批货！"

停车场上，钟情直视张胜，很坚决地说。

"为什么？压到三成的价，再也找不到比这更便宜的货了。"

张胜食指上套着车钥匙悠闲地转着，看着钟情异常认真的模样，感到非常有趣。

钟情微侧着头，思索地道："我见你砍到三成的价位，就觉得这笔生意谈不成，可是他的表情很可疑，看来他这批货不止是非正常渠道进的货，标号规格不是有点不符合标准，而是完全不符合标准，根本就是一批劣质建材。钢筋的直径、钢板的厚度、水泥的质量，这些东西关乎建筑安全，那是盖厂房盖大楼啊，一旦出点事怎么办？"

张胜笑笑，继续用有趣的目光看着她。

钟情见他不以为然，努力继续说服他："张总，我们公司现在资金是比较紧张，但是公司的前景非常好，你不能为了贪图眼前这一点利益毁了自己的锦绣前程啊。这样的楼盖出来，那就是一颗颗定时炸弹，说不定什么时候就会葬送了你的事业，东风体育馆就是前车之鉴。"

张胜手中的车钥匙继续转动着，笑吟吟地看着她，一副满不在乎的神情，钟情气得直跺脚，嗔怒道："我说了这么多，你到底明不明白？"

张胜心中蓦地涌起一股暖流，他压抑了一下感情，歪着头想了想，笑问道："如果我坚持要进这批货呢？"

钟情双眉一锁，抬眼望来，那眸中似有一抹艳红乍现。

迎着张胜耐人寻味的双眼，钟情直觉得那是挑衅的目光，她咬了咬唇，一字字道："如果，你坚持要用这样的建材去盖楼，我就去……检举你！"

张胜笑了："检举我？"

钟情的下巴微微扬起，倔强地直视着他，衬着两颊一片潮红，那眸光又狠又娇，张胜只觉平生所见女子，未有如许明媚者，不觉一呆。他原本只是

249

和钟情开个玩笑，想不到她却说出这样的话来，一时心中喜怒难辨，竟不知如何开口了。

两个人对峙似的站在晚风夜灯下，许久许久，钟情的眸子渐渐腾起一团氤氲的雾气。

张胜见她眼中泪光盈然，心弦为之轻颤，莫名的感动这一刻一下子弥漫了他的心房。他不由自主地走过去，轻轻拉起了钟情的手，她的手温凉如玉，柔滑细腻。

张胜无奈地道："你呀你，我开个玩笑而已，你较的什么真儿？水泥强度不够、钢筋直径不够，盖不了厂房盖不了楼，可是能盖小型冷库、能盖水产大棚呀，这么便宜又适用，我们为什么不要？"

"嗯？"钟情眼中的泪正不争气地涌出来，一听这话，她赶忙吸了吸鼻子，努力张大眼睛，但是眼前仍是一片水雾的朦胧，她便盯着那片朦胧中的男人，迫不及待地问道："建……小型冷库和水产大棚？"

"是啊！"张胜开心地笑起来，"我们的冷库储藏已经饱和了，不及时扩张规模，岂不坐失商机？我仔细了解了中外冷库建设方面的资料，发现我们以前采用钢筋混凝土框架结构建冷库成本太大了，现在有一种更先进的方法，适合建造小型冷库，那就是用泡沫夹心彩钢板的钢架结构来建造冷库，它的成本只有混凝土框架结构的一半，而且还可以随时把建好的冷库拆迁、拼装、重组。卓老板的材料建不了厂房和大楼，盖平房冷库和水产批发大棚却绰绰有余。利用这样的方法，我们可以迅速再建起一些冷库，同时由于冷库小、成本低、品种多，可以灵活地根据市场需要来建设或改型，储藏鲜花、药品和茶叶、蔬菜、水果等等肯定受欢迎。此外，水产批发市场也可以开始筹建了，这些都需建材，而且储藏室和整天鱼腥气、满地脏水和鱼鳞的批发市场大棚用那么好的建材做什么？我们现在正缺钱正缺货的当口儿，卓老板送上门来做及时雨，这笔生意怎么能推出去？"

钟情这才明白，她又羞又气地跺跺脚，怒道："你……那你……为什么事先不和我说个明白？"

张胜翻翻白眼，无奈地道："我哪儿知道我的雇工比我还在乎我的公司。"

钟情的心"咚"地一跳，脸一下子红了。

张胜笑道："好了，好了，下回有这种事，我先和你通通气好了。"

张胜的手移开了，但是掌上余温犹在，钟情耳热心跳，忸怩地道歉道："是……是我立场不对，你是老板，没必要把你的经营计划都说给我听的。"

张胜走到车门前，刚刚拉开车门，听到这话，回头笑道："谁说没有必要？我发觉，你的能力远不止于文秘和公关，以前只是没有被发掘出来而已。等公司再稳定一下，我准备要你分管冷库或水产批发市场，做分厂厂长。"

宝元汇金实业开发公司为了方便融资和再融资，公司名字起得很有噱头，经营范围也比较广泛和宏观，所以冷库是按宝元汇金实业公司下属分厂来建立的，属于母公司子公司的关系，这种包装是为了避免让人看轻了这家企业，从一家冷库无法去揣测整个企业的规模。

由于利益归属的原因，民营企业的老板在创业上，大多更具雄心，希望把自己的事业做得越大越全越好，张胜也不例外，所以他不但认可这种做法，而且很是欣赏，水产批发市场建成后仍打算采用这种分厂模式。

钟情一听又惊又喜，这不止是张胜对她的信任，也是她洗刷耻辱，自立自强的一个好机会，她正想问问张胜的详细打算，一阵高跟儿鞋的响声清脆地传来，钟情扭头一看，只见宁可儿花枝招展地追了过来，老远就在叫："张总……"

钟情一见是她，不禁蹙了蹙眉，她直觉地感应到，张胜和卓新谈生意砍价如此之狠，必然还有自己不知道的内情，而解开这一切的钥匙，似乎就是匆匆赶来的这个女人。

她下意识地退了一步，给宁可儿让开了位置……

第十五章　投资办企业就像推着石头上山，一着不慎满盘皆输

冷库快要建成了，张胜拜见了李尔和哨子的父亲。请两位商界大佬出面，下面的批发商们自然跟进，纷纷答应把货物存在张胜的冷库里。接着，张胜通过宁可儿，得知卓新积压建材的底细，两人暗中联手，赶鱼下饵遛鱼拉网……以低得不可思议的价格拿下这批建材，大大节约了成本。就在张胜财源广进、踌躇满志的时候，李尔却给他泼了一盆冷水。招揽到客户只是万里长征第一步，之后就要内抓管理，外树信誉，才能让企业良性发展。投资办企业就像推着石头上山，一着不慎满盘皆输。张胜唯唯诺诺从善如流。

宁可儿像只快乐的喜鹊似的飞到张胜身边，媚笑道："张总谈判的气势好犀利，老卓被压垮了。"

张胜淡淡一笑，从怀里摸出一张支票，递到了她的手中，宁可儿展开一看，顿时喜上眉梢："谢谢张总，张总真是大方。"说着张开双臂，看那样子似乎要给张胜一个香吻。

张胜轻轻抬起手，阻止了她的亲热动作："这是你该得的，我还得赶回公司去，这就走了，另外一半，等事成之后就给你。"

宁可儿抬起眼睛，黑白分明的眸子用四十五度角仰视着张胜，很是妩媚地道："好，张总是一诺千金的大男人，人家自然信得过。张总，人家打算离开卓老板，要是张总肯收留，可儿非常愿意为您效力。"

成功女性不怕丢人，宁可儿又何惜自荐？如今的世道是好马配好鞍，老头儿配美女。功成名就有经济基础的大多是中年以上的男人，难得有一个张

胜这样年纪轻轻自拥实业的金主儿，宁可儿自从与他一搭上线，就春心荡漾，动了择枝而栖的念头了。

张胜哈哈一笑，打趣道："我现在还没有走出国门的雄心，你这位英语系毕业的高才生，到我公司不是屈才了？"

宁可儿瞟了钟情，欲言又止地咽回了下句话，她展颜一笑，落落大方地伸出手："那好，张总一路顺风，我们有机会再谈。"

张胜和钟情上了车，宁可儿恋恋不舍地招着手，目送他们的车驶进了车流……

车子驶出了市区，钟情终于忍不住了。

"她……宁可儿……也是你的人？"

张胜笑道："不是，不过是因缘际会罢了。建材现在是紧俏货，东风体育馆出事后，急着主动找人脱手的，必然是质量有问题，所以我也有些担心，托了商场上级的朋友查他的底，最初的目的只是想了解一下他这些建材到底能不能用，想不到无心插柳，遇到了宁可儿。

"你不要小看她，她并不像外表表现的那么庸俗、势利，那层表象不过是和卓新这种人在一起处久了，自然形成的一层保护色。她知道卓新厌烦了她，正在物色新的女人，想在被打发之前报复他一下，恰巧我正在打他这批货的主意，于是就和我取得了联系。

"我答应付给她一笔钱，作为代价，她则把卓新的底细告诉我，卓新这批货是他孤注一掷的投资，现在全部积压脱不了手，而他的两笔流动资金贷款也马上要到期，一旦到期没钱还贷，这批货就会被封存，最终可能连渣都不会剩下。"

"目前来说，正在大兴土木的生意人不多，敢买他那批问题建材的人更少，除了我，他再找一个合适的买家就难了，所以我才敢把价压得这么低。"

张胜叼上一支烟，点燃吸了一口，悠悠地道："放心吧，我查了他的底，也咨询过业内的朋友，他那批货质量上是有点问题，盖楼是有风险，但我们用来盖简易冷库和批发大棚，绝对不碍事。

"哈哈，老卓是冲着我大兴土木盖厂房来的，却不知我正准备扩建自营实业，知已而不知彼，他焉能不败？不过……今天价压得是狠了点儿，市价在严打之下实际上已经降了两成了，在此基础上压到三成，实际上等于压到了两成四。

"不过这就像是遛鱼，总要先提溜一下的。你看着吧，老卓不死心，还会打电话和我讨价还价的，那时我再松松口，把价钱提到四成，这一来比他的心理预期高，他就会答应我的条件的！"

钟情瞟了他一眼，揶揄道："下饵、钓鱼、遛鱼之前是不是还得先赶鱼？卓老板拿着上吊绳，一门心思地盯准了你这棵歪脖树，恐怕宁可儿居功甚伟吧？"

张胜哈哈大笑，佯怒地瞪了她一眼，说道："谁是歪脖子树？对你老板有点信心好不好？我要做的是参天大树！这鱼可不是我赶来的，而是他自己送上门的，我只是以盖楼为饵、行建棚之实，将计就计罢了。

"不过，和宁可儿取得联系之后，宁可儿的确用了点赶鱼的手段，得罪女人，真是一件很可怕的事。她利用老卓的信任，堵住了他的其他出货渠道，还故意漏了口风引起相关执法部门的关注，逼着老卓狗急跳墙，但这可不是我的主意了。"

钟情道："这个女人智勇双全啊，学历又高，脸盘又靓，完全拿得出手，你方才怎么不把她招揽到你的麾下？她可会成为你商场上的好助手呢。"

钟情完全没注意自己的语气已经带了酸溜溜的味道，张胜听了，脸色阴沉了一下："这样可怕的女人，只可以利用，我怎敢让她上我的船？"

他叼着烟侧头想了想，又笑了笑，笃定地说："她现在还是老卓船上的人，所以……老卓这条刺儿鱼一定会就范！"

包房内，老卓两眼发直地坐在那儿。

他并不是被打击得已经失去知觉，相反，他的大脑现在转得非常快，利益的得失、贪婪与割舍、悲伤和愤怒，种种情感交织在他的心头，煎熬着他的心。

酒，一杯杯地灌下去，忽然，他抓过剩下的半瓶白兰地，一仰头"咚咚咚"地全都灌了下去。

"哈佳一，哈拉绍。"一个女孩甜甜地说，那声音就像个十一二岁的小姑娘。

卓新有点狰狞地抬头，俄罗斯美人拉莉莎像只轻盈的海燕般翩然闪进了房间，轻轻扣好房门，巧笑嫣然地向他打招呼。

拉莉莎肤白如牛奶，金发碧眼，身材高挑，一件石榴花的连衣裙，透着无穷的活力和艳丽。纤腰上束了一条金色的肚皮舞娘的饰丝腰带，脖饰同腰带是一样的，只是小了几号。

拉莉莎最拿手的本来就是肚皮舞，一跳起来，眼花缭乱的手姿，使劲摇摆的胸部，水蛇般起伏的腰部，波浪般起伏的臀部，赤裸伸展的纤足，能立即把无尽的性感眼花缭乱地送进你的心里，最后，你会被她涂了银粉的肚脐上那一点漩涡处把魂儿都勾了去，绝对是一个媚惑众生的尤物。

拉莉莎眼珠俏皮地一转，发觉了房间中的异样，她耸耸肩，用带着异国腔调的中国话问道："卓老板，你要我陪的客人呢？"

"客人？"卓新红着眼站起身，踉踉跄跄地走过去，拉莉莎见他要跌倒，连忙好心地扶住他，卓新东倒西歪地晃着，吼道："飞了，都他妈的飞了！"

"什么？"拉莉莎睁着一双海蓝的眼睛，莫名其妙地问："什么飞了？"

卓新拖着她一路踉跄，一下子摔进沙发，喃喃道："背啊！真背啊！人……人要是倒霉，喝凉水都塞牙！"

他说完，忽然一把搂过拉莉莎，左手在她丰满的胸前使劲地揉搓着，右手便去撩她的裙子，发泄似的咒骂着："今朝有酒……今朝醉，明日愁来明日愁……明日……我日……"

沙发缝里塞着两只无线麦克风，那是方才宁可儿拉着张胜情歌对唱时扔在那儿的，宁可儿那只麦克风开关还没关上，两人撕扯的动作不断碰到麦克风，音箱发出一阵阵嗡嗡的声音。

"不要在这里，不要……唔……唔……"

卓新喘着粗气压在她身上，拉莉莎是跳肚皮舞的，腰力何等了得，她不敢动手打这花钱的主儿，就不断用腰向上挺，挺得卓新就像趴在大客车后座上疾驰过一条颠簸不平的公路，被颠得七荤八素。

"奶奶的，白……白种女人，劲……劲、劲儿真他妈大！"卓新喷着满嘴酒气，大着舌头说着，顺手给了拉莉莎两个嘴巴，拉莉莎害怕了，躺在那儿不敢再挣扎。

卓新趁机掀起她的裙子，压住她那两条修长光滑的大腿，准备好好享用一番。可是他大醉之中，再加上那股邪火儿根本就不在性欲上，忙活了半天，还是不成功。

卓新恼了，嚎叫道："七千块、七千块啊，老子背……真背，他妈的，老子的钱……不能就这么打水漂了！"

气急之下他忽地摸到一个细长光滑的筒状东西，便顺手抄起来，砸在了拉莉莎的身体上。

"啊……"拉莉莎痛得一声尖叫，一下子坐了起来，音箱把她的尖叫充斥了整个房间。

卓新醉眼蒙眬地东张西望："什么事？发生了什么事？"

这时，拉莉莎摸到了另外一只麦克风，她顺手抄起来，一下子狠狠砸在卓老板的头上，卓老板眼一翻白，颓然滑到地上，靠着沙发像死猪似的晕了过去……

张胜铿锵有力的声音还在钟情耳边回响："放心吧，这条刺儿鱼一定会就范的！"

迷幻的灯光，映在张胜的脸上，他的脸上充满了自信的光彩。

钟情瞟着他的脸，一时目光竟然无法从他脸上移开。

从男孩到男人，是从生涩到成熟的一个过程。纯真的男人可爱，但是成熟的男人更有味道，那是只有会品男人的女人才能嗅出的芳香，

眼前这个男人，正在日渐成熟，可是不知怎地，钟情心底里偏偏生出一种失落的感觉。她盼着他成熟，但是当他真的成熟了，钟情却又患得患失地怀念起那个质朴的、纯真的，有点傻傻的大男孩了。

"怎么了？"

张胜好奇地转过头，向钟情问道。

"哦！没……没什么……"

钟情有点神经质地去摸烟，张胜摸出 18K 黄金机身、镶着祖母绿的都彭打火机，"嚓"的一声为她点燃，钟情长长地吸了一口，整支香烟立即燃去了五分之一。

钟情夹着香烟，担心地想："他已经踏进了生意圈，已经取得了名利场的入场券，今后他会在这名利场中变成怎样的一个人呢？会不会变得像徐海生一样无情无义、唯利是图？"

卓新被人掐住了七寸，走投无路之下，终于在第三天顶着额头一个大肉瘤子跑来跟张胜再度谈判了。他来，就意味着妥协，张胜胸有成竹，与他反复交锋之后，"十分为难"地让了一步，把价格提高到了四成，双方开始签合同了。

合同签罢，张胜从钟情手里接过支票递过去，很热情地道："卓老板，前两日蒙你热情款待，今天来到小弟公司，本该投桃报李，奈何今日约好了人，实在脱不开身，抱歉抱歉，改日兄弟再请你喝酒。"

卓老板苦笑一声道："我现在哪儿还有心思喝酒啊？张老弟，长江后浪推前浪，前浪死在沙滩上，老哥服了！"

他拱拱手，拿着支票垂头丧气地去了。

张胜笑笑，扭头对钟情说："材料马上到位，记着下午请四建的江老板过来一趟。"

钟情点点头，说："好的，还有件事，楚总的车去供电局了，刚刚财务部说有几张支票要跑一下银行，可是没车可用。"

张胜道："这样啊……那麻烦你送一趟吧，我上午不出去。"

钟情颔首道："好，我马上去。"

钟情把出纳送回了市里，开发区银行还未建立，张胜的开户银行在市里，地点就在"浅草幽亭"小区外的路口，钟情把出纳送到银行门口，然后停到泊车位上，打开音响听着音乐。

过了一阵儿，还不见出纳老宋出来，钟情手搭在车窗上，随着悠扬的乐曲声轻轻地打着拍子。抬起头，就能看到斜对面的"浅草幽亭"，她一直想让自己平静些，满不在乎些，可是强自抑制了一阵，那双眼睛还是不由自主地向"浅草幽亭"小区里瞟去。

那个薄情寡义的人就住在那儿，怎可能视而不见？

满路人家笑语声，往事悠悠恨难平。爱也好，恨也罢，都是一种割舍不掉的情，哪是那么容易忘却的？

钟情注目那里，神思恍惚，眼神十分复杂，也不知心里想些什么，手指的动作渐渐地慢下来。

就在这时，她忽然瞟见一个熟悉的身影，定睛一看，正是本该正在银行里办业务的财务部老宋。他提着黑皮包，弓着背，急匆匆地走进了小区大门，向左侧一拐，从小花园斜插下去，消失在树影当中。那去向，正是徐海生居家所在，钟情曾经无比熟悉的地方。

钟情若有所思地托着下巴，食指轻轻点着嘴唇，凝视老宋消失的地方良久，一双秀而媚的凤眼微微地眯了起来……

钟情回到公司，并没有把她的发现告诉张胜。

她如今是张胜的得力助手，事无巨细都要辅助安排，公司有个徐海生徐董事又怎么可能瞒过她的耳目？徐海生同公司有密切联系，其实她早就知道了，但是她选择了沉默，选择了故作不知。

如果是刚刚来到宝元汇金公司的时候，听说徐海生在这家公司也有股份，她一定转身就走，绝对不愿再和徐海生有一丝一毫的瓜葛。可如今不同了，时间的消逝使她心中的伤痕正在渐渐愈合，已经不再是那种撕心裂肺的痛。这家公司是她开始新生的地方，倾注了她太多的心血，对她来说，有着非同一般的意义，这里就像是她的家一样，她怎么舍得离开？

以她对徐海生的认知，这个人心狠手辣，绝情无义，心中唯有一个利字，但是张胜是他一手捧起来的，现在公司运营如此红火，可以说公司办得越好，对他就越有利，实在想不出他坑害张胜的理由。

他既然是公司的常务董事，又是张胜的幕后军师，那么公司财务人员上门拜会一下算是为了公司的事也好，私下拉近关系也好，都是情有可原的事，这种事说出来也决定不了什么。

而且因为和徐海生以前的关系，使钟情的身份非常尴尬，如果没有什么证据却在张胜面前说徐海生的坏话，那是自讨没趣，张胜是选择相信他的扶持者、领路人，还是选择相信自己，结果不用猜都知道。

于是，钟情再度选择了沉默，但是她开始利用董事长秘书的特权，秘密调查并关注起财务部来，这时她才发现财务室的出纳、会计人员全都是徐海生介绍入厂的，钟情暗吃一惊，对财务部更加注意了。

这天晚上十点多钟，张胜的奔驰300驶进了公司大门，缓缓停在甬道右侧的车库前，车门打开，张胜开门走了出来，然后疾步绕到另一侧，打开车门，把睡眼蒙眬的钟情扶了出来。

"慢点，慢点，小心，别碰了头！"张胜小心地把她搀下来，钟情昏昏欲睡，呢喃地道："到……到了？"

"到了，到了，来，我扶你回宿舍，慢点走。"

一个保安小跑着过来，恭敬地道："张总，钟经理醉了？要不要我扶一下？"

张胜摆摆手道："不用了，我送她回去，你回值班室吧。"

"是！"保安退开了。

张胜扶着双腿发软的钟情向宿舍楼走去。

钟情是张胜的得力助手，各种公司事务和往来应酬，按轻重缓急安排得井井有条，无论什么场合，都能把张胜维护得很好，不至于让他出乖露丑。签字、谈判的时候，各种文件和相关事宜也都准备得充分完备。作为一个合格的助手，她让张胜节省了大量不必要花费的精力。但是这一切事情，百分之九十都离不了同一个场景：酒席，所以钟情的工作还有一项很重要的任务，那就是喝酒。

中国的酒文化渊源流长，国人爱酒，古已有之，大至各种宴会，小至数人聚会，均要喝至尽兴方止。不论官场还是商场，酒都是人际关系的高级润滑剂，许多不方便在台面上说的话，倒是可以借着酒劲说出来。

所以，酒宴应酬已经融入到了人们工作、生活的方方面面，只有涉世未深的人才会小觑酒席的力量，你想做事、想交往，这酒就必不可少。自古至今，是求人的敬酒、被求的应酬。今天人求你，明天你求人，这酒宴应酬也就成了办事人的需要，成了社会的需要。

正是人在江湖走，哪能不喝酒。张胜在生意场上没有天天喝得像济公似的，全赖钟情之助。钟情的酒量比他好得多，饭局上替他挡下了无数次进攻。

但是今天的饭局实在太多啦，下午先是约见冷库设备厂商，被他们请去大喝了一顿，然后约见四建公司老总，又被请去胡吃海喝一通。强撑着回到公司，张胜左思右想，还是觉得有必要先与质监局的联络一下感情，因为凡事防患于未然，效果可远比事到临头了上门求告好得多，于是一壶热茶还没喝完，就赶回市里，盛情邀请质监局的官员们赴晚宴。

钟情既要替张胜挡酒，作为一个丽色宜人的美女，更是成为在座的男士们轮番攻击的对象，被人请时还可以巧言推辞，请人赴宴时可就不能扭扭捏捏的不喝，从下午一点喝到晚上九点，一气儿喝了三起，钟情今天真是酩酊大醉了。

宿舍楼只有一幢，厂里男职工多、女职工少，所以女职工被安排在房间最少的顶楼。钟情是董事长秘书兼公关部经理，独自有一个房间，同普通女工的待遇不同。张胜扶着趔趔趄趄的钟情，她的身子软绵绵的柔若无骨，可上起楼来就费了劲了，张胜自己也没少喝，一气儿把她扶上顶楼，累得气喘吁吁。

钟情还有点意识，被扶到自己门口时迷迷糊糊地掏出钥匙，可是对了半天也没找着钥匙孔，张胜便接过来给她打开门，拉亮灯，把她扶了进去。

钟情的房间不是很大，一张床、一张办公桌、办公椅，正对面一个电视柜，上边摆着一台电视，里面对着床是一个大衣柜，中间镶着一面穿衣镜。一进门的地方是洗手间兼洗浴室，有点像是标间旅店，不过这条件已经算是好的了，别的女工是三人一间，既没室内盥洗室，也没有电视的。

张胜把她扶到床上，脚下被拖鞋绊了一下，一屁股坐在了床上，失去扶持的钟情软绵绵地倒在他身上，挣扎了几下，便沉沉睡去。

张胜呼呼地喘了一阵粗气，伸手想摸支烟，这才发现钟情半趴在他的身上，酥胸正压在他大腿上，而滚烫的脸蛋则贴着他的小腹，他根本摸不到裤兜里的烟盒。

两个人姿势很不雅观，不过这时张胜酒意半酣，也没注意有何暧昧，他的手伸进裤兜，一触到那软绵绵的一团，这才觉察出是碰到了钟情丰满的胸部，忙把手缩了回来，坐着喘了会儿气，他从背后的被子上扯过枕头，然后小心地把钟情扶躺在上面。

钟情闭着眼呻吟一声，慵懒地躺在那儿。张胜摇摇晃晃地站起身，走到桌前提起暖水瓶摇了摇，里边哗哗直响，应该还有点水。

他从茶盘中翻过一只杯子，可是喝醉了酒，手下力道不匀，一下子把整只暖瓶都扣了过来，水灌到水杯里，又把水杯碰倒了，好在水已经不是很热了，没有烫着他。

杯盘一阵哗啦作响，张胜怕惊醒了钟情，他甩着手上的水，回头一看，声音果然惊动了钟情。她迷迷糊糊地坐了起来，因为日光灯晃眼，她一直闭着眼睛，但是尽管如此，凌乱的秀发，绯红的脸颊，仍然呈现着迷人的少妇风韵。

张胜小心地收拾好杯盘，正要叫她安心躺下，一见钟情的动作，忽然目瞪口呆。钟情大概是嫌两条腿搭在床沿上不舒服，本能地想把腿伸上床再躺下，可是她喝得迷迷糊糊的，根本意识不到屋里还有人，这时正闭着眼睛解衣服扣子……

钟情的前襟只扣了两个扣子，她解开扣子，张胜眼睛里跳动着的就只有她绯色内衣处的凸起部位。

美人醉酒是很迷人的，贵妃醉酒的媚态连永远丧失了男人能力的大太监高力士都难以抵挡，更何况张胜一个血气方刚的正常男人面对着一个堪比玉环的美人款款宽衣？若是平时，他还能马上退出房去，这时酒后意志薄弱，眼见美人宽衣，怎能不心猿意马？

张胜的心怦怦地跳起来，明清艳情小说里的一句戏词儿忽地涌入了他的脑海，"灯下醉看美娇娘"。张胜不是圣人君子，心里明知不该，潜意识里还是升起一种期盼。

钟情脱了上衣，没有继续脱内衣，却开始去解皮带，随着她款款宽衣的动作，吊带背心的下沿上卷，露出她平坦圆润的小腹。

从性感的髋部曲线，可以看出那条黑色低腰内裤把她浑圆的臀部绷得紧紧的，下边两条浑圆如玉柱的大腿光溜溜地并在一起，膝盖之间连一根小指都插不进去，膝头微微拱起，更觉蚀骨销魂。

钟情缓缓地仰卧到床上，一件绯色印花吊带背心衬得她胸前峰峦起伏，把张胜的一颗心也颠得像是飘在浪尖上的小船，飘啊飘地飘向了她双峰之间的销魂谷。

张胜只觉口干舌燥，下意识地去拿水杯喝水，直到拿到一个空水杯时，才乍然惊醒。他的理智告诉他必须马上退出去，可是那双眼睛还是禁不住留连在钟情诱人的身体上。他不是圣人，也不是太监，思春是人的天性。

但是……但是……直到灯的开关按上，黑暗刹那间扑入眼帘，张胜的视线才像被剪刀切断了似的收回来……

三楼是男职工宿舍。楚文楼和工人们打了一晚上牌，回房前先上了趟厕所，他吹着口哨正撒尿，忽听楼下传来汽车引擎的响声，知道是张胜赴宴回来了。他趴着窗台一瞅，果然是张胜，还扶着一个醉美人。

楚文楼晓得那美人必是钟情，不禁又妒又羡，他站在厕所门口侧耳听着，一阵杂乱的脚步声，两个人上楼去了，楚文楼不禁暗暗咒骂一声。

这个风情万种的娘们儿他盯了好久好久了，可惜献尽殷勤，她都是若即若离的敷衍。渐渐地，这个能干的董事长女秘书在公司的威望和权力越来越大，如今已不是他能摆布得了的人物了。

她平时和张胜出双入对的，楚文楼就怀疑她和张胜有一腿，再琢磨她今晚醉酒，张胜不避嫌疑地扶她直入闺房的情形，两个人之间有私情那是毫无疑问的了。

难怪钟情对他这个副总经理献的殷勤毫不在乎，原来她和张胜有一腿。张胜是董事长，又比他年轻英俊，这骚货当然不把他放在眼里。楚文楼心中又嫉又恨，可张胜权柄、地位都比他强，他怎么和人争？

楚文楼站在厕所里抽着烟，脑子里不断想象着楼上两个人翻云覆雨的淫荡场面，越想心里越酸。过了好久，他才无可奈何地掐熄了烟头，准备回房睡觉。他刚刚走出厕所，却见一个摇摇晃晃的身影扶着楼梯拐了下去。

楚文楼愣住了："他走了……他居然没睡在钟情房里。难道……他们两个人之间并没有一腿？这怎么可能？"

过了半天，楚文楼才狠狠一拍脑门儿，自语道："哎呀，我真蠢！张胜视老徐如大哥，钟情好歹曾是老徐的女人，这小子怎么可能碰她？"

楚文楼眼珠一转，嘴角露出一丝淫邪的笑意。

"张胜啊张胜，这飞来艳福你不享，真是暴殄天物呀，好，你不要，那兄弟我可不客气了。"

楚文楼走回厕所，站在窗台边静静地观察着，见张胜脚步踉跄地向主楼走去，急忙又折了回来。他平时不怎么到楼上去，毕竟楼上是女职工的宿舍，作为公司副总，他也不好意思上去让人说闲话，不过，钟情的房间他是知道的。

他不知钟情的房间锁没锁，抱着万一的希望，蹑手蹑脚地上了楼。楼上各个房间都关着灯，只有钟情的房门缝里透出一线光。

楚文楼怕楼上的女职工还没有全入睡，他站在走廊里侧耳倾听片刻，见各个房间一点声息都没有，这才小心翼翼地靠到钟情房间前，握着门柄轻轻一压一推，那门竟无声。

楚文楼顿时大喜。他先把门推开一道大缝，如果钟情还醒着，那他就不敢进去了，毕竟这是女职工宿舍楼，钟情一旦惊叫起来，那就完蛋了。

不过，看刚才张胜扶她上楼的模样，她今天醉得着实不轻，要是趁她酒醉神志模糊四肢无力占她身子，那就容易得多了。

在楚文楼心里，钟情是那种对两性关系比较随便的女人，真要硬占了她的身子，她也不便声张的，这哑巴亏她是吃定了。

楚文楼眯着眼向里张望，见一个人影正仰卧在床上，他左右看看，这才把门一推，飞快地闪进去，然后又轻轻将门关上。

楚文楼走到床前站定身子，定睛一看，不由双眼一直，口水都快出来了。

钟情仰卧在床上，好像正向他做着无声的邀请。淡淡的月光给她裸露在外的肌肤笼上了一层如水般的光晕，玉体横陈、曲线迷人，宛如静夜中的一颗明珠，放出淡淡的光芒。

楚文楼终于知道什么叫风情万种，终于知道为什么有傻子不要江山爱美人了，这才是销魂蚀骨的一代尤物呀。

他眼中喷着欲火，兴奋得直打摆子，他踢掉鞋子，一边飞快地脱着衣服，一边向床上那具闪着润泽光辉的诱人女体猛扑过去……

张胜的住处就在董事长办公室里屋，但他走到主楼前就口渴难耐了，便一头钻进了收发室，拿起门卫老胡的特大号茶缸子"咕咚咕咚"喝了个痛快。

一缸子凉茶下肚，张胜清醒过来，想起钟情房间一点热水也没了，半夜酒醒必然口渴，得给她送壶水去，便提起了桌子上的暖水瓶。

老胡殷勤地道："董事长，您这是干吗呀？"

张胜打个酒嗝，摆手道："没什么，钟经理今晚应酬，喝得有点多了，我给她送壶水去。"

老胡一听忙道："哎哟，可不敢劳动您，我去送吧。"

张胜有点乏了，一听便把暖水瓶递给了他。老胡提起水瓶，刚刚走出去没多远，张胜忽然推门追了出来："老胡，老胡，停下，停下！"

老胡站住身子，点头哈腰地道："董事长，您还有啥吩咐？"

张胜走过来，从他手中接过水瓶，说："没事儿，还是我去送吧，你回传达室吧。"

老胡莫名其妙地走了回去，张胜心中暗自庆幸。

他把水瓶递给了老胡，才想起钟情如今衣衫不整，实在不宜让人见到，自己刚从她屋里出来，如果被老胡看见，指不定传出什么谣言去。

张胜暗自庆幸着折回职工宿舍，这时才又想起钟情的门也没锁，自己真是喝得糊涂了，不过，也幸好没锁，否则这水还送不进去了。

张胜重新爬上四楼，长长地喘了口粗气，轻轻一拧钟情房门的把手，门无声地开了，房内一片漆黑。

耳畔传来沉重地呼吸和哼哼唧唧的声音，张胜蹙蹙眉："钟情醒了？挺漂亮的一个女人，怎么醉酒呻吟的声音这么难听？"

他摸索到开关，"啪"的一声打开，不由一下子怔住了，只见钟情坐在床头，抱着被子捂在胸前，披头散发，满脸是泪，这是……怎么了？

张胜知道有些人喝醉了喜欢说，有些人喝醉了喜欢唱，他还见过一个喝醉的大老爷们坐在酒店走廊的沙发上放声大哭，旁边好几个喝得面红耳赤的人跟唱喜歌儿似劝他的可笑场景，想不到钟情喝醉了也喜欢哭呀……

"等等，不对，这哼哼唧唧的声音怎么……"张胜急忙跨上两步，他方才站在门口，一进门是洗手间，所以突出的一块遮住了大半个床，这时走进去，才见地上趴着一个人，裤子半褪，拱着个肥胖的大屁股，像母猪拱槽似的做着痉挛动作。

钟情正伤心落泪，忽然有人"啪"的一声打开了日光灯，晃得她眯起了眼睛。张胜疾步走到面前时，她的视力也恢复了正常，看清眼前站着的人是张胜，她也呆住了。

床上坐着一个，床头站着一个，两人之间还趴着一个，形成了一个很诡秘的画面。

钟情睁着一双泪眼看着张胜，小嘴愣愣地张成了O形，好半晌，她忽然惊叫道："不是你?"

与此同时，张胜提着暖水瓶，低头望着地面惊叫道："是你!"

地上，楚文楼扭动了一下肥硕的臀部，舒展了一下身子，无力地呻吟一声作答……

原来，楚文楼迫不及待地爬上床。

钟情虽说醉得厉害，可还没到被人压到身上还全无知觉的地步，楚文楼刚扑到她身上，她就本能地反抗起来。

楚文楼骑卧在钟情身上，忘了刚才他只轻轻把钟情的裤子褪到足踝处。这等于把她的双腿绑在了一起，她一挣扎，两条大腿只能上下收缩。喝醉了的人受了惊吓挣扎起来，那力道着实惊人，钟情两只膝盖猛地一顶，正正儿地磕在楚文楼胯下。

男人那地方轻轻碰一下都受不了，何况是被膝盖重重地顶上去?

楚文楼闷哼一声，差点当场"爆胎"，他还没占到啥便宜，就疼得摔到地上，捂着下体，身子佝偻得像只虾米，一个劲儿倒气，半天都没缓过来。

楚文楼趴在地上倒吸气，钟情坐在床上却像是做了一场噩梦。过了一会儿，她的神志才清醒了一点。方才所经历的事和之前支离破碎的记忆画面混合在一起，于是她把在地上的人当成了张胜。

房间里没有开灯，除了窗外朦胧的月光，没有别的光亮，她的心里更是漆黑如墨，黑得伸手不见五指。

她没有勇气开灯，没有勇气去面对地上那人丑恶的嘴脸，那会打破她心中的美梦，把她新生的希望和勇气全部扼杀。

这一年多来，她始终活在孤单与寂寞里，与张胜相处的日子，是她过得最充实，最快乐的时光，她第一次感受到凭自己的能力被人尊重的自豪与满足。每一天，她都过得自信而从容，这一切都是张胜带给她的。所谓日久生情，其实她心里已经渐渐烙下了张胜的身影。

可是他这种无耻的行径彻底打破了她心中的幻象。她没想到自己全心全意地为了公司、为了张胜，他居然趁人之危，居然也是这种没有廉耻的小人，居然趁着自己酒醉，想用这种方式占有自己，完全不顾忌自己的感受。

为什么，为什么张胜可以根本不要了解她的心理、不需征得她的同意，要用这种卑鄙的手段占有她？是不是在他心里，自己就是那种可以随便的女人？

想到这里，钟情心如刀割。她现在最需要的不是性爱，而是尊重，作为一个人，别人对她人格上的尊重。

她坐在床头拥被而泣，说不出心里是种什么感觉，愤怒么？更多的却是伤心，一种被相信的人背叛的痛苦。

然而，灯光亮起的一刹那，她心中本来已经认定的一切又来了个一百八十度的大逆转。张胜提壶站在面前，地上却是那头"肥猪"。面对这种突兀的转变，钟情喃喃地说不出话来，完全失去她应有的反应了⋯⋯

第十六章　成也萧何败也萧何，投资还是投机，两种观念水火不容

公司业务蒸蒸日上，越来越红火。然而，这一切在徐海生眼里只是小打小闹，根本不屑一顾。他的生意很大，利用国有企业大批转型的机会与人合作搞低成本兼并重组，经包装后，再高价出售，他就是以这种蛇吞象的方式，把不少国有资产变成了他的囊中之物。宝元汇金实业公司对他来说，不过是一个资金中转站而已。他在玩一个完美的"空手套白狼"游戏，但风险如击鼓传花，最后花会落在谁的手中，只有天知道。而这一切，张胜完全不知道。张胜坚信，张二蛋能靠一个被罩厂起家，成为拥资数亿的大老板，他也一定能。

张胜看了房中的情形，已经想通了其中的关节。张胜勃然大怒，他把暖水瓶撂在桌上，一个箭步蹿过去，双手一抓，就把楚文楼从地上提了起来。

最难受的阶段已经过去了，楚文楼喘过气来。他双手提着裤子，狼狈不堪地叫："张总，你别误会，不不不，我是说……"

"出来!"张胜脸色铁青地扯住楚文楼，把他拽出了房间。

张胜怕惊动同一楼层的女职工，把他扯到了三四层之间的楼梯上。黑暗里，楚文楼慌慌张张地系好皮带，喃喃地道："张总，我……我不知道你还回来，我要是知道你回来睡，我根本就不会上来。"

张胜一听，心中更气，飞起一拳，把楚文楼仰面打飞出去。

"嗯!"楚文楼一声闷哼，重重地摔在地上。张胜踏进一步，压着嗓子从牙缝里蹦出一句话："你他妈的还是不是人?"

呼痛声停止了，楚文楼咬紧牙关站了起来，愤怒的眼睛在黑夜里也能让人看得清。

"张胜！你狠！你为了他妈的一个婊子打我？"

他狠狠一擦嘴角的血迹，狰狞地低吼道："你行，姓张的，你真行！我为了你的厂子尽心竭力，从创办到如今，每天鞍前马后，奔波劳累，没有功劳也有苦劳。狡兔未死，走狗就要烹了？

"钟情是什么？她不过是个婊子，一个背着丈夫偷人，又被人扔了的烂货，逢场作戏，玩玩而已，你当她是块宝？你为了这种女人跟我翻脸？"

"她是我的员工，这是我的公司，我没资格管吗？你在犯强奸罪，你知不知道！"

楚文楼讥诮道："强奸？哈哈哈，一个人尽可夫的女人，也配说强奸？你以为她冰清玉洁，三贞九烈？要不是她现在一心想攀上你这高枝儿，你以为我会从她床上掉下来？"

张胜冷冷地道："那只是你的想法。这世上谁没有男欢女爱？如果不是她老公背叛在先，钟情也未必就会找上徐大哥，她找上徐哥的时候，也是真心实意爱着他的，如果你以为她是一个随便的女人，那你就看错她了。

自从钟情来到公司，我只见过她深夜还在搞策划，吃着饭还在整理文件，每天一心扑在工作上，她付出的是她的劳动，是她的智慧，她是凭自己的能力赢得了公司上下的尊重，她有她的尊严和人格！她从没在我的公司靠姿色吃闲饭。你觉得她卑贱，就可以随便糟蹋？"

漆黑的楼道里，一个身影静悄悄地立在楼角处，她赤着一双雪足，踏着凉凉的水泥地面，一手扶在墙上，一手捂住嘴，掌缘被牙齿紧紧地咬住，眼神中溢出湖水一般的光泽……

"好，我无话可说，你说怎么办吧？"楚文楼地站在那儿冷笑道，"打电话报警，说我强奸未遂？"

张胜沉默半响，轻轻地叹了口气："幸好你还没做出什么事来，我会劝劝她，请她不要声张，这件事我当没发生过好了。"

楚文楼冷哼一声没有说话，张胜感伤地道："老楚，这里原来一片荒凉，我们是亲手把企业大楼在这里树立起来的创业伙伴，我希望能和你共患难，亦共富贵，一生一世做好兄弟，人要相处，总有磨合的，难道你愿意就此分道扬镳？"

这句话或许打动了楚文楼，他的呼吸渐渐平稳下来，过了一会儿，他默默地转过身，借着楼道里微微的光，扶着楼梯一瘸一拐地下去了。

张胜一个人立在黑暗里，掏出一支烟点燃，默默地吸了起来。

一支烟抽完，他脚步滞重地回到了楼上，试着一拧门把，门还没锁，他轻轻推开门，房里关着灯，月华如水，流泻满床，钟情侧卧于榻的剪影，恰如一幅跌宕起伏的水墨画。

"钟……钟姐……"

张胜踌躇着，劝她的话颇觉难以启齿。

"我没事，我想睡了，张总，你也回去睡吧。"

张胜犹豫了一下，默默地退了出去，临走时，替她锁上了房门。

房间里，钟情泪湿枕巾。

国人传统，对男人重视他的事业，所以男人一失足成千古恨；对女人重视她的贞操，所以女人一失身成千古恨。

钟情自问并不是一个随随便便的女人，当初她是真心喜欢徐海生，所以她奉献了自己，想不到镜花水月一场空，始作俑者的徐海生从不曾受人道德上的谴责，她却背负了全部的骂名。

女人之不幸犹如踩了一脚狗屎，难道自己在别人眼中便也成了狗屎，成了没有廉耻、可以任人作践的对象？楚文楼是什么东西？只要女人向他翘翘屁股，他就会像条狗似的扑上来，这种东西也配扮成道貌岸然的正人君子，把她辱骂得一文不值？

花正芬芳自招蝶，谁知道她承受了多少本不该由她来承受的东西？谁知道她以多大的毅力，忍受了多少痛苦，才让自己从那梦魇中醒来？

事情曝光之初，她并不十分在乎，别人的闲言碎语，只当它是放屁。一个个人把话说得污秽不堪，好像他们是不食人间烟火的神仙，谁又不曾做过同样的事呢？心里有了他，便有了精神支柱，她相信徐海生也是真心对她的，杨戈把她打得奄奄一息，她都没有绝望。

徐海生之后冷酷无情的言行，才是戳进她心坎里的一把刀。那些日子，

269

她有家难回，住在小旅馆里，每天浑浑噩噩，临到吃饭时，都得一口口地吸着气儿才咽得下去，她在炼狱里煎熬了多久才挣扎出来！

在这郊区公司里，她重新找回了自己的尊严，重新活得像个人了，心头的伤疤似乎已经愈合了，却在今夜，再度被人撕扯得鲜血淋漓。

清秀的脸颊上，眼泪煎熬成珠，痴望窗外一轮冷月，她的心中只有无尽的悲苦……

这一夜发生的事，成了一个只有三个人知道的秘密。自从来到公司后，钟情渐渐变得开朗自信起来，全身上下都焕发出成熟女人特有的妩媚，但是从这一夜之后，她又戴上了最初应聘时的那副金丝眼镜，镜片后的眼神客气、冷淡而疏远。

张胜知道，这其实是她的自卑感作祟，也是她自我保护心理的外在表现。心病还需心药医，张胜没有在言语上多加劝解，而是安排给她更多的工作，张胜明白，或许只有复杂有挑战性的工作，才能慢慢疗治她的心伤。

当初规划的批发市场开始筹建了，钟情被任命为批发市场经理，主抓批发市场建设，不再兼任张胜的秘书，这样也避免了两人相见时的尴尬。

在这个独立的舞台上，钟情越来越发挥出了她的优势，表现出了她的能力。她善于理财，成本控制比较稳当，比男人更会精打细算。同建筑公司和方方面面打交道时，女性性别的优势和她特有的韧劲、周到和细腻，使她游刃有余，把工作做得井井有条。

楚文楼则主抓冷库管理，冷库业务已经渐渐走上轨道，需要操心的不是很多，自那晚的事发生之后，张胜本还担心他会消极怠工。他是张二蛋作为参股人委派过来的副总，如果事事扯后腿、唱反调，还真是让人头痛。好在楚文楼也很知进退，并没有因此和他翻脸，过了三五日，两人就谈笑自若，一如既往了。

楚文楼还联系一些大商场、大酒楼，主动跑业务。这几年，随着人民生活水平的提高，北方饮食业中，火锅成了一道很显眼的风景，不止专门的火锅店开了许多，寻常百姓也把火锅搬上了桌。

楚文楼包揽了许多大商场、大饭店的羊肉片供给服务，为此，冷库专门购进了四台切片机。同时，为了保证肉食品进货质量，降低经营成本，冷库开始自行采购一些肉食品进行加工、冷冻和批发销售。

为此，公司又建了个附属于冷库的屠宰厂，定点收购生猪、牛羊、屠宰、冷冻、加工、出售一条龙，公司业务蒸蒸日上，越来越红火。张胜坚信，张二蛋能靠一个被罩厂起家，成为拥资数亿的大老板，他也一定能。

不过，这一切在徐海生眼里只是小打小闹，根本不屑一顾。他的生意很大，利用国有企业大批转型的机会与人合作搞低成本兼并重组，经包装后，再高价出售。这几年来，他就是以这种蛇吞象的方式，把不少国有资产变成了他的囊中之物，这才是他盈利的主业。现在的宝元汇金实业对他来说，只是他的一块资金中转站。

建筑业的利润在 15% 左右，房地产业的利润就在 100% – 200%，开发区原来的地价低，利润更是惊人。公司刚刚开张不久，虽说从银行利用抵押贷来了不少款子，但是由于摊子铺得太大，用钱的地方多，而且张胜正在扩大冷库经营规模，筹建水产批发市场，所以徐海生在开发出第一期厂房并成功出租后，开始变更经营策略。

目前开发的第二期厂房，他准备采取半租半售的方式，准备出租的部分仍采取办齐产权手续后，继续向银行抵押贷款，再用这部分款项作为目前的工程建设资金，而出售部分则待价而沽，所得款项全部用于兼并重组。

由于财务都由自己的人控制，徐海生并不担心张胜会发现其中的机关。况且张胜现在整日里忙于公司的发展壮大，基于对徐海生的信任，只要财务上能保证他的资金流动，他对整个公司资金的状况并不了如指掌，所有这一切，都在徐海生的掌控之中，张胜年轻，爱做实业，那就由他可着劲儿折腾去吧。

至于这种快速扩张是否能保证房屋全部租售出去，徐海生并不在意，就算到时厂房卖不出去，他也有办法，他只要大幅度抬高房子标价，将原来价值 100 万的厂房抬高到 150 万，然后指使别人"购买"，然后假购房者以 150 万元的标价获得 70% 的按揭贷款，就能成功实现资金套现。

这是一个完美的"空手套白狼"游戏，但风险如击鼓传花，最后会落在谁的手上？而这一切，他并没有完全告诉张胜。

他是一手把张胜从普普通通的工人扶上企业老总位置的人，张胜对他视同兄长，对他的信任无以复加，对他的能力有种盲目的崇拜，更对他有种感恩的心情，再加上财务部完全由徐海生的心腹一手把持，张胜对他的运作细节一无所知。

张胜在努力地担土挑肥，浇水灌溉，期盼着他的公司像一棵参天大树苗壮成长，而蛀虫在内部早已悄然滋生……

夹心泡沫彩钢板架构的小型冷库修建起来很快，一个月后，已经建好了三个，张胜便把原来储藏在中型库中的一些商品运了过来，这种冷库更干净更清爽，适宜存放对冷藏条件要求比较高的商品。而原来的中型冷库则腾出来放一个专门冷冻公司下属的屠宰场送来的鲜猪肉。

郭胖子笑嘻嘻地道："张总，咱们这个冷库，生意真是好得不得了。光是咱们自己采购批发的肉食，就供不应求。屠宰厂那边现在光是猪、牛、羊，每天就要屠宰两百头左右，以前是乡镇上许多人帮着收购牛羊和猪等家畜。现在我们已经有了固定的供货商了。"

郭胖子现如今不再担任保安队长了，企业越做越大，屠宰厂开业以后，郭胖子就成了屠宰厂厂长。那地方虽说环境不好，可是却是地道的肥差。屠宰厂的工人们大多家境富裕，甚至比城里许多人家还强，那地方得有个信得过的人管着，郭胖子就成了不二人选。

他带人来送货，恰巧看到巡视至此的老友张胜，两人便站在这儿聊起来。

工人们正用叉车把一条条屠宰洗刷好的鲜猪肉运进冷库，过秤员忙碌地做着登记。旁边站着一个穿格纹西装的老板，是来进货的。

张胜笑道："现在在开发区工作，不能常回市里，嫂子没有怨言么？"

郭胖子把肚子一腆，神气活现地道："她敢？老子一个月挣得比她做四个月小生意还高，敢对我有啥怨言？"

"不过……"他抚着肚子狡黠地一笑，凑过来耳语道："说实话，老婆一个人在城里，我还真是怪想的，每逢周六周日我就回去，唉！别看老婆平时总是一副看不上我的模样，其实心里还是疼我啊，对我那个热情……这叫什么来着？对了，小别胜新婚！你现在忙得没白天没黑夜的，和小璐见面的机会也少吧？"

张胜点点头，叹气道："嗯，不是我有事，就是她有事，除了周末有时间聚聚，我们现在见面的次数还没我和朋友们见面的次数多呢，事业、爱情，总要有所牺牲，既想事业成功，还得整日和心上人花前月下，世上哪儿有那么好的事？有得必有失，这就是代价吧。"

郭胖子拍拍他肩膀，劝道："年轻女孩子，都喜欢男友陪在身边，你总这么忙也不是事儿，要不和她再商量一下，把她调到身边吧，那样就好多了。"

张胜展颜一笑道："小璐很懂事，对我的工作很理解，我还年轻，应该以事业为重。我们打算年底企业不太忙的时候就结婚，结婚后我再劝她过来帮我吧，那时也名正言顺。"

这时他的手机响了，李尔在电话里说："张哥，我上回说的那几位朋友正在这里，你要不要见见？"

李尔前几天和张胜说过，有几位水产批发商准备在本市扩大经营，正在寻找合适的冷藏合作伙伴，张胜对这个商机非常注意，曾叮嘱李尔，等这几个人到了省城后，一定想办法帮他创造条件彼此见见面，所以一听这话，张胜立即兴奋地道："那好，我马上安排一家大酒店，晚上和这几位朋友好好聊聊。"

李尔在电话里笑道："不用了，这几位和你一样，都在创业阶段，个个都是分秒必争的工作狂人，他们还要乘今晚的飞机赶回去，不用热情款待了，彼此见个面，认识一下，只要条件合适，他们会主动跟你合作的。"

张胜看看手表，说道："好，那我马上赶回去，你现在在哪儿？"

李尔说："我在他们下榻的帝豪饭店，你到了打个电话，我下去接你。对了，安排好公司的事情，晚上和哨子他们聚聚吧，你这一阵子不露面，大家挺想你的，二小姐嚷着要去追杀你个无情无义的南北呢。"电话里传出一阵大笑。

张胜也笑了："好好，你安排吧，但是如果又要拼酒，那愚兄可恕不奉陪。"

关掉手机，张胜对郭胖子笑吟吟地道："你忙你的，我回公司里安排一下，然后回城一趟。"

副总经理办公室内，楚文楼正声色俱厉地训斥着面前的一个女工："这批货是发给市里几十家大酒楼、饭店的，所以才连夜加班赶制，你是干什么吃的，嗯？连切片机都看不住，羊肉卷、牛肉卷都那么厚，能拿来涮锅子吗？"

　　亮得能当镜子的老板台前，站着一个身段高挑、腰肢窈窕、穿蓝色制服、梳着两条大辫子的姑娘，她眼泪汪汪地低着头，显得十分可怜。

　　这姑娘眉清目秀，长相宜人，是公司里比较漂亮的一个女孩，高中毕业，在镇上也算高学历了。她叫白心悦，是公司刚刚成立时张胜亲自招进来的第一批工人中的一个。由于年轻俊俏，冷库的工人开些荤笑话时经常把她挂在嘴上当意淫对象，这女孩的男朋友叫黑子，目前也在汇金实业工作，是新成立的汇金屠宰厂的工人。

　　白心悦抽泣着说："楚总，您高抬贵手，就原谅我一次吧。我真的不是有意的，一开始那机器都正常，我不是第一天干切片这活儿了，薄厚设定好了就没啥事了，可谁知道四台机子都出了故障问题……"

　　楚文楼打断她的话，不耐烦地敲着桌子道："别和我扯这些没用的，你确实玩忽职守了，这总没错吧？操作规程规定，切片机工作期间不得擅离职守，你离开过，这总没错吧？"

　　白心悦用手背擦了一下眼泪，委屈地点点头，

　　楚文楼半躺在老板椅上，不紧不慢地道："还是的呀，那你说，让我怎么高抬贵手？这次放过了你，下回别的工人都有样学样，这厂子还能干下去吗？我联系这些客户容易吗？求爷爷告奶奶，赔着笑脸说小话，我才把这些客户争取来，结果……哼！"

　　白心悦泣声道："楚总……"

　　楚文楼不耐地拿起杯子，杯子里水空了，他又不耐烦地放下。

　　小白倒是机灵，赶紧抢过去替他提过暖瓶，楚文楼并不领情，站起身一边自己倒水，一边说："我是没办法了，就这还是我给你压着呢，要是事情闹到董事长那儿，你的处分更得严重，别忘了，这厂子是董事长的，你这糟践的可都是他的钱。"

　　他坐下来继续训道："你说你这一晚上都寻思什么去了，啊？就是一开始看了几眼，然后就跟个没事儿人似的，愣没检查一下，也太没有责任心了。

274

那四台切片机，每台每小时切片八十公斤，四八三百二，四个小时一千二百八十公斤，每公斤十元，这就是一万两千八百块。

"当然啦，你可以把它碎了当肉馅卖出去，然后再还厂里的损失，这么算的话，你还不算赔，不过，我们对这些饭店是有供货合同的，现在延误了人家营业，是要赔偿损失的，这个钱可就大了，你回家按照五万块先准备着吧。"

白心悦家境贫寒，别说五万块，一万块对她家来说都是天大的数目，要是让家里知道了这事，还不天塌地陷似的？

白心悦见识少，没经验，一听这话脸色煞白，哆哆嗦嗦地道："楚总，我求求您……"

一语未了，她便双膝一软，"扑通"一声跪了下去……

"别别别，你这是干什么？"

楚文楼急忙站起："这是公司，我又不是旧社会的县太爷，跪我做什么？你……行了行了，你起来，起来说话！"

他刚把小白拉起来，门被敲响了。楚文楼忙压了压手，示意她安静一点。这时，张胜推开了房门："老楚啊……"

他一进来，正看见白心悦抹着眼泪。张胜和她不是很熟，但是记得她的名字。这姑娘很腼腆，每次见到张胜，就红着脸站到一边，让他先过去，以示敬意，至于敬称，大多数时候只见她嘴唇嚅动，那声音跟蚊子哼哼似的，就没一次听清过。

一见是张胜出现，楚文楼忙站起来迎向他，同时不动声色地继续训斥白心悦："你的问题，不是写份检讨那么简单的！一个老员工，违章操作，性质多么严重！影响多么恶劣！"

张胜一听，估计是冷库管理工作上的事，楚文楼是公司副总经理，主抓的就是冷库方面，出了问题予以处理是他职权范围内的事，自己没必要事事插手过问。

这既是维护副手的权威，也是避免领导者事必躬亲、事事插手的弊病。所以张胜只是瞟了眼怯生生的白心悦，对楚文楼道："老楚啊，我回市里一趟，有什么要紧事，给我打电话联系吧。"

楚文楼笑道："好，董事长什么时候回来？"

张胜苦笑道："别提了，本来只是会见几位外地的朋友，可他们晚上还得乘飞机离开，我想……送他们去机场，然后再和本市的几个朋友去吃饭，我估摸着，最快也得晚上九、十点钟才能回来吧。公司里，你多照应一下吧。"

"好好好，董事长放心吧，没有问题。"

送走了张胜，楚文楼把门推上，回头看看泪眼迷离如雨后梨花的白心悦，轻轻摇了摇头，他绕回办公桌后坐下，随手拿过一份文件翻了翻，又用铅笔在两行文字下边划了条浪线，好像正专注地批阅着文件。

过了一阵儿，他摸出支香烟，"嚓"的一声点上，看着文件，头也不抬地道："我还有几份文件要批阅，你先回去工作吧。"

"楚总……"

楚文楼"啪"的一声撂下文件，状似发作，骇得白心悦连忙闭了嘴。

楚文楼眉尖一挑，可是看见她泪水欲滴的模样，声调不由又缓了下来，他无奈地叹了口气，皱着眉心道："我知道你一向工作还算勤快、踏实，只是这次事故……实在是……唉！我再考虑一下吧。"

白心悦听出弦外之音，不禁大喜若狂，连连鞠躬道："谢谢，谢谢楚总。"

楚文楼夹着烟卷挥挥手，一张油乎乎的胖脸努力挤了挤，皮笑肉不笑地道："不必谢我，我也不是特意给你开绿灯，处罚并不是我的根本目的，我也是想严肃一下公司纪律嘛。

"惩前毖后、治病救人，才是我的目的，公司的规章制度不能不执行，你的家庭困难嘛，我也会考虑的，嗯……这样吧，我下午抽空再想想，看看怎么合理、妥当地处理这个事。

"唔……这几台机器一直都是你在使用，你应该比较了解情况。四台机器都出了故障，如果能证明是设备质量问题，你的错误处理起来就可以尽量轻一些。就这样吧，我手头有几份急件要处理，你先回去吧，下班后来我办公室，我们……再深入地研究一下，好吧？"

省公安厅俱乐部冷冷清清的攀岩室内，两个身材窈窕的女孩正在人工仿造的岩壁上向上攀爬。

276

攀岩运动此时在国内还没流行，有这种专业攀岩室的俱乐部尚是凤毛麟角。公安俱乐部最初建设这个攀岩室，目的只是为了模拟自然环境，锻炼干警的身体素质。

不过，除了特警和武警，大部分警察的身体，至少从腰围上说让他们练攀爬是很成问题的，而有时间或有资格来公安厅俱乐部的，大多不会是特警和武警，所以领导意图是好的，但是这个攀岩室建成之后，却几乎无人问津。

事实上，除了最初几天图新鲜，有些人跑来试试身手外，此后在这里出现次数最多的，就只有现在这两个女孩了。此时，落在后面的姑娘体态娇小，头发束成马尾，穿着淡黄色小裤头，同色的小背心，纤腰一束，十分的可人。

她腰间系了一条安全带，脚上一双攀岩鞋，除此之外没有其他装备，此刻，她已经爬到四米多高的地方，正从腰间的粉袋里掏出镁粉涂在手上，以免滑了手。

远远超在她前面的姑娘上身穿一件迷彩背心，下身一件紧身的迷彩短裤，双手双脚完全赤裸着，她双腿修长，雪白的大腿上隐隐泛起条形肌，身体素质比后面的女孩好得多，她已经攀到了七米多的高度。

这面攀岩墙高约十米，最后一段难度最大，此时，她团身缩在一个凹进去的石槽内，只用指尖和脚趾，把身体几乎倒立着悬在岩壁上，看起来实在是惊心动魄。她弓着身子，屏住呼吸，轻轻悠荡几下，忽然如猿猴般向前一蹿，险之又险地扣住一个脚坑，身体整个儿悬在了空中。

女孩深吸一口气，收腹引体，左腿一荡，斜着甩上去，勾住另一个脚坑，然后连续发力，腾挪、跳跃、转体，以极其优美、流畅、刺激的动作快速登顶，犹如在表演优美的岩壁芭蕾。

她翻上壁顶，看着下边的女孩指点道："右边，向右边荡，女性上体长，下肢相对要短，身体重心比男人低6%，所以平衡力比男人强，这一点要充分利用。"

"对，就这样，女性肩窄，臀大，肩、腹及腿部肌肉弱于男人，但是关节灵活性和柔韧性比男性强，要充分利用悠荡来节省力气。"

"啊……啊……手酸了。"又爬了两米，秦若兰放开手，任由安全带把她悬在空中，耍赖道："我不爬了，腰酸背疼啊，今天不舒服，真的不舒服。"

上面穿迷彩短裤背心的短发女孩嗤笑道："又找理由偷懒！"

秦若兰一边向地面移动，一边反驳道："谁能跟你比啊，我又不是警察，哪有闲工夫整天像猴子似的爬这玩意儿。"

短发女孩哼道："谁像猴子呀？就你这样的，是永远也体会不到'山到绝处我为峰'的感觉的。"

秦若兰嘿嘿地笑起来："还'山到绝处我为峰'？就……就这假山？说到底，还是猴儿啊，而且是只小母猴，哈哈哈哈。"

短发女孩双手叉腰，两眼望天，作独孤求败状，悠悠叹道："你以为我只能爬假山么？我是英雄无用武之地呀。我想去真正的山上攀岩，没有任何防护装备，迎着山风和阳光，一路爬上去，最好是去阿尔卑斯山，大自然的宫殿，多么浪漫啊！"

秦若兰揶揄道："最好像欧洲女孩一样裸体攀岩，那才刺激。"

短发女孩两眼放光地道："说真的，我还真想那么做呢，在那人踪鸟迹俱灭的地方，最彻底地面对自然，没有衣服鞋子，没有任何绳索和安全工具，仅靠双手双脚，超越体能极限。"

秦若兰伸在半空中拍手笑道："好啊，那我租架直升机，全程录像以作纪念，"

她一边往地面缓缓放着自己，一边笑道："要是让爸妈知道了你这疯狂的想法，不知他们会不会吓倒。哼哼，从小爸妈就说你乖、你文静，要我向你好好学习。可惜他们看到的，永远都是那个正在看书的小淑女，哪儿知道你疯起来这么厉害？"

她落到地面，解开安全带，说："打了网球又来攀岩，我都一身臭汗了，快下来吧。"

姐妹俩冲洗完毕，换了衣服刚刚走出来，秦若兰的手机就响了，她打开一听，眉开眼笑地道："好，那你们来接我吧。"

"谁呀？"短发女孩手臂上搭着上衣，歪着头，一边用毛巾擦着湿漉漉的头发一边问。

秦若兰喜滋滋地道："是哨子、浩升他们几个，还有张，哦，也是我朋友，他是开发区一家企业的老总，回城办点事，邀我去喝酒，你也一起去吧。"

短发女孩一听，摇头道："又是喝酒啊？无聊，我不去了，我喝点酒就犯困，晚上还要看《一吻定情》呢，我先回去了。"

秦若兰白了她一眼，说道："那种烂肥皂剧有什么好看的啊？"

短发女孩眉飞色舞地道："才不是呢，那个嘴巴比眼睛大，耳朵比嘴巴大，嗓门儿比耳朵大的琴子，和直树的爱情故事好有趣。一个意外的吻，决定了一段宿命的姻缘，啊！不能说了，一说我就喜欢得受不了，真是太浪漫啦，我得赶快回家去，bye-bye！"

秦若兰直眼看着她急匆匆离去的背影，摇头叹道："一个女刑警，却喜欢看那种最幼稚的肥皂剧，玩最疯狂的极限运动，结果成了父母眼中的乖乖女。我秦二小姐，一个温柔贤淑、把毕生奉献给南丁·格尔事业的白衣天使，都快赶上救苦救难观世音菩萨了，却成了他们眼中的惹祸精，这是什么世道啊？

"还《一吻定情》呢，真够烂的，不就是嘴唇和牙齿的无聊接触么，还没人工呼吸深入呢，能决定什么呀？上帝啊，如果让我选择，我宁可用一杯美酒来决定我的宿命姻缘，无量天尊……"

张胜的奔驰和哨子的美洲虎在公安俱乐部门口一侧停了下来。哨子和李尔在同一辆车上。由于天气热，两人有车代步时都成了懒洋洋的大少爷，多一步路都不肯走，自然是赖在车里不出来。

李浩升坐在张胜车里，笑道："二小姐谱儿大，估计这时也在冷气房呢，我进去找找她。张哥，进去瞅瞅不？"

张胜笑道："好啊，公安俱乐部，我还头一回来呢，走吧，跟你去开开眼界。"

张胜熄了火，跟着李浩升下了车，两人走进俱乐部大门，开得十足的冷气立即扑面而来，让人神志一清。

大厅正对面是礼堂，左右各有走廊通向其他场所。李浩升边走边介绍道："二小姐来这儿，肯定是跟她大姐一起攀岩呢。这边走，说不定运气好，今天能请到两位大美女一同赴宴呢。"

张胜跟李尔介绍的客人已经浅酌了几杯了，他原想尽尽地主之谊，好好款待款待未来的合作伙伴，但这几位朋友急着赶回去，所以张胜就想把他们送去机场。可张胜要去，李尔这中间人就得奉陪了，那几位朋友晚上九点多的飞机，他可没耐心一直陪着。

这几位批发商同李氏批发关系密切，而且需要借助李氏的地方很多，张胜对他们很客气，李尔李大少却没觉得需要对他们礼遇如此之隆，所以双方聊了一番合作意向之后，李尔就寻个借口把张胜给扯了回来，拉着他去见自己的狐朋狗友。

张胜酒意不浓，离开那儿就去邀哨子和李浩升，然后又一路赶来这里。他还没方便过呢，这时有些尿急，往右一拐，恰好看到洗手间，张胜忙道："我先上个厕所。"

李浩升道："行，那你去吧，攀岩室就在前边，我接了她出来等你。"

洗手间进去，迎面是一面镜子，下面是四个洗手盆，洗手间男左女右两个门，张胜正要拐进男厕所，忽然发现洗手盆的大理石面板上放着一部手机，左右看看，却不见有人。

张胜走过去拿起一看，是一部和自己同型号的摩托罗拉，张胜忙大声问道："有人吗？谁手机忘在这儿啦？"

等了等，男女洗手间都没声音，看样子是有人洗手时顺手放在旁边却忘了带走。那时手机价格不菲，还不是什么人都用得起的，张胜又喊了两声，可是仍没人作答，他尿急难忍，便顺手把手机揣进口袋，然后一头钻进了厕所。

他方便之后走出洗手间，站在门口左顾右盼，仍不见有人来找，这时，李浩升和秦若兰并肩走了过来。秦若兰戴着墨镜，穿着一套宝蓝色低胸的连衣短裙，长发披肩，纤腰款款，刚刚洗过的秀发亮可鉴人，分明是个姿色可人的小淑女，可她刚刚到了张胜面前，当胸便是一拳："好小子你，赚钱赚疯了？说，有多久没来看我了？"

张胜痛得哎哟一声，苦着脸道："姑奶奶，你不知道自己手劲儿大呀？我这不是来了么？"

秦若兰俏皮地翻个白眼，道："少来了，浩升都跟我说了，如果不是李尔硬拉着你，你又跑回公司去了，再见你还指不定猴年马月呢。"

张胜笑道："就算猴年马月，来总比不来好啊，如果事业上一事无成，成了个二混子，那时我就算天天来，你二小姐也不待见我了不是？"

　　秦若兰撇撇嘴，悻悻地道："男人啊，都这德性，动不动就拿事业当借口，没劲！"

　　李浩升笑嘻嘻地道："哈哈，你们还真是一对欢喜冤家，见面就吵，我就喜欢看你们吵架，你们说，我是不是有点心理变态？"

　　秦若兰给了他一个白眼道："什么有点呀，你根本就是一个变态。"

　　李浩升忿忿地哼了一声，反唇相讥道："知道我为什么喜欢看你们吵架吗？因为只有和张哥吵架的时候，你秦二小姐才有点女人样，哼哼……张哥，我姑常说，小时候给她和大姐起错了名字，她呀，从小就跟假小子一样……"

　　秦若兰扬起了粉拳，威胁道："李浩升！你又皮痒了，是不是？"

　　李浩升连忙讨饶道："别别别，我可受不了你的拳头，好好的女孩家，攀什么岩呐，练得腕力那么大，挨一下真够痛的。"

　　秦若兰得意洋洋地收回手，和他们边向外走，边说："你们都该锻炼锻炼，攀岩可是浑身上下哪儿的肌肉都锻炼到了，很不错的运动，否则你们一个个都变得脑满肠肥的，还会有姑娘看得上么？"

　　张胜眯着眼打量着秦若兰娇小健美的身段，促狭地笑道："攀岩真能炼出魔鬼身材？"

　　秦若兰冰雪聪明，只听他的口气就知道他不是诚心赞美，瞄了他一眼，秦若兰哼道："瞧你那贼兮兮的德性，就没安好心，你老人家有何高见啊？"

　　张胜笑道："我是怕你练成魔鬼筋肉人，我们有没有姑娘看得上不知道，反倒到时候你是嫁不出去了。"

　　秦若兰一脸不出所料的表情，努力地挺了挺原本就如玉碗般秀挺的酥胸，两眼望天地摆着架子道："那哀家就勉为其难，嫁给你了，就你那小体格，不听话我就捏死你！"

　　张胜一本正经地问："哀家是什么意思？"

　　秦若兰还当他真的不懂，讥笑道："哈，不学无术的东西，教你个乖，哀家是皇后的自称！"

　　张胜点点头，继续一本正经地道："皇后应该称本宫，哀家么，准确地说，是做了寡妇之后的皇后自称。"

李浩升爆笑出声，秦若兰恼羞成怒，张牙舞爪地追打张胜，笑骂道："本宫现在就掐死你，升格做哀家！"

张胜大笑着跑开，被他们这一打岔，捡了手机的事情便岔开了，直到众人出了门，迎着热浪进入冷气宜人的轿车也没想起来。

由于上次公安医院送来急救，最终变成植物人的那个酒鬼影响，秦若兰、李浩升等人喝酒克制得多，轻易不再饮那么多酒了。尤其是张胜稳重，因为自己开车，所以不肯多饮，也不许他们酗酒，所以这顿饭纯粹就是朋友间的亲近欢聚。

他们在酒店只待了一个半小时，由于哨子接到家里一个电话，让他马上回去一趟，张胜便也趁机起身告辞，这酒席便散了。张胜驱车赶回公司的时候，才六点多钟……

张胜回到公司的时候，工地的打桩机还在夯着地面，工地上照得雪亮一片，要到九点钟施工才会结束。他见副总经理办公室还亮着灯，不禁有些自惭，下午因为被李尔等人拖去喝酒，他打过电话回来，说今晚有应酬，不能按时赶回。想不到这么晚了，楚文楼还在办公，想必下午积压了不少公事，张胜停好车，便走到办公楼前，打开一楼玻璃门上的锁，缓步走了进去。

办公楼里很安静。这幢大楼除了他和楚文楼、钟情以及保安队长之外，别人是没有钥匙的。张胜信步上了二楼，走到副总经理办公室门口，正想推门进去，忽听里边传出一个女孩哭泣的声音，张胜心中一奇，忙又把手缩了回来。

他站在门边，顺着门中间的小玻璃窗往里边偷偷一看，只见楚文楼坐在皮沙发上，面前站着个人，从窗户上，只瞅到那人露出的是一双女性的腿。

他再偷偷看去，从后边看不清那女孩的相貌，只能看到一件肥大的绿色纹路的上衣，她肩后垂着两条乌亮的大辫子，衣襟一直垂到屁股上，下边是长长的大腿，那腿看起来好像稍一用力就能把她那条细碎花格的裤子给撑破。

张胜看着她的打扮，隐约觉得有些眼熟。

"厂长，我爸的病把家里的钱都花光了，家里闹着饥荒呢，虽说您给减到

282

了三万，可别说三万，就是三千我现在都赔不起呀。厂长，您大人大量，就饶了我这一回吧，我再也不会犯错了，求求您了。"

"小悦姑娘，我也想网开一面啊，但是你这是严重的生产事故，严重地损害了我们企业的名誉，那是花多少钱都买不来的，你说说，这性质有多严重？嗯？四台切片机同时出错，你是怎么工作的，影响多恶劣？所以我经过反复考虑，认为处罚措施还是要执行的。"

"原来是小白！"张胜心里咯噔一下。白天听说小白工作出现失误时，他还没有多想，现在一听四台切片机都切厚了，顿时便觉察其中必有蹊跷。这四台机器运来后，他拿着说明书亲手操作过的，这是半自动的切片机，切刀的厚薄刻度一旦确定，没有人碰是不会移位的。

就算机器会失灵，一台还有可能，也不可能四台机器同时出现故障，这明显是人为造成的。

"有人在公司里搞破坏？"想到这里，张胜顿时紧张起来。

楚文楼见白心悦泪流满面，便笑容可掬地站起来，搊着她的肩膀道："来，来来，坐下，你先别哭，坐下谈，我还没说完呢。"

他拉着白心悦坐在身边，同情地道："小悦啊，其实自打你一入厂，我就注意你了，你呢，人聪明、有文化，工作细心，啊……这个领悟力也高。我准备锻炼你一段时间，就把你提到机关来的。这次你真是犯了经验主义错误了，那机器还有个不出错的？怎么能检查一次，就几个小时不闻不问了呢？我们公司正在蓬勃发展的阶段，必须从严治厂，狠抓不懈。董事长信任我，把冷库交给我打理，你犯下这么大的错误，你让我怎么向董事长交待？"

白心悦可怜巴巴地说："厂长，你就是把我卖了，我家里也还不上这钱，这事我都没敢告诉我爸，我怕他的病会……"说到这儿，她哭得说不下去了。

楚文楼拉人家姑娘坐下时，顺势就握着人家胳膊，自始至终那手就没放下，这时亲切地拍了拍她，眯缝着眼睛笑道："瞧你这话说的，这么俊的大姑娘，谁舍得卖了你呀？你这次生产事故……

其实也不是一点办法没有，酒楼商场那边，都是很熟的朋友了，我打声招呼，道个歉，尽量挽回影响，只要他们不投诉到董事长那儿，还是有回旋余地的。如果说需要部分经济赔偿呢，这个……我替你拿！"

"什么?"白心悦惊讶得难以置信,"这……这怎么可以?"

楚文楼呵呵笑道:"有什么不可以?谁叫我欣赏你呢?小悦啊,冷库的管理工作很多,我一个人忙不过来,一直想找个助手,我很欣赏你的工作能力,想调你做我的助理,你有信心接受这份工作吗?"

白心悦怔住了:"这不是因祸得福吗?"

楚文楼脸上别具意味的笑容,让她马上意识到了些东西,她想挣开楚文楼的手,楚文楼却没撒开。

他个子矮,一张脸正对着姑娘挺拔的胸部,楚文楼盯着那儿,眼睛里闪烁着贪婪的光芒,封官许愿地道:"小悦呀,这机会可是有不少女工都希望得到的,你可要珍惜呀。做我的助理,工作轻松、挣得又多。

我一个人在开发区,没有家属,生活上没有人照顾,你年轻漂亮,是个既温柔又体贴的好姑娘,平时多关心一下我的生活就行了……"

"不,不不,楚总,你别这样!"

楚文楼一边说着,那张胖脸一边往人家大姑娘怀里钻,吓得小白姑娘一把推开他,抱紧双臂道:"楚总,您……您要是帮我这一回,我一辈子都感激您。可……可这种事我不做,我就是这镇上土生土长的人,做出这种事儿来,以后咋有脸做人?"

楚文楼恬不知耻地道:"嗨!你不说,我不说,谁会知道?小悦啊,只要你点点头,你的难题就迎刃而解了,而且以后好处多的是,你……你就答应我吧!"

楚文楼说完,忽地纵身向上一蹿,一下把白心悦扑在沙发上,臭嘴在姑娘脸上、脖子上四处乱舔,一只手压住姑娘的胳膊,另一只手使劲往下扯她的裤腰带,嘴里气喘吁吁地说:"小悦,我喜欢你,晚上做梦都老梦到你。我要你,我今天一定要得到你,就算回头警察把我崩了,为了你都值……"

张胜站在门外,一股火腾地蹿了起来。事情至此,虽说还没有证据,但他心中已有八成把握,切片机出故障的事和楚文楼怕是脱不了干系了。

他为了胁迫女工和他上床,居然连这种手段都使得出来,不惜损害企业利益来陷害她,这样的人居然是自己公司的副总!

张胜气得浑身哆嗦，他想冲进去狠狠给楚文楼两个嘴巴，扇醒这个色令智昏的混蛋，手碰到门把手了，忽地警觉声张不得。

公司里，楚文楼的身份最特殊，不是他随随便便就能处置的。再者，总经理和副总经理在办公室大打出手，旁边还有一个哭哭啼啼的俊俏小女工，外面的人会怎么传？那不成了宝元汇金的大笑话了么？

张胜深深吸了口气，强抑住心头的怒火，向后退开几步，这才漫声喊道："老楚啊，还没休息呢？"

小白姑娘死命地抓着自己的裤腰带，楚文楼扯不下来，便把自己的裤子拉链拉开，抓着她的一只手去摸，小白把手攥成拳头拼命往回挣，两下里正在拔河，张胜抽冷子这一嗓子，差点儿没把楚文楼吓死。

他急忙从沙发上跳起来，一边提着裤子拉拉链，一边跑到办公桌后边，把椅子拽回来，一屁股坐了上去。白心悦也匆忙坐起来，拉拉被扯得皱巴巴的衣服。他选择办公楼是因为下班后无人，而宿舍不行，谁知张胜进来了。

张胜故意迈着重重的步子，走到门口停了一下，然后一推门，只见楚文楼坐在老板椅上，手里抓着本书，打开来也不知看是没看。他上身衣服倒整齐，只是脸色红红的，头发有点凌乱。

白心悦紧张地并着膝盖坐在沙发上，衣襟的一角翻起，露出里边内衣的颜色，脸有泪痕，神情慌乱。因为女性的羞涩和担心楚文楼会打击报复，她怯怯的不敢把刚刚发生的事说给张胜听。

张胜看看楚文楼和小白，问道："正在聊天？"

"啊？没……没有，这不是……不是小悦姑娘嘛，因为昨晚的一点生产事故，在这儿向我反映问题。你看看，你看看，错了还闹情绪，制度上的事，我也不好开绿灯嘛！"

张胜瞟了白心悦一眼，她发丝凌乱、满脸泪痕地也正看着他。他便淡淡问道："是什么事呀？"

楚文楼哈哈笑道："没什么，一点小事情，你负责公司的全面经营，这点小事就不要过问了，我老楚办事，还是有分寸的，哈哈，你还信不过我？"

张胜淡淡一笑，不冷不热地道："言重了，言重了，既然不是什么要事，就让她先回去吧，有什么事，明天再谈好了。"

他说着，已经靠近了老板台，楚文楼方才匆匆忙忙的，连裤子拉链也没有拉上。张胜一走过来，他暗暗心惊，忙双手扶着桌面，不露痕迹地把椅子向前滑动了一点，他个子矮，这一下紧贴着桌子，胸部以下全挡住了。

他紧张地看了眼白心悦，道："董事长的话你听到了？快回去吧。"

白心悦怯怯地站起来，迟疑道："楚总，那……那我的事？"

楚文楼一瞪眼，不耐烦地道："不是说了明天再说吗？你先回去休息，明天再研究吧。"

白心悦惶惑地看了他一眼，鞠了一躬说："那……我先回去了，张总再见，楚总再见！"

张胜摆手道："去吧，去吧！"

等白心悦出了门，张胜双手按着桌子，身体缓缓向前倾过来，凝视着楚文楼，目光渐渐严厉起来。

楚文楼的拉链还未拉好，他不敢起来，强笑道："张总，今晚不是有应酬吗？回来得很早啊。"

张胜皮笑肉不笑地牵了牵嘴角，半晌才无奈地一叹，轻声道："老楚，你让我说你什么好？"

楚文楼脸颊抽搐了一下，笑容有些发僵："你……你说什么？"

张胜冷冷地道："这是我的公司，不是你寻花问柳的地方。我待你不薄，自问对得起你的贡献，如果谁想毁了我的心血和事业，就算他背后是张老爷子那样的能人，我也不会坐视不管！"

"张……张总……"

张胜转身向门口走去，走到门口，他握住门柄停了片刻，忽然转身一指，肃然道："老楚，我的忍耐力是有限的，这是最后一次，最后一次！"

门，重重地关上了，楚文楼脸上的肥肉开始剧烈地哆嗦起来。

他低下头，把裤子拉链拉上，然后他猛地一下跳了起来，抓起茶杯狠狠掼到地上，咒骂道："他妈的，欺人太甚！"

楚文楼一脚把椅子踢开。椅子重重地撞在文件柜上。他像困兽似的在办公室里走来走去，咬牙切齿，满眼通红，身子不可抑制地颤抖着："欺人太甚！你姓张的欺人太甚啦！我一忍、再忍，一让、再让，你欺人太甚了，姓张的！我楚文楼是你养的一条狗吗？由得你如此呼来喝去！

"妈的！钟情那个臭婊子你占了，不许老子动一指头，打落牙齿和血吞，我认了！现如今你吃肉，我喝汤都不行了？我泡个乡下女工，你也横加干涉！我楚文楼为你鞍前马后，在你眼里都不如一个普通女工重要？"

他越说越气，猛地一挥手，把窗台上的一盆花也掀翻到地上，泥土撒了一地。楚文楼踏上一步，用皮鞋狠狠碾着鲜花的枝叶、花瓣，狞笑着道："你不仁，我不义，想骑在我头上拉屎撒尿，门都没有！姓张的，这公司是老子帮你建起来的，我能帮你建起来，就能让你垮下去！咱们骑驴看唱本，走着瞧！"

张胜心事重重地走出办公大楼，从心底里讲，他是不愿和楚文楼反目成仇的。一方面，两人是一起白手起家、共同创业的伙伴，他不忍因此和他彻底决裂，另一方面，如果现在和楚文楼产生矛盾，张二蛋那里难免会怀疑他是功成名就排除异己，公司里的老人也难免会说三道四。

自创业以来，有徐海生指点，有哨子、李尔等好友相助，他一帆风顺，尽皆坦途，几乎没有遇到什么坎坷，可如今公司刚刚走上坦途，矛盾就在内部产生了。

这事如果坐视不管，不但良心上过不去，而且天知道他还会闯出什么祸来？来自内部的问题，处理轻了不成，处理重了也不成，远不如碰到的外部困难，可以处理得洒脱。楚文楼现在成了困扰张胜的一块心病。

参天大树！宝元汇金实业公司真能长成一棵参天大树吗？楚文楼是公司副总，是这棵大树上的一条主干，如果他长歪了，岂不真成了钟情所说的歪脖子树？

张胜正在忧心忡忡，白心悦从立柱后边闪了出来，嗫嚅地说："张总，我……我……"

白心悦一开始相信了楚文楼的话，认为这公司是张胜的，如果被他知道自己闯了这么大的祸，处罚一定更重，所以根本不敢在他面前提起。可她刚刚走出大楼，反复思量，还是觉得该向张胜坦白才是。

张胜一向给人的印象，就是坦诚、宽厚，如今小白已经知道楚文楼在打什么主意了，被狼惦记上了，那还有好？公司里能降得住楚总的也就只有张胜一人而已。

她还没有说完，张胜就苦笑一声道："你不用说了，我已经知道了。"

他见白心悦满脸泪痕，又叹道："你放心吧，以后他不会打你主意了，如果他再动歪脑筋，你就跟我说。"

白心悦喜出望外，连连鞠躬道："谢谢张总，谢谢张总。"

张胜说："有什么好谢的，该是我对不起你才是。被他留难了这么久，还没吃晚饭吧？"

白心悦道："嗯，不过没关系，去了一块心病，开心，少吃一顿饭不算个啥。"

两人正说着，一个小伙儿骑着辆自行车风风火火地赶来。那人骑车直冲到门楼下，一闪身利落地从自行车上跳下来，看到白心悦，就急吼吼地说："小悦，今天怎么着了？刘婶下班说你下午躲在背静的地方哭，谁欺负你了？"

他说到这儿忽地住了嘴，看看白心悦满是泪痕的脸蛋，稍显凌乱的衣衫，再看看一旁站着的张胜，忽地勃然大怒，他把自行车一扔，一个箭步就蹿了过来，揪住张胜的衣领吼道："王八蛋，你对小悦干了什么？妈的，你敢碰她？老子把你卸了！"

白心悦一看，急忙扑了上去，紧抱住那小伙，那黑脸膛的小伙近一米八的块头儿，膀大腰圆，白心悦整个人都快挂在他身上了，冲他喊道："黑子，你干什么？快放开张总！"

她这么维护张胜，那个叫黑子的小伙子一看，真是血贯瞳仁，揪着张胜的衣领，臂上肌肉贲起如球，一条青龙纹身显得异样狰狞，另一手攥成了钵大的拳头，瞄着张胜的鼻梁骨怒吼道："说！你对我对象到底干了啥？你再不说，我把你开膛破肚当白条猪！"

白心悦急了，攥起粉拳狠狠给了他一下子，叫道："马上放手，否则你别想我再理你！今天要不是张总，我就给人欺负了，你咋好赖不分呢？"

黑子一听，愕然松开手，急忙拉过她问："怎么了，谁欺负你了？你跟我说。"

张胜余悸未消地松了松衣领，刚才这小伙的那气势着实吓人，这一拳要

288

是打下来，自己怕就得满脸开花了。

瞧他那麻利劲儿，恐怕练过几天把式，说不定还在道上混过，真要被他揍一顿，那可冤了。听说白心悦的对象叫黑子，在自己的屠宰场工作，想必就是他了。

白心悦把黑子扯到一边，三言两语说了一遍，黑子恍然大悟，赶回来冲着张胜又是鞠躬又是抱拳："大哥，张总，今儿真要谢谢您了，要不我对象可就被楚文楼那王八蛋给糟蹋了。大哥，我黑子粗人一个，你别介意！"

说完，黑子又冲白心悦道："你等着，我找他姓楚的说道说道去，他也不打听打听我黑子是什么人，居然比我黑子还黑，想糟蹋我的女人，先问问我的拳头答不答应！"

张胜急忙一把拦住，诚恳地说："黑子，我已经警告过他，你就别闹大发了。事情张扬开来，镇上的人哪知道你对象到底吃没吃亏啊？那些吃饱了撑得闲硌牙的人能不添油加醋？到时谁的面上都不好看。"

白心悦也推着对象的肩膀训他："你咋呼噪噪的呢？你长得跟熊瞎子似的，没轻没重地把人打一顿，还不把你抓起来，董事长都替我做主了，咱以后防着他点不就行了？"

被两人一说，黑子的气消了些，他闷头想了想，先扶起自行车支好，走回来给张胜作了一揖："大哥，啊不，张总，郭哥跟我说过，大哥您……啊不，张总，您张总为人正直仗义，小悦在您这儿工作，您多关照。"

张胜苦笑道："得了，咱们别站在这儿说话了，走，到我屋里聊聊去。"

张胜把二人又带回大楼，进了他的办公室，张胜脱掉西装上衣扔在沙发上，顺手递给黑子一支烟，苦口婆心地规劝起来，谈心谈到七点左右，总算把黑子心里的气儿给顺过来了，张胜这才送他们下楼。

三人走在廊道里时，张胜下意识地看了眼楚文楼的办公室，门上的窗黑漆漆的，灯已经熄了。

看着白心悦轻盈地跳上黑子的自行车后座，一双小手甜蜜地环住黑子的熊腰，张胜微笑起来，他也曾在街头这么载着自己的女友过，多么温馨的感觉啊。

可是，如今自行车换成了奔驰车，条件好了，却没有了悠闲于街头的时间和那份恬淡的心情。上天待人是公平的，给你一些什么，总要从你手里相应拿走一些什么。

张胜触景生情，心中想念小璐，便站在楼下和女友通了个电话，和小璐在电话里缠绵了半个多小时，他才意犹未尽地挂了电话，准备回去休息。

刚刚步上台阶，他忽地想起，把白心悦就这样放在楚文楼的眼皮子底下，实在不太安全，虽说自己警告过他，但效果……殊难预料，不如把小白调到钟情管理的水产批发市场去，以绝后患。这样一想，便信步往钟情住的女职工宿舍楼走去。

自从上次楚文楼夜探女工宿舍，差点趁钟情酒醉实施强奸之后，张胜命人在四楼楼梯口安了一道铁栅栏，晚上就由女职工从里面锁上。这时，时间尚早，栅栏门还没锁，张胜便直接上了楼。

钟情的房间在楼层第一间，他上楼便见房门开着，自门口望进去，看不到人。正对着的窗户上，白地蓝花的窗帘迎风飘舞着。此时正是六月中旬，天气炎热，但是这么开着窗子，有了过堂风，张胜只觉一阵清爽。

他下意识地往里看了一眼，就见钟情侧着头，一手挽着长发，一手轻轻梳理着，正折向窗户的方向，没发现自己站在门外。

自从上次劝钟情息事宁人之后，眼见钟情在人前冷若冰霜的一张脸，张胜总有点怕见她，这时见她房门开着，他本想进去三言两语交待完就了事的，不料他还没迈开步子，顺着那风，一阵柔软好听的歌声飘了过来，张胜的脚一下子迈不动了。

那歌没啥稀奇，是本年度最流行的一首歌，满大街都唱烂了的《心太软》。

问题是……那歌是钟情唱的！

张胜因为上次的事，一直觉得心中有愧，觉得她的不快乐，自己也有原因，如今乍然听到她轻松地哼着歌，一下子欢喜地站在了那儿。

"你总是心太软心太软，独自一个人流泪到天亮。你无怨无悔地爱着那个人，我知道你根本没那么坚强。你总是心太软心太软，把所有问题都自己扛，相爱总是简单相处太难，不是你的就别再勉强，夜深了你还不想睡，你还在想着他……他……他……"

钟情"哗"地一下把窗帘拉到边上，哼着歌转过头，两眼立即瞪得溜圆，嘴里呢喃着一个"他"字，再也说不出其他的话了。

一抹嫣红像火烧云一样，先是烧红了她的双颊，然后是那眉梢眼角，最后连象牙般瓷腻温润的颈子都红了。此时的钟情，忸怩得就像个没长大的小孩子，似乎手脚都不知道往哪儿放了。

张胜也很尴尬，自己虽是无心之举，可是被人发现了，就有偷窥的嫌疑，尤其……她现在还穿着睡衣。大概是因为整层楼都是女工，钟情习惯了穿着比较随便，而且为了乘凉开着房门，以致和张胜撞见，显得有点难堪，虽然她那睡衣是很保守的类型，下摆垂到小腿上，上边遮到领口，睡衣的布料也不是薄纱透明的，没有走光之嫌，但毕竟是睡衣。

张胜咳了一声，开玩笑地化解窘境："还他他他呢？唱片划了？"

钟情"扑哧"一声笑了，紧张和羞窘一扫而空。

"今天怎么想起来看我了？进来坐吧，站在门口做啥？"

张胜只好硬着头皮跟了进去，要是一进去就公事公办地交待事情，未免显得太过生硬，于是他只好先匆忙找点别的话题："喔……啊！我今天下午没在公司，回市里见几个客人刚回来，想着了解一下批发市场那边的建设进度，却忘了时间，真是抱歉。"

钟情走在前边，柔声叹道："唉，你呀，都快成了工作狂了。"

她那瀑布般倾泻到肩后的秀发湿漉漉的，应该是刚沐浴过。没多久，她的脖颈恢复了正常的颜色，浑身上下唯一比较暴露的部分除了脖颈便是她穿着拖鞋的一双玉足，脚掌曲线柔美，瘦却不露骨。

有经验的男人都知道，刚刚浴后的女人，只要体态姣好、稍具姿色，那浴后的模样都会把她的味道充分地展露出来，更遑论钟情这样的尤物了，那更如朝露之兰、雾中之莲，美丽的味道若隐若现，鼻端飘来淡淡幽香，诱人的女人味儿十足。

何况地点又是在她的闺房之内，情由境牵，境由心造，目光所及，是若隐若现的窄窄腰身、款款而动的丰圆臀部，张胜的心着了相，跳得快了起来，表情也不再那么从容了。

"你坐吧！"钟情却不知自己浴后的风姿对一个血气方刚的男人诱惑有多

大，她说着便站到在了电视柜旁边。

张胜在床头边的椅子上坐了下来，环顾钟情的房间，上一次进来，他自己喝得也是醉眼蒙眬，没有好好打量这里。说起来好笑，两次走进钟情的闺房，都和楚文楼有关系，楚文楼两次欲对女人大施兽欲，也偏偏都被他撞见阻止，二人还真是犯相。

钟情的房间很简单，但是女人和男人终究不同，颜色的搭配、小饰物的摆放，虽只略有不同，那气氛便截然不同，小小房间显得整洁素雅，温馨宜人。

床头柜前摆了一台电脑，侧对着睡床方向，张胜瞟了一眼，看到了WIN95 的招牌画面。张胜不懂电脑，不过他相信科技的力量，在企业管理上是舍得下本钱的，这时候电脑还相当贵，但他还是为企业配备了三台电脑，钟情独自负责一摊业务，事务繁杂，便给她配备了一台。

钟情在印刷厂工作时用过电脑，那时用的电脑还是 DOS 系统，机箱里只有内存和处理器，用半本书那么大的软驱来启动，一关机，电脑里就什么都没有了。用过 DOS 系统的人用图形界面的操作系统自然不成问题，她只学了几天，大多数操作就没问题了。

张胜看看钟情，她背对着自己站在桌前，手里拿的不是杯子，却是一碗方便面，便问道："怎么，晚上没吃东西？"

钟情道："给你吃的呀，你哪回去应酬在外面吃饱过？还不是灌了一肚子酒？"

张胜呵呵一笑，说道："今晚是和几个朋友，倒没喝那么多。"嘴里这么说着，他的心里一种被人体贴关怀的暖意还是油然而生。

钟情往方便面里洒着佐料，然后提起暖水瓶，把热水徐徐浇上去。

她站的位置过堂风很大，风吹着睡衣贴在了她身上，乍隐乍现地呈现出她丰硕浑圆的美臀的形状，让他不由自主地猜测那里是如何的圆润、被释放出来时将是何等的动人心魄。

年轻的男性，谁不向往异性。张胜有了小璐后，时常有些亲昵举动，只差最后一关未破而已。尝到了女人滋味，便是食髓知味，钟情万种风情，女人味十足，一个正常的大男人，又是酒后易起性的时候，彼此独处一室，心中岂能全无想法？

张胜看得一阵心猿意马，连忙移开了目光。

钟情灌好了水，走过去把门关上，笑道："水不是太热，多焖一会儿。"

她走到床头坐下，按着睡衣，跷起了二郎腿，笑盈盈地道："原来张总不放心，特意赶来垂询工作的呀？好，趁这机会，我就向您禀报一番吧。"

钟情对手上的工作显然是胸有成竹，她对答如流，十分从容，把水产批发市场建设处理的事情介绍得清清楚楚。张胜听得十分开心，被楚文楼引起的不快渐渐被抛到了脑后。

他本意只是来安排一下白心悦的去向的，并不是特意来询问工作的，房门一关，他心中更有些不自在，钟情一谈起自己手上的工作就兴致勃勃，看来一时半晌还没有打住的意思。张胜不能一直盯着她的眼睛，只好点着头作沉思状。

这一低头，眼皮子底下可就正是钟情跷着的二郎腿了。从她睡袍下摆裸露出来的小腿至足踝，整体曲线优美至极。光滑的脚踝洁白无瑕，脚后跟红润干净，脚趾均匀圆润，肌肤又白又嫩，脚指甲是珍珠色的，实是美到了极致。

陡然看到一双完美得宛如艺术品一般的纤足，张胜的目光一阵痴迷，情不自禁地想起那晚她醉酒后的无边春色，这种美和那种美是截然不同的风格。

只有露才美吗？

钟情给出了答案，不然。

风情一线，更是丝丝动人。

那雪足的足尖还在一荡一荡的，宛如风中月影下的花枝。

钟情说着自己手头的工作，越说越是兴奋，越说越是开心，她正滔滔不绝地讲着，忽然发现对面这位特地赶来垂询工作的老板有点不守舍，那眼神儿瞄得有点不是地方。

钟情顺着他的眼神一看，发现他瞅的地方正是自己的纤足，脸上顿时红了。她连忙放下脚，慌张地道："啊！面应该泡好了，我去看看。"

张胜见她神情异样，知道她察觉了什么，也有些不自在。这时，为了转移她的注意力，正好可以说起自己来的目的，他忙把小白调动工作的事情简单说了一下，由于不想钟情和楚文楼这左右手芥蒂太深，张胜没有提及楚文楼的糗事，只说工作中发现这个姑娘机灵懂事、工作能力强，她一个人管着批发市场筹建工作压力太重，给她配备个助手。

钟情见这位大老板如此体贴，心下不胜欢喜。

张胜说完了正事，在床边坐下来，正对着电脑，他拿起鼠标胡乱划拉了几下，奇道："哎，我见你们拿着这玩意儿移来移去的，屏幕上有个小箭头就跟着动弹啊，我拿着它怎么不动，是不是坏了？"

钟情扭头一看，只见张胜手里举着鼠标，在空中比划来比划去，不禁扑哧一笑，忍俊不禁地道："你……你把它放在那个鼠标垫上移动啊，举在空中怎么能移动？"

"哦！"

张胜这才明白，他把鼠标放下，轻轻移动了几下，屏幕上的小箭头果然跟着移动起来。张胜不禁笑道："这玩意儿是挺奇妙的，前边这两瓣的是什么东西，好像能活动。"

钟情打开方便面的盖子，用汤匙轻轻搅拌着，随口说道："喔，前边可以按下去的，左键用得多，选定文件啊什么的，右键……哎呀！不要乱动。"

钟情忽然想到了什么，脸色突变，她扭头一看，张胜正拿着鼠标乱点，立即快步冲过去夺他的鼠标，慌张地掩饰道："我还有文件没存盘，别弄丢了。"

张胜刚刚把"我的电脑"打开，见她一副怕自己抢了她好东西似的表情，忍不住笑道："给你配备的，当然是你的电脑，女人家呀，真是小气，还特意起个名叫'我的电脑'，连我都不让碰碰。"

钟情不明白他在说什么，她慌慌张张地冲过来，穿着拖鞋，电脑屏幕侧对着床的方向，她抢过来后只能倾斜着身子往电脑上看，等她看到屏幕下方缩小到任务栏的几个文件并没被打开时，一颗心才放了下来，可是那失去重心的身子也站不住了，"哎呀"一声就往床上坐来。

张胜正坐在那儿，钟情这一下端端正正地坐到了他的怀里，那丰满的臀部正坐在他的胯间。大夏天的，两人穿得都不多，这一坐实了，两个人都呆在了那儿。

天呐，方才只是看，只是臆测，那是无法了解她的身体是多么的诱人的。现在，她就坐在张胜的怀里，有了最亲密的接触，张胜终于对女人的魔力有了切身的体会。

她的臀部丰满极了，是那种最完美的"水蜜桃"翘臀，最是令男人垂涎三尺。

她的体重使她结实浑圆的臀部产生一种厚重感，整个臀部完全挤压在张胜的身体上，可是她的臀肉又是那样柔软而富有弹性，所以尽管她的全部体重都压坐在张胜的身上，仍然令他感觉极是舒服。

钟情又羞又窘，她挺起腰肢想站起来，可是臀部坐在张胜怀里，她不敢使劲往下压，只凭腰力往上挺，怎么可能起得来？

如是者几次，那徒劳的挣扎只是使她柔软的臀部一次次起到了摩擦张胜下体的作用。

当她终于强忍羞窘，用手在张胜大腿上按了一下，把身体挺起来时，张胜的欲火终于被点燃了。胯下像苏醒的火山，张胜情不自禁地揽住了她柔软的腰肢，轻轻一使力，可怜刚刚站起来的钟情再度一跤跌回到他的怀里。

这一下，钟情倒吸一口冷气，颤声道："张总，你……你放开我……"

张胜紧张得有种窒息感，他现在终于知道什么叫销魂了，温香暖玉抱满怀，身上还有淡淡的沐浴乳的香气，女人那柔软诱人的身子，正在逐寸地燃烧他的理智。

女性与男性的生理差异决定了彼此的心理差异，男人的选择多半不是接受不接受这个女人，而是接受不接受与她做爱。肉体与灵魂的分割，是自古以来的悠久历史，也是众多男人的生理机能。张胜现在没有思及爱不爱她，今后又如何与她共处，内心对性的渴望驱使着他的本能，他想要她，他想要了眼前这个女人。

他双手向上，隔着睡袍托住了钟情丰耸而极富弹性的一双嫩乳，钟情的娇躯猛地一哆嗦，红着脸哀求："张胜，求你了，别……别碰我，好吗？"

张胜没理她，只是用搂得更紧的动作回应了她的哀求，喘着粗气，就像野兽的呼吸。动物界的强大雄性与人类世界的男性发出这种呼吸时，都有着强烈的侵略欲望，钟情的身体感受到他强烈的欲望，身体不可遏制地颤抖起来。

张胜对她双乳的抚弄，使这久旷的少妇不可遏止地升起了炽烈的情欲。一个她心中并不反感，甚至说非常喜欢的年轻人把她搂在怀里，坚硬的下体顶触着她柔软的丰臀，双手在她富有弹性的娇俏胴体上抚弄，已经使她迷失其中，渐渐失去反抗之力了。

钟情无力地瘫软在张胜的怀里，秀眉微蹙，好像忍受着难遏的痛苦似的，两条眉毛拧着，双眼迷离，小嘴微张，呼呼地喘着气。

"钟姐，我……我好难受……我想要你……"张胜用颤抖的声音说着，手在她平坦的小腹上盘旋片刻，轻轻滑进她的睡衣，滑向那丰腴柔软的双腿之间……

"不要！"

这声"钟姐"和要害被袭的双重刺激，一下子让钟情醒了过来，她还是无力挣扎起来，抓过张胜的手，一下子张口咬住，咬得死死的，难抑的哭泣让她的热泪一颗颗地落在张胜的手上。

来自同一世界的两种性别的生物，有着截然不同的思维。男人由下半身走着通向上半身的路，而女人则是由上半身向下包围男人的下半身，对女人来说，感情永远比情欲更能主导她们的思维。

她清醒地意识到，让张胜在突如其来的情欲驱使下占有自己，将对他、对自己，对彼此现在颇为融洽的关系造成多么大的伤害。她狠狠地掐了一把张胜的大腿，然后趁势站了起来。

张胜腿上一疼，如大梦初醒，情欲如潮水般消退，理智渐渐回到了身上，揽紧钟情的手慢慢松开了。

钟情双腿一屈，从张胜身上缓缓滑下去，跪坐在地上，双手捂脸，"唔唔"地哭了起来。

"我……我……对不起……"

张胜手足无措，他彻底清醒了，心中懊悔不已，他也不知道自己今天这是怎么了，或许是工作的紧张压力，或许是楚文楼再三触犯他的底线的烦躁，或许是自上次见过钟情这种天生尤物迷人的胴体后给他留下了难以磨灭的印象……

总之，那无意中的一坐，一下子勾动了天雷地火，现在想起来，他也不知道自己方才为什么有那么大的胆量、那么大的勇气去做这种事，自己现在和楚文楼有什么区别？

"你出去！"

"钟姐，我……对不起，我错了，我再也不碰你了，你……你不要哭了，我不是想欺负你，真的不是……"

张胜还在笨拙地解释，不料钟情听了更加恼火，她一下子站起来，走过去拉开门，带着满脸泪痕向外一指，低斥道："出去！"

"我……我……"

"出去！"

张胜低下头，灰溜溜地服从了她的命令。

女人心，海底针，女人惯会说出口是心非的话，只是说的时候连她自己也不知道那是不是她真正的心意，所以倒算不上说谎。

情场初哥的张胜连郑小璐那种单纯的女孩心思都不能完全明白，又怎么可能了解钟情复杂的心思。他的解释和道歉更是令心中矛盾万分的钟情听了恼火，怎么可能不赶他出去？

他现在就是不顾钟情的感受来个霸王硬上弓，或者蹲下来抱着她甜言蜜语一番，钟情心里都不会这么难受。可是听了他那句"再也不碰你了"，钟情忽然有种想哭的感觉。

人孰无情？

钟情在情人、家庭都抛弃了她的情况下，被张胜收留下来，张胜尊重她、爱护她，两个人朝夕相对的，她心里怎么可能一点不动情，张胜赌咒发誓地说从此再不会碰她，让她有种被人抛弃的心痛感觉。

眼见张胜出去，她把房门一关，扑回床上拉过被子盖住脸，在被子下放声大哭起来。

她不敢和张胜发生什么关系，真的不敢。

这与他有了女友无关，她从没奢望做张胜的女友。她拒绝张胜，不是因为讨厌他，恰恰是因为喜欢他，不知不觉间真的喜欢了他，正因如此，她不想和张胜发生些什么，她怕关系的改变会让她失去现在的一切，她被伤害得已经不敢再接受什么感情了。

在婚姻中行走久了的人，有时候渴望激情，就像沙漠里的人渴望见到甘泉一样。如果这婚姻的鞋子不合脚，那么当激情降临的时候，就更容易超越底线。徐海生风度翩翩、善解人意，很难有人能抗拒被他追求时那种细致入微的体贴和幸福。钟情就陷落在他的情网里，这成了她人生悲剧的开始。徐海生不但抛弃了她，这件事还闹得尽人皆知，成了她一生洗刷不去的污点。

她喜欢张胜，所以不想和他发生什么关系，心想他没有得到时可能只记得自己的好，一旦得到，焉知他不会计较起自己昔日的事情，因为靠得太近反而造成彼此的分离？

这不是她杞人忧天，她深深知道，再大度的男人在两性关系上都是心胸狭隘的。男人的占有欲特别强烈，对男人来说，没有得到和已经得到时的心态是截然不同的。他了解自己的过去，就算现在一心一意地对他，就算铁了心从此只对他好又怎么样？

没办法和他相处的，如果对他热情一些、奔放一些，他会不会产生别的联想，恼恨于她曾把同样的热情先给了另一个男人？如果拘谨一点，小心一点，他会不会又认为他让这女人对他的着迷程度不如她以前的男人？到那时可就成了自酿苦果，想恢复现在的关系都不可能了。

现在尚能彼此尊重，还有那么一种朦朦胧胧让她欢喜的感情，一旦撤去了男女之间那道大防，彼此赤裼相对的时候，他还会像以前那样对待自己吗？女人难做，走错过路的女人想回头更是难如登天，与其战战兢兢、如履薄冰地勉强维系一份感情，她情愿一生一世孤独地过下去，为自己以前的错尽付青春韶华和一生的幸福。能守在自己喜欢的人跟前，已经是她最最奢侈的要求。

她抽噎良久，才从被子下爬了出来，到洗手间重又洗了脸，红肿着双眼走回床边，坐到电脑旁边，点开了下边的文件。

那都是她利用职务之便从财务部弄来的账簿、记录，从办公室弄来的公司规划和运营方面的文件，以及扫描进去的银行方面提供的全部账户对账单。

凭着女人的直觉，她感觉徐海生背着张胜正在幕后操纵着的这家公司进行着许多风险极大甚至违法的事情，她不能让徐海生继续害人，不能让他毁了张胜、毁了张胜的希望。

由于张胜对徐海生的信任、感恩和友情，在没有掌握真凭实据之前，她不能让张胜知道这件事，否则，他不仅会认为自己在挟怨报复，而且一旦在徐海生面前露出点蛛丝马迹，想再找他的漏洞那就更难了。

这就是她想为张胜做的事。喜欢他，就默默地守在他身边吧，这一辈子，她不再打算嫁人，不再想和男人发生任何交集。

她很清楚，有些事，你错过了一次就一辈子不能再拥有；有些人，你注定要放开他的手。在命运面前，个人是无奈的，这种淡淡的朦胧的情愫，就像偶尔射进房间的月光，你可以欣赏，却不能把它留下……

日光灯灭了，台灯亮了，月光倾泻进来。

月光在花窗帘上的影，温存而美丽。月光补充了台灯照不到的地方，映得一室通明，那通明不是白天那种无遮无拦的通明，而是像蒙了一层纱的，婆婆娑娑的柔和的光明。床单上的百合花，被面上的金丝草，全都像用细笔描画过的，清楚得不能再清楚。

一室通明，唯一朦胧的让人摸不清道不明的，只有钟情那颗自己都琢磨不透的女儿心。

她收敛了思绪，面对着电脑，开始静静地检索、核对着每一笔资金的进出和用途。一支摩尔香烟挟在她的指尖，淡淡烟雾缭绕着这个封锁了心灵的寂寞女人。

人淡如菊，心素如兰……

"你真无耻，怎么能做这种事？如果她答应，你是不是就和她上床了？图得一时快乐，你还怎么面对小璐？你怎么安排钟情？你有了几个臭钱也学人家找情人？"

张胜大汗淋漓，坐在自己房间里进行批评与自我批评："真该让钟情给你一个大嘴巴，再一脚把你踹得远远的。跟老楚一个德性！没出息的东西，你对小璐怎么就不敢这样？是不是在你心里，也把钟情当成了一个放荡的女人？

无耻啊！无耻！"

这时，手机铃声响了，张胜吓了一跳，同时也发现铃声跟他的手机还不同，慌张地四下看看，拎过西服他才想起里边有一部捡到的手机。

"喂？"

"哈！终于肯接电话了？思想斗争了一晚上吧？"

张胜愕然："你怎么知道我在思想斗争？哦……你说的是捡了你的手机想不想还是吧？至于嘛，不就是一部手机嘛。"

"什么叫不就是？蛤蟆喘气，好大的口气。你自己也承认在思想斗争了不是？"

张胜正在满心懊恼，虽然电话里的女孩听声音极其悦耳，他也没心思跟她磨牙，张胜不耐烦地道："我说我欠你的是不是？凭什么跟我火气这么大，丢了手机的人跟我捡手机的人不客客气气地说话，谁惯的你？"

电话里的女孩不知道是打了几个电话没人接所以才火气甚大，还是今晚遇到了什么不痛快的事，跟吃了枪药似的，小嘴语速极快，还一点不饶人，她语带轻蔑地道："算了，我不跟你计较。你在哪儿呢？约个地方，把电话给我带来，你要多少酬劳？"

张胜一听大怒，正好把在钟情那儿忍下的郁闷之气全撒在手机女孩的身上，他狠狠地道："你什么家教，连句客气话也不会说？我缺钱吗？告诉你，叫两声大哥，说几句好话，赔个礼道个歉，手机就还你，不然，免谈！"

"你这人怎么这样，什么人品？"

"什么人品？你说什么人品？我纯洁得像一张白纸！"

"去！写满无耻的白纸？"

说者无心，听者有意，张胜的脸腾地一下红了，恶声道："我还写满淫荡呢！我对你无耻！我对你淫荡！喜不喜欢？"

"啪！"那边电话狠狠地撂了，张胜被震得连忙挪开手机，看了看，顺手合上了机盖。

手机刚刚丢到沙发上又响了，张胜不耐烦地再次打开手机，电话里一个呆板的女人声音道："同志，捡到东西不还，属不当得利，是要承担法律责任的。"

"你是律师?"

"差不多吧。"

"你知道我是谁吗?"

手机妹妹继续用呆板的声音道:"不知道。"

"那么你知道我住哪儿么?"

手机妹妹的声音开始有点不耐烦了:"不知道!"

"那么你怎么追究我的法律责任呢?"

电话里静了片刻,随即传来一声狮子吼:"你耍我! 王、八、蛋!"

张胜又气又笑,正想再说话,只听手机里一个中年妇女的声音似乎在较远的地方叫道:"乖囡,这才刚回来,出了什么事了?"

"哦,没事儿,妈,你去睡吧,我在骂一个打骚扰电话的流氓。"

一个很乖、很柔、很甜美的女孩声音娇滴滴地说道,与此同时,电话再度挂上了。

张胜握着手机发了一阵愣:"这个女孩就是刚刚那头暴龙?"

扔手机,躺下,然后手机再度响起。

"喂,有完没完啊?"张胜有气无力地说。

"你这个流氓!"

手机里的声音很低、声音压得小小的,好像生怕被人听到。因为忍着气说话,声音压得太低,不像骂人,倒像撒娇似的,张胜被她逗得笑了出来:"哈哈,我对象也这么说。"

"呵,英'雌'所见略同。"手机妹妹总算笑了一声,声音虽然短促,却如银瓶乍裂,悦耳清脆。

张胜马上加了注解:"因为我对她流氓过,所以她才这么说。"

"你……你……"手机妹妹又要抓狂了。

忍了半天,她才放松了声调问:"你说吧,要多少报酬才把手机还我?"

张胜耐心解释道:"我真的不是想讹你的钱,我不缺钱?"

"那你缺什么? 缺德?"

"我说你……有求于人还这样的,实在少见!"

对面的姑娘也不知遇到了什么不顺心的事,脾气暴躁得可以,闻言冷笑道:"有求于人?是,我的手机丢了,你捡到了,照理来说,如果你还给我,我该表示感谢。但是捡到他人物品予以归还,这也是人的基本道德吧?你这样的我见多了,昨天还见到一个刮了自行车讹人家中学生的大老爷们,口口声声不缺钱,不差那点钱,说来说去,最终目的还是要钱。算了,不和你说这个,我也是诚心的,酬劳我会付,两千块够高了吧?"

张胜气极反笑:"你说你认准了我图你的钱是不是?我还告诉你,你知道我的公司有多大吗?我开车出去绕一圈都得大半个小时。"

"哦……牛车?"

"尖牙利嘴。"

"你说你不图钱,可又死赖着我的手机不还,你说,你图啥?"

张胜怒了:"我图你的人,成不?"

"无耻!"

"无耻也是你逼的!你说你什么人,就算事业、爱情、工作上遇到了不顺心,和我有什么关系?你电话一通就这么嚣张,我是任你呼来喝去的?你不检讨自己的毛病,反挑了我一堆不是。我说手机妹妹,你大概很漂亮吧?"

"漂亮,怎么了?"

"我就说嘛,这臭毛病都是让那些捧着你、顺着你的男人给惯出来的,不过我可啥都不图你的,我不吃你这一套!"

手机里静了半晌,女孩的声音终于柔和下来,她用标准的电话接线员的声音既亲切又客气地说:"好吧,大老板,是我不太礼貌。请问,我的手机您能还给我吗?现在很晚了,您一定不方便出来,您可以说个地址,我明天去取就是了。您看,这样好吗?"

张胜一听大悦:"对嘛,这样就对了嘛,你说你如果一开始就这么好好说话,我们至于这么吵么?我能不把手机还你么?我是那种不讲理的人么?我是图你的手机么?很稀罕么?我就为了和你多说几句话,占点口头便宜?我有这么无聊么?

同志,你情绪不好,或许有你的理由,我理解,但是你不该把自己的情绪作用到别人身上。常言说,礼下于人,必有所求。反过来说,有所求人,必然礼下,你这种态度在社会上为人处世是要吃亏的。我见过的漂亮女人整天摆着一张臭脸的多了，好像男人和她多说一句话，就是想和她上床似的，我说至于吗？

你拿我来说吧，我现在心情也很不好，我刚刚从别人那儿回来，很丢人，羞得无地自容啊，我都不知道明天还有没有勇气面对人家，可是你看看我，我跟你发火了么？这就是成熟，这就是理智，说实话，你要总是这脾气，你就是长得赛过天仙，我看一眼都烦，聪明的女孩不该把容貌的美丽当成自己的资本，蛮横霸道自以为是的女孩是最招人……"

对面的女孩听得浑身发抖，手把电话握得紧紧的几乎要攥碎了，要不是怕大吼一声再把妈妈惊动了，她真要再度狮子吼了。

她握着电话哆嗦半天，才道："你……你……你唐僧呀你，你狠！你狠！我服了你了，大哥！不就是一部手机吗？我不要了，你留着下崽吧，没准这一下你就发了！"

"咔嚓！"电话再度挂断。

张胜听着忙音，一阵茫然："我说什么了？我没说什么啊，这人什么态度啊？"

第十七章　高处不胜寒，打铁还须自身硬，成大事业者用大手腕

高处不胜寒，公司发展越是顺利越是充满风险，这是一条铁的规律。宝元汇金公司管理终于出现大问题：公司副总楚文楼一而再、再而三地破坏公司规矩，先欲奸污女经理，后欲诱奸女职工，被张胜阻止后心生恶念，不仅伙同保安队长到公司冷库里偷盗谋利，并且破坏制冷设备造成公司损失以泄私愤。张胜巧妙地请来张宝元老爷子主持公道，老爷子二话不说，动用私刑，打断了楚文楼的双腿。现在的张胜已非当日黄口小儿，成大事业者终于学会了用大手腕。

其实张胜不是有心拉着这个女孩胡扯，实在是他今晚平生第一次做出这样的举动，现在心中羞臊得无以复加，他不能把这件事告诉任何人，想起来又觉得羞愧难当，恨不得找条地缝钻进去，所以他的潜意识里很想抓住个人随便唠点什么，总之，找点事做不能去思考就行。

恰巧有手机妹妹这种陌生人让他可以毫无负担地说话，所以才抓住她说个没完，怎料这姑娘听了他的转轴子话，直觉地认为他毫无还手机的诚意，完全是在调侃自己，所以把电话挂掉了。

张胜摇摇头，无奈地把手机往沙发里一扔，叹道："现在的女孩，一个个都惯成什么德性了？不要拉倒，我还主动给你送去不成？赶着上的不是买卖。"

经过这位手机妹妹一打岔，张胜那惶恐焦躁的心渐渐平息下来。他熄了灯，悄悄踱到阳台上，眺望斜对面的女职工宿舍楼，见钟情的房间灯光似乎

是灭了，仔细看，才会发现那隐隐的一线灯光。

"她……还没睡……"

张胜叼起一支烟，烟快吸尽的时候才摁响了钟情的号码。"快要接通了吧?"张胜心里暗道。就在对方摁响手机的同时，一阵心慌，好不容易积攒起的勇气突然消失得干干净净，他把手机关掉了。

钟情迟疑了片刻，然后悄悄走向窗口，隐在窗帘后面掀开一道缝儿向张胜的住处窥视过来，那里一片黑暗，过了片刻，黑暗中亮起乍闪又灭的一点红光，钟情的心跳了起来。

张胜默默回到房间，手机举起来又放下，如是者几次，始终提不起勇气向她完完整整地说一句"对不起"。

钟情坐在电脑边核对着账簿，手机就搁在左手边，时而，她的目光会移注到手机上，幽幽地注视片刻，但那电话始终没有再响起……

"好，那就聊到这儿，一会我就下班了。呵呵，手机妹妹，你挺喜欢和我聊天的啊? 不会是喜欢上神秘而风趣的我了吧?"

张胜拿着手机开玩笑道，三天，仅仅三天，两人就从仇人变成了几乎无话不谈的好朋友，这大概就是类似网络交流方式的优越之处: 你没有任何负担，可以向陌生人完全敞露自己的内心想法，这样的交流方式，可以让彼此投缘的人迅速地接受对方，很快就成为相当熟络的人。

现在的人都能体会到网络交流中的轻松和放纵，但是那时是 1997 年，ICQ 要明年才诞生，QQ 要后年才问世，而且张胜不懂电脑，但是机缘巧合的，这部手机替代了 QQ 聊天的功能，让他结识了平生第一位素不相识的聊友。

和这个不相识的女孩聊天没有任何负担，工作上的压力、人际关系的复杂，什么牢骚都能讲，什么想法都能说，这成了他舒缓工作压力的一种方法。

其实第二天晚上，当张胜在沙发缝里摸到这部手机的时候，就不想再难为她了。于是他善心大发地给手机妹妹回了个电话，表示不计较她的蛮横无理，要把手机还给她。

对面，那女孩正拿着新的爱立 388 把玩欣赏着。这是她的表弟买给她的。

听说表姐丢了手机，捡手机的流氓不但不还，还在电话里就想占她便宜，把她气得一佛出世、二佛升天，她那富家子的表弟笑得直不起腰来，惹得她凤颜大怒。

眼见就要成为遭殃的池鱼，她那表弟立即施行补救措施，立马跑去手机店，给她拿回来一部新手机。这女孩一听张胜的话，气得浑身哆嗦，她根本不相信他的话，认定了这是个油嘴滑舌占女孩便宜的家伙，她对着电话大吼一声："你去死吧！"就再度挂断了电话。

张胜碰了一鼻子灰，只好撂下了电话。

以后他抽空又打过几次，每次都是在吵架拌嘴中结束对话，对面的女孩几度被他不紧不慢的温吞发言给气得发疯，不过从此她倒找到了宣泄工作压力和不满的途径，心情不好就打电话找张胜吵一架，以此舒缓压力、放松心情，两个人成了关系很怪异的架友。

此时听了张胜的调侃，手机妹妹从鼻子里冷哼一声道："少臭美了你，我是找不到你，否则，我打得你满地找牙，生活不能自理。知道我为什么要找你聊天吗？嘿嘿……"

她很"阴险"地笑了两声："我是为了把预存的话费全花光，让你小子少占点便宜。"

张胜啧啧叹道："这账都要算，女人真会算账。"

手机女孩得意洋洋地道："那当然，数学构成世界，数学就是算账。女人最会算账，所以嘛……"

张胜是个很尽职的听众，一见她抖包袱，忙适时追问了一句："所以什么？"

"所以，女人就是世界。"

"哦！"之后没了下文。

一直喜欢和他抬杠的手机女孩等了片刻，好奇地问道："没有不同意见？"

张胜忍住笑道："没有。"

手机妹妹满意地哼了一声道："算你识相。"

张胜悠悠地道："当然识相，你的逻辑没错啊，你是女人，所以你就是世界嘛，我完全同意。"

"呵呵。"

"而我是男人，所以么……"

"所以怎样?"

"上帝造女人，既然是为了创造这世界，那上帝造男人，自然是为了驾驭世界!，你是女人，所以你是世界，而我是男人，所以我驾驭……"

手机妹妹未等他占完便宜，便如明珠轻坠绿玉盘，脆脆生生地"呸"了一声，又加了一句注解:"流氓成性!"然后便挂断了电话。

张胜笑笑，也收了手机。

今天他的心情也很愉快，所以有心思开玩笑，因为今天周五，每逢周末，他都会开车回市里，见见小璐、见见家人。

此外，他事业上的左膀右臂钟情和楚文楼虽然关系不和，和他的关系也变得复杂起来，不过他们在工作上倒是都能识大体，没有把私人感情带到工作上去，这令他大大地松了口气。

自那晚突然起性冒犯了钟情之后，他总是避着钟情，有些不敢见她。不过两个人在一个公司，钟情又负责着三分之一的公司业务，作为老总，两人交流沟通的机会绝对不少，钟情就像那晚什么都没发生过一样，见了张胜神色自若，渐渐的，他也从容起来。

楚文楼这回倒是真的恼了，见了张胜总是不冷不热的，好在他公私尚能分明，张胜也就没往心里去，盘算着过上几日，两人找个机会去喝两杯，男人嘛，这种事唠唠贴心话儿也就解开了。

黑子在屠宰厂上班，这几天常抽空来看望女朋友，其实两人下了班尽有机会见面，实不必表现得这么亲热，他分明是向楚文楼示威来了。

这小子一向凶悍，十六岁就进过劳教所，那是出了名的能打，厂子里的工人都知道他，见他来，也没有什么人敢找他麻烦。

黑子上次听了张胜和女朋友的话，没去找楚文楼麻烦，不过他来看白心悦时，总是随身带着一把剔骨尖刀。楚文楼管着冷库，每次一见到楚文楼，黑子就摸出尖刀，一边剔着指尖，一边冲着他龇牙直笑，那笑容配上他一脸横肉，着实有些狰狞。

黑子近一米八的块头儿，一身疙瘩肉，长得极是健壮，光看着就有压力，手里再整天提着把明晃晃的尖刀，楚文楼矮矮胖胖的身子，黑子看他的眼神就像正在打量一口待宰的肥猪，楚文楼以前还真不知道白心悦的男朋友长得是如此样形象。他见了黑子心中有鬼，总觉心惊肉跳。他虽好色，毕竟生命更可贵，哪还有心打白心悦的主意，是以表面上看来，真的安分了许多。

张胜下了班，向楚文楼和接替郭胖子的新任保安队长李泳谋简单交待了一下公司的事情。楚文楼大概和老婆感情不和，住在公司里逍遥自在，回市区的次数倒是少得多。张胜知道他本周不回市里，诸事当然得交代给他，一切完毕，这才驱车离开了。

他本想带上郭胖子，所以特意绕道桥西新镇的屠宰场，不料现在正逢学校放暑假，赵金豆带孩子回农村娘家去了，郭胖子不用回去。他跟黑子等几个哥们正在屠宰场门口的小酒馆喝酒。见董事长来了，一帮杀猪的起哄敬酒，张胜托辞正在开车也不成，只得饮了杯啤酒，又还敬一杯，然后马上落荒而逃了。

郭胖子喝了酒，一个人哼着小调去了屠宰厂不远处的录像厅，录像厅老板平时没少从郭胖子那儿买点便宜下水，自然认得他，连忙赔笑把他迎了进去，也没让他买票，还送了一包烟、一瓶饮料和小食品。

郭胖子坐的是包厢，不过这包厢也简陋得很。开发区新建，施工队的以及各企业的工人平素没什么娱乐，常来这儿，结果椅子耗损严重，大多破烂不堪，这包厢的座位也早失去了弹性，一坐一个坑。

郭胖子也不在意，嗑着瓜子抽着烟，一个人看录像，如此休闲倒也得趣。他先看了一部《青蛇》。第二部是《大丈夫日记》，这是一部喜剧片，此时正演到"周润发"一脚踏两船的事被"叶倩文"和"王祖贤"两个女友知道了，她们有意折腾他，累得他下了这床上那床，疲于奔命的搞笑时刻，录像厅门口有人扯着嗓子喊起来："郭哥！郭依星，郭依星出来。"

录像厅里都是些粗犷的工人，一听吵声立即叫骂起来，郭胖子从包厢座位上爬起来，眯着眼睛往后看了一眼，也没瞧清是谁，便扯着嗓子回了一声：

"谁啊，啥事儿找到这儿来了？"

"郭哥！"那人瞅准了位置，连忙挤了过来，借着投影录像的光线，郭胖子这才看清是冷库那边的保安乔羽，也是自己的哥们。他吐掉一块瓜子皮，拍拍旁边道："来，坐下，一块看录像，挺逗。你找我啥事情？"

乔羽也实在，郭胖子让他坐便坐，一屁股坐下去，人造革包着的垫子坑洼不平，还不如板凳舒服，硌得他哎哟一声。

郭胖子顺手在他后脑勺上拍了一巴掌，笑骂道："别一惊一乍的。"

乔羽也顾不上揉屁股，贴近了郭胖子诡秘地道："郭哥，我听说一件大事……"

"去去去，离我远点，你有口臭不知道啊？"

乔羽咧嘴笑笑，稍稍挪开了一些："郭哥，我真的听说一件大事。"

郭胖子看着录像，心不在焉地道："你说，我听着呢。"

乔羽情不自禁地又靠拢过来："哥，今天董事长回市里了，我有个特要好的哥们让我跟他做笔买卖去，我问他啥事儿，你猜他咋说？"

"咋说？别卖关子。"

"他说，从冷库里偷肉制品去卖。"

郭胖子一惊，一下子收回了目光，紧盯着他问："谁说的？消息可靠吗？"

乔羽道："郭哥，我平时虽然咋咋呼呼的，可这事我敢开玩笑吗？"

"到底是谁告诉你的，说详情。"

于是乔羽原原本本地说了一遍，事情是他的发小江宁告诉他的，两人感情甚好，江宁想拉上他一起赚钱，乔羽一开始有点心动，后来问清了是盗窃厂里物资，不禁吓了一跳。他胆子小，不想干这事，也劝兄弟别干。

江宁不以为然，告诉他这事是公司楚副总指使的，有他顶着，啥危险没有。乔羽仍是不干，江宁就有点后悔告诉他了，最后只好再三嘱咐他不要说给人听。两人好得穿一条裤子，他相信乔羽就算不跟着他干，也不会告诉别人。

乔羽一开始还真打算守口如瓶，可他在家里窝了半天，越想越不踏实，公司老总对他们不错，待遇挺高的，要是这事被人发现，不但要辞了工作，没准还得蹲几天，太划不来了。再说这是自己所在的公司，要是发生了这种

309

事，丢了信誉，经营状况不好，那自己的工资奖金不全受影响？

思来想去，他忍不住把这事跟老子说了，他爹一听就急了，儿子找份好工作不容易，你现在替人家守秘，要是他们被抓个正着把你供出来，你不就成了同案犯了？这种地的老头子想得倒明白，马上逼着他去跟老板坦白。

乔羽听江宁话里那意思，这事不止是楚总的主意，好像保安队长李泳谋也是同谋，他又没有董事长电话，能去找谁去？想起老队长郭胖子是董事长的老友，和他关系也极好，他就跑到屠宰厂来找郭胖子了。

郭胖子一听就急了，公司刚刚闯出牌子，一旦让楚文楼给砸了，再想树起来可就难了。这小子虽说实际上是张二蛋的人，毕竟现在做着汇金公司的副总，这还不知足？就为了图那点小利？真他妈的混蛋一个。

郭胖子汗都急下来了，一张胖脸上的肥肉直哆嗦，他赶紧跳起来，拉着乔羽就往外跑，一出了录像厅的门，郭胖子就掏出他的二手大哥大，按了张胜的号码，扯着喉咙跟他报告刚刚听说的事情。

张胜和小璐以及父母、兄弟刚刚吃了饭，全家人正坐在一块儿聊天，一听这消息当时就炸了，张胜立即道："你盯紧了，不要报警，我马上赶回来。"

郭胖子还没嘱咐一声"路上小心"，电话就挂掉了。

郭胖子握着大哥大站在霓虹灯下发了一会儿怔，忽地一拍脑门道："他妈的，姓楚的可别腿脚太麻溜，这么屁大的功夫就溜了。"

"郭哥，我兄弟从小就这样，有点缺心眼儿，真的，他老被人当枪使唤，特实在，再说他要不告诉我，我也就没法告诉你，你跟董事长求个情，千万别追究他呀，要不我没脸见自己哥们儿。"

郭胖子挥挥手中的大哥大，不耐烦地道："行了，行了，我知道了，等抓到了人再说。"

他扭头看看乔羽，捏着下巴道："就你这熊样儿，咱们俩去也不成啊。对了，黑子，快快快，去黑子家。"

黑子家就在大小王庄合并而成的桥西新镇上，郭胖子带着乔羽上气不接下气地赶到黑子家，使劲拍起大门来。这一拍门，院子里的狗就狂吠起来。

郭胖子使劲地拍着门，过了一会儿屋里灯亮了，一个高大的人影披了件衣服，手里拿着手电筒从房里走出来，嘴里喊着："别拍啦，谁呀这是？半夜三更的干什么？"

郭胖子大喜，连忙说："是黑子吗？我是郭哥，快开门，我有急事，快点！"

黑子一听是他的声音，奇道："郭哥？这是怎么了，出啥事了？"

他快步走过来，拉开门栓，郭胖子立刻闪身进了院子，他刚进去，一条黑狗就呼地一下扑了上来，好在有链子拴着，差一点没咬着他，把郭胖子吓了一跳。

"去去，滚开！"黑子朝黑狗骂了两句，那黑狗被主人一训便退开了，但仍紧盯着郭胖子。

郭胖子急忙说："黑子，哥今天有事只能请你帮忙了。"

"嗨，你客气啥，出啥事了？"

郭胖子把事情简要地说了说，黑子一听，当时就兴奋了："郭哥，这哪是你自己的事啊？就是你不来，只要我知道了，也得去干他。这小锉子欺负我对象，我是忍下来了，可这口气一直憋着呢，哈哈哈……郭哥，快进屋，我打几个电话。"

郭胖子和乔羽跟着他进了屋，右边房里有个老汉的声音问："黑子，是谁呀？"

黑子说："爸，你睡你的，没啥事儿。"

他带着郭胖子进了屋，兴冲冲地就开始打电话。这新镇上的屠宰户都挺有钱，加上新镇建设时电信局装机优惠，所以好多人家安了电话。

"喂，刚子？少他妈废话，马上起来，带上家伙到我家来，来晚了好东西就没你份了……来了再说，哎，二虎子和彪子家里没电话，你叫上一块来，全抄上家伙，马上！"

"喂，狗子？你少他妈废话！喔……是四大爷啊，我是黑子，是是是，我混蛋，我明天让你骂个够。你快让狗子起来，马上到我家来，我这……喂？哦！狗子？你马上到我家来，带上家伙，有好事！"

"喂，平子？哈！是小翠啊，你咋接上电话了，跟你家平子折腾半天还没睡吧？跟你男人可得悠着点干啊，早早熬干了你就守活寡了，你说到时你要

311

是求我帮忙，我干还是不干？嘿嘿，哈哈，你让他起来，立马来我家，有急事。少废话啊，谁不学好了？再磨蹭我把你干了！"

"喂……"

郭胖子看着黑子打电话，一脸的木然。

黑子打了七八个电话，让他们来时分别通知其他的兄弟。撂下电话，黑子冲着郭胖子不好意思地嘿嘿一笑，说："乡下人，说话粗，郭哥不习惯吧，呵呵……"

郭胖子努力牵牵嘴角，干笑道："哈哈，习惯，习惯……"

一辆奔驰疾行如箭，张胜的心更是早已飞到了公司，一路上，他的心情如波澜起伏，愤懑难平。

他万万没有想到，楚文楼居然会用这种两败俱伤的方式泄愤。这么做对他有什么好处，但他还是做了。哪怕损人不利己，只要能得到报复快感的事也要做，他可算是极品小人了。

"知人知面不知心，以前怎么就没看出来他是这样一个人？难道说我制止他的丑行是错的？如果两情相悦，愿意睡到一张床上，关我屁事，可利用职权软硬兼施地逼人就范，如果我置若罔闻，早晚会捅出大娄子啊，别的不说，光是那个黑子就不是好惹的，非要送了性命才相信我的好意？"

张胜牙根紧咬，狠狠地捶了一下方向盘，然后摸出了手机，按下一串使用最频繁的号码。

"喂，钟情？"

"你……张总！你……你怎么这么晚打电话来？"

钟情惊讶地拿着电话，一手扣着睡衣扣子，两只蒙眬的杏眼一下子睁得好大："张胜这么晚打电话来，会为了什么事？"

一种既期盼又害怕的感觉让她的心没来由地急跳起来，她想从张胜嘴里听到她想听的话，却又怕听到。

张胜努力平抑着语调，静静地吩咐着："我刚刚打电话给张宝元张老爷子，电话关机。你马上试着通过其他渠道，通知张老爷子，请他马上到宝元汇金来一趟。"

钟情的心一下子放了下来，轻松的同时又带着些隐隐的失望："好！你……你要马上赶回公司？发生了什么事？"

张胜"哈"地笑了一声，说道："没什么，马上联系张老爷子，请他务必赶来，就说有件事涉及他老人家的人，我做不了主，请张老过来主持公道。"

"楚文楼？他做什么了！"钟情马上警觉地问。

"问那么多！啰嗦！叫你打电话，赶快联系人！"

女人是弹簧，你弱她才强。张胜这一吼，钟情倒乖了，回答的声调立刻柔和了几分，乖乖应道："哦！"

"先别挂！记住，联系了张老之后，你就乖乖待在楼上，我没到，不许下楼！"

"哦！"

……

"怎么还不挂电话？"

"呃？你……没别的吩咐了？"

张胜没好气地道："没了！"

"哦！"

张胜没好气地撂下了电话。

"快点快点，赶快搬！"

一个人站在二号冷库门口，举着手电筒往里照着，压低嗓门催促着。四个工人肩上披着麻袋片，把那半片半片的冻猪肉往门口一辆平板车上运。

郭胖子和乔羽因为不知道他们布没布暗哨，没敢走门，而是翻墙进来的，他们伏在暗处悄悄地看着。郭胖子喃喃道："幸好，这小子收买的人还不够多，门卫和保安室的人没全跟他走，他把东西运到西墙头扔出去，翻到墙外再装车，这就费了功夫了，希望黑子他们来得及。"

乔羽跟祥林嫂似的，继续在他耳边嘟囔："郭哥，我兄弟从小缺心眼儿，人家让他干啥他干啥，整个就一二傻子。你可得跟董事长说好了，别太难为了他。"

郭胖子不耐烦地道："知道了，把人盯紧点，要是把这群王八蛋都抓住了，就分一半功劳给你的傻子兄弟。"

这时一个黑影朝那举手电筒的人走过去。一团微弱的红光亮起，映清了他们的脸，吸烟的正是楚文楼，他正点燃香烟，那递烟的人笑道："楚总，这一手绝啊。"

听声音，这人正是保安队长李泳谋，楚文楼举荐接替郭胖子的人。

郭胖子当队长的时候他就在公司，这小子是质检局一个领导的穷亲戚，张胜碍于他的情面不能不要，便给他安排了个保安。这人好吃懒做，郭胖子看不上他，他管着保安的时候，这小子是守大门的，不过这人惯会溜须拍马，把楚文楼逢迎得很好，郭胖子调去做屠宰厂厂长，就保荐他当了队长，这小子就此成了楚文楼的心腹。

楚文楼吸了口烟，嘿嘿笑道："他不仁，我不义，这叫无毒不丈夫！大伙儿卖点力气，再搬几条猪肉就走，卖多少钱都给你们哥几个分了。"

几个同谋一听，搬得更来劲儿。郭胖子攥紧了拳头，眼中怒火万丈："黑子，黑子啊，他们马上就跑了，你倒是快点啊！"

黑子并没闲着，他正在家里调兵遣将呢。

他约的这些哥们都住在新镇，所以来得也快。一会儿工夫，就骑着自行车陆陆续续地赶到，不到半小时来了二三十号人，全是屠宰厂的工人，一个个武大三粗，满脸横肉，腰里别着杀猪刀，肩上搭着捆猪的麻绳，自行车架上是血淋淋的打猪棒子。

杀猪时为了放血方便，他们把猪捆上，用棒子狠狠揍一顿，然后顺脖子一刀，一边接血一边搅和，所以那棍子没一根干净的，全都沾着血腥，看着杀气冲天。

黑子怕吵了他老爸，站在院子外头举着手电筒说："兄弟们听着，咱们的屠宰厂生意凭啥这么红火？凭的是咱们的大老板，宝元汇金公司的张总，现如今有人拆他的台，破坏他的冷库，这人还是公司里的人，说出来你都知道，他就是楚锉子。

"这个吃里扒外的东西，他这么搞，不是砸我们兄弟的饭碗吗？郭哥已经带人先过去了，咱们这就出发，堵他们去，一定要人赃俱获，在张总面前立

314

个大功！"

黑子说完把手一挥，吼道："走，拿人去！"

他领着二十多个大汉横行街头，颇有一种黑道大哥去约人谈判的派头，到了宝元公司门口，黑子也不知郭胖子埋伏到哪儿去了，便让两个兄弟翻过铁栅栏，逼着传达室的老胡头儿把门打开。

保安室有两个人提着电棍跑出来，还没把威风摆出来，几把明晃晃的杀猪刀一亮，就把他们逼了回去。这几个保安和老胡头不是楚文楼的同谋，眼见这些人明火执仗地冲进厂来，还当他们是强盗，手脚都吓软了。他们有心打电话报警，可是黑子命人盯住了他们，什么小动作都做不了。

黑子只听说厂子里有同谋，保安队长就是楚文楼的同伙，他也无法分辨这几个守门的和楚文楼有没有关系，为了以防万一，便让自己的兄弟把他们也看了起来，其他的人提着麻绳，别着杀猪刀，扛着血淋淋的打猪棒浩浩荡荡涌向冷库。

郭胖子老远就看到了他们，恰在这时，楚文楼等人把三辆平板车都堆满了冻猪肉，不忙着运到墙边往外扔，却把人都叫进了冷库，郭胖子趁机跑过来，气喘吁吁地道："快，快，他们在冷库里，快去把他们堵住。"

冷库里，楚文楼丢出一堆工具，吩咐那几个心腹道："快点，把这几部制冷机组都破坏了，螺丝也拆掉……"

李泳谋一听，有点迟疑，偷了猪肉能卖钱，把冷库破坏……这也有点太损了吧？

他讪讪地道："楚……楚哥，咱们弄点油水，给他姓张的一个教训就行了，不用把冷库都毁了吧？破坏制冷机做啥用……"

"你懂个屁！"

楚文楼的声音在冷库里很空洞，配着那丝丝的冷意和一束电筒光，显得阴森森的。

"几板车猪肉你就当宝了？这点东西能让他姓张的感到肉痛吗？我的目的就是破坏冷库，偷猪肉是捎带着的，快动手！"

李泳谋见他发火了，连忙称是，几个人又赶紧忙活起来。

楚文楼用手电筒替他们照着，嘿嘿冷笑道："把制冷机上的铜管铜线扯下来带走，一会出门时把门再破坏掉，我告诉你们，只有这样我们才安全。"

李泳谋搓搓冻得有点不太灵活的手指，疑惑地问道："为啥？"

楚文楼得意地道："如果只偷肉制品，警察不会怀疑是监守自盗吗？如果只破坏设备，那更摆明了是挟怨报复，第一个就得查厂子里有工作矛盾的人，最后只能把火引到咱们自己身上。只有这样双管齐下，表面上是破门而入偷肉制品，顺道把电机设备的管线也盗走，这样看着才不像厂子里的人干的。"

李泳谋恍然大悟，跷起大指赞道："楚哥英明，我咋就没想到呢？"

楚文楼阴阴一笑，道："一会儿再破坏两间冷库，做出撬门压锁没闯进去的样子，然后把裸露在外的管线都切拆下来……"

他刚说到这儿，身后一阵"轰隆隆"的响声，楚文楼猛地惊转过身，只见大门徐徐落下，轰然一声，四下一片漆黑，整个冷库里只剩下他斜举向空的一束光芒……

"啊！"李泳谋像女人似的一声惊叫，抱着胳膊颤声问道："楚……楚总……这是咋啦？"

门外，郭胖子这时才放声大笑道："好！锁上，锁上，全封在里边，给他们来个瓮中捉鳖！"

楚文楼一听大惊失色，这个人坏水儿是有，可使坏的能耐终究还是有限，张胜一回城，他自觉这一亩三分地就数着他是老大了，警惕心就差了，毕竟不是惯犯，门口连个把风的人都没放，结果郭胖子没费半分力气，就把他们关在了冷库里。

楚文楼几个人疯狂地冲到门边，拿着螺丝刀和扳手拼命砸门，砸得门上冰霜乱溅，门被擂得鼓一般响，门外的人只是不理，过了半个多小时，里边捶打的声音就渐渐弱了下来。

又过了十多分钟，张胜的车子开到了厂门前，他跳下车子，见到正守在保安室和传达室的屠宰厂工人，问明里边情况，也顾不得再上车，径直向冷库跑去。

汇金冷库是宝元汇金实业公司的子公司,当初单独起这个名字,既是为了避免让它也冠以宝元的旗号,同时也是为了给外人造成一种公司下属产业众多的繁荣景象。

冷库实际开业以后,张胜却发觉了这种方式还有其他好处,因为子公司独立核算、独立申报纳税,账目上的记载比较清晰,不至于和徐海生主持的房产开发项目收支混淆。

同时,子公司是独立法人,可以享受免税等在内的各种优惠政策。而分公司则不能,所以设立屠宰厂、肉食加工厂、水产批发市场时,也按子公司的形式来设置,反正是他全资控股的子公司。

不过,经营上虽然自负盈亏,管理上各有独立法人,它们却同在一个公司大院里,冷库距主楼并不是很远,张胜心急如焚,匆匆赶去,跑得一身大汗。这时后边有人唤他,张胜停步回头一看,月光下一个人影快步向他追来,虽说看不清相貌,单看体形也认得出是钟情,便停下来等她。

钟情接了张胜的电话,便与宝元集团联系,最终总算辗转找到了张二蛋,电话里声音嘈杂,听着像是正在什么大酒店里,对于事情的经过钟情也是语焉不详,但她能说会道,把事态说得很是严重,到底把这位大佬给钓了出来。

张胜嘱咐钟情在他到来前不要下楼,是怕她打草惊蛇吓走了楚文楼,钟情倒也听话,一直站在窗口候着,直到看见张胜的车子,这才匆匆下楼。

张胜等她跑到面前,马上追问道:"找到张老爷子了?"

钟情喘着气点头:"是,张宝元已经在路上了。"

张胜冷冷一笑,道:"好,咱们走!"

钟情追了个并肩,问道:"张总,到底发生了什么事?"

张胜嘿了一声,走了几步才道:"等你见到,你就知道了。"

张胜到了冷库,只见十多个大汉正站在那里。郭胖子拿着手电筒,一看他的体形便认出来了,忙迎了上去。

张胜问清情况,知道楚文楼等人都被困在冷库里,一个也没有逃脱,这才放下心来。

钟情看看冷库前三板车冻猪肉,向旁边的人问明经过,也气得脸色铁青,她这时还只道楚文楼是盗窃泄愤，若是知道他的心更毒，蓄意破坏冷冻设备，更不知要如何气愤了。

郭胖子犹如打了一场大胜仗的大将军，显得十分兴奋，他挥舞着手电筒道："胜子，要不要开门，把这群吃里扒外的家伙好好收拾一番？我这些兄弟捆肥猪都有一手。"

张胜掏出一盒烟，点上一支，剩下的扔给郭胖子，盯着冷库的门淡淡地道："不急，再等等，打狗还得看主人，为了他姓楚的得罪张老爷子，不值得。兄弟们辛苦了，一人点一支，大家先抽支烟解解乏。叫两个兄弟去门口守着，张老爷子一到，就把他请到这儿来。"

"好！"郭胖子笑嘻嘻地发了一圈烟，吩咐了两个兄弟赶去门口，又叫人把冷库门前广场上的大灯打开，一时亮如白昼，大家伙儿就站在冷库前吞云吐雾起来。

又过了半个多小时，一辆加长林肯驶进了厂区，后边还跟着两辆轿车，车门开合砰砰作响，几个大汉簇拥着一个身材高大、后背稍稍佝偻的老人大步流星地走了过来。老人身穿白布小褂、黑色灯笼裤，正是宝元集团老总张二蛋。

"老爷子……"张胜扔掉烟头，快步迎了上去。

张二蛋哈哈笑道："张胜啊，出了什么摆不平的大事，非得三更半夜把我找来？"

张胜恭敬地笑道："老爷子，说起来不算啥大事，本不该麻烦您老人家。可是这事和您的人有关，晚辈可就不敢作主了，总得禀明您老，请您老给我主持公道才是。"

张二蛋听了很是受用，他推开保镖递上的香烟，问道："涉及我的人？啥事嘛，不要卖关子，尽管说好了。"

"是，老爷子，您看到冷库门口那三板车猪肉了吧？我的楚副总经理……"

张胜把事情原原本本说了一遍，张二蛋脸上挂不住了，他黑着一张脸问道："那个吃里扒外的东西……在哪儿？"

张胜赔笑道："哦，他们正在冷库里偷东西，被我厂里的人发现，全在里边关着呢。"

他说到这儿，轻轻摆摆手，屏退众人，凑到张二蛋身边，轻轻叹了口气，一副推心置腹的模样道："老爷子对我有知遇之恩，我这公司虽说老爷子您只有百分之十的股份，可前前后后，老爷子为了我张胜付出的一点一滴我都深深记在心里。

"老楚坐上公司副总的位置，凭的啥？凭的是您老人家的威望地位，那是我对您老表示的敬意啊。可谁知……他一而再、再而三地坏了公司规矩，先是想强奸水产批发部的钟经理，然后又想诱奸公司女工，我只不过劝了他几句，他就……"

张二蛋气得吹胡子瞪眼，恶声骂道："这个不成器的东西，连兔子不吃窝边草的道理都不懂！我倒听人说过，你这儿有位八面玲珑的钟经理，就是你说的这女子？"

"是，就是她！"张胜往旁边指了指。

张二蛋瞧了一眼，一见钟情那成熟得水蜜桃儿似的少妇丰姿，不由双眼一亮，随即惋惜地摇摇头，连声道："可惜，可惜，岁数大了点儿……"

一见不是自己属意的女人，任她风情万种、花姿曼妙，张二蛋也不再看上第二眼，他转过脸去，怒视着冷库大门沉声喝道："把门打开，把人给我带过来！"

黑子等人连忙去开门，片刻的功夫，冷库的大门打开，屠宰场的工人们冲进去，提了六个人出来，把他们都拉到了张二蛋面前。

这些人一个个冻得满头白毛、满脸白霜，哆哆嗦嗦地说不出话来。

楚文楼抱着双臂，脸色白中透青，一见张二蛋站在面前，他那青白的脸色忽地变得发紫。他面无人色地看着张二蛋，颤声说："董……董事长！"

张二蛋瞅着他龇牙一笑，嘿嘿连声地道："小楼啊，你真给二舅长出息。"

"二舅！"楚文楼心胆俱丧，"扑通"一声跪了下去。

张二蛋笑了笑，那笑容在灯光下有点狰狞。

他走过去拍了拍楚文楼的肩膀，楚文楼吓得一哆嗦。张宝元很和气地道："起来，起来，不年不节的，跪什么跪？"

说着，他亲手把楚文楼给搀了起来，替他拂了拂头上的白霜，非常慈祥地说："小楼啊，虽说你是我的远房亲戚，可是舅……待你不薄吧？你在城里失业了，舅二话不说，就把你收下了，靠着我这张老脸，你现在也混上了副总经理，就这样你还不知足？你这孩子咋就那么不长进呢？"

"舅，舅啊，我错了，我错了，你饶我这一回，我再也不敢了！"

张二蛋说得越是和蔼可亲，楚文楼越是面无人色，浑身发抖。张二蛋这句只不过是长辈恨铁不成钢的话一说出口，楚文楼忽然出溜到地上，抱住他的大腿，号啕大哭起来。

张二蛋惋惜地摇摇头，噙着眼泪说："白眼狼，白眼狼啊！我张二蛋咋就出了这么个不争气的亲戚？"

他很伤心地一挥手，淡淡地道："使家法，老规矩，吃里扒外的，打折双腿！"

张二蛋带来的保镖里立刻冲过去两条大汉，把楚文楼架了起来。另外就有一个大汉绕到林肯轿车后边，从后备箱里拿出一根棒球棍来，然后走到楚文楼的身边。楚文楼的叫声立刻拔高了调门，听起来像待宰的肥猪似的，尖锐难听。

张胜一见大惊，他没想到这位著名企业家竟然要动私刑。他急忙上前劝道："老爷子，他是您的人，你我又是合资人，这事儿张扬出去谁的脸上都不好看，所以我压根就没想把他交给警方。

请您来，实在是因为他是您的人，晚辈不敢擅自处治。依晚辈看，撤了他的职，不予录用也就是了，枉动私刑，万一有人告上去，对您老的名声不好。"

张二蛋森然一笑，冷冷地道："告？哪个不开眼的东西敢去告我？"

他一指嚎叫着的楚文楼，中气十足地喝道："打！给我打！打断他的双腿，送回楚老四家，就说是他二舅下的手，他要是残废了，后半辈子我养他，但是这顿打，他必须给我受着！"

"啊……"

一声凄厉的惨叫，那连肉带骨受到重击的声音，连张胜听了都不禁眼角直跳。

张二蛋招招手，有人递上一支雪茄，随即点着打火机凑上去。

张二蛋吸了一口，喷着烟气狞笑道："我的人干出这种丑事，我张二蛋丢不起那人！张胜给足了我面子，我就不能让他这当晚辈的难做人，这叫江湖道义！不讲道义的人还出来混个毬？"

楚文楼被两个大汉死死摁住胳膊挣扎不得，棒球棍重重击在大腿上，痛得他死去活来，就像一只锅子上的虾子似的上下直蹦，那惨叫和痛苦的扭动看得旁边几个冻得半死的人毛骨悚然。他们发上的冰霜已经化成了水，混合着他们的冷汗流得满脸都是。

忽地，一下重击，楚文楼的大腿应声而断，那声撕心裂肺的惨叫一传出来，李泳谋几个人已吓得双腿一软，全都跪到地上，脑袋磕得砰砰直响。

张胜也被张二蛋心狠手辣的性格、大家长似的作派给吓着了，他胆战心惊地想："这老头儿不会把这些人的腿全都打断吧？我靠，黄老邪也这么干，问题是人家没人告啊，这些人能那么服帖吗？就算你财大势大，用银子砸一定摆得平，可是有必要这么做吗？"

张胜满头大汗地劝道："老爷子，我觉得……这个教训已经够他刻骨铭心了，你看……是不是就这么算了？"

张二蛋重重地一哼，道："我张二蛋平生最恨的就是吃里扒外、弃信背主的人！男子汉大丈夫，吐口唾沫就是板上的钉，我说过要打断他两条腿，就绝不打一丝折扣，打！给我狠狠打！"

楚文楼的另一条腿也被打断了，他已经痛晕了过去，棍子打在身上发出沉闷的声音，但他耷拉着脑袋已经喊不出来了。

张二蛋这才命人住手，他叹了口气，冲张胜拱拱手，说道："小老弟，惭愧啊，楚文楼是我的人，我现在把人带走，剩下的事，是你的家事了，我就不参与了。"

张胜忙道："老爷子，你看这事……"

张二蛋把手一摆道："你不必说了，我都明白。"

他苦笑一声道："去年年末的分红，你一分不少、一天都没耽搁，是个有诚信的人。我在你的公司只占百分之十的股份，却派驻了一个副总经理，我这面子你给得十足。现如今我的人干出这种丑事，我也没脸再派人了。不过，咱们仍然是合作关系，有什么用得到我张二蛋的地方，你还是一如既往，尽管开口，告辞了。"

"老爷子，我送您。"张胜疾步追上去，叹道："今天请您来，实在是碍于您的面子，我不好作主，不知该怎么处理这件事，可是老爷子对他处罚如此之严，令晚辈很不安……"

保镖打开了车门，张二蛋在他的林肯车前停下来，转身对张胜道："不必不安，我不是为了你，是为了我自己。送你一句话，人不狠、站不稳！"

他重重地一拍张胜的肩膀，笑笑道："小兄弟，慢慢品吧。"

这时，楚文楼被人拖了过来，有人打开了后备箱，似乎要把他丢进去。这阵拖动，楚文楼疼醒了，他狠狠地瞪着张胜，眼光无比怨毒，那毒蛇般的目光使张胜暗生一股寒意。

两条大汉毫无顾忌地拉起他，嘭地一声将他摔进了后备箱，里边又传出楚文楼的一阵痛呼。张胜不禁黯然，楚文楼落得这般下场，实非他所愿，楚文楼把他视同寇仇，全不想自己做过什么，这一切怨得谁来？

"人不狠，站不稳！"

张胜默默地咀嚼着这句话，望着驶出厂区去的轿车，幽幽地叹了口长气。

钟情悄然走到他的身边，同样凝视着渐渐消逝在远处的车子，忽然说道："你不用同情那个败类，别看现在哭的是他，如果不是有人通风报信让你阻止了他，那时哭的就是你了，盗窃十几口猪不过是他掩人耳目的幌子，他真正想做的，是破坏冷库，而且不止一座。"

"什么？"张胜触目惊心。

钟情微笑道："你放心吧，目前只有这座二号冷库受到了轻微破坏，我方才已经打电话要技术员马上回厂抢修了。相信明早就能完全排除故障，不会造成什么影响。"

钟情又回头瞟了李咏谋等人一眼，问道："那几个，怎么处理？"

张胜的心思全在冷库上，他一边向冷库走，一边说："你处理吧，我去看看冷库的损坏情况。"

迎上来的郭胖子听到了这句话，对钟情说道："钟经理，这些王八蛋太可恶了，把他们送进局子吧？"

钟情苦笑一声，摇摇头道："怎么送？人送进去一审，主犯呢？被人动过私刑然后带走了，那不是把张二蛋给装进去了？"

郭胖子挠头道："那……那怎么办？"

钟情淡淡地道："放了吧，全部除名，这几个人从此跟咱们汇金没瓜葛了。"

郭胖子怔了怔，困惑地道："就这么放了？"

钟情眸波流转，微微地向他一瞟，说道："怎么，放还是不放？我去看看冷库的损坏情况。"

她从郭胖子身边飘然而过，轻轻松松地又丢下一句话："人不狠、站不稳，怎么个放法，你看着办！"

郭胖子恍然大悟，他挺胸腆肚地走回去，看看战战兢兢等候发落的李泳谋等人，狞笑着，大喝一声："黑子，把这几个王八蛋给我狠狠教训一顿，然后赶出厂去！"

一听这话，十几个杀猪的一拥而上，围着李泳谋等人拳打脚踢，把他们打得像猪一样嚎叫起来。

等到李泳谋等人全被打成了猪头的时候，钟情不知从什么地方突然又冒了出来，站在他们面前声色俱厉地道："董事长宽宏大量，今天算是便宜了你们，不然的话，就凭你们监守自盗，破坏公司冷冻设备，造成公司直接、间接损失，合计七八十万元的罪名，每人判你个三年五年都不稀罕！哼！把他们赶出去，即刻解除劳动合同！"

这几个哼哼唧唧的小子一听自己造成的损失这么大，罪名这么严重，一个个噤若寒蝉，他们抱着脑袋逃出冷库时，心里犹自带着几分庆幸：一顿打抵了坐牢的罪，似乎……自己还占了便宜。

他们也不敢再说什么，忍着怒气，一瘸一拐地被人押着，取了个人物品连夜滚出了公司。

张胜从冷库走了出来，钟情忙迎上去，问道："怎么样？"

张胜说："还好，他们破坏得还不算严重，技师正在抢修，估计天亮就能恢复运行，里边都是肉制品，自然温度下放半宿也不会融解的，损失不是很大。"

钟情听了，长长地吁了口气，她妙目一扫那些手持"奇门兵刃"的屠宰厂好汉，对张胜低声道："这些人帮了大忙，应该安抚奖励一下。"

张胜点点头，向他们走去。

他的讲话很简短，其实对这些人也确实没有必要长篇大论，感谢、夸奖之后，就是公司对每个参与捕盗的员工奖励一千元的奖赏措施，赢得了杀猪匠们一阵杀猪般的欢呼声。

郭胖子把他们带走之后，张胜和钟情回到了他的办公室。

张胜坐在沙发上，轻轻扶着头，显得十分疲惫。

看着那张英俊的脸，那无比疲惫的气色，钟情没来由地一阵心疼，一种母性的柔情轻轻自心底涌起……

第十八章 公司的利益便是最高利益，所有的人都必须服从这个原则

徐海生瞒着张胜，私下通过财务挪用公司巨额资金，严重损害了公司的利益。张胜得知后深受打击。对他来说，并不仅仅是资金管理的问题，而是一种被利用被出卖的感觉。他最亲近、最信任、引他走上辉煌之路的老大哥如今背后捅刀子欺骗了他。这件事情让他懂得一个道理：公司的利益便是最高利益，所有的人都必须服从这个原则。张胜于是立下规矩：第一，拆借公司资金，应当签订正式合同，按行业惯例付息；第二，资金拆借，应该以动产或不动产作为抵押；第三，违反财务纪律的工作人员立即清退⋯⋯

赶来公司一路上的焦灼，技师做出鉴定前的担忧，一同创业的伙伴分道扬镳的打击，令他身心俱疲，他真感到累了，心里累。

钟情无声无息地给张胜沏了杯普洱，端到他面前的玻璃茶几上，然后拿起几案上的香烟，递给他一支。

张胜无声地接过来，轻轻叼到嘴上。

"啪"的一声，钟情打着了火，张胜深深地吸了一口，让那辛辣直入肺腑。他低着头，烟气飘上来，熏了他的眼，眼睛笼上了一层雾气。

钟情起身，绕到沙发后面，双手搭上了他的肩膀，轻轻揉按起来。

张胜身子一震，心里想要拒绝，但是只张了张嘴，还是把背靠到了沙发上，闭着眼睛由她按摩。钟情的按摩手法并不专业，不过轻轻地揉动还是很解乏的，张胜紧张的情绪渐渐放松下来。

"张总。"

"唔?"

"副总经理吃里扒外，连带着保安队长和几名职工一齐解职，这对企业很不利，虽说今晚快刀斩乱麻，迅速清除了这些蛀虫，不过消息传开，对我们的生意还是会有影响的。储藏商品如果损坏，我们会承担赔偿责任，不过只是原价赔偿，但是，这件事会使一些企业举棋不定，怀疑我们企业的信誉。"

张胜叹了口气道："这也是没有办法的事，事情已经发生了，影响只能慢慢挽回。"

钟情嗯了一声，说："不过，我们可以做些努力，最大限度地挽回影响。"

张胜张开了眼睛，问道："怎么说?"

钟情道："第一，明天一早就召开公司员工大会，把事情向员工说个明白，透明度高一些，他们才不会以讹传讹，越传越邪。同时，把这件事的影响告诉大家，关乎大家的切身利益，我想员工们就不会对外面胡乱说起的。"

张胜想了想，点点头，道："嗯，这个主意不错，明天一早就召集冷库和公司机关全体人员开个会，和大家通通气。"

他停了停，又问："那……第二呢?"

钟情笑笑，道："第二，当然是尽快任命新的部门领导。姓楚的自公司一成立，就在这里，是老人，不能小看了他的影响，有人敢跟着他为非作歹，就一定有更多的人和他交好或者对他抱以同情态度，为了避免人心浮动，尽快安排一个新的领导是最好的办法。"

张胜若有所思地点点头，说："嗯，明天我和……我再考虑一下人选吧。这个人得能深孚重望才行啊。"

钟情何等聪明，闻弦音而知雅意，张胜那句未曾说完的"我和……"一说出来，她便知道张胜想跟徐海生商量目前局面的处理。

张胜经过历练，处事做人的经验日渐丰富，不过，现在和徐海生那种人精比，还是远远不如的，他有心求教于徐海生原本没错，但是前提是徐海生这个人靠得住。

326

钟情目前虽然想不出徐海生有害张胜的理由，不过她调查的财务资料显示，有几笔数额很大的资金和它本来的用途存在着很大出入，现在还未查出真正的去向，为了以防万一，她宁可处理方法不是那么完美，但是却能让局势完全掌握在张胜手中，避免徐海生继续安插私人。

想到这里，钟情从后面绕回来，坐到张胜身边，说道："我以为，这种事应该尽快决定，以雷霆手段迅速平息事端，才能尽量减小损失。所以……这人选，明天一早开会的时候就应该公布以安人心。其实，你身边就有合适的人，还有什么可考虑的？"

张胜微微一蹙眉，疑惑地道："我身边就有合适的人？谁？"

"郭依星！"

"郭胖子？"

张胜哑然失笑："原来是他，他怎么能……嗯……郭胖子？"他忽然若有所思地沉吟起来。

钟情轻轻地笑了，柔声道："是呀，就是他，他有什么不行？大局还有你把握着嘛，现在冷库需要什么人？不就是一个忠心耿耿、踏实肯干的人？郭胖子做保安队长、做屠宰厂厂长，都做得有声有色。你和他原来是同一个科室的同事、朋友，你现在做得了一家企业的董事长，他就没有能力担这个重任？"

张胜被他说得意动，但仍有些犹豫道："可是……他刚刚熟悉了屠宰厂那边的业务，把他调过来，那边怎么解……啊！有了！"

张胜一拍大腿，兴奋地道："我怎么把他忘了？这个人接郭胖子的班，一定能挑得起来。"

钟情好奇地道："谁？"

张胜想到了解决办法，心情大好，他笑眯眯地开玩笑："还能有谁，自然是你！"

"我？"钟情信心为真，不禁大吃一惊，她指着自己的鼻子尖愣在那儿。

"让我兼管屠宰厂，天天出入腥气冲天的屠宰车间，跟一些穿着皮靴皮裤手执钢刀的大汉混在一块儿？"钟情想到这儿，想笑没笑出来，她有点为难地道："我去管屠宰场……怕不合适吧？"

张胜哈哈大笑起来："看把你吓的，呵呵，你肯我也不肯呐。我想到了一个人，这人叫黑子，在屠宰场工人中特别有威望，今天这些人就是他召集来的。嗯，这个人行，一定能把屠宰场管起来。"

钟情见他有心思开玩笑了，知道他已把这件事情放下，心中十分欢喜，她展颜一笑道："你这人，这时候还有心开玩笑。好，既然你已经有了人选，那明早开会时，我通知郭依星和这个……黑子也来公司开会。"

她看看黑漆漆的窗外，站起身说："十二点多了，你好好休息一下吧，明早还要面对全体职工，不要到时精神不振的，我也回去休息了。"

"我送你吧。"张胜站了起来。

"不用了。"钟情走到门边，回眸一笑："天再黑也安全的，除了楚文楼那个好色无耻的混蛋，公司上下还有谁会骚扰女人？"

说者无心，听者有意，张胜的脸腾地一下红了。

钟情妙目一转，窥见张胜局促的表情，忽地想起那晚的暧昧，她的表情也不禁讪讪起来。钟情不自然地轻掠鬓发，忸怩地低声道："你休息吧，我回去了。"

房门轻关，钟情的曼妙曲线被隔断在门外。

张胜转了转有些酸的脖子，掐熄了烟头，仰卧在沙发上放松了身体。他的卧室在里屋，但他心事重重，此时全无睡意。

张胜静坐半晌，才慢慢坐起来，端起杯子喝了口茶，他品了品味道，轻轻蹙了蹙眉，把茶杯又放下了，这茶不是他喜欢喝的龙井，因为不合胃口，他就没有再动。

张胜重又靠回沙发，轻轻抚着额头，忽地想到钟情的细心。因为接待的客商什么地方的人都有，钟情做公关经理的时候，购置了各地多种风味的名茶摆在他的办公室里。张胜平时嗜喝龙井，钟情是知道的，但是她今晚却特意给他沏了普洱，因为普洱是世上唯一的后发酵茶，喝它不但不影响睡眠，反而会促进睡眠。

"真是个体贴、细心的女人。"

张胜思及她的体贴，不禁重又端起杯来，细细地品味着，扑鼻而来的，是岁月的沉淀，质朴的幽香，轻轻呷一口，那回甘绵长的味儿，一如那沏茶的女子。

张胜品茶思人，不觉想起了那晚她坐在自己怀里挣扎扭动时，所感受到的成熟女人弹性的部位的刺激，胡思乱想着这些事情，楚文楼的事带来的烦躁感淡了。不知是不是茶水的作用，素淡的月光下，张胜慢慢产生了朦胧的睡意。

他刚刚闭上双眼，悦耳的手机铃声又响了起来，张胜迷迷糊糊地四下摸了摸，从沙发上摸到一部手机，打开来放到耳边，含糊地说道："哪位？"

"唉！"电话里悠悠一叹，清越之声如倩女幽魂。

张胜清醒了过来，苦笑一声道："手机妹妹，是你呀，这都几点了，还打电话？"

"唉……"电话里又是幽幽一叹，就像清凉的风吹在张胜的脸上。

张胜调侃道："一咏三叹荡气回肠，清越之音，寂寞如景，不过……味道还是不足啊，就你这岁数，我怎么听都听不出历经沧桑的迷人味道。"

"你这人……真是的。"女孩娇嗔着，果不其然，又叹了第三声气。

"其实我只是下意识地按了你的号，本没指望你会接的。大老板，这么晚了还不睡，在哪儿腐败呢？"

"腐败？我腐败？不会吧？"

手机里传出轻轻一哼："不然这么晚不睡？我刚一打就接了，我没打扰你的好事吧？"

张胜叹了口气："大小姐，我要是在外面花天酒地呢，带你的手机干什么？"

对面的女孩似乎接受了他的解释，她轻轻嗯了一声，说："哦，那你就是有心事？生意上的事，还是女人的事？"

张胜掩饰道："没事，就是天气燥热，睡不着觉，一个人望月感怀而已。"

女孩嗤笑一声："原来如此，一个人半夜望月感怀，闷骚得很呐。"

张胜无奈地翻翻眼睛，说道："你这是夸我呢？"

"当然是夸你，普通的男人不是发骚就是发飙，哪有本事闷骚？只有你这种有点阅历闲情和经济基础的所谓成功男人才有闷骚的物质和精神基础。"

张胜哼了一声道："我不睡就是闷骚，那你这么晚不睡，又是为了什么？"

女孩叹道："唉，还不是为了今天的案子。"

张胜疑道："案子？什么案子，你到底是干什么的？"

"你忘了，我说过呀，我……是律师。"

"哦，对了，难怪了，一部手机说不要就不要了，原来是律师，你们这行业赚得多，打官司的都拿你们当神仙看啊。呵呵，拿人家手短，有啥不开心的事，跟我说说吧，总比你多活了几年，我来开导开导你。"

那时一部手机很贵的，一开始她是不相信张胜有心还她手机，总想找他吵架，但是后来彼此熟络起来后，她也没再提起还手机的事，张胜主动提起，她还以已经有了新手机，旧的拿回去也没有用，再说她非常忙，没空见面等等来推脱，张胜感觉到她是不愿因为还了手机断了彼此的联系，或许那时会成为真正认识的朋友，但是却不可能保持现在这种无话不说的密切了，是以才不愿取回手机。

张胜的想象中，她应该是个事业有成的白领女性，家庭经济条件也非常好，所以才不大在乎物质的东西，不过这样家庭出身的人，这样事业有成的人，精神上总是存在着这样那样的问题或经常处于紧张状态的，她总和自己聊天，其实就是找个人倾诉心声，缓解心理压力，所以自己也乐得当这个未经过一天专业训练的"心理医生"。

果然，女孩开始诉苦了："唉，人说天上好，神仙乐逍遥，成功的背后泪多少呀，我整天接触的都是社会阴暗面的东西，真是闹心死了。今天又处理了一桩案子，到现在我都无法平静下来，翻来覆去不着觉，这才给你打电话的。"

"是杀人血案？因为太血腥了，受了严重刺激？"

"案情血腥点倒不会刺激我，刺激我的是凶手。"

"此话怎讲？"

"一共四个凶手，凶手中有两个是女孩。他们最大的十七岁，最小的十三岁，被杀的那个……才十六岁。"

"少年犯罪，让你深受感触了？呵呵，他们为什么杀人啊？"

"理由听起来很可笑的。"

"说来听听。"

"这些孩子放暑假，整天无所事事，就泡舞厅、溜冰场，被杀的男孩父母是做生意的，家里比较有钱，那两男两女四个小孩子就去找他'借'钱花。那男孩不给，于是四个人就在公园里打起来。那四个小孩很残忍，他们把人打死了，尸体砸得不成样子。当我……我们这儿的警察闻讯赶去，找到他们的时候，你猜他们在做什么？"

"毫不在意地在玩？"

"是的，在打台球，用的是从那个被打死的男孩身上搜出来的钱。"

"一群法盲，杀了人都不当回事，不知该理解成愚蠢还是神经病！"

"不，你错了，他们既不是法盲也不是神经病。他们把那男孩子打倒后，是由那个十三岁的女孩捡起石块砸他的头，把头砸得血肉模糊直到他断气。我问他们为什么要由那个女孩独自完成杀人过程，他们说，因为他们知道，十三岁杀人不犯法！

"我问他们，你们把一个熟识的人就这么活活打死，你们心里就不怕？他们说：'为什么要怕？我们是未成年人'，受法律保护，顶多劳教两年就出来。"

张胜叹了口气。

手机里，女孩的声音越来越愤懑："我学过犯罪心理学，可是我无法理解他们脑子里都在想些什么，看到他们，我一下子感觉到学校里学的东西是那么苍白，真的该抓抓道德教育了，一味地要成绩，这是教出来的些什么东西！"

张胜又叹了口气，劝道："嗯，这件事对你刺激明显很大，学心理的，自己的心理可要调节好，想开些吧。"

女孩激愤地道："我就是想不通，人性呢？人性哪儿去了？如果说他们是愚昧无知，哪怕做得再残忍些我都能理解，可是……不是这样的，不是！他们不是无知，是冷静地、理智地在犯罪。

我曾经见过一个惯偷，他说干到十六岁就金盆洗手，知道为什么吗？因为那时他就得承担刑事责任了。这些渣滓依仗着《未成年人保护法》……我不是反对这部法律……我不知道该怎么说，见了他们，我还得保持冷静和理智，尊重他们的人权，我……心情很沉重，呵呵……我好像有点钻牛角尖了，明知道不能改变什么，可是看见他们没有人性的行为，还要杞人忧天……"

"这女孩……"

张胜几乎可以想象得出她的模样，一个白皙纤弱的女孩，戴着一副金丝边的眼镜。一个刚刚从象牙塔里走出来，脱离现实生活的富有艺术特质的女孩子，富有正义感，想着利用所学为弱者伸张正义，结果面对生活却屡屡无奈，面对罪犯却无力制裁，于是深夜难眠、长吁短叹的样子。

张胜苦笑一声，只好打起精神劝道："其实也不难理解啦，那两男两女是对象吧？唉，这些小青年，为了在女朋友面前显摆自己本事，有人多看女友一眼，都有人白刀子进去红刀子出来呢，这些人，觉得能打架、让人怕，就受女人喜欢、在女人面前就有面子。

什么人性、什么对生命的尊重，这种人，你可以理解成一种退化，有些人返祖，是在面相上，这些人是在心理上……"

受这女孩影响，张胜说话也深奥起来，他忽然觉得自己这个比喻非常深刻、很有哲理，尤其是这样开通"午夜节目"，开导一位年轻女孩，令他很有成就感。

但他正侃侃而谈，手机妹妹却苦笑一声道："你错了，如果真是为了在女友面前炫耀自己的武力和狠辣，好歹也算一个理由，可是……不是的，那两个女孩是拉拉……"

"啥？拉啥？"

"Lesbian."

"哦……"停了停，张胜忍不住又问："那个……什么是 Lesbian？"

手机里面静了静，然后传出笑声，女孩揶揄道："哎呀，大老板啊，真是大老板啊，现在发财的都是你们这样的，你的英文还有待进步啊。"

英文？张胜学生时代最大的隐痛被触到了，如果不是因为该死的英文，自己怎么会半途……它就真重要若斯？张胜心中大为不平，霍地一下坐直了身子，点上一支烟，开始进行反驳："学英语有那么重要吗？现在弄得也太邪乎了，考古专家译职称都得考英语，可怜那些研究甲骨文的，还得耗费大量时间死记硬背蝌蚪文，可笑！英语不是知识，只是一种交流工具，有必要让全民都去掌握这门工具吗？

我始终没有搞明白，为什么要把英语提高到如此不可思议的高度，全中国至少有一半的大学生一辈子也不会和外国人打交道，他们花费如此大的精力在一门根本用不着的科目上，简直就是浪费。不是全体学英语就不能和外国人进行交流？那我们的翻译人员还有什么用？而且，就算我们学了英语，但是现在我们这些学英语的又有多少能够与老外进行面对面的交流沟通？"

"我其实只是……"

张胜越说越气，立即打断，很郁闷地继续发泄："你别说话，听我说完。"

"哦，好吧……"

"我说到哪儿了？"

"你说学了也未必用得上。"

"对对，拿我来说吧，我是做生意的，如果有一天我能走出国门和外国人做生意，聘个翻译不就成了？何必一窝蜂儿地都去学英语？"

"这么说有失偏颇吧？"

张胜一通发泄，心怀舒畅，这时谈兴未尽，又道："你别说话，听我说完。"

手机妹妹噎了一下，忍着笑道："呃……好……你继续，千万别太激动……"

结果呢，国人学了一口外国人听不懂的英语，反倒把中国话的底蕴给丢光了。"

手机女孩终于忍不住笑出来，她笑着劝道："别激动，别激动，你大概上学时没少吃学英语的苦吧？说不定就因为它才没考上大学？其实呢，学英语还是有用处的，要接触外国人的思想和文化，加强沟通和了解，没有语言的沟通，怎么能做到呢？"

张胜不以为然地道："很多人上学，把大部分精力都用在学英语上了，结果一辈子也没和一个外国人交流过，天天还是在说汉语。为了接触外国文化的理由根本站不住脚，外语版的说明书、出版物等等，就算一直学到大学，有几个人能独立地去阅读、去理解了？专门培养一些外语专业的翻译就是了。

自己那水平去翻，弄不好还翻错了。考个研究生，天天学的是英语，反倒是专业可有可无了，现在这种学法，让全中国一半的天才在没把英语学好的考试路上就被埋葬了，另一半考上去的天才，继续在学英语上消磨精力和时光。

人的一生时间是有限的、精力是有限的，学习阶段的主要精力全放在这儿，还有精力钻研专业？术道有专攻，几千年前的学科那么少，古人都总结出了这个道理，现代人反倒不明白？

为了交流？为了及时掌握国外先进信息？我靠，狗屎理由，再投入一千亿，能让一半学习者达到那水平吗？干脆改英语英系国家得了，有那环境才学得了。让翻译把那信息翻译成中文不成？"

"呃……你……你不要这么激动，事实上……我其实……"

"要是这种狗屁逻辑成理，那自动化是先进知识吧？为什么大学要设自动化系，没让所有人都学自动化？为什么要分文科理科？为什么要分经济系管理系？英语也是一门工具，就成了全民必学的，在升学考试中占据重要地位的学科？学生每天把一大半精力花费在这上边，各个实用专业还怎么出世界顶尖人才？"

"我……我只是……"

"听我说完，外国人有些地方比我们强，我承认，可我不觉得全民学英语有必要，还把它提到如此重要的地位，以致我们将来为四化建设添砖添瓦的建设者们只能拿出一小部分精力学习将来建设工作用得上的。"

手机女孩举着手机，听着张胜慷慨陈词，可她显然不是个好听众，更没有当心理医生的觉悟，听了好久好久，女孩终于忍不住打起了哈欠："呃，和你说话真是愉快，萦绕在我心里大半天的烦闷全都没了，我现在心情好多了，啊……好困……"

"你说同样的时间、同样的精力，如果让人多学点专业知识，那得……啊？要睡了？"

"是啊，那个……时候也不早了，洗洗睡吧，晚安，手机哥哥！"

说完，不待张胜答应，女孩就赶紧撂下了手机。

张胜哭笑不得地举着手机道："喂？喂？"

手机里只传出一阵忙音，张胜看看手表，已经快一点了。他把手机扔进沙发缝里，和衣躺在沙发上，可是手机妹妹宽心地去睡了，他却已被折腾得没了睡意。

翻来覆去半晌之后，张胜忽然想起今晚秦若兰值夜班，既然有人折腾得他睡不着，何不……

于是，张胜立即掏出自己的手机按下了号码，想着那个偷偷躲在值班室睡懒觉的小护士被他吵醒的恼火样子，他的嘴角露出一丝坏坏的笑。

电话接通，里边传来一声"喂？"声音慵懒，带着猫儿一般的性感，张胜没想到她半醒不醒的时候，声音居然如此美妙，和她平时的刁蛮全然不同："呵呵，她这时躺在床上，身上盖着薄被单，星眸迷离，樱唇半启，该是什么模样呢？"

"喂？"秦若兰的声调提高了一些，还带上了些不耐烦，打断了张胜的绮思。

"哦，小兰，我是张胜。"

"胜子？怎么这么晚想起给我打电话？"

"哦，我有点事想请教你。"

秦若兰呵呵地笑起来，笑声很是引人遐想："好呀，什么事？"

"那个……你英语学得怎么样？"

"唔，还凑乎。"

"哦，你知道 Lesbian 是什么意思吗？"

"Lesbian ……什么 Les ……Lesbian！谁是 Lesbian？你女朋友是同性恋？哦……圣母玛利亚！"

手机里的声音陡然拔高了八度，震得张胜耳朵一阵奇痒……

秦若兰是值夜班的，既然被吵醒了，哪肯放过他，张胜被骚扰了半宿，解释了无数遍，秦若兰才半信半疑地相信了他的解释。第二天一早，张胜睡眼蒙眬的时候，公司职工已陆陆续续赶来上班了，他匆匆洗了把脸，清醒了一下，便赶去主持公司全体员工大会。

会上，他公开宣布了楚文楼的所作所为，对楚文楼及所有从犯作出开除处理，并当场任命郭依星为冷库公司经理，提拔黑子为屠宰厂厂长。

张胜一直给予公司全体员工一种性情温和的印象，但是这次处理事情如此决断，势如雷霆，整个公司高层可以说是一夜之间翻天覆地，深深地震撼了所有的人，颠覆了张胜在他们心中的固有印象，他们开始重新审视自己的这个大老板，投向他的目光带上了几分敬畏。

张胜公布完处理决定，就令郭依星和黑子立即办理交接，到任理事。会议结束，张胜刚刚回到办公室，电话铃声就响了。

张胜拿起一听，居然是徐海生，张胜心中一奇："徐哥怎么这么快就打电话来了？他一向不怎么主动联系我的，这么早打电话该是为了公司变动的事吧？看来他虽不在公司露面，公司的一举一动还真瞒不过他的眼睛，有人随时向他报告呢。"

"老弟啊，我下周三生日，请了几个要好的朋友一齐聚聚，你到时一定得来呀。"

张胜这才释然："原来徐哥要过生日，惭愧，我居然会怀疑他在公司安插耳目。"

想到这里，他主动说道："徐哥要过生日？那还用说嘛，我当然要去，不管有什么事我都得推了，徐哥的宴我是一定要赴的。对了，徐哥，公司有点事，我得和你说一下。"

徐海生不紧不慢地笑道："什么事呀？"

"老楚……被我开了！"

"什么？老楚……出了什么事？"徐海生的声音略带惊讶，不过声音里听不出太多的波动。

张胜把事情原原本本对他说了一遍，在大会上公开宣布时，张胜公布了楚文楼搞破坏的原因，就是利用职权逼迫女工就范，因为被自己阻止，于是挟怨报复，但是当时并未提及钟经理险些被他强奸的事情，这时对着他十分敬服的徐海生，张胜自然再无隐瞒。

他说完事情经过，徐海生沉吟道："这小子成事不足，败事有余，借这机会把他清理出去也好，反正目前需要借助张二蛋的事情也不多，只要没有为

336

了这件事得罪那个老家伙就成。这老家伙倒也光棍，手下干出这种事来，他羞于再派人插手公司的事，正好派个更得心应手的人。"

张胜趁机道："是啊，徐哥，非常时刻，为了稳定人心，我连夜把郭胖子调了回来，由他接手老楚的工作。郭胖子自公司一成立，就在冷库工作，是老人，又是我的朋友，这人绝对信得过。而且冷库公司已经上了轨道，他创业未必是能手，守成还是办得到的，这样安排行吗？"

这时，房门轻轻推开，钟情笑吟吟地走了进来。

此时正是炎热的夏季，钟情穿得十分清凉。她下身一件紧腰宽摆的裙子，纯黑的底色上洒满雪白的雏菊和香草，配着一双水晶色的塑料凉鞋，雪足纤掌，很是动人。

而她的上身，则是一件短袖紧腰上衣，用的是白色软缎，小V立领，紫色蝴蝶扣，高贵典雅，既有旗袍尽显曼妙曲线的长处，又因那简捷的线条而充满动感，这样美丽的女人放到哪儿都会让人眼前一亮。

今天的大会出乎意料顺利，她在公司上下走了一圈，见此事对公司造成的影响并没有预计的那么大，心事放了下来，脸上也不禁露出了轻松的笑容。

她正想说话，见张胜背对着自己正与人通话，语气恭敬而且带着敬询，不由心中一动，到了嘴边的话又咽了下去。张胜还不知道钟情进来，他正听着徐海生的讲话。

徐海生呵呵笑道："你是公司老总嘛，你说了算。"他顿了一顿，语意颇深地道："老弟啊，你现在是闯出来了，已经是个人物了，应该有自己的打算和主意了。"

说到这儿，他话锋一转，接着道："钟情现在在公司怎么样，好像很受重用呀？她的工作能力能胜任吗？我听说……呵呵，好像行政、公关、财务，她是样样精通？"

张胜听徐海生提到钟情，不由得心里一动，难道徐海生对钟情仍念着旧情？

于是张胜对徐海生试探着道："徐哥，你还别说，当初钟姐到公司里来应聘，我还真没料到她这么能干，钟姐在文秘、公关、管理方面都有所长，而且工作非常努力，事无巨细，总能安排得妥妥帖帖，不过财务方面，我倒没听说她有这个特长，况且现在财务部工作很稳定，钟姐正主持水产批发市场的事，我没打算让她兼管财务。"

徐海生"哦"了一声，心中疑虑渐消。听财务老王向他汇报说，这一阵子钟情比较关注财务往来，徐海生心中有鬼，就有点惦记上了，现在听张胜这么说，也许是自己多虑了吧？建水产市场当然也是需要投入的，她这些日子财务跑得勤，或许是因为这个原因。

电话里，张胜还在继续叨叨："徐哥，我有句话不知当讲不当讲？"

"哦？有什么话只管说，我们兄弟之间有什么不能讲的？"

"就是……关于钟情姐……"

"她怎么了？

"徐哥，其实要说起来，真有点难以启齿。可是我觉得，你虽是已婚的人，但是既然你们以前曾经在一起，那现在……似乎也不必搞得反目成仇。徐哥，我和她共事这么久，发现她不是一个低俗浅薄的女人，而且我看得出，钟姐对你是真心的……"

徐海生大笑着打断了他的话，张胜和钟情的暧昧，公司里知道的人可不止一个两个，财务老王早跟他提过此事，在徐海生看来，这再正常不过了。身边放着这么一个美艳迷人的少妇，一个生理正常的人若说和她没点瓜葛，那才稀奇。

他只道张胜喜欢了钟情，却因为顾忌她曾和自己的一段情，这是在试探自己的意思，不禁笑道："哈哈，你呀，这个……咱们兄弟，说话不用拐弯抹角，我和她的事已经成了过去嘛，她有追求自身幸福的权利，你如果喜欢她，尽管接受她，我这人很开明的。"

张胜脸上一热，他只是觉得钟情也好、徐海生也罢，毕竟都和这公司关系极其密切，彼此不可能你来我走互相避着，如果能尽释前嫌，哪怕做个普通朋友也是好的，不想徐海生却误会他要染指钟情，偏偏他还一时意乱情迷，真做过类似所指的事情，是以心虚地急急解释道："徐哥，你误会我的意思了，我是说，你们之间没有必要搞得这么僵，事情都过去几年了，有什么放不下的，你也不用老避着，有机会不妨接触一下，改善改善彼此的关系……"

徐海生只听了一半，又误会了，以为他想撮合自己与钟情破镜重圆，不禁失笑道："老弟，感情事，你远没我经历得多，就不必劝我了。什么叫爱情？都是你这种涉世未深的小家伙胡思乱想出来的东西，谁也别说谁是谁的唯一，感情这东西根本就没有完全和绝对。再过几年，等你经历得多了，你就会明白了，什么爱情，根本是狗屁。

"当无数女人的肉体在你床上横陈的时候，当无数的女人从你身下纷纭退去的时候，你就会发现，所谓爱情，不过是一种虚妄。就像一条狗在追逐一块骨头的时候，它以为它是爱着这块骨头的，其实它只是本能地想去咬上一口罢了。老弟，别谈感情，一切都是感觉，感觉没了，感情也就没了。"

张胜叹了口气，争辩道："徐哥，我觉得你太偏激了，我和她共事近两年了，我相信她其实是一个很重感情的好女人……"

徐海生一声嗤笑："哈！算了，不说这个，我还有事要出去，公司刚刚发生变化，你还是勤照看点，避免人心浮动，回头再聊吧。"

"我会的，不过……"

张胜刚刚说完"我会的"，一只修长的手指就按上了话机，切断了谈话。

张胜的"不过"二字这时才出口，他一抬头，就见钟情正站在面前，双目喷火地怒视着自己，也不知她是什么时候进来的。

"钟情？"

"我是你的什么人？需要你为我的终身操心？"

钟情强抑怒火，眼中已溢出泪光："我在你的公司招你烦了是不是？你想打发我走，也用不着把我推给那个烂人！"

她的泪终于扑簌簌地落了下来："我现在就走，用不着你赶。"

"你别……"张胜一下子跳了起来，扯住她，窘道："我没有恶意，怎么扯到赶你走了？"

"你没有恶意？难道是善意？我的尊严和人格早就被人丢到地上践踏得一文不值了，你现在还要再来羞辱我。我的一生都被他毁了，你居然还撮合我们，他害得我还不够么？你给我留点颜面行不行？"

钟情说着就要冲出去，张胜一把拉住，钟情可不是装腔作势在演戏，她真是情有不堪，所以挣扎的力道甚大，张胜也急了，为了拉住她，这力道和姿势也就不太讲究，只听"哧啦"一声，张胜把钟情唐装上衣给扯成了两片，钟情一声惊叫，连忙抱住了饱满的酥胸。

钟情今天穿的是白色软缎窄腰的唐装，衣料单薄光滑，里边自然不能再多穿什么，除了一条浅色文胸，其他一无所有，这文胸还是细背带的，那窄窄下收的腰肢、平坦光滑的小腹，还有那文胸都包裹不住的丰满乳房，如惊鸿一瞥，跃入张胜的眼帘。然后，钟情便一声惊叫，双手紧紧抱住胸部，半弯下腰去，只是那臂缝中还是不免露出几线春光。

"啊……啊……"张胜手里提着半片衣料，用很无辜的眼神瞅着钟情。钟情又羞又气，顿足道："你还看？"

"我不是故意的，我……其实……"

张胜正竭力解释着，办公室的门哗啦一下推开了，郭胖子和黑子兴冲冲地闯了进来。

钟情"呀"的一声羞叫，方才只对着张胜一个人，春光乍泄，那羞意还忍得住，这时一下子又冲进两个人，那如何使得？这时想躲进里屋也来不及了，她仓皇一看，一下子扑到了沙发上，其实她只给扯掉了半截衣裳，双手都捂在胸前的时候，虽说那姿势蛮诱人的，其实别人还不能看到太多，这一来可好，溜滑无瑕的大半个玉背都裸在了人家的面前。

郭依星和黑子见此情形傻眼了，他俩交接完毕，开开心心地跑来向大老板表忠心来了，哪知道会碰上这么档子事。张胜和钟情出则成双、入则成对，二人的风言风语他们是早有耳闻，如今可是眼见为实了。

黑子心想："坏菜了，人家和小蜜调情，咋让我撞上了？我才刚上任，就给老板留这么个印象，这可咋整？"

到底是年轻人脑子转得快，黑子一条腿还没放下，就来了个原地转身走，口中喃喃地道："我啥也没看到……"

郭依星脸色一僵，转身也退了出去，张胜急了，连忙追出去喊："胖子！"

郭胖子站住脚，张张嘴想说什么，终于还是叹了口气，说："算了，这毕竟是你的私事，我也不想多说什么。胜子，小璐是个好姑娘，你在外面搞些什么，也……不要伤害了她，有点分寸，适可而止吧。"

张胜无奈地看着他的背影，仰天一声长叹。

340

反正看也被人看了，误也被人误会了，偏偏还无法解释，钟情也豁出去了，张胜刚一进屋，她就一下子跳起来，从张胜手里抢过那半片衣裳，飞身闪进了张胜的卧室。

片刻的功夫，她又像花蝴蝶似的飞了出来，身上披了窗帘，跑到书柜旁蹲下，在抽屉里一通翻，居然找出一盒针线，然后再度钻进了里屋。

张胜眼花缭乱地看着她忙活，等她把里屋关上，张胜才一屁股在沙发上坐下来，托着下巴担心地想："死胖子那大嘴巴，不会把这事告诉小璐吧？……应该不会，轻重他还是分得出来的。不过这个误会好像也挺好，起码钟情不再吵着要走了。"

张胜自我安慰着，苦笑着坐下来抽出一支烟点上，悠悠地吐了个烟圈，又想："嗯……她的乳形还真是美……"

"啪！"张胜轻轻抽了自己一嘴巴，"这是胡思乱想些什么？这时候还有工夫想入非非？郭胖子和黑子的误会咋解释，终究是人言可畏呀，还有自己和钟情越来越暧昧的关系，真是头疼，该如何处理才好呢？"

张胜想到眼前的这些难题，不禁苦恼地皱起了眉头：自己和钟情的关系，好像越来越复杂了……

徐海生合上手机盖向后一伸，一个身着和服的美女便踏着木屐垂首微笑而来，接过了他手中的手机。

空中，正飞舞着樱花，身着和服的女子大约只有十八岁，翩跹而至，巧笑嫣然、人若樱花。

徐海生微笑着仰起头，身子轻轻向下滑，将脖子以下的部分全部埋入了温泉水。

"还行，看来是我有点多心了，只是随意打个电话，张胜就把他对公司的安排和想法都告诉了我，看来这小子对我还是挺信任的，毕竟做了近两年的董事长嘛，小孩子都会长大，他有些自己的想法和做法也正常。"

徐海生满意地捏捏下巴，想起张胜要撮合自己跟钟情的事，又不禁哑然失笑："这小子，不管怎么成熟，还是嫩了点啊，居然如此异想天开，孰不知覆水难收？"

这里是日本酒店，身后是和式卧房，他置身于幽雅的庭院之中，正在泡温泉，暖风习习。他喜欢这种意境，这样的环境可以让他的身心彻底放松下来。

和服女子放好手机又优雅地走了回来，款式简洁干净的和服，柔和的玉白色底子上面是绿色的水印彩绘。蔓藤的形状密疏有致地缠绕起来，形成虽然形状奇怪但是终归是样子很好看的花纹，于是那少女本人便也像一枝盛开的樱花了。

其实，女人不少腿短而粗，包括许多很知名的美女，即便是她们写真上看上去又长又直的赤裸大腿，其实也大多是通过拍摄角度和其他方法做过弥补的，这是她们的缺陷。这个女子也不例外，不过美丽的和服把她的短处遮掩了，只把她柔美的一面呈现在了男人面前。

徐海生伸出一只手，那女子便嫣然一笑，在木凳上坐了下来，抱住他湿漉漉的胳膊，像柔顺的小猫似的……

徐海生满意地轻抚她的头，就像抚着一只宠物，女子恭顺地坐在那儿，安静地享受着他的爱抚。她那眸子晶莹得仿佛水光流动的湖泊。笔直的脊背和优雅的脖颈，姿容秀美如玉，就像天下安静地飘落下来的粉白色樱花。

不过，徐海生却不会被她这种温柔、优雅、纯洁、秀美的气质所动，因为他知道，这个长相甜美的女人，那和服下的胴体是何等的淫荡。

有人说日本的女人就像樱花，温暖于心而又羞涩于外，但是有不少的女人，那淑女似的和服一旦褪下，有多少人能比得上这些欲女淫娃？

徐海生喜欢这种强烈的对比，他认为这就是人的本质。想起张胜刚刚对他说的话，他嘴角一翘，轻蔑地笑了。女人，玩偶而已，有什么好尊重和认可的？都说女人如花，女人是水做的，可是似乎都忘了那花下的是泥，那水下的还是泥。再清纯如水的女人，只要施以足够的条件，都可以变成污浊不堪的泥水。眼前这少女何尝不是端庄秀美，洁净如一尘不染的清水？可她骨子里是什么？

徐海生这是第二次来日本，他的兼并计划遇到了较大阻力，于是才想到找日本朋友出面合作。

地方官员们大多有种很奇怪的想法，特别迷信外国投资，似乎外国来办厂的企业就一定资金雄厚，就一定能让濒临倒闭的企业起死回生，所以徐海生特意来找一位日本朋友，希望由他出面来化解他在某地兼并企业受到的阻碍。

到了这声色之乡，自然少不了声色犬马。徐海生喜欢成熟性感的女人，被朋友带着，穿行在都市与乡村之间，在一张张榻榻米上，他着实宠幸过几个人妻。对眼前这个花苞一样的女子，他本来不感兴趣，但是上周在酒店外，这个叫矢野丽奈的女子主动搭讪时，徐海生看着她似曾相识的容颜和那天真可爱的笑脸，却鬼使神差地把这个笑得非常甜美羞涩的女子带回了房间。

花钱人作践挣钱人，一个愿打、一个愿挨，不过是一场空虚而无聊的性游戏，从这张床上爬起来各自走人之后，彼此便也再没了关系，但是第二天早上，徐海生付钱的时候，意外地在女子的钱夹里发现了一张照片，这令他改变了主意。

尽管已时过近二十年，尽管那女人是一身和服打扮，但他仍一眼认出了那个女人，那是他的初恋女友——宁靖。就算是个流氓，也有过纯真的，徐海生也有忘不了的女人，不管是恨还是爱，至少这个女孩一直留在他的心里。

那时，她是多么清纯善良的一个女孩啊，那时，她还是一个只懂得爱的学生，纯洁无瑕如同一块美玉，高中三年、大学四年，处得如胶似漆。宁靖去日本的那个夏日，依依不舍地抱着徐海生，哭得天崩地裂，伤心欲碎，结果呢？仅仅七天之后，她就打电话给徐海生说要分手。

交心七年，变心不过就是七天而已，她走的时候的悲伤是假的么？不是，但是在诱惑面前，还不是奇快无比地变了心？什么真情，不过如此！

她如愿以偿地嫁了个日本人，成了外籍华人。可惜她只在电视上见过西装革履的日本人，还以为鬼子都是资本家，哪知道日本也有农民呢？一个中国大学生，嫁了一个日本种地的农夫，成了小镇杂货店里一个老板娘，这就是她追求的生活！

徐海生想到这里，笑了，笑得很开心，眼睛里却闪烁着针一般的寒芒。

他哗地一下站起来，水顺着肢体向下流淌着，他扶着木桶的边迈了出去，站在矮木凳上："我要回房了。"

矢野丽奈忙道："是!"

矢野丽奈手里拿着一块大浴巾，温柔地服侍着他，给他擦拭着身体，看了眼他嘴角挂着的高傲阴冷的笑，心中充满好奇：这个"中国主人"真的很奇怪，他有时看着自己，眼神特别温柔，做爱的时候也特别温柔，有时又特别凶狠，狂暴得像一头野兽。

记得刚认识他的那一晚，他好温存，一点也没有本国男人好做"生理医生"的怪癖，当清晨起来，接过他给的三万日元，正想离开的时候，他却突然像变了一个人似的，先是一阵发呆，然后就狂吼着，像吃了春药似的猛扑上来……

他那时好凶猛呀，迎着山上的雪光，把自己刚刚穿好的海军服撕得稀烂，弄得她哇哇惨叫。然后就说要以每天十万日元的价格包了她，让她在他离开日本之前一直陪着他。呵呵，中国人真的很慷慨，这几天下来，加上他赏赐的钱怕都有百万日元了，以后……该多做中国人的生意才对。

徐海生嘴角一直挂着捉摸不定的阴冷笑意，他把这个女子留下来，成为他旅日期间的专属情妇，并不是因为如此迷恋这个女子的肉体，他留下丽奈，只是为了想办法弄到她家里的电话号码，把这一切告诉她的母亲，自己曾经的女友。

就在昨天，他偷偷和丽奈的母亲通了电话，并驱车赶去见了她一面，结果令他大失所望，他没有看到那个女人痛哭流涕的样子，她没有对女儿堕落的痛心、没有面对旧情人的羞愧，知道他如今的风光和拥有的财产后，这个徐娘半老的女人居然不知廉耻地想再勾搭他。

如果说她当初的变心只是追求物质和虚荣，那么今天，她已经彻底地堕落了，变成了市侩、贪婪的俗女人，她的样貌还依稀可见当年的风韵，没有太多的变化，但是她的灵魂，已经彻底地变成了另外一个人。当徐海生离开她的家时，这个在他心里存在了二十多年的女人，最后一丝印记都被抹得干干净净了。

女人，个个都把自己当天使，所以也最容易堕落。张胜居然相信钟情是个自尊自重的好女人，呵呵，真是可笑，女人无所谓忠贞的，忠贞只是因为背叛的砝码太低，相信地老天荒的男人都是蠢蛋、相信真挚爱情的男女都是物质极度匮乏的乡巴佬。

徐海生不是蠢蛋、徐海生不是乡巴佬，他早已不再相信爱情！

身体擦拭好了，徐海生满意地捏了捏丽奈青春而富有张力的脸蛋，一如他当年轻捏宁靖的脸颊，只是那眼中一片冷漠，全无昔日的迷恋和温情。

丽奈嫣然一笑，她还太小，不了解这个男人在想些什么，也看不出他眼底的冷酷，事实上，她奉献过的，大多是大叔级的人物，这个岁数的男人，有什么心事，又岂是她能看得懂的？她只能感受到最直接的交流，所以她把徐海生的动作当成了宠溺和迷恋。

她拿起和服，徐海生张开了双臂，让她给自己穿起来。

也许是一丝天良未泯，也许是因为丽奈身上有着太多初恋女友的感觉，徐海生放弃了对丽奈的打击，也没有把和她母亲的事告诉她，就让她始终把自己当成曾经接待过的一个中国客人好了。

"这次来日本，收获够大了，不但得到了那位日本朋友的帮助，而且……了结了一块多年的心病！"

徐海生想着，淡淡一笑："该回国了，需要自筹的那一块资金，看来还得从张二蛋和张胜那儿想想办法，可惜呀，这两个土老帽儿一门心思地搞什么实业，要不然，倒可以把他们彻底拉进自己的圈子，那样搞钱也容易些！"

徐海生想着，嘴角一牵，露出一个表情复杂的微笑，那浅笑，一如沼泽泥潭中待机而噬的鳄鱼轻轻地打了个哈欠！

芳龄刚刚十八岁，还不懂成熟男人心事的丽奈见了，心底里也不禁掠过一丝莫名的寒意。

钟情正站在那儿，本来脸色已素静如玉，一见张胜，两抹酡红忽地又染上双颊。

她咬了咬嘴唇，忽地鼓足了勇气，走到他的对面，张胜顿时紧张起来，就像等着法官裁决的犯人。

"我没想到，你对他还是这么依赖，事无巨细，都想让他知道，张总，不管是你多么信任的人，这样不利于你的发展和成熟的。我……本来有些事，

345

想独自查个清楚明白之后再告诉你，不过现在想来……让你直接插手，正面调查，阻力小一些，也容易让你认清一些事物。"

"什么?"钟情含糊不清的话，听得张胜有些愕然。

"你说的是……什么事?"

钟情抬起眼睛，直视着他说："我最近私下查询了公司的银行账户，发现了一些问题，有几笔数额较大的资金，流向非常可疑……"

张胜的表情一下子凝重起来："资金流向可疑? 你继续说!"

一向很少出现在财务部的张胜在公司高层人事刚刚做了重大变动之后，突然驾临了，身后还跟着钟情和保安队长胡成。财务部的几个人诧异地看着神色冷峻的张胜，面面相觑，因为看出他神色不对，以致连声招呼也忘了打。

"你们都坐吧，我只是有点事情要了解一下。"张胜在财务经理王昌明让出的椅子上坐了下来，开口问道："我们第一批厂房出租，以及厂房设备抵押获得的贷款，共得流动资金两千三百万，扣除继续投入的冷库、水产批发市场建设用款，现在账面剩余资金应该有一千二百万左右，把我们的账簿和银行对账单拿来给我看。我要查看一下。"

财务经理王昌明愣了一下，然后满脸堆笑地迎上来："张总，您要查账，也不和我打声招呼，好早早给您把所有账簿都准备齐全。老宋，愣着干吗? 快去把相关账簿都拿来，哦! 老贾，给张总沏壶茶来。"

吩咐完了，王昌明在张胜对面欠着半个屁股坐了下来，呵呵笑道："张总啊，您说的只是一个大框，零零杂杂的收支就是瞅着账本，一时半晌儿怕也说不太清呀。"

张胜冷笑一声，道："说不清没关系，我今天空闲得很，有的是时间听你慢慢说。"

"呃……"王昌明咽了口唾沫，强笑道："是是，不过……张总说的数字还是有点出入的，有几笔账我早就报过您了，工程方的几笔工程款，共计五百多万，那不是也刚刚付清吗，所以……"

"哈哈，我也以为付清了，可我刚刚和二建、四建的老总通过电话，这两位众口一词，直跟我抱怨工程款拖得也实在是太厉害了点呢。"

这一下，王经理的脸色一下变了……

张胜看在眼里，心中怒火更炽，更认定了钟情的说法，他盯着王昌明，冷冷地道："王经理，这还只是第一笔款子，我需要你向我交待清楚每一笔钱的来龙去脉！"

这时，老李抱着一堆账本走了进来。

张胜瞄了一眼，语带嘲讽地道："有没有拿错，别把两套账给弄混了。"

老李愣道："不会，怎么会混？……啊，混……混什么？"

"混蛋！"张胜"啪"地一拍桌子，一下子站了起来，指着他的鼻子怒吼道："有些企业做两套账，是为了糊弄税务局，我的公司也做两套账，却是为了糊弄我这个董事长！"

他厉声吩咐道："胡成，叫人把财务部所有的账本都抱到我办公室去，财务章、法人章现在开始由我本人保管。我要找人稽核，逐笔查清！"

徐海生比预定日期提前一天赶回了省城，挪用资金的事已经有人告诉了他，他一直在等张胜质问的电话，但是张胜却一直没有打电话来。和一个对手交战时，最难控制的局面就是无法掌握对方的虚实，徐海生无法掌握张胜的想法和他到底掌握了多少资料，所以心中忐忑不安。

此时，张胜坐在他的办公室里，却正陷于痛苦的挣扎之中。徐海生以小人之心度君子之腹，一直在思考张胜掌握了多少情况，到底要如何同他摊牌，而张胜却因为掌握的情况条条都指向他最亲近、最信任的老大哥徐海生而痛苦万分。

"不要想太多了，幸好事情发现得早，我想大部分损失应该还是可以追得回来的，至少……这损失还不至于让公司元气尽丧。"见他胡茬未刮，满脸憔悴的模样，钟情心疼地劝道。

张胜摇摇头，没有说话，对他打击最大的，并不是资金的损失，而是一种被利用被出卖的感觉，最初他也知道，他和徐海生是一种互相利用的关系，但是随着发展和合作，他真把徐海生当成了一个创业的领路人、一个最可信任的工作伙伴，所以才对他的事从不过问，想不到……

这时，手机响了，张胜摸出手机，有气无力地喂了一声，默默地听了片刻，他低声道："好！我过去一趟。"然后站起身，对钟情说："我出去一下，公司你先照料着。"

钟情点点头，张胜拿起外套，走出了办公室的大门……

"来来来，张胜啊，公司我不方便过去，所以特意邀你来家里一趟。呵呵，这趟去日本，给你捎了点东西。一套日本第一品牌的 DHC 化妆品、还有一个 LV 贝壳包，送给你女朋友，你们年底结婚嘛，我还带回来两套日本名牌男女时装，就当是送给你们的新婚礼物了。"徐海生笑吟吟地说着，指了指放在大厅里琳琅满目的一堆礼物。

张胜怔了怔，勉强露出一个笑容，道："谢谢徐哥，你太破费了。"

徐海生爽朗地大笑起来，他亲热地揽着张胜的肩膀，按他在沙发上坐下，然后又打开酒柜，取出两只水晶杯，斟满 XO 美酒，笑吟吟地递给他一杯，在他侧面坐下，跷起二郎腿，打趣道："其实，日本第一名牌不是这些东西，而是日本女人，只可惜呀，给你你也不敢要，否则大哥就给你拐一个回来。"

张胜笑笑，放下酒杯，缓缓搓了两下手掌，终于抬起头来，直视着徐海生的脸，郑重地道："徐哥，我有件事想问你。"

徐海生心中一跳，不知怎么的，面对这个他一手带出来的小弟时，他竟然有点紧张的感觉，这在他来说，是很少见的事，不管多强大多难缠的对手，他都很少会有如此紧张的时候。

"你说吧，其实现在公司已经上了轨道，你的事都处理得很好，我都已经渐渐淡出了，我相信有什么事你都能处理得很好。"徐海生摇着杯中的美酒缓解着自己的情绪，故作平静地笑道。

"徐哥，公司财务上出了点问题。"

"什么？"徐海生"吃了一惊"，紧张地道："出了什么事？我介绍的那几个人，处事一向还算稳重，他们……难道竟敢……"徐海生的脸色变得难看起来。

张胜苦笑一声，一句"不要再做戏了"的刻薄话竟然说不出口，他叹了口气，继续说道："公司有几笔巨款去向不明，包括付给二建和四建的工程款，我查过公司账务了。财务那几个人，怕是没有胆子动这么大一笔钱，我问过……"

"喔，原来你说的是这件事啊。"徐海生一拍额头，一副放下心来的样子，朗声大笑起来。

张胜见他一副如释重负的样子，不禁愕然："徐哥，你这是……"

徐海生笑着摆手道："你可把我吓坏了，我还以为我介绍进公司的那几个人犯了事，原来是为了那几笔款子，哈哈，不要担心，不要担心，那笔钱是我临时周转借用一下。"

"什么？"张胜本来预料要从他嘴里问出真话，还不知有多难，想不到他居然一口承认了，而且还笑得这么坦然。

徐海生笑吟吟地点头，抚着大背头道："是啊，你知道，我的主业不在公司这边，我告诉过你，一直在搞融资，最近资金比较紧张，从银行贷款比较麻烦，手续繁琐，等款子到手就没有用了，商机不等人啊，所以从账上划过去一些暂时应急的。原想着，手头稍一松动，就把钱划回来，想不到……哈哈哈，这个事情你就不要担心了。"

徐海生在得悉张胜已经掌握财务部私自挪用款项的事情，经过紧张思索之后，他想出的对策只有一个，那就是坦诚以告。

这是对待一个君子最好的办法，资金的挪用不可能没有一点蛛丝马迹，张胜虽不懂财务，却很懂得用人，他直接托哨子从万客来超市借了四个精明强干的会计师入驻汇金公司，全面清查账务，避是避不开去的。

要想把假话说得像真话，那就只有七分真，三分假，那才能真真假假，令人难辨，这时再打打感情牌，才能避免彻底决裂。

而这一手果然奏效，张胜见他一口承认，悬着的心果然放下了大半，但是他仍然极为不悦，这是一种本能的反应，他已不再是两年前的张胜了，在他的王国里，他已经做了两年的王者，而王者的权威是不容侵犯的。

尽管是他最为信任和尊敬的人，但是完全不和他打招呼，私自动用公司的款项，他这个公司老总对此毫不知情，这是任何一个领导者都不能容忍的事情。

"徐哥，这公司你的股份最多，照理说要不是你让着我，这董事长就该你当，那时，还不是你想怎么用就怎么用？可是你既然把公司交给了我，这么

349

大的事就不该瞒着我，至少你该知会我一声，是不是？"

"这个……"徐海生满脸为难的表情，他见张胜一脸不悦，沉思片刻后，终于一拍大腿，说道，"咳，既然你都知道了，我再不说，让你一番误会，就伤了咱们兄弟和气了。"

他笑笑，说道："那我就对你实话实说吧，我搞的融资，主要是证券投资和企业兼并、重组、包装一条龙服务，这些生意利润惊人，但是……风险也大，我本想拉你一起入伙，不过你这人太过踏实，热衷于搞实业，这种高风险的事，很难让人动心。毕竟……

"毕竟企业破产兼并一类的事情，主要是同国企和政府部门打交道，迎来送往不说，还难免有一些不太上得了台面的东西，我知道你比较反感这些，所以才瞒着你……其实我也知道你不会不肯借款，只是一旦公司的资金被我用了，你不能不关心，问起来，有些事我又不便启齿。"

张胜一点就明，这两年利用众多国有企业转型，大发国家财的事他是听说过的，其中会循正当合法途径的少之又少，很多都免不了官商勾结的幕后交易，徐海生不愿张扬此事，也就在情理之中了。

不过徐海生猜的是准的，这样的事，难免有着太大的经营风险和法律风险，他是不赞成搞这种生意的，如果徐海生直接邀其入伙，他是不愿参与的。

张胜想了想，沉住气道："徐哥，既然你都说开了，私自挪用的事我也不提了，毕竟，咱们一场兄弟，可既然我知道了，我也不能愣装没这回事儿。徐哥，这笔私自挪用的款子什么时候能还回来？"

徐海生苦笑道："你要我现在把资金抽出来，我也能办得到，不过少了资金，我这笔生意就砸在那儿了，损失非常惊人。我说老弟，你不会狠心逼我现在还钱吧？"

"我不会干断人财路的事，何况是徐哥你的生意。不过……不过亲兄弟，明算账，这件事，公司里很多中层干部都已经听说了，我作为董事长，不能不给公司上下一个交待！徐哥，你用的钱，毕竟是用在你私人的生意上，与汇金公司的经营无关，所以，你得答应我三件事，这笔钱才借得！"

对张胜来说，最难的事情就是和亲近的人抹下脸儿来谈生意，所以他的脸涨红起来，但是他的态度很认真，他正在努力克服着这种心理障碍。

徐海生审视地看了他一眼，微微有些惊奇："好，你说!"

"第一件事，拆借公司资金，就要签订正当合同，按行业惯例付息，你是公司第一大股东也不能例外。"

徐海生无奈地一笑，爽快地道："好，按你说的办，你是公司老总，公是公，私是私，理应为公司负责，我答应了。"

张胜的呼吸渐渐平稳下来，又道："第二件事，资金拆借，应该以动产或不动产作为抵押，尤其是你从事的这种高风险的生意，我个人相信你的能力，相信你生意失败的可能非常小，但是抵押这一程序不能少，否则难以稳定公司人心，我希望徐哥你能拿出抵押品来。"

徐海生微微有些不悦，不过平心而论，如果两人位置转换，把他放在张胜的位置上，恐怕他做得更绝上一百倍，张胜的要求是无可厚非的。

所以徐海生沉吟片刻，还是点了点头，说："那好吧，当初咱们是以土地入股的，我占了50%的股份，我就用我的股份做抵押，这样总可以了吧?"

徐海生拥有的土地股份如今价值远高于他拆借掉的资金，用它做抵押自无不可，所以张胜欣然点头："成，这最后一件事，财务部的几个人是你介绍来的，这次他们瞒着公司、瞒着我，私自为你挪用款项，他们算是什么立场?他们毕竟是为公司服务的，不是你个人的工作人员，所以，这几个人我要都开了，一个不留!"

徐海生的脸色终于变了，沉声道："老弟，你这么做，让我怎么对他们交待?"

张胜亦沉声抗道："徐哥，不这么做，你让我如何向公司上下交待?"

徐海生牙根一咬，腮上青筋一振。

张胜毫不示弱地迎视着他，一字字道："徐哥，我相信，换作是你，你也会这么做。"

徐海生心中愤怒不已，他万万没想到自己一手扶持的傀儡居然有一天站出来和他作对。他并非没有办法挟制张胜，他是公司第一大股东，完全可以召开股东会，罢免张胜，自己掌握整家公司，但张胜也可以抽资撤股，保全自己，大家一拍两散。而且，这么做需要大量时间，同时徐海生不愿走到台前来，这才是最根本的原因。

徐海生目光闪烁，不断权衡着利益得失，终于呵呵一笑，说道："好吧，我们兄弟犯不着为了这事伤了和气，我主要是考虑他们是受了我的连累嘛，既然这样，我帮他们重新联系一份工作好了。"

　　两个人都是场面上的人物，这些事情说开了，又聊了些别的话题，渐渐地气氛又融合起来。

　　张胜起身告辞的时候，徐海生要他把礼物都带走，张胜推辞不下，思及徐海生周三就要过生日，到时还他一份重礼还上这个人情也就是了，这才把礼物收下。

　　两人的第一次交锋在徐海生有意忍让下就这样结束了，老徐非常干脆，愿赌服输，做事绝不拖泥带水，第二天就和张胜签订了正式的拆借协议，付月息两分，本次拆借的资金从现在算起，期限三个月。与此同时，办理了股份抵押，股权暂时转入了张胜的名下。

第十九章　男人见面，聊的话题只有 两个，不是赚钱便是女人

　　随着事业越做越大，一股风潮袭来，张胜他们打算投资煤矿产业。老板们正在热议如何更好地进行投资。都说假如你拥有一座煤矿，无疑便拥有了一座金矿。这个煤矿每天只要能正常开工出煤，那就像每天都在生产金子，生产大把大把的钞票。据说温州有个大老板在山西投资兴办煤矿，投资一亿元，两年就收回成本，其余都是大赚啊。张胜计算说，一个设计能力30万吨产量、50个人的小煤矿，其产出基本可以达到40到50万吨，它的年产值大约在1.5亿元左右，毛利润至少可达8000万元左右。扣除各种费用，一年获纯利5000万元以上是可能的。

　　"喂，老婆，今晚有事么？"张胜亲热地叫着小璐。

　　"讨厌呀你，人家还没嫁呢，又这么叫人家，什么事啊我的大少爷？"

　　张胜呵呵地笑起来："今晚徐哥过生日，举办一场宴会，我想带你一起去。"

　　"啊？"小璐一听这种应酬就犯怵，连忙推辞道："胜子，你自己去意思一下不就好了？干吗非要带我去呀，我一到那种场合就眼晕，应付不来的。"

　　张胜笑道："我的未来老婆这么漂亮，藏在家里岂不是暴殄天物？"

　　小璐嗔道："去你的！"

　　说着，她有点心虚地左右睃了一眼，确定没有同事注意她的谈话，这才压低了嗓音，对着手机道："真的要去呀？"

　　张胜道："嗯，一定要去，放心吧，只是个小型私人酒会，有我陪你，没

什么应付不来的。"

"哦……那好吧。"

张胜看看手表，说："好，那就这样，晚上我去接你，好好打扮一下。"

撂下电话，张胜又拨通了内线，对办公室吩咐道："晚上我要参加一位朋友的生日宴会，帮我准备一份礼品，档次品味要高一些，尽快办妥。什么？哦，二十万以内吧。"

张胜准备一份厚礼，而且携未婚妻出席，如此郑重其事，完全是为了修补和徐海生之间的裂痕，现在两人虽说表面上关系如旧，不过心中难免有些芥蒂，这种场合是个难得的机会。

晚上，张胜开车来到小璐的宿舍楼前。年底准备结婚了，张胜与小璐利用周末考察了市里新开发的楼盘，最终选定了玫瑰园的一套住房，首期已付，只等着九月底交房了。

张胜在楼下打了个电话，一会儿工夫，小璐就蹦蹦跳跳地跑下楼来，一见他站在那儿，就喜滋滋地扑过来，揽住了他的胳膊。只见她蓝色牛仔裤、白色夹克衫，脸上浅施粉妆，头发束成马尾在脑后活泼地摇摆着，俨然一副清纯的学生模样。

张胜两眼发直，愕然道："怎么就这打扮？"

小璐低头看看，迷惑地道："哪里不对了？你不是最喜欢我这样打扮么？"

张胜又好气又好笑地刮了下她的鼻子，说道："你呀，是带你参加宴会呀，又不是两个人逛街，这可不是打扮给我一个人看的。算了，你也没有什么拿得出手的衣服，走吧，我带你去买。"

小璐嘟起小嘴，不情愿地站在那儿道："这样子有什么不好？"

张胜一见，好笑地在她屁股上拍了一巴掌，说道："还不走？"

一巴掌拍下去，小璐一声娇呼，伸手捂住了屁股，张胜一脸垂涎地瞄着她后面，嘿嘿笑道："哇，长得越来越圆润迷人了，这么结实，震得我手疼。"

"才没有，穿的牛仔裤嘛，料子硬。"小璐分辩着，俏脸不由得红了。

"好好好，是衣料硬，来来，快上车。"

小璐羞羞答答地被张胜拉上了车，忽然没好气地反手狠狠拍了一巴掌，拍落在她臀尖上摸索不休的咸猪手上，瞪起大眼睛，红着脸"恶狠狠"地道：

354

"乱摸什么，大流氓。"

张胜嘿嘿地笑起来，他发动车子，无所谓地耸耸肩："不让摸拉倒，反正早晚是我的，到时我摸个够!"

"还说，还说!"小璐反驳不得，羞得直捶他的肩头，张胜忍不住放声大笑起来，逗小璐害羞，是他向来乐此不疲的事情。

车子徐徐向外驶去，张胜侧了侧身，低声道："老婆。"

"嗯?"小璐从鼻子里应了一声。她从手提包里拿出一面小镜子，正在审视着自己的容貌，她虽不喜欢太华丽的装束，不过和男朋友出门，还是希望尽量打扮得整洁干净，不愿给他丢脸。

那一声应答听着娇柔无比，听得张胜心痒痒的，他嘴角一勾，坏笑着道："刚才我试过了……"

小璐这才抬起头来，有点不明所以地问道："试过什么了?"

张胜脸上还是挂着那种在小璐看来非常淫荡的笑容，说道："结实是结实，不过的确不硬，说它柔软吧，还特别有弹性。啊!想往、想往啊!"

"去!"小璐总算明白他胡说什么了，好在他没说得那么明显，小璐只是瞪了他一眼，装作不明白。

张胜又道："你知道我在想什么吗? 我在想……我们的新婚之夜，啊，那时该多么浪漫啊! 对了，你记着啊，买床上用品的时候只买一个枕头。"

"笨呐你，你说的是双人枕吧?"小璐想着他和自己睡一个枕头的情景，心中既甜蜜又欢喜："那都是配套的，一个双人枕、两个单人枕。"

"NO，NO，NO，"张胜摇着手指，"床上哪儿放得下那么多东西? 多的都扔掉，一个单人枕就够了。"

"啊? 那……那……那会不会太挤了点呀?"小璐的脸蛋微红，结结巴巴地问了一句，越想越觉害羞。

张胜很奇怪地看了她一眼，说道："一个人用怎么会挤?"

"一个人?"小璐瞪大了眼睛，急忙问道："那你呢?"这句话说出来才觉得自己有点情急，毕竟还没嫁给他，讨论这问题似乎有点不太淑女，于是脸蛋更红了。

张胜若无其事地吹了声口哨，两眼看着前方的路，漫声应道："哦，我呀，我睡玉枕。"

"玉枕？"

"是啊，最柔软、最光滑、最有弹性，冬暖夏凉的一块玉枕，躺在上面，舒服啊！"

小璐信以为真："真的呀？世上还有这样的玉？那挺贵的吧？"

张胜一本正经地点头："嗯，何止挺贵的，无价之宝！"

"哇！那……能不能……偶尔让人家也睡一下试试？"

张胜看了她一眼，摇头道："你？你不行。"

小璐又嘟起了嘴："小气鬼！"

张胜嘿嘿一笑，说："我是为了你好嘛，你要睡在上面，还得先练练瑜伽，是很难嘛。啊！多么香艳的枕头啊，专属于我一个人的枕头，嘿嘿嘿，对了，和你商量个事。"

"啥事？"

"我睡在我的宝贝玉枕上时，你可不许放屁。"

"呃？什么乱七八糟的，奇怪……"小璐顺着张胜"淫荡"的眼神往自己臀下一瞅，忽地明白张胜说的玉枕到底指的什么了，她的脸一下子成了大红布，羞不可抑地道："讨厌讨厌讨厌，我咬死你！"

"咳，能不能只咬下边？"

"你再说！"小璐脸红红的举起小拳头，示威似的冲着他比划起来。

张胜忙笑道："哎哎，不许碰我，我正开车呢。"

"哼，我不理你了。"小璐扭过身去，又举起了小镜子。

张胜瞟了她一眼，说："说到这个美臀啊，我还想起个笑话，你要不要听？"

"不听，你尽跟人家讲黄色笑话。"

"咳，我敢保证，这个笑话一点不黄，非常健康啊。"

小璐轻拨着额前的刘海，说："哦？那你说来听听。"

"那还是我也在厂子里的时候，我们电工班的胡哥有一回午休回厂，半路上看到地摊上摆着一本画报，挺大的标题，写的是'世界名车美臀集'。胡哥一见大喜，他已经快要迟到了，也不敢多等，赶紧掏出两块大洋把书往裤腰带里一塞，就回厂了。到了电工班，他把画报拿出来欣赏，这一看啊，鼻子差点儿没气歪了。"

小璐一听他又提美臀，就当他又要讲黄色笑话，说是不爱听，可是他要说时，她可没有一回立即打断的，这时她倒真听出兴趣来了，忙问道："胡哥生啥气？"

"原来啊，胡哥以为里边是名车和名模的合影，结果倒好，这本画册果然是货真价实的'名车美臀集'，那一张张照片，照的全是世界名车的车屁股。"

"呵呵呵……"小璐笑得花枝乱颤，她羞嗔了张胜一眼："你们男人呀，就喜欢这些东西，活该上当。"

张胜忽然颇感兴趣地道："哎，那你们女人呢？你们在一块儿都讨论啥？"

"不告诉你！"小璐晃着脑袋，笑嘻嘻地气他，两个人说说笑笑地一路向市中心商业街行去。

省城商业一条街，最大的亿鑫广场大厦四楼，张胜西装革履，抱臂等到外面。一会儿，更衣室的门开了，里边探出一个小脑袋，像觅食的鼹鼠似的四下扫了一眼，然后飞快地缩了回去。

张胜好笑地道："喂，早晚要出来的，是不是？大方点，现身吧，美女！"

过了一会儿，门又轻轻推开了，小璐红着脸，怯生生地从里边走了出来，呢喃道："胜子，我……我还是换一件吧？"

张胜眼前一亮，赞道："很漂亮啊，为什么要换？"

他走过去，围着小璐转来转去，啧啧赞道："很美，真的很美。"

小璐穿着一件天蓝色的束腰无袖晚礼服，晚礼服非常漂亮、做工精细，恰到好处地衬托出了小璐苗条纤秀的好身材，但是……这件晚礼服的胸口很低，对小璐来说，已经到了无法容忍的地步，领口居然开到了胸部上方，凸起的曲线向下延伸，正是乳沟初起的地方，好在她的胸不是非常丰满，否则暴露得更多，小璐真要羞到无地自容了。

"你，你要我穿这个？"小璐战战兢兢地问。

"是啊，很漂亮啊，到了那里，一定让所有的人为之一振，呵呵。"张胜满意地笑着。

"不要，好不好？我换一件，这件太暴露了。"小璐牵着他的衣角，怯生生地哀求。

张胜不以为然地道："哎，换什么呀，很合适，我很喜欢。"

"可……可……哎呀，我……我肚子有点疼，胜子，我不去了好不好？要不……你让钟姐做你的女伴，我好想回去歇一下。"

张胜好笑地道："肚子疼？那你抚着脑门儿干什么？"

"哦！"小璐赶紧双手抱住肚子，一脸无辜地看着他。

"嗯，不错，就这件吧，服务员……"

"别，别……"小璐赶紧又拉住他的衣袖，眼见哀兵之策失效，立即使出了杀手锏，娇滴滴地道："胜子哥，你自己看看嘛，胸都快露出来了，你舍得让别的男人看呀？"

"唔……"张胜捏着下巴，上下打量，沉吟半晌，这才为难地点点头："说得也是，我家的好东西，不能便宜了那帮老色鬼。嗯，换一件吧。"

小璐如蒙大赦，赶紧跑回了更衣室。

两个人换来换去，可是哪有一套符合小璐标准的，最后在小璐要求下，张胜终于放弃选择晚礼服，让她自己选了一款白色连衣裙。

当她面带羞涩地从更衣室出来后，这回张胜连赞叹声都免了。

高腰线的白色连衣裙，整体线条简洁流畅，只以素色绣花和蕾丝丰富细节，此外没有任何累赘的装饰品，秀发高挽、优雅的颈项上戴着一串翡翠绿的珠饰，腕上一条细细的金链，脚下一双香奈儿的白色高跟儿鞋，娉娉婷婷，如出水芙蓉。

"很好，就这一套！"张胜一锤定音，"简直是奥黛丽·赫本再世，公主与天使的气质兼备，果然比晚礼服更适合你。"

小璐被心上人赞得脸上如鲜花绽开，但是想想从头到脚置办这身装束的花费，她又轻轻蹙起了眉："东西是好，可是……真的太贵了。"

张胜掏出金卡，递给服务员，笑道："可是物有所值啊，参加徐哥生日宴会的人，非富即贵，不能显得小气。"

张胜付了款，带着小璐走出大厦，在路人惊羡的目光中，小璐既感到自豪，又颇为忐忑不安，她硬着头皮跟着张胜走，直到上了车才松了口气。

徐海生的生日宴会在一家颇具欧美情调的酒吧里举行，这是他一个朋友开的，今天歇业一天，专门为他举办生日宴会。到宴的客人不是很多，都是徐海生的知交密友，不过，看得出个个都是功成名就的人物。

张胜送的是一尊价值十八万八千八的长寿佛，送金子带了俗气，送金佛则把贵和雅全都带上了，而且徐海生是过生日，这礼物正应了题，喜得徐海生眉开眼笑。

小璐看到这些人所带的女人，一个个都是穿着讲究，这才明白张胜的良苦用心，如果真是那身夹克牛仔的打扮，怕是比这里的女服务生还要寒酸了，那样可真丢自己男人的脸。

"张总，你的女友真是漂亮！"

酒吧里到处都是衣着华美、谈吐幽雅的美女，其中不乏和小璐一样漂亮的女孩，甚至相貌过之的也不少，可是论气质，小璐的清纯和她们的优雅贵妇气质截然不同，她就像一轮皎洁的明月，吸引了所有人的目光。

小璐置身于这样高贵幽雅的氛围里，充分感受到了所谓夫贵妻荣的道理和人靠衣装的作用，但是小璐对于那些听起来温文尔雅、实际内容半点全无的交际聊天全无兴趣，也不适应，对贵妇们讨论的服装、香水和保养经验一窍不通，站在她们中间完全插不上嘴。

只是她性情直爽天真，有些男士被她独特气质所吸引，找她攀谈几句，常被她天真有趣的回答逗得开怀大笑，这一来，围在她身边搭讪的男人就更多了，着实引起不少自负美貌的女人嫉妒。

张胜一到，就被徐海生拉着引见给几位朋友，彼此大谈生意经，小璐就被好客的女主人引着同别人攀谈去了。张胜知道她这是头一回参加这种酒会，生怕她不适应，不时去看她一眼，见她自知短处，所以到后来浅笑吟吟，多听少说，倒没有太过局促，这才放下心来。

这时，和几位商界朋友谈了一阵，他正想过去找回小璐，忽地有人说道："张宝元先生到了，张宝元先生到了。"

大家扭头一看，只见黑裤白褂的张二蛋，扶着一枝竹节龙头拐，大步流星地走了进来，张胜徐海生等人连忙迎了上去。

"张老，张老，哎呀呀呀，您老怎么来了？我是晚辈，我的生日哪敢劳动您呀，这不是折我的寿嘛。"徐海生连连拱手地说。

张二蛋爽朗地笑着，伸手在他肩上又是重重一拍，在徐海生龇牙咧嘴时笑道："放屁，老子要是不来，你不挑理才怪，现在又来假惺惺。哈哈哈……走走走，里边谈去。"

说着，张二蛋扔下寿星和酒吧主人以及一群迎上来的客人，当先走了进去。

张二蛋一来，张胜还得奉陪，就无法照顾小璐了。众宾客陪着张老爷子聊了一阵儿，他身边就只剩下几个最熟稔的朋友了。只见徐海生和他笑吟吟地低语片刻，张二蛋一拍大腿，连连摇头道："难！难啊！"

一个米色西服的男子一边给他斟着酒，一边笑道："您老财大气粗，这点投资还拿不出来？"

张二蛋嘿嘿一笑，道："家大业大，也不中啊。实话对你们说吧，我刚刚办了采矿证，在佟家铺子采矿，不瞒你们说，我现在还盼着有人能投资呢。"

他头一转，瞧着张胜，便笑道："小张啊，有没有兴趣搞煤矿，这可是一本万利的买卖。"

张胜奇道："您老又进军采矿业了？"

张二蛋矜持地笑道："谈不上进军，我现在也是尝试一下，等摸清了具体情况，才能大笔注资。"

那米色西服装男子羡慕地道："拥有一座煤矿，无疑拥有一座金矿。每天只要能正常开工，就有了金子，市面上再一流通，就成了大把的钞票。据我所知，温州有个大老板在山西投资兴办煤矿，投资一亿元，两年就收回成本，其余都是大赚啊。"

张二蛋摸着脑袋哈哈大笑，连连摆手道："没那么夸张，没那么夸张。"不过，他神色间还是难免得意神色。

徐海生也连连点头，赞道："还是张老有本事，光是采矿这'五证'，要办下来，没有手眼通天的人脉就不容易，更何况还得有各方面都吃得开的能耐，佩服！佩服！"

张二蛋没理他，对张胜笑道："这帮家伙，都是捞偏门儿的，我就瞅着小张实在，是个踏实干事的人，怎么样，小张，我现在摊子铺得太大，就缺启动资金，有没有意思掺一脚？"

张胜大为意动，但是从商两年，他已经不再那么冲动了，张胜笑笑，诚恳地说："张老，我从没碰过采矿这一行……"

张二蛋不以为然地道："这有什么，我也是头一次，摸着石头过河嘛，没个闯劲咋成？"

张胜忙道："不不不，不是这意思。我是说，我想先了解一下，起码知道自己是不是那块料。再者，我也得盘一下资金，看看有多少钱可以动用，要是只能投个十万八万，杯水车薪，您也没啥用处不是？"

张二蛋听得中意，眉开眼笑道："我就说嘛，这孩子实诚，行，行，你好好盘算盘算，三天之内给我句回话如何？"

"好，那就三天，三内之内，我给您准信儿。"

两人在这说得火热，徐海生听得暗暗叫苦，他通过低价购并侵吞国有资产的生意获益虽大，过程中却需耗费极大资金，如今正想着从这两人那儿拆借资金，想不到这两个家伙居然又打主意开煤矿了，这可如何是好？

徐海生和几个朋友对视一眼，开始紧张地思索起对策来。

张胜把煤矿的事暂时放在心里，和他们聊起了闲话，男人见面，聊的话题只有两个，不是工作便是女人，现在工作没什么好说的，自然是说女人。

徐海生眉飞色舞地说着在日本玩人妻的经历，沙发上，一个个道貌岸然的成功人士也听得眉飞色舞。

张胜虚应其事地笑着，不放心地回头扫了一眼，恰好看到小璐。她一身素白的衣裳，佼佼不群，很是好认，只见她站在柜台旁，头顶是木屋状的酒柜上顶，倒嵌着一只只晶莹剔透的玻璃杯，映着灯光星星点点有若星辰。

在她对面，一个身穿灰色皮尔卡丹西装的矮个子男人端着杯红酒，说上一句话，身子便是一顿，好像随时会直挺挺地鞠下躬去。小璐已经背靠酒柜，避无可避了，她涨红着脸蛋，不断摆着手，似乎在拒绝什么。

张胜连忙告个罪，离开几位朋友向她迎去。

"什么事？"张胜走到小璐身边淡淡地问，同时瞟了那个矮个子男人一眼。

这男人个头儿不高，比小璐还矮上几公分，五十岁上下，脸上有些隐隐的肉疙瘩，鼻子右侧有颗红痣，形象虽然差点，不过那一丝不苟的头发、板板整整的西装，再配上他异常庄重的神情，倒也不容人小觑，怎么看都不像个登徒子。

"我的，小村一郎，阁下是？"那矮个子老头儿用刻板的声音说话了，口音发硬。

"哦，这是大阪小村会社的社长，小村一郎先生。小村先生，这位是我的好朋友，张胜，张先生。"

注意到这时状况的徐海生及时跟了过来，笑着给双方介绍。

小村一郎忙把酒杯放下，上身习惯性地向前一弯，伸出双手，非常诚挚地道："张桑，非常荣幸，见到你。"

张胜伸出右手和他握了握，低声问小璐："他做什么？"

小璐见那日本人是徐海生的朋友，腼腆地笑笑，说："没什么，这位先生要请我喝酒，还邀请我跳舞，我说不会，他执意不信，总是不停地鞠躬，让人家挺难为情的。"

"哦，"张胜哑然失笑，扭头对小村一郎道："小村先生，我的女友的确不会跳舞，失礼了。"

"啊……哦哦！"小村一郎看看他们两个，一副恍然大悟的样子："她地，张桑的女友？明白，大大地明白。"

说完，小村又是深深一躬。

张胜礼貌地颔首示意，然后引着小璐离开了，边走边轻声道："那个鬼子没有什么不礼貌的行为吧？"

小璐皱着鼻子，煽着迎面飘来的烟气，说道："那倒没有，就是总色眯眯地瞅着人家，烦死人了都。"

张胜呵呵地笑起来："男人本'色'，在他们身上会得到很好的诠释。我估计也是，他再眼馋我的女友，在中国的土地上，总不该为所欲为吧？呵呵，算了，别郁闷了，咱们到边上听听音乐。"

"嗯！"小璐乖巧地说着，掩着嘴打了个哈欠："和这些人应酬，真是无聊透了，我听他们侃什么服装啊手饰啊化妆品什么的，听得我直困。"

张胜揽住她苗条的腰肢，附耳低笑道："当然，我的小璐根本不需要那些东西来点缀自己的美貌嘛。你是天然去雕饰，清水出芙蓉。"

"嗯！"小璐甜甜地笑了，对男友的恭维很是受用，同时，小手利索地向臀后一拍，把刚从腰间滑落的一只咸猪手拍落下去。

"徐桑，那位姑娘，张桑地女友？"

小村一郎的目光贪婪地追随着小璐离去的倩影，向徐海生问道。

他就是徐海生从日本请回来帮助他解决购并事宜的那位朋友，徐海生瞟了小璐一眼，会意地笑道："是的，她是张先生的女友，已经论及婚嫁了，今年年底就要结婚了。呵呵呵，来吧，这边来，我给你引见几位朋友，不要盯着看了，你没有机会的。"

说着，他附在小村的耳朵上，低笑道："中国，比那位姑娘漂亮的女孩子还有许多，明天晚上我带你去见识见识。"

"好好好好，是是是是。"小村像小鸡啄米似的点着头，忽然又像拨浪鼓似的摇起来："不不不，明天的不行，明天的，我约好了人。"

徐海生诧异地道："喔？你在本地还有朋友？"

小村一郎笑道："是的，昨天的，偶然相遇。我和他在香港时做过生意的，他的，在这里有家彩印厂，叫关捷胜，我答应明天赴宴的。"

"哦，是他……"徐海生轻轻抿了口酒，轻蔑地笑了。

张胜和三五好友相约在一间酒吧，这间酒吧处于一条小巷中，门脸很低调。不过走进去，感觉味道却很纯正。墙上满是色彩柔和的欧式油画，微弱的灯光，七八张桌子，音乐……居然是用一只喇叭口的老式唱片机播放的，空气中飘荡着一阵细细的、柔弱的歌声，听不出唱的是什么，不过感觉是很忧伤的调子。

秦若兰轻拍大腿，和着拍子，随着那乐曲浅吟低唱，自得其乐。

张胜笑吟吟地环顾了一圈，问道："怎么样，诸位，你们觉得我可不可以投资呢？常言说三个臭皮匠，顶个诸葛亮。咱们好歹是四个人……"

秦若兰马上举手道："别别别，别算上我，我是女人，我出来是喝酒的，我不当皮匠。"

哨子翻翻白眼道："是谁总嚷嚷男女平等的，这时候不是她了。"

363

"哼!"秦若兰拿起筷子,敲了一下他的头。

李浩升沉吟道:"这一行当我也不熟,不过多少了解一些,煤就是黑金啊,多少面朝黄土背朝天、日出而作日落而息的农民,就因为当初没人敢承包的时候,果断地投身这一行当,现在成了具有千万身价的大老板。

不过,现在做这一行,难处不小。你刚才说,采矿的五证,张宝元能够解决,这我信,他的能量,要办这点事,还是轻而易举的。不过,首先你得了解一下,他包下的矿,是旧矿还是新矿。如果是旧矿,投入虽能减少一半,不过油水怕是也不多,没太大价值,如果是新矿,倒是可以考虑。"

哨子喝着啤酒,不以为然地道:"我倒觉得,这是个好机会,投资煤矿嘛,就算赚不了大钱,想赔也很难。大不了再转包出去,值得一干。而且跟着张宝元干,还有个好处,一般来说,开矿总得有笔灰色开销的。"

张胜最忌自己做生意沾上违法的事,一听灰色开销,立即警觉地道:"灰色开销?你指的是什么?"

哨子解释道:"做生意,不是关起门来做的,得开门见客,打点四方。比方说吧,首先,你得和煤矿所在地的村民搞好关系,煤才卖得出去,不然,当地老百姓就可以打着影响他们居住环境的幌子封道堵车。

所以,最起码的,附近村民烧饭取暖的煤,你得无偿供应吧?你要是愿意给现金,那更受人欢迎,假如煤矿附近有一个村子,每人每年发放五百到一千元不等的现金,这一年下来就得八十多万。

还有村干部你得打点吧?请吃请喝送重礼,得把他们伺候好了。此外,当地政府你得意思意思吧?万一将来发生事故,政府也会保护你。

不过,这笔开支就很难确定了,关键看各地政府、部门的胃口到底有多大。村民和政府主要层面的关系理顺了,最艰难、最有挑战性的两道关也就过了。张二蛋是黑白两道都吃得开的人物,这些难题有他在,全都迎刃而解了,有这机会为什么不用?"

张胜听得暗暗点头,这些问题他也想过,而且他只是做参股股东,并不是经营者,就算真出了什么问题,和他的关联也不大,而且作为合作伙伴来讲,张二蛋这个人也相当不错。他这人重江湖义气,看他处治自己外甥楚文楼的手段,这个人的处事风格就可见一斑。这样的人合作起来起码是叫人放心的，因为他绝不会对伙伴背后捅刀子。

想到这里，张胜轻轻一拍桌子，说道："好，那我的主意就拿定了，你们年纪比我小，但是从商的经验比我丰富，你们也看好，我的信心就足了。

我认真调查过采煤的资料，一个设计能力三十万吨产量的五十人小煤矿，其产出往往达到四十到五十万吨。它的年产值在一点五亿元左右，毛利润至少可达八千万元左右。扣除各种费用，就算还包括哨子说的灰色开销，一年获纯利五千万元以上还是可能的。"

秦若兰嫣然举杯道："一年纯利五千万，两年就是一个亿万富翁，来，我们为两年之后的胜子，干杯！"

几人都笑起来，秦若兰又一拍张胜的肩膀，问道："胜子，除了生意还有什么理想，你说说，等你发了大财，都想做些什么？"

张胜听了忽然怔住了。他原来过的是朝不保夕的日子，只想着能有雄厚的经济基础，能过上好日子。而现在，他已经过上了好日子，可是每天绞尽脑汁地都在想着怎样把生意做得更大，至于为了什么，倒一直没想。现在听秦若兰一问，似乎……他已经迷失了本来的方向……

他揉揉额头，苦笑道："理想？没有了吧，我想要的生活，还有……照顾好父母和兄弟，凭我现在的经济实力也完全办得到。知心的女友也有了，对了！我还忘了说，今年年底我就结婚了，到时记得来捧场。"

几个哥们一听，顿时起哄道："真的？你保密工作做得不错呀张哥，大嫂长什么样，一定很漂亮吧？说起来你不够意思啊，都快结婚的女友了，怎么一次也没带来让我们见见？"

张胜笑道："她有自己的工作和事业嘛，平常也挺忙的，今晚她也有应酬。"

哨子不以为然地道："我说大哥，你现在的资产就算不是大富之家，也属于人上人了，还要嫂子抛头露面？"

张胜认真地道："不是这样，女人也要有属于她的事业，她才有灵气儿。我找她，又不是要把她摆在身边当花瓶，因为自己有钱，就要求女友成为自己的附庸？整天偎在身旁，召之即来吗？等结了婚，我会劝她到我公司来帮忙，如果她不愿意开夫妻店，那也由她，我尊重她自己的选择。事业和婚姻、家庭并不矛盾啊，年轻轻的就让她当全职太太？"

李尔笑道："张哥开明，你的女友找上你，是她的福气。"

张胜但笑不语，但是一脸的幸福、满足和甜蜜，却毕露无遗。

坐在对面的秦若兰脸上的笑意变得越来越勉强，她忽然低下头去，就像正在地上找着东西，只是大家都没有发现她的异样。

李浩升笑道："这样说来，倒是没有什么大理想了，那就开始享受生活呗。等咱张哥有了钱，天天去按摩，想按腿按腿，想按腰按腰，一次雇俩按摩师，一个按摩，一个观摩！"

哨子是个球迷，听了说道："等俺有了钱，天天让中国队和皇马打比赛. 想打主场打主场，想打客场打客场. 一场比赛踢两次，一次踢球，一次打架！"

李浩升一副悲天悯人的嘴脸叹道："瞅你们那出息，等咱有了钱，就想当个慈善家，我想建学校就建学校，想捐款就捐款，形象大使就找两个，往我身后一站，一个叶玉卿，一个叶子媚。"

张胜本来还在若有所思，被他们这一通调侃逗笑了，他凑趣道："我可没有那么大的理想，等我有了钱，就想天天吃饺子，一买饺子买两份，一份光吃皮儿不吃馅，一份光吃馅儿不吃皮。"

哥几个哄堂大笑起来，唯有秦若兰俏脸一板，她把酒杯重重一顿，嗔道："你们正经点成不？"

秦若兰一向都是活泼开朗的性子，玩起来比他们还疯，不过女人的情绪真是多变，突然就变得娴静多了。她眉宇间的不耐烦可不是装的，李尔几个人是和她常常玩在一起的朋友，看得出她是真的非常不悦，不知哪里惹恼了这位姑奶奶，顿时噤若寒蝉。

张胜却没见过秦若兰使小性儿，还道她在故作娇嗔，李浩升几个人只不过是怕她怕惯了，便想开个玩笑打破僵局，于是笑道："说正经的？好！那我就说正经的，等我成了亿万富翁，那……便为若兰姑娘建一座金屋如何？"

李浩升大嘴一咧，哈的一声笑，拍手赞道："果然郎有情、妾有意，金屋藏美人，千古佳话，千古佳……佳……"

秦若兰妙目流转，俏生生地横了他一眼，李浩升便吓得一个哆嗦，赶紧抓起一杯酒灌进那张惹祸生非的嘴里。

秦若兰幽幽一叹，手托着下巴，轻叹道："君不见，咫尺长门闭阿娇，人生失意无南北，金屋藏娇……也算是一桩千古佳话么？"

哨子肩膀向张胜靠去，贴着他耳朵道："张哥，兰子一定是大姨妈来了，所以喜怒无常的，风声甚紧啊，咱们要不要赶紧扯乎？"

张胜这才注意到秦若兰是真的情绪不好，眉宇之间淡锁愁绪，如轻烟笼黛，与其往昔开朗的性子大不相同，不禁关心地道："小兰，是不是身体不太舒服？"

秦若兰强颜一笑，摆手道："没有，这种老歌听得叫人伤感，喂，从没听你唱过歌，能不能为我唱一首？"

灯光下，秦若兰目光莹然，闪烁着好亮好亮。

张胜没有再推却，说道："好，那我为你唱首歌，只要我们的开心果秦二小姐仍能开开心心。哨子，帮我点一首《一剪梅》，这可是我的保留曲目。"

哨子去了片刻，却又匆匆回来了，手里提着一只吉他，苦笑道："这儿没有这首曲子，来吧，会不会吉他，不会的话，我为您张大歌手伴奏。"

张胜走到酒吧前，要过一只麦克风，笑看了坐在角落沙发里的秦若兰一眼，离得太远，也不知她有没有开心地笑起来。

张胜说道："抱歉，诸位，音乐请停一下，我想为一位美丽的小姐献歌一首，唱得不好，如果折磨了大家的耳朵，还请看在我是为了取悦美女的良苦用心，多多包涵为是。"

酒吧里的青年男女顿时抱以一阵善意的笑声，还有人鼓起掌来。

张胜向站在旁边的哨子点点头，把麦克风递给他，让他帮自己拿着，从他手中接过吉他，手指轻轻一拨，一串悦耳悠扬的开头曲过后，便赢来一阵热烈的掌声。

"真情像草原广阔，层层风雨不能阻隔。总有云开日出时候，万丈阳光照耀你我。真情像梅花开过，冷冷冰雪不能掩没，就在……最冷……枝头绽放，看见春天走向你我……"

歌声很好听，大家都听得非常投入，头一次听他唱歌的李尔几个更是一脸惊喜。秦若兰轻轻向后靠去，靠在沙发上，就像怕冷似的抱起了双臂，眼中那闪亮的一丝光渐渐迷离成一团雾气，氤氲了她的双眸。

"雪花飘飘北风啸啸，天地……一片……苍茫……"

已经有泡酒吧的单身女郎走上去给他献花了，张胜礼貌地笑着接过，女郎一个大胆的拥抱，惹来大家一阵掌声和欢笑。然后，坐在吧台高凳上的一个长发女孩向他举起一杯酒，手里还擎着一杯，意似邀他共饮。

张胜抱着吉他转向她，夸张地耸耸肩，满脸无奈的表情，意似现在没法喝酒，辜负了佳人好意，逗得她嫣然一笑。

他好快乐，那是自信的、很男人味的笑容和举止。

当初，两人在馄饨馆初遇的情景仍历历在目，可是现在想起来，却像是褪了色的记忆……一种莫名的酸楚突然朦胧了她的双眼。

秦若兰忽然一仰头，把杯中红酒一饮而尽，站起来向门口飞快地走去……

"哎!"李尔不明所以，伸手要拦，被李浩升一把拉住。

伴着张胜的歌声，秦若兰快步走到廊下，推开大门，倩影消失。

张胜刚刚自那敬酒的女孩身边转过身来，根本没有注意到秦若兰已消失于暗色之中。

"一剪寒梅，傲立雪中，只为伊人飘香，爱我所爱无怨无悔，此情……长留……心间……"

李尔莫名其妙地道："我说……兰子今天这是怎么回事?"

李浩升一脸深沉地道："飒飒秋风生，愁人怨离别。含情两相向，欲语气先咽。心曲千万端，悲来却难说。别后唯所思，天涯共明月。唉……"

"我说你小子胡诌啥呢?"

"我说我二表姐患了单相思，你信吗?"

"啊? 啊!"李尔像是一口咬了舌头，结结巴巴地道："不……不会吧? 假小子也思春了? 还玩这么老套的把戏?"

李浩升忽然一转身，一把掐住他的脖子，恶狠狠地道："我告诉你，小子，这事天知地知，你知我知，要是让我二表姐知道我说破她的心事，我活不了，也得先把你掐死!"

"呃呃……嗯嗯……"李尔忙不迭地点头，李浩升刚一松手，他便急忙表

368

态道："沉默是金，守口如瓶。沉默是金，守口如瓶！"

张胜的一首歌博了个满堂彩，等他回到自己的酒桌时，目光追随过来的寂寞女孩们发现原来帅哥不止他一个，四个男人全都是一表人才，而且肌肉型的、清秀型的应有尽有，不觉眼睛一亮，开始有人慢慢向这里靠近。

张胜坐下，喝了一杯啤酒，笑问道："小兰呢？我唱歌，她上洗手间，好不给面子，回来要罚她的酒。"

李尔和李浩升对视一眼，李浩升牵牵嘴角，皮笑肉不笑地道："哦，她突然有些不舒服，所以先走了，让我给你告个罪。"

张胜眉头一蹙，目光盯紧他："真的?"

李浩升面不改色地道："当然是真的，我骗你做什么?"

张胜目光一转，忽地问道："她走了多久了?"

"刚刚出门。"

张胜转身便追了出去，哨子不明所以，想跟出去，被李浩升拉住，向他摇了摇头。

秦若兰快步疾行，张胜专门为她而唱的这首歌，歌声越来越遥远，却又奇迹般地一直萦绕在她的耳畔。不知何时，她已泪流满面……

张胜快步追出了酒吧。

这个酒吧在小巷里，所以非常安静，向左一拐，往外走三十多米才是大街。张胜追到街上，看见秦若兰打了辆出租车，身影闪进车中。

张胜阻之不及，立即跑到树下，发动自己的车子追了上去。

他不知道秦若兰因为什么离开，不过秦若兰的不开心他是感觉到了。

李浩升说她身体不舒服，这句托词根本难经推敲，她身体再不舒服，也不会连这一刻都等不了，一句告别的话都不说。退一步讲，如果她真身体不舒服，至少李浩升这个表弟不会仍然坐在那儿，让表姐自己打车回家。

他追出来时，李浩升等人都没有动，张胜就猜出这事必定和他有关系，李浩升这是有意给他们创造个私人空间。

但是……想破头，张胜也想不出自己哪里得罪了秦若兰。再说，这小丫头虽说平时好使个小性儿，可是为人爽朗，从来不记隔夜仇的主儿，自己什么时候惹她不开心了？

"嘟……嘟嘟……"张胜焦急地按着喇叭，穿行在车流之中。前方遇到了红灯，车流堵了一长排，他跳下车，飞快地向秦若兰的出租车追过去。

秦若兰拿面巾纸正拭着眼泪，突然从后视镜中看到张胜追过来，不禁一阵心慌，从来不知害羞的小妮子突然羞涩起来。

她也不知从什么时候起，自己的心里就渐渐有了张胜的身影，她知道张胜已经有了女友，这种刚刚处于萌芽状态的感觉被她的理智硬生生地扼杀在心里面，她仍像以前一样，在张胜面前是一个嘻嘻哈哈、大大咧咧，永不知悲伤和爱情为何物的女孩。

她以为自己把这感情处理得很好，以为自己已经放弃了该放弃的。可是……今天忽然听说张胜还有三个月就要结婚了，一种巨大的失落感突然向她袭来，让她猝不及防的心生生地痛了起来："他……他就要结婚了。"

那种伤心让人很想落泪。她知道张胜不属于她，可是虽说他不属于自己，但他一直就在那儿，她就可以经常看到他的人，听到他的事，这种感觉很纯粹，很无邪，他不属于她，但是在她的潜意识里，他属于她。

她因为他的存在，而单纯地欢喜着。可是这个消息的宣布，把她偷偷喜欢的权利也剥夺掉了，他即将打上专属于另一个人的标签，眼睁睁地看着这一切，秦若兰的心顿时变得空空荡荡。

这种被掏空的感觉使她突然变得失控了，她不敢再尝试面对他时那种心酸的感觉，所以她匆匆地逃掉了，现在张胜居然追了上来，如果见了他，如何向他解释自己的失态？

她心慌慌地催促道："师傅，麻烦你，快点开，甩开后边那个男人。"

司机用怪异的眼神看了看她，又瞅瞅后视镜："小姐，现在是红灯咧。"

"冲吧，冲吧，罚多少都算我的。"

司机苦笑道："那怎么成呢，小姐，那是你男朋友吧？小两口吵架，点到为止就行啦。杀人不过头点地，男友这么追你道歉，就不要使小性儿啦，你看你男友，长得又帅，人又有钱……"

秦若兰恨恨地瞪了他一眼："闭嘴吧大叔！"

眼见张胜越追越近，还有四个车位就追到了，秦若兰心头怦怦乱跳，她紧张地闭上了眼睛。

期盼？害怕？紧张？欢喜？她也说不出是种什么感觉。

"我真没出息！"秦若兰在心里狠狠骂了自己一句。

"嘟……"耳边已听到张胜的呼喊了，出租车一下子开了出去。

秦若兰慢慢张开眼，双眸如喷烈火，狠狠地瞪着司机大叔。

"绿灯啦，小姐。"

司机作出了解释，他扭头看看秦若兰紧攥的小拳头，忙问道："要不要我找个地方停下？"

秦若兰飞快地溜了眼后视镜，只见张胜正返身跑向他的车，心中忽然松了口气，一听司机微带调侃的话，好像已窥破了她的心事，不禁俏脸微热，她狠狠地回瞪了一眼，嗔道："你敢？开车！"

司机耸耸肩，脚下恶作剧似的一踩油门，车子飞快地飙了起来。

随风飘来一个女孩愤怒的谴责："我说大叔，你赛车手转业啊？开慢点成不成？谨慎驾驶千趟少，大意行车一回多。实线虚线斑马线，条条都是安全线；爱妻爱子爱家庭……嘿！越说越来劲了你，还超车……"

此时，小璐和陈秘书跟在关厂长后面，刚刚来到彩虹路。对关厂长时不时表现出的好感，小璐总是抱着敬而远之的态度，关厂长的色心便也渐渐淡了，后来隐约听说她男朋友很有钱，便在音乐艺术学院包了个相貌清纯的女学生，彻底断了收她当二奶的念头。

不过这一年多来，小璐在工作上表现越来越优异，作为一个合格的下属，还是颇受关厂长重视的。再说她长相甜美，人见人爱，带出去和生意伙伴洽谈，有这么一个小美人在旁边，那种硝烟味儿便会淡一些。

外国人曾经做过试验，两组初次测试成绩相仿的男人，分别翻阅美女和相貌普通女子相册后，再度进行测试，翻阅过美女照片集的那一组男人，无论判断力还是分析力、理解力都差了一个层次。这不是男人无用，而是男性生理特征造成的一种先天缺陷，关厂长虽说是靠夫人起家的，可是并非一个草包，他是深谙此道的。

街角一个僻静的小房子，安安静静地藏在四周一片霓虹之中，门口只有两只昏黄的桶形纸灯笼挑着，门上悬着一张白色的半截门帘，上边绘着一枝粉色的樱花。

挑开门帘推开吱呀的木门，里边的灯光稍许亮些。

"欢迎光临！"一阵软糯的日语声音飘过来，噔噔噔两只木屐迈着小碎步，一个身着白色和服的女子走过来。

这女人年纪已经不小了，虽说做了精心的打扮和修饰，但是她的眼角鱼尾纹在近处还是看得很明显，那种纯正的日本女人韵味却很足。

她笑容可掬地弯腰施礼，跟关厂长他们打招呼："关桑。"

"啊，美枝子，有一阵子不见了。"

关捷胜也笑嘻嘻地跟她打招呼。

"小村社长已经到了，在等您呢，请跟我来。"

"啊！小村社长先到了？"关捷胜吃了一惊，连忙换上木屐，跟在美枝子摇曳的身影后面向里边走去。

郑小璐和陈秘书也忙换好木屐，跟在他的后面。

郑小璐第一次来到这种日式酒馆，房屋低矮的架构，室内昏暗的灯光，使她有些不适应，空气里淡淡的酒味也让她觉得不舒服。

这间酒屋都是深色原木装饰，窄窄的通道两旁是一扇扇糊着白纸的木格墙壁和拉门，样式全都一样，走在里面跟迷宫似的，要不是有人领着，怕是转半天也出不去。

有的房间敞开着，只见里面陈设简单，墙上挂着字画，中间几张并不很新的桌椅，坐着几个独自饮酒的男人，四周一溜都是日式的榻榻米，那里光线更是昏暗。

他们来到一间房前，美枝子叩叩门，又说了几句日语，里边一个男人的声音回答了一句，美枝子便推开房门，向他们微笑着示意进去。

"啊哈，关桑来了，快请坐！"

小村社长一身和服，从酒桌旁起来，当他看到小璐时，脸上闪过一片惊喜。小璐却没记起他的样子，他那天的打扮和今天太过不同，再说，她根本没有仔细打量过这个人。

"这是大阪小村会社的社长，小村一郎先生，小村先生，这是我们厂的陈秘书和郑小姐。"

关捷胜对小村非常客气，不止是因为小村比他更有实力，最重要的是，他这次听说小村来中国，非常想和他联手做几单大买卖，他现在在岳父面前不得意，被发配东北两年多了，还没有让他回香港的意思，如果能为企业联系成几单大生意，表现出他的能力，他才有机会回去。

郑小璐一直垂着目光，听着关捷胜的介绍，她隐约觉得耳熟，可是陌生的环境，没让她多想。

对面那个小村先生非常狡猾，他见郑小璐神色平常，眼神没有丝毫波动，好像根本没有认出他来，本来想说的话便咽了回去，很客气地向郑小璐鞠了一躬，用日语道："郑小姐！初次见面，请多关照！"

酒桌旁跪坐的一个和服女子这时也站了起来，见小村一郎对一个女子如此恭敬，她诧异地瞟了眼小璐，眼中闪过一丝了悟。

"啊，您好！"郑小璐不用翻译也知道是打招呼，飞快地抬起头说了句您好，就又低下头去。

白色和服的日本女人踮着脚尖儿凑过去，低低地跟小村社长说了句什么，然后捂着嘴笑了一下，小村一郎也仰天大笑起来。见他在笑，关捷胜便也笑起来，然后是陈秘书。郑小璐看看他们，只觉一屋子人都是莫名其妙。

众人寒暄已毕，围桌坐下，服务生端着一个木盘把一只只小碟子摆放到榻榻米前的矮桌上，碟子有漆木的，白瓷的，木质的，盛着不同种类的料理。一只白瓷的树叶型碟子里一块烤成粉色的银鳕鱼，旁边搁着两片黄色的柠檬。

小村社长拿起一片柠檬挤了点汁水在鳕鱼块上，然后把碟子递给郑小璐，"不用客气，快请吃吧。"

跪坐在榻榻米上的和服女人拿起一瓶白瓷瓶装的清酒，翘起屁股欠身给小村喝小村倒满了酒，要给郑小璐倒时，歪头瞧了瞧小村社长，小村含笑不语，她也抿嘴一笑，就给小璐的杯子倒满。

关厂长呵呵笑道："小璐，不要担心，虽说这也是白酒，不过度数很低的，可以品尝一下。"

"是！"小璐不想在客人面前丢脸，欠身害羞地笑笑，捧起杯子轻轻抿了一口。

日本清酒类似于我国的米酒，度数只有十多度，口味清爽甜美，所以小璐抿了一口，便放下心来。

日本酒文化和茶文化一样，学自中国，但是将其发扬光大，且融入了自己的特色。富有者自斟自乐，大多喝一杯"上善如水"或"男山"；三五知己把酒言欢，便少不了冰上一壶"松竹梅"；拜访长者，显示孝心，送的就是"千寿"、"万寿"。公司聚会，一般都喝"菊正宗"，家人团聚则热上一壶"朝香"，讲究极多。

清酒的名字不但大多起得雅致，深得中国古文化神韵，档次上也有系统的分类，基本上分为清酒—上撰—特撰—吟酿—大吟酿。

今晚是关厂长请客，他有求于小村，自然竭尽巴结，叫的都是最精致的菜、最美味的酒，今天喝的就是价格不菲的"上善若水"。

小璐对面的和服女子看起来年纪不大，不过脸上的妆太厚了点儿，白煞煞的，配着这柔和昏暗的光，显得有点怕人。关厂长是懂日语的，他和小村社长谈笑风生，不时发出阵阵大笑，听那笑声就不是好事，小璐听着就猜出他们没聊什么好话题，不禁暗暗撇嘴。

不过喝酒也是工作，她倒不会呆呆地坐在那儿只顾吃东西，不时还得端起酒壶，为他们斟上，心里只盼着这无聊的应酬快点结束。

酒宴的气氛渐渐活跃起来，大家都随意地坐了，不再像一开始那般拘谨，小璐也趁机盘膝坐下，把手伸到桌下，轻轻揉着跪坐得发麻的脚丫子。

脚丫有点麻了，她身子不敢动，手去揉时也不敢大力，脸上带出来的就是一种很好笑但是也很可爱的表情。

"哈哈哈哈……"小村一郎看了出来，一把搂过和服女人，大笑着说着什么，和服女人的半边领口被拽得快搭到肩膀下边了，里边白色的肌肤就好像白瓷的清酒瓶一样细腻，在昏暗的灯光下格外刺目。

她咯咯笑着，说了句什么，这才从小村怀里钻出来，把和服理了理，又用手拢了拢鬓发，跪直身子，拿起一支筷子，敲着瓷碟，慢悠悠地唱了一支歌，音调忽高忽低，忽而凄凉忽而高亢，倒是好嗓子。

小村眼神迷离地看着那女人，抿着清酒，打着拍子也跟着轻轻哼唱着。一曲歌罢，那女人仰脖干了一杯酒，脸上绯红，关捷胜和陈秘书连忙鼓掌叫好，小璐两只手掌互相拍了几下，虚应其事地表示了一下。

小村笑着对关捷胜说了几句，关厂长对小璐笑道："小村社长请你也唱一个。"

小璐连忙推辞道："厂长，我……我不会唱小曲儿。"

关厂长不悦道："哎，中日友好嘛，我们可不能在日本人面前输了面子啊。"

陈秘书见关厂长不悦，忙拉拉小璐的衣袖，劝道："小璐啊，这和在 KTV 里唱歌没啥区别嘛，只是没有伴奏罢了，唱一首吧，啊，随便唱一首。"

郑小璐十分为难，还有些委屈，本来同事一块儿出去玩，唱唱歌没问题，她从来不扭扭捏捏，不过给这日本人在这种场面下唱歌，她真觉得十分的不情愿，于是一个劲地摇头。

小村看她不想唱，于是对身边的日本歌伎笑着说了几句，那女人便把小璐跟前的四角小木杯拿开，起身出去拿回三只大碗，让侍应斟满清酒，对关厂长又说了几句。

关厂长便对小璐翻译道："小璐，社长有些生气了，这样吧，你不唱也行，不过要罚酒三碗，这是日本人的规矩，喝了吧。"

小璐瞅了瞅那三大碗酒，由于工作的关系，不便得罪这个客人，可是唱歌给他们听，她又从心底里不愿意，倔劲儿一上来，便重重地一点头，爽快地端起碗来，"咕咚咕咚"一饮而尽。

幸好这清酒度数不高，小璐一口气连饮三碗。第三碗时把她呛着了，小璐捂着嘴轻咳了几声，因为忍咳，眼泪都溢了出来，显得一双杏眼水汪汪的，小村一郎不禁看得双目连闪。

这小日本和关厂长玩的花样真多，一会儿传酒令、猜字谜，一会儿掷色子，小村有意针对小璐，结果她输得最多，这回虽不用大碗了，不过这酒一杯杯下肚，腮晕桃红，可就有了几分酒意。

关厂长和小村社长一直在用日语交谈，一开始似乎是在谈生意，关厂长还叫小璐和陈秘书把随身携带的计划书、策划书一类的文件交给小村看，后来二人便不知谈些什么了，关厂长时而脸色阴沉、时而赔笑说话，时而面有怒色，一开始小璐还注意观察，添酒置菜，缓和气氛，避免双方大动干戈，到后来醉意上涌，便无暇顾及了。

小璐的酒品甚好，醉了也不胡言乱语，只是有点双眼迷离，她根本没有注意小村社长和关厂长不断地交谈着，目光却不时溜向她，二人的谈判已经由金钱转向了女人，她已经成了生意场上的一枚筹码，而利欲熏心的关厂长已经决心出卖她，换取对方在生意上的让步与合作了。

小村社长得到了关厂长的同意，咄咄逼人的神色立即换成了满面春风，两个人杯筹交错，再度喝起酒来。

色子传到小璐手里，她猜色子又猜错了，照例还要罚三杯酒，这回都是四角小木杯，不过小璐酒意虽然涌上来，心中神志却很清醒，自知再饮下去难免有所失态，可是不饮又怕影响厂里的生意，全厂近千号人，可全指着这家印刷厂生活呢。

小璐看看面前三杯清酒，心中十分为难，小村看着她，眼睛里露出诡诈的笑意，小璐看了心中有气，忽地对关厂长道："厂长，我喝醉了，这酒不想再喝了，要不……我就给大家唱首歌吧。"

关厂长出卖了她，心中有点愧意，目光躲闪，有些不敢与她直视，一听她要唱歌，忙扭头对小村翻译了，小村其实中文也粗浅知道一些，已经听懂了小璐的话，他也不愿把小璐灌得酩酊大醉，一个人事不省的美人还有什么玩头？是以一听便欣然鼓掌，连连点头应允。

小璐坐直了身子，清了清嗓子，挺胸抬头，唱道："一送（里格）红军，（介支个）下了山，秋雨（里格）绵绵，（介支个）秋风寒……"

第二十章　刀口舔血的买卖也算投资吗?
通天塔都是顷刻间垮塌的

徐海生他们正在利用国有企业转型之机，大肆侵吞国家财产，他们利用改革政策的漏洞，管理的漏洞，与一些不法企业干部相互勾结，进行企业兼并，以此牟取暴利。他们通常是把厂子故意整垮，压低价格买下，通过重新包装重新估值，高价出售给真正想扩大生产、发展实业的企业。一时脱不了手就拿去做抵押，抵押贷款用来再收购第二家企业。做这种买卖利润极大，风险也极大，因为他们的钱主要来自高息融资等渠道，一旦资金链断裂，高昂的代价谁也承受不起。然而在徐海生巧舌如簧的诱惑下，宝元集团也被绑上了这辆危险的战车。

小璐清清亮亮的嗓子，把江西妹子甜甜脆脆的韵味学得十足，这一嗓子唱出来，真像三伏天喝了杯冰镇酸梅汁，从里到外那叫一个透亮。

一听这首《十送红军》，关厂长一口酒在嘴里打了个滚儿，全呛到了嗓子里了，他急忙弯下腰，咳嗽连声，好歹没把酒喷在桌子上。

陈秘书哭笑不得，只得强忍着表情的怪异，故作平静地坐在那儿，状若老僧入定。

其实小璐已经充分照顾到他们的情绪了，她还有一首拿手歌曲《松花江上》，可是没有必要斗那种气，和几个日本商人做那无谓的意气之争，现在唱这一首还不算那么直接。

"树树（里格）梧桐，叶落尽，愁绪（里格）万千，压在心间，问一声亲人红军啊，几时（里格）人马，（介支个）再回山……"

小村社长虽粗通中国话，一唱起来可就全都不懂了，只觉这曲儿十分悦耳，于是故作斯文地合着拍子，矮墩墩的身子还跟着摇来晃去，那个日本歌伎出于职业习惯，还凝神倾听，轻轻哼唱着，想把这曲儿学下来。

这首《十送红军》也长了点，等到这首歌清唱完，两个日本人还没听够呢，生怕刺激了"国际友人"的关厂长已度秒如年，大汗如雨了。

"哟西，再唱，再唱。"小村听得着迷，连连说道。关厂长脸有点发白，生怕她一时兴起，唱一首《大刀向鬼子头上砍去》，万一让小村那半通不通的中国话听明白了，自己的生意可就泡了汤，于是连忙拦住，对小村说了句日本话。

小村听了，色眯眯地看了小璐一眼，点了点头。

关厂长便对小璐道："我喝得也有点高了，去前边选几个歌舞伎来活跃一下场面，省得他老缠着咱们喝酒。"

小璐见日本人没听明白她唱的歌，颇有种恶作剧的快乐，她正低着头偷笑，一听关厂长这话，正中下怀，于是连连点头。

关厂长站起来，摇摇晃晃地走到门口，扶着墙趿上木屐，扭头对陈秘书道："小陈，扶我一下，头有点晕。"

陈秘书连忙应了一声，走过去扶着关厂长走了。

屋里一时只剩下小村社长、郑小璐和那个日本舞伎了。

"小姐，你……有些醉了，要不要……吃一些……食物？"

小村一郎向那舞伎使个眼色，那舞伎会意，便向小璐嫣然笑问。

"啊，不用了，谢谢。"小璐连忙摇着手拒绝。

那个舞伎笑了笑，欠身道："不必客气，我去取碟寿司来，请品尝一下日本风味。"

她站起来走到门口，穿上木屐娉娉婷婷地走出去，还轻轻拉上了门。

小璐目光追着她出去，背地里偷偷吐了吐舌尖："这个日本女人的汉语说得还不错呢，幸好她没听懂自己的歌，要不然，小村万一发起火来，就给厂子惹麻烦了。"

小村假意在那儿自斟自饮，但是眼角余光早将小璐的一举一动看在眼里。

小璐俏皮而带着些孩子气的表情动作，惹得小村一郎淫心浮动，那舞伎刚把门关上，他便举起杯，说道："郑桑，干！"

"啊，对不起，小村先生，我酒量甚浅，实在不能再喝了。"

小璐实在不知道这家伙能不能听懂一句完整的中国话，所以一边说话，一边打着手势，脸上带着歉意的笑。

"啊，没关系的，你的，敬我的喝。"小村一郎也笑眯眯地向她做手势。

小璐一听要她敬酒，这倒也使得，她端起酒杯，小村却扶着桌子站起来，绕到她的身边坐下了，小璐微微蹙蹙眉，往旁边闪了闪。

小村嘟了嘟肥厚的嘴唇，笑嘻嘻地道："不不不，要这样的敬，中国的、古代的，叫做皮杯儿。"

小璐不懂"皮杯儿"，但是看小村一郎的动作，也明白了他调情的意思，登时心中恚怒，她把杯一放，便欲挺身而起。小村一郎一见，连忙张开双臂向她扑去，口中说道："我的……"

小璐大骇，抓起一杯清酒向他泼去，趁他一愣神的功夫，拉开房门便逃了出去。

小璐连鞋也没穿，只穿了一双袜子在走廊中狂奔，可是这里曲曲折折，所有的房间和通道都十分近似，她惊慌之下跑来跑去，却没有找到进来的路。

小村一郎满脸是酒在后面随了过来，他的和服带子方才在小璐挣扎时扯开了，现在敞开了来，露出他的身体，和服下几乎是赤裸的，下边是赘肉乱颤的肚子，两条又粗又短的大腿，只有下体穿了条红色的兜裆布，哇哇呀呀追着惊慌失措的小璐。

他撒着双手，好像很享受这种追逐的过程，并不急着抓住小璐，偶尔经过其他房间，房门敞着，里边也有日本人在饮酒，看到这种情形都开怀大笑起来，有人还拥到门口欣赏小村追逐小璐的场面。

小璐一边跑，一边摸出手机，匆匆摁响了她最熟悉的一串号码，不过这一来跑的速度就慢了，电话刚刚接通，小村一郎就狞笑着扑了上来……

出租车驶进了静安小区，张胜的车立即尾随了进去。

这个小区原来是省公安厅家属楼的聚居地，原来都是砖石结构的老楼，大部分地皮是篮球场、草坪、果园等其他设施。现如今全都卖给了开发商，这些地方全都盖了楼，老楼也扒得差不多了，小区看起来多了几分现代都市的气息，却少了些闲逸的味道。

出租车进了小区大院儿向右一拐，张胜的车也跟了上去。进了小区往右走，这边还是清一色的老楼，而且全是只有两层高的小楼，不过每一幢都有自己独立的前院后院，院子里种着梨树、海棠，还有玉米、蔬菜一类的东西，庭院门口搭着葡萄架子。

老楼的布局本来都是一模一样的，不过有些人家在院子里私自又盖了平房，有的在墙上开个门，盖出个车库来，就显得不是那么整整齐齐了。

张胜见秦若兰向这边拐来，心中暗吃一惊。这种楼一般都是干休所一类的地方，住的都是离退休的老干部，看来秦若兰的家世背景不一般啊。

秦若兰在一幢独门小院儿前下了车，匆匆走进大门，张胜早已抢了过来，追到门口，苦笑道："我说二小姐，今天这又是闹的哪一出啊？我哪里得罪了你，你倒是说啊，不教而诛，岂不冤枉？"

秦若兰站住了，此时天色甚黑，满天星光闪烁，小院里很安静，只有葡萄架尽头的门廊下挂着一盏光线柔和的红灯笼，为她的身体镀上了一层红色的光晕，她背对着张胜，看不出脸上的神情变化。

停了片刻，她转过身来，垂着眼睛盯着自己的脚尖，低低地道："你追来做什么？我只是……有些不舒服，明天……明天就好了。"

她转过身，背着光，张胜还是看不清她脸上的表情，他慢慢走过去，走到秦若兰对面一步远的地方，仔细地打量她，不确定地问道："真的？你一向心直口快，没有心机的，有什么心事可不要瞒我。"

秦若兰忽然抬头看着他，像以前那样，在他胸口重重地捣了一拳，强颜作笑地嗔道："当然了，少跟我这么郑重其事的，我这样的人哪会有什么心事？呵呵，你再这样，我就不好意思了。"

张胜被她粉拳一捶，两人之间的友情像一股温泉水忽地浸润全身，他也笑了。

两个人无声地笑了一会儿，忽然都无声无息地静了下来。秦若兰借着夜色的掩护，贪婪地注视着他的脸，仿佛要把他的容颜永远镌刻在自己的心里。

他身材修长，眸若星光，一抹似笑非笑的温柔，混合着介于少年和男人之间的纯洁和性感，整个人仿佛被迷离的雾气包围着，秦若兰的心"通"地一跳……

"你……有话和我说?"张胜凝视着那双熠熠放光的眸子，心中忽有灵犀。

"没……"秦若兰矢口否认。

她咬咬嘴唇，说:"快回去吧，瞧你弄的这事，让浩升他们还以为我怎样了似的，背后不取笑我才怪。"

"哦，那……我回去了，你早点休息。"张胜不知怎么的，忽然也有一种要逃开的感觉，秦若兰的话一出口，他如释重负，便一步步向外退去，退到门口又深深地凝视了她一眼，这才转过身去。

"胜子!"

"嗯?"张胜转过身。

秦若兰硬生生按住了欲追的脚步，移开自己的目光，不敢与他对视，克制着自己的感情说道:"我……我家的小狗狗要生崽崽了，到时我送给你一只。"

张胜想说他没有时间养这东西，话到嘴边，却鬼使神差地变成了一句"好!"

"胜子!"

眼见张胜又欲转身，秦若兰忽然又急叫。

"嗯?"张胜回头，探询的目光投向她。

"你……你……你结了婚之后……如果有时间的话……能出来陪我喝酒吧?"

张胜不禁失笑，他微微侧着头，笑笑道:"当然啦。"

"嗯!"秦若兰像得了什么承诺似的，也开心地笑了。

像个得寸进尺的小孩子，秦若兰的要求又开始加码:"如果……如果你生了病，就来我们医院看，好不好?"

"嗯，好啊，不过你扎针的技术一定要练好，再一扎五六针，我可不答应。"

秦若兰嗔道:"讨厌，明明是四针。"

张胜笑起来:"对对对，是四针，四针。"

秦若兰嘴角的笑忽然冷却，头慢慢垂下来，热泪忍不住地落下来，一颗颗滴在她的胸口。

那抽泣，让她的肩膀一耸一耸的，张胜看不到她的泪，却看到了她的动作。

"小兰，你到底……怎么了？"

秦若兰忽然飞快地跑过来，扑进了他的怀里，张开双臂把他紧紧地抱住，她用的力气好大，几乎用尽了全身的力气，紧紧地抱着他，恨不得把自己全都揉进他的身体里去。

张胜懵了，就那么傻傻地站在那儿任由她抱着，秦若兰抬起头，追索着他的唇。张胜感觉到柔软的、薄薄的樱唇贴到了他的嘴唇上，狂乱地吻着，像小鸟儿似的啄着他的唇，使他隐隐有种痛的感觉。

秦若兰在他脸上胡乱地吻着……忽然又用力地推开他，带着满脸的泪哭骂道："你……你个大混蛋！我为什么喜欢你？他妈的，我为什么会喜欢你？"

"啪！"一个耳光，秦若兰哭着喊出一句："我恨你！"便转身奔去。

张胜伸出一只手，却又无力地落了下来，这一刻他很想抱她一下。如果他真的这样，结果会怎么样？

秦若兰快步奔到门廊下，背对着他，站了一会儿，忽然转过身来，灯下，她微红的脸庞分外诱人，脸上的泪光一如星光般迷人。

张胜站在葡萄架下看着她的身影发呆，这时，换作他看得清秦若兰，秦若兰却只能看到他乌沉沉的身影了。

秦若兰伸出一根手指，轻轻地摩挲着自己的唇，从左轻轻地滑到右，从右又轻轻地滑到左，凝视那夜色中男人的身影，似乎在回忆着她初吻的甜蜜味道。

良久，她忽然对着张胜微微一笑，那一笑有娇羞、有满足、有欢喜、有辛酸，假小子忽然变得女人味儿十足。

那时，星光皎洁，张胜的脑袋就像被什么东西撞了一下似的，感觉满天星光都照在自己身上。

秦若兰忽然鼓足勇气，飞快地转身，抢在两颗泪珠再度落下之前，闪进了房门。

一进屋，她全身的力气就几乎全用光了，立即虚弱地靠在门上。

　　"他会不会敲我的门？如果他肯追进来，我……我……我要不要争取一下……"这个想法一涌上心头，秦若兰怕得身子簌簌发抖。人都是有私心的，她不想做那么不道德的事，可又实在受不了这种事可行性的诱惑。

　　葡萄架下，呆立的张胜突然被一阵手机铃声惊醒了。

　　手机里传出小璐带着哭音儿的话："胜子，快来……救我……"

　　"喂？小璐，出了什么事，你在哪儿？"

　　"彩虹路富士山居酒屋，那个鬼子……啊！"手机里一声惊叫，然后"啪啦"一声脆响，紧接着就是忙音。

　　张胜大骇，立即转身冲出院子，跳上车疾驰而去。

　　秦若兰正在发抖，忽地听到引擎声响，她大失所望，缓缓蹲在地上，放声大哭起来。

　　一楼只有她和姐姐住，此时秦若男正躺在卧室里听着音乐，忽地听到门口传来一阵哭声，她一跃而起，冲出房间一看，急忙抢过去抱住她，喊道："小兰，怎么了？"

　　"姐……"秦若兰抬起头，泪眼汪汪地道："那个混蛋欺负我。"

　　"谁啊？谁欺负你了？"秦若男的手下意识地摸向腰间。

　　秦若兰摇摇头，忽地站起来，飞奔向自己的房间，无限委屈地道："人家头一回喜欢一个人，他居然头都不回地走掉……"

　　秦若男看着妹妹的背影，愕然自语道："小兰恋爱了？她喜欢的是什么人呐，这人居然连我妹妹都看不上，有病吧他！"

　　关厂长坐在酒室门口的长沙发上，眼前的烟灰缸里一堆烟头，他心头有些对小璐的内疚，同时第一次干出出卖良家妇女的事情，心中也有些紧张。

　　但与小村合作将可能带来的巨大利益，让他在心里利益权衡后，还是选择了屈服。他倒并不太担心事后会有什么不良后果，凭他对内地女子的了解，一般正经人家的女孩子，一旦吃了这种哑巴亏，都是打落牙齿和血吞，少有张扬出来讨个说法的。

　　而小璐的性子温顺，也不是个能闹事的人，至于事后小璐心有怀恨，也大不了辞职离开，他也不过是少了个养眼的花瓶而已，对自己造不成什么损失。

"我得不到的东西，为什么不能用来创造更大的价值？"关厂长心里恨恨地想着，压下了心里浮起的隐隐的不安。

这时郑小璐突然从一个甬道跑了出来，她匆匆打电话给张胜，才与张胜通上话，手机就被小村一郎打掉在装饰性的鱼池边上摔坏了，小璐又惊又怕，用尽全身力气给了小村一记耳光，慌不择路地向前跑，没想到又转了一阵儿，竟然误打误撞地冲到了门口。

"小璐？"关厂长和陈秘书一下子站了起来，惊惶地看着她。

小璐一看这情形，什么都明白了，她恨恨地瞪了两人一眼，飞快地向大门扑去。

"拦住她，八嘎，拦住她！"小村一郎脸上带着一个清晰的红掌印，从后边追了上来。

"救命！救命！"小璐冲出大门，便大声呼救。

这一条路上全是各种酒吧、酒店、浴房、KTV一类的娱乐场所，时间一到很是兴旺，一个光着脚只穿着袜子的年轻姑娘当街呼救，立刻吸引了众多的看客。

"混蛋！在做什么！"小村追着郑小璐从酒店里出来，晕乎乎地就看到一群人围着小璐，他立即恶狠狠地用日语凶了一句，嗓门扯得极大，旁边几个路人都愣住了，愕然望着他。

小村见这几个中国人都呆住了，还以为他们被自己吓住了，愈发得意起来。他继续骂骂咧咧地吼着"八嘎八嘎"，一边蛮横地推着人，想冲进去把小璐带回酒店。

"他……这个日本鬼子想欺负我。"小璐拉住一个二十多岁的男人大声道，"你帮帮我。"

"滚开！"小村一郎正好冲到跟前，一掌把那个男人推了个趔趄。

"我操，你个小鬼子！"

那哥们儿今晚同学聚会，也没少喝，被小村一郎当胸推个趔趄，当时就恼了，他一把揪住小村的和服领子，劈头盖脸就是两个大嘴巴子："你狗日的胆儿肥呀，老子打不死你个土鳖！"

一见他动手，他的那些同学不管三七二十一便冲了上来，这里是东北，群众基础使然，对小日本尤其痛恨，所以根本不需招呼，一见有人先动了手，立即拥上来更多的人，包括一些本来到这条街上来娱乐的人，对揍小鬼子也是兴趣盎然。

雨点一般的拳头挥向小村，他抱着头，拳头便落在他的背上，还有几飞脚结结实实地踢在他的腰上。小村哎哟哎哟地叫着，用日语杀猪似的喊着："救命！救命！"

离得最近揍得最凶那哥们儿一听不答应了："这孙子说啥鬼话呢？"

关厂长和陈秘书慌慌张张地追出来，一见这情形连忙冲过去阻拦，这时有几个岁数大点没冲上去动手的人正围着小璐安慰着她，问着事情经过。小璐瞧见了关厂长和陈秘书，抽抽噎噎把事情一说，几个比较沉稳的人也恼了，一转身便冲向装好人的关厂长："你个汉奸二鬼子，帮着小鬼子欺负中国女人？"

"什么？"大家一听全炸了。汉奸在人们心中向来是比鬼子更可恨的畜生，围着小村拳打脚踢的人呼啦一下，撇下已经被揍成猪头的小村一郎，把关厂长和陈秘书围在了中间。

"别……别……有事……有事好商量……"关厂长战战兢兢地赔着笑脸道。

"商量你妈！"

随着骂声，一只斗大的拳头忽然出现在他的眼前，"嗡"地一声，关厂长只觉眼前繁星乱转，随即无数拳头便向他的身上招呼过去。

这时，张胜的车子像一匹疯马似的冲进了酒吧街，向这里狂奔过来。

"胜子！"小璐看见他，一下子扑了过去，紧紧抱住他，刚刚止住的眼泪又禁不住滚滚而下。张胜匆匆听了经过，顿时勃然大怒，小璐一把没拉住，张胜把西装一解，领带一拉，一个箭步就蹿进了殴打的人群。

"胜子！"小璐惊慌地叫。

人群中传出张胜如同炸雷般的声音："你狗日的，老子西装一脱，也能当流氓！"

随之而起的是几声惨叫，小璐生怕张胜激愤之下把人打坏了难以收拾，急得在外边团团转。可是场面太混乱了，她挤不进去。

过了片刻，一辆警车鸣笛赶来。酒屋的老板娘美枝子见小村一郎被路人暴打，知道他犯了众怒，自己不敢上前救人，便悄悄报了警。但警察来得没有这么快，这辆警车是一路追踪连闯几个红灯的张胜来的，想不到误打误撞，倒成全了这三个败类。

小村一郎抱着满脸是血的脑袋躺在地上，听到警笛声这才精神一振，把手放了下来。只见他那肥厚的嘴唇中间裂了好大一个口子，鲜血直冒，鼻子也歪到了一边去。他的中国话本来说得就磕磕，这时含含糊糊更不知道在叫些什么。

一见警车到了，众人轰的一声四下散了，方才还在凶神恶煞狠揍"汉奸"和"鬼子"的好汉们顿时融进了围观的群众之中，想找出一个凶手来，那就难如登天了。张胜拥着小璐，傲立当场，呼呼地喘着气，冷冷地看着他们……

一辆依维柯驶到省第一人民医院门口，车子停下来，大腹便便的贾古文下了车，夹着公文包走进了大门。

"当当当！"他敲了敲玻璃，向里边趴在桌上的工作人员问道："同志，急诊室在哪边？"

里边穿白大褂的人抬起头来，向右后方一指，说道："走到头，右拐就是。"

"谢谢！"贾古文点点头，举步向里走去。

刚刚走到拐弯处，急诊室旁一间医生工作室里传出一个声音："哥，哥，我在这儿，我在这儿呢。"

贾古文扭头一瞧，只见医生房间里亮着灯，地上立着一根点滴杆，旁边倚桌坐了个男人，脑袋包得像木乃伊似的，只露出眼睛、鼻孔和嘴巴，可那嘴上偏还叼了支香烟，二郎腿一颤一颤的。

贾古文蹙蹙眉，走进屋里上下打量一番，说道："斯文？你怎么不在点滴室里？我瞧你这样，不像伤势严重啊。"

他的兄弟叫贾斯文，由于文化水平实在太低，所以在贾区长多方活动之下，也只能被安排到太平镇民政办做了一个普通办事人员，好在工作轻闲，而且只要有心，在这地方总能捞点好处，这小子也就扔下锄头，安心工作了。

听了大哥的问话，贾斯文嘿嘿一笑，满不在乎地道："我没啥事，就是想讹他小子，所以来我朋友医院，让他诊断书开得严重点。急着把你找来是为了镇镇他，你现在是有身份的干部，要不他不老实。"

贾古文哼了一声，把皮包扔在桌上，四下一看，问道："打你的人呢？"

贾斯文道："钱没带够，回去取钱了，没事儿，他身份证在这儿押着呢。"

贾古文喘了口粗气，拉过凳子在他对面坐了下来，问道："你不在太平镇待着，跑市里来干啥？你说你都多大的人了，咋还跟人打起来了呢？"

"我操，你别提了。"贾斯文把烟头往地上一扔，使劲碾了碾："我听一哥们儿吹牛，说是味道不错，听得我心痒痒的，就把电话要来了。"

我就过去了。可我打车到了地方，敲了半天门却没人开，我打了个电话给她，说是正在外面买东西，让我在外边吸根烟等一会儿，我也没远走，就蹲那门洞里抽烟。

"嘿，他妈拉个巴子的，一根烟还没抽完，她家门开了，打里边走出一男的，长得那叫一猥琐，敢情这婊子骗我。我当时就恼了，冲上去一把拉住了她正要关上的房门，我说了她几句，后来想想算了，人家是做生意的，这么做也无可厚非，总不成告诉我正在里边忙活着吧？于是就跟她进屋了。

"那女的长得是不错，身材也苗条，我进了屋正脱衣服呢，她又接了个电话，听那内容是她儿子打来的，她还亲切地嘱咐儿子听爸爸的话，要好好学习……

"哥，你说，我这听着添不添堵？你换个时间打这种亲情电话不成啊？我听着当时就蔫了，让她多做点服务帮我提升一下情绪她还拿架子不肯，这下我可火了，我不做了成不？我要抬腿走人，她不让，两个人正吵吵，里屋蹿出一小子，我没提防啊，让他给揍了。"

说到这儿，贾斯文得意洋洋地掏出烟盒，甩给大哥一支，自己点上一支，冷笑道："他以为我出来嫖娼就得吃哑巴亏呀？靠，他不一样不敢让警察盯上？妈的，不给我出点血，这事没完。"

贾古文听得莫名其妙，问道："里屋怎么还蹿出一男的？她老公？"

"不是，她妍头，吃软饭的。"

贾古文皱着眉头，正想端起兄长的架子再教训一下兄弟，忽地身后一阵喧哗。贾古文和兄弟贾斯文对面而坐，正好背对着门口，他扭头一看，只见一大群人正从门前匆匆而过，奔向急诊处置室，这些人有医生、有警察，还有些人穿的衣服很怪异，像是日本和服。

他们簇拥着三辆平车，"哗哗"地推了过去。人群中，一个年轻的姑娘扶着一个穿白衬衫的男子缓缓地走在人群后边。贾古文一眼瞧见那男人，身子便是一震，一下子站了起来。

那男子没有注意，被那女孩扶着走过去了，后边是几个穿制服的警察。

贾古文立刻快步走到门口，仔细又盯了两眼，确信他没有看错，那人果然是他恨之入骨的张胜。一会儿工夫，贾斯文的医生朋友走了进来，贾斯文把大哥贾古文介绍给他认识，贾古文趁机问起处置室的事情。

那位医生笑道："也是打架的，打得真狠呐，被打的有两个是港商和他的秘书，还有一个是日商，昏过去一个，另外两个还醒着，那个港商肋骨断了三根，日本人被打成了猪头三，嘴打豁了成了兔唇，鼻梁骨断了，还有轻微脑震荡，打人的也是经商的，在开发区有间公司，呵呵，都快闹成国际事件了。"

贾古文听到这里，心中一动，笑问道："刚刚我看见他们在门口路过，有人说话来着，打人的那个是个白衬衣的年轻人吧？好像叫张胜？"

"是啊，就是他，这小子下手够狠，自己的小指都打骨折了，带来做一下处理，一会儿还得带回局子审查。"

贾古文一直盼着能有机会整治张胜，报那一箭之仇，现在听这情形，他打伤的人来头不小，不知有没有利用价值，顿时便上了心。他找个上厕所的借口，偷偷溜了出去，围着急诊室打转，只是当事人都在屋里面，门口又有警察，他什么也探听不到。

贾古文正在着急，忽地看到一个穿西装的人从里边走了出来，旁边跟着一个医生，那人边走边道："高级病房满了？李主任呀，这你得想想办法嘛，这几位都是有身份的人，来这里就诊，是冲着你们医院骨科技术高明的名声，总不成让他们住普通病房，和普通人挤在一起吧？"

"这个……如果实在腾不出房间，您看这样成不成？我把各床病人尽量集中一下，腾出两间病房，分别只住一位病人，其实条件差不多，就是图个安静嘛。"

"实在不行的时候再说，伤势这么重，再转院也不合适，你先带我上去看看。"

"好，好好，这边请。"那个医生殷勤地说着。

贾古文立即一转身跟上楼去，伸长了耳朵希望能从他们嘴里多打听到一点消息。

贾古文尾随着他们上了二楼，那个穿西装的男人跟着那医生走了几间病房，出来站在走廊上说道："嗯，环境还行，那就这样吧，你把病人集中一下，腾出两间阳光充足、干净敞亮的病房，病床只留一张，先把小村先生和关先生安顿下来，等高级病房有了空再换一下。"

"好，我马上让科室调整病床。"那医生笑容可掬地说。

估计这位李主任便是这个科室管事的，不消一会儿工夫，走廊里便响起了杂乱的脚步声，铁架床被搬动时的吱嘎声，病人及家属不满的抱怨声。其中有一个声音特别响亮："哎哟喂，你奶奶的，不会轻点呀？我这两条腿才接了骨不久，你想痛死我呀……啊……啊……"

这时只听得一个年轻女孩子的声音斥责道："你再嚎！再嚎我把你从这楼梯口扔下去，没见过你这样的男的，打个针也叫唤，接个骨吵得楼里的病员都不得安生，比杀猪还瘆人。"

"姑奶奶你能不能轻点，哎哟我的腿呀……"这声音明显就弱了下去。

只见一个病床从楼梯口被推了过去，上面仰面躺着个人，乍一看像个身怀六甲的孕妇，两条腿被绷带缠得死死的，像两条大麻花。

贾古文侧身给他们让路，同时好笑地看了病床上的男人一眼，这一看忽地吃了一惊，失声叫道："老楚！是你?"

那人正咬着牙，随着铁床的推动作痛苦呻吟状，一听这声音忽地怔住了，抬起一双小眼看向贾古文，待认出了他，不禁满脸羞惭，头忽然扭向一边，呻吟声也戛然而止。

"老楚，你这是怎么了?"

楚文楼连连催促推着床的小护士快走，小护士一翻白眼道："这下你倒不嚷嚷痛了？"

贾古文赶快追上去，一把扶住了铁床，同时对小护士殷勤地笑道："护士小姐，我是老楚的朋友，他这是要去哪间病房，我推着他去好了。"

小护士想来对楚文楼是不胜其烦了，听了这话，上下打量了贾古文一眼，小手遥指向前面一间病房道："喏，就是那间，204 室，你推他过去吧。"她说完便娉婷地去了。

"我说老楚，你……你怎么这副德性？我听说你被张老爷子召回宝元去了，还怪你没跟我打声招呼呢，你现在这是？"贾古文边推着病床往前走，边做出一副关切的样子。

楚文楼满脸羞惭，他逃又逃不掉，局促地左顾右盼一番，终于惨然一笑道："我被召回宝元？嘿！召回个鬼啊，张胜那个小杂种，我被他害得好惨、好惨啊！"

贾古文眼中精芒一闪，立刻变得更热情了，他连忙道："老楚，咱们是老朋友了，有什么难处你也不知会我一声，太见外了，我要是知道你在这，怎么也得来看看你啊。哦，204 室到了，我推你进去。"

进门只见病房里已有三张床，小护士正张罗着腾出一块空地，应该就是为楚文楼的病床准备的了。贾古文按小护士的要求安顿好楚文楼，又转身去医院的小卖部里随意买了点营养品之类的东西，装了两大口袋拎回病房。

想必是自住院以来就从来没人来探望过吧，贾古文这一点平常的示好动作让楚文楼差一点热泪盈眶，真是患难见真情啊，亲兄弟也不如贾古文这么贴心呀。

贾古文给楚文楼倒了杯水，顺便在床前坐了下来，奇怪地道："老楚，你的腿这是怎么了？伤得这么严重，怎么家里也没人来照看你？"

楚文楼又是感激，又是惭愧，哆嗦着嘴唇道："贾主任，我……我……唉！"一想起这段时间的经历，楚文楼唏嘘不已。

他被张二蛋打折双腿丢回家里，老婆一见他这鬼样子，又听张二蛋的人说他是勾搭女工无望，报复自己老板，气得一佛出世、二佛升天，死活不肯拿钱来给他救治，结果因为拖延了时间，伤得又重，后来终于在他老父老母干涉下送到医院时，医院说最好的情况下也得有一条腿瘸掉，成为残废是必然的事了。

夫妻本是同林鸟，大难临头各自飞。楚夫人听了张二蛋的人说明情况后，本来就对丈夫极为不满，再加上残废的事实，干脆把家里的钱裹挟一空回了娘家，好歹她还顾念几分旧情，给他留了几千块钱的医药费。

贾古文听得惊讶不已，他还真不知道宝元汇金公司发生的那件事的内幕，当时张胜当机立断、处理及时，全厂职工为了自己的切身利益，自然不会出去胡乱宣传，即便有人回去跟家人提起，也再三叮嘱不要出去乱说，免得影响了公司的生意，所以知道内情的外人寥寥无几。

这时见了楚文楼，贾古文才从他嘴里知道一点。较之楚文楼，贾古文更是老奸巨猾，他也不急着催问事情经过，只由得楚文楼东一句西一句，一会儿咬牙切齿地骂人，一会儿满脸是泪地诉苦，贾古文成了最好的听众，时而递张纸巾，不住地表示着同情和理解。

楚文楼怨毒地道："只可共患难，不可共富贵，贾主任，张胜这个人，毒，太毒啦。那个……那个姓钟的臭娘子，和他眉来眼去勾勾搭搭，公司上下谁不知道？我觉得这样影响太不好，为了照顾他的面子，我只是私下和他提过几次。

"想不到他就此怀恨在心，总想把我挤走，后来竟玩起了栽赃陷害的把戏！贾主任，你也知道，张二蛋那个老王八，刚愎自用，向来就只知道顾他自己的面子，他听了张胜的谗言，把我的双腿……"

楚文楼抚摸着大腿，泪如雨下："狡兔死，走狗烹；飞鸟尽，良弓藏啊！张胜现在春风得意，日进斗金，用不上我啦。想当初，他的公司注册成立，弄了个所谓的外国公司办合资，要不是我夜以继日帮他跑手续，这公司的大印都拿不下来，还谈什么做生意赚钱？"

贾古文心中一动，他提起壶来给楚文楼续上水，劝道："老楚，来来，喝水，喝水。"

他把杯子推过去，不动声色地道："张胜这人啊，说起来是不地道。不过，有些话不能乱讲的，那家外国公司手续齐全，资金也全部到位，这个……银行是有验资证明的嘛。"

"嘿嘿!"楚文楼冷冷一笑:"贾主任,您是老实人,当然看不出这其中的弯弯绕儿。那家外国公司?哈!您说说,开业当天,那家所谓的外国公司有没有代表出席呀?一个人都没有,你说这事儿奇不奇怪?注资验资……呵呵,贾主任,实话对您说吧,那是找了家融资公司,给了人家1%的手续费,弄的假注资,验资刚一通过,人家就把钱划走了。"

贾古文眼中闪过一丝兴奋的光芒,呵呵笑道:"没想到,真是没想到啊。这事儿就是你跑的手续?呵呵,来,你说说,具体……到底是怎么办的?"

贾古文眯缝着眼睛,只露出一条缝的双眼中目光闪烁,兴奋的光芒一闪即灭。

楚文楼冷冷一笑,傲然道:"当然是我来办,他一个没啥社会经验的小青年,连你们管委会都不敢去打交道,他能办什么大事?当时,我找到一家叫永信的融资公司……"

张胜右手小指因为用力过度骨折了,此时已经校正了位置,打好了石膏。小璐抱着他的手臂,刚刚余悸未消地把事情经过详细地说了一遍,忽然手机响了起来。他顺手摸向口袋,这才意识到铃声来自上衣内衣口袋,那是另一部同一型号的手机,是手机妹妹的。

"喂?"张胜轻轻问道。

"唉,你有空吗?怎么这么吵啊。"

张胜笑笑,问道:"怎么了,又有不开心的事了?"

"不是我的事,就是心里堵得慌。我妹妹……哦!我没和你说过吧,我有个妹妹,长得既可爱又漂亮,就是性格像个假小子,她给我的印象一直就是没心没肺的,谁知现在突然开了窍,玩起暗恋来了,人家不喜欢她,现在正在房间里哭鼻子,我想问问情况,表示一下关心,她还把门锁了……"

张胜叹了口气,说道:"别太担心,谁规定第一次恋爱就一定得成功?这都是感情的经历,对她的人生没有坏处的。让她哭吧,宣泄一下就好了,尤其是性格外向的女孩,更容易尽快修复自己的感情。我现在不方便说太多,对了,你不是律师吗,我向你请教点事情……"

张胜四下扫了一眼,压低了嗓门儿,说道:"我有个朋友,和外国人起了纠纷，把人打伤了，处理起来会怎么样？"

"啊？"手机妹妹惊道："因为什么打架，对方伤势严重么？他们是什么身份？涉外纠纷可是相当麻烦的。"

张胜把事情经过简单地重复了一遍，冷哼一声道："小鬼子强奸民女，难道不该打？打人是民事责任，他意图强奸可是刑事犯罪。"

手机妹妹"喊"了一声道："你懂得还不少呀，刑事民事，哼！你太想当然了，人家不是还没造成既成事实吗？还不由得他们那张嘴去说？一个香港商人，一个日本商人，很棘手的。这是涉外案件，光局子里就有很多事做。"

张胜怒极而笑："我说怎么……听你这意思，好像反倒是自己要惹一身麻烦？"

"你说对了，按惯例，官方的态度基本上是站在维护国外友人角度的，尤其是两个来投资的外国人。"

张胜大怒："这叫什么道理？友人？友他妈个鬼啊，真是荒唐，你不是律师吗？我请你帮着打官司成不成？"

手机妹妹忙道："我？我可不行，我手头上有几桩案子实在忙不开，你要是真需要，我可以帮你介绍个资深大律师。不过话说回来，真要是找律师堂堂正正地打官司，反而是桩麻烦事。你不如赶快想办法尽力争取有利形势吧，我想到一些措施，比如……"

张胜静静地听着，听了半晌，嘴角露出一丝无奈的苦笑，那是面对现实的无奈和悲凉。他轻轻叹了口气，说："好，我试着去做，如果不成，再向你请教。"

挂了电话，张胜立即又拨通了一个号码："喂，钟情？你听着，我现在有件急事要你去做，马上……"

"喂！谁叫你打电话的，打给谁？"一个警察吼道。

张胜抬起头瞥了他一眼，慢条斯理地道："打给我的律师，不违反规定吧？同志，你别忘了，没有道理限制通信自由吧？"

那个警察语气一塞，气哼哼地退开了。

张胜很机警，警察到的时候，地上躺着的三个人晕了两个，另一个正在满天星辰中校正地球的方位，对警察的问话充耳不闻，他趁机揭发了三个败类的罪行，所以至少在目前这个阶段，他还处在有利地位。

电话里，钟情已经听清了他和警察的对话，知道他一定遇上了大麻烦，她沉住了气，根本没有追问事情经过，而是立即问道："你讲，要我做什么？"

张胜把下巴收了收，手机夹在衣领里，用轻微的声音说："你马上回市里，去找……"

守备营，宝元集团总部，张二蛋那间巨大的豪华办公室内，徐海生正与他促膝长谈。

"张总，基本情形就是这样了，这单生意一旦成功，把厂子买下来，包装一下再卖出去，转眼之间就是三千八百多万的纯收入，这样的机会不容错过呀。怎么样，有兴趣么？有钱大家赚，我现在还有一千万的资金缺口，如果张总能帮助解决，那么收益可以分给你三分之一。"

张二蛋拍着脑门儿沉吟道："哎呀，一千万……一千万……小徐啊，家大难当呀，我今年投资上马的几个项目都等着钱用，准备投入的煤矿资金还短缺两千万呢，实在是挤不出资金再搞这些东西。"

徐海生淡淡一笑，说道："张总，别人要搞钱不容易，在您老来说还不是再简单不过的事？可以集资嘛。"

张二蛋盘膝坐在沙发上，吸着香烟，一下一下地拍着大腿，沉思道："集资？民间集资，没有高息难以吸引人，如果高息揽存，将来就是一笔大负担啊。"

徐海生自然知道张二蛋的担心，但他更明白张二蛋对他的经济王国的重视，这个从一穷二白到一手创立了一个经济帝国的农民企业家，因为过往的成功使他的野心无限膨胀起来。

他好大喜功，已经不像当年推着小车推销被罩床单时那么务实了，他只知道企业做得越大越有成就感；他再不像当年那样开个油坊都要认真计算周围区县的原材料供应量、产品销售市场占有量和成本等重要因素了；他建设新项目只考虑这是不是省市领导来参观时提出的一些建议，是不是专家推荐的项目，而根本不去做详实的市场调查；他只知道官与商利益统一，就一定赚大钱，在他的心里，根本就没有经营失败的想法。

转手之间就可以赚到一千万，这样的机会张二蛋是不会错过的，只要给他打一针兴奋剂，这头老牛就会按照自己指定的方向狂奔下去。

所以，徐海生继续鼓动三寸不烂之舌劝道："今时不比当年，宝元集团的金字招牌就是信誉的保证，不需要过高的利率，只要比银行存款高上几个百分点，就会有大批的人肯把钱送来了，因为集资的是张老爷子，这就是大家的定心丸。"

张二蛋很是受用地点点头。

徐海生又说："从去年开始，银行存款利率再三下调，许多人不愿意再把钱存在银行里，这是个好机会，如果我们比银行存款多给三个百分点，约定一年还本，再加上宝元企业的名声，就会有无数的人抢着来集资了。

"如果到时候再联系在市工商联设个办公室，专门负责集资事宜，集资户可以随到随存，也可以提前支取，不过提前支取只能按活期银行利率结算，这么优厚的条件，又是在政府部门内办公，还有谁信不过的？

"而要在市工商联设间办公室并不难，只需要与工商联会长搞好关系，再对工商联内部工作人员集资多给两个点的利息，要租用他们一间办公室，还不是轻而易举的事？

"这笔集资款对外要限定额度，初步定为五千万元，理由就是用于企业扩大再生产，补充企业内部流动资金，就冲着宝元这块金字招牌，不要说五千万，就是集资一个亿，也不在话下。只不过张老爷子您不需要这么多而已。

"再说这次兼并运作，从收购到包装再到出售，整个过程大约时间为三个月，再慢也不会超过半年，你算算，你投入一千万，半年之内产生100%的利润，而只需拿出其中一部分利润来作为还款利息，还可以解决你暂时资金紧张问题，何乐而不为呢？"

张二蛋听了大为意动，他一拍大腿道："好！我再找人商量商量，如果资金缺口还是没办法补上，就用这个办法！"

徐海生见这老头儿终于点了头，微微一笑道："以后这样的机会还不少，利用好这类机会，就可以赚更多的钱，宝元企业的蛋糕就会越做越大！"

张二蛋呵呵地笑了起来。

徐海生见状，也开心地笑起来。

他正在利用国有企业转型之机，大肆侵吞着国家财产。目前，改革政策尚存在着许多漏洞，管理也不严密，他同一些贪图个人利益的企业领导相互勾结，进行企业兼并，以此牟取暴利。

比如，一家工厂的资产尚有三千万元，他同厂领导相互勾结之后，把价格估到一千五百万元来收购，企业到手后简单包装一下，然后按实际资产价值三千万来出售，一个转手，一千五百万元的资产就凭白成了他们这群蛀虫的囊中之物。

对一些经营尚可的小企业，他们胆子更大，把企业账目做成资不抵债，这样他们甚至不需出资购买，只以接收全部债务为条件将厂子弄到手，注入几十万启动资金让它重新活过来，然后出售给别人，巨额资产就轻轻松松地落入他们手中。

他们是不干实业的，他们通常是把厂子重新估值包装后，出售给真正想扩大生产、发展实业的企业，一时脱不了手的就拿去做抵押，抵押贷款用来再收购第二家企业，在这个过程中，只要资金链不断，整个运作就可以重复进行下去。

做这种生意利润极大，但风险也不是没有，他们不但要有实力、有人脉，还得时刻关注政策的动向，这群游走在悬崖边上的人除了政策上的风险，必须保证的就是资金链不能断掉，因为他们的钱主要来自高息融资等渠道，一旦资金链断裂，高昂的代价是他们也付不起的。

如今终于说动张二蛋投资，他知道自己最大的难题已经解决了。凭着张二蛋的威望和企业实力，集上几千万元的资金轻而易举，这次合作让张二蛋尝到了甜头，那就可能有下一次，下下一次，有了他这座取之不尽的金山在，自己就可以把以前的高息融资慢慢退出，把兼并重组的风险降到最低。

这边的事一解决，自己的日本朋友就可以出面了，张二蛋解决资金上的问题，由外商来解决政治上的阻力，一座金矿又在向他遥遥招手了。

徐海生欣然笑了起来。

这时，他放在茶几上的手机响了，徐海生笑吟吟地拿起手机，翻开盖子贴到耳朵上："喂，哪位？"

电话里有人急促地说着话，徐海生的脸色渐渐变了："好，我马上去，一会儿我打给你。"

"什么事啊？"张二蛋捻着雪茄问道。

"哦，我的一个朋友，和人打架受了伤，我得马上去医院看看。张总，明天我再和您仔细商量集资的具体细节，这事宜早不宜迟，定下来咱们就得早点下手。您休息吧，我去医院一趟。"

"嗯……"张二蛋点着头站起来："你去吧，我就不送了。"

"呵呵，自然，留步！"

"砰！"房门一关，张二蛋便向侧门走去，扯开嗓子喊着："小鸥啊，作业写完没有啊？"

门开处，是一张花一般娇嫩的脸，脸上还明显带着几分稚气，但是已经有了种小女人的妩媚，她小嘴一翘，昵声道："早写完了，谁让你东扯西扯的，人家等得都快睡着了。"

张二蛋搓搓满是老茧的大手，嘿嘿笑道："不忙睡，不忙睡，老师的作业写完了，现在该完成我布置的作业了，哈哈哈……"

徐海生一边急急向外走，一边掏出手机，迅速拨通方才那个号码，急促地道："美枝子，你听着，尽力安抚小村先生和其他日本朋友，绝对不要把这件事捅到日本大使馆去。

什么？我不管你用什么手段！总之，在我赶到之前，你要竭尽所能，万万不要把事情闹大，那样，对双方都没有好处。我到了会和你细说，懂吗？放心吧，小村是我的朋友，我会妥善处事，拿出一个双方都能接受的办法。好，好好，就这样……"

区公安分局的乔副局长赶到了医院，焦急地等候着医院的救治结果。

从现在的情形看，似乎那两个外商才是罪魁祸首，可正因为他们是外商，这事就变得棘手了，如果不能妥善处理，恐怕就得尽快向市局汇报，再由市局向市委汇报了，不然事情一旦闹大了，他可兜不住。

他向在场的警察了解了情况后，便向唯一保持清醒的一方，张胜和小璐走来。张胜正跟小璐咬着耳朵，小璐频频点头，两人正说着，乔副局长站到了他们的面前。

他对小璐说道："你好，我是公安分局的副局长，可以把你经历的事情和我再说一遍吗？"

"对不起！"张胜站了起来，拦在小璐前面："她是我的女朋友，今晚受了太多的惊吓，现在情绪很不稳定，她不能再受刺激了。事情的经过，我已经全部了解了，可以由我向您陈述吗？"

乔副局长看看张胜，又看看小璐。

小璐心地善良性情单纯，但是并不缺少智慧，张胜对她一说，她就明白其中的利害了。她今晚受了惊吓，又担心张胜的伤势，本来气色就不好，加上张胜对她一番暗授机宜，更是心领神会，此时看她的样子，脸色苍白，泪痕犹在，发丝略显凌乱，七分真三分假，果然是一副惊弓之鸟受惊过度的模样。

乔副局长见状勉强点点头，在一旁的凳子上坐下来，颔首示意道："好，你说吧。"

张胜开始讲述起事情的经过来，说到最后，他愤怒地道："事情经过就是这样，我因为担心她，所以才闯了红灯，等我赶到现场时，他们已经被激起义愤的群众包围起来打成这副模样了。"

乔副局长看看他的手，淡淡地问道："那么，你的手是怎么回事？"

张胜看看手指，若无其事地道："哦，女朋友被鬼子欺负，被老板出卖，我当然生气啦，可是围殴的人太多了，我都冲不进去，人多手杂，也不知被谁碰了，当时都没觉得痛。"

张胜眉尖一挑，又道："这种人渣，如果让我遇到了，哪怕他欺负的不是我女朋友，我也会冲上去揍人的，尤其是小鬼子，我这人是愤青。可惜，今晚没逮着机会，警车跟着我来的，前后脚儿，没得着工夫。"

乔副局长只是笑了笑，对他的话未予置评。

就在这时，人还没到，一个嚣张的声音就传了进来："我抗议！我国公民被你们国家的人无理殴打，你们必须就此事郑重道歉并严惩凶手。"说着，一个穿米色西装的男人在几个人陪同下走进来。

乔副局长忙迎了上去，问道："你是？"

"我是日本领事馆的三秘高桥浩二!"

米色西装的男人脸色严肃地道:"我抗议我国公民在你们的国家不能得到保护,致使他受到如此残忍的暴力袭击!如果你们不能妥善解决此事,我们将照会贵国外交部!"

乔副局长忙道:"这件事我们还在调查当中,待我们调查清楚后会给贵国领事一个清楚的解释,您先不用激动。"

三秘先生重重地哼了一声,一拂袖子道:"我去探视小村先生,请你离开。"

乔副局长皱皱眉,有些不悦地避到一边,高桥浩二从他身边走过去,美枝子和几个日本人迎了上去。美枝子和徐海生非常熟,电话里徐海生已经叮嘱过她不要惊动领事馆,但是美枝子做不了这些人的主,他们都是在酒屋喝酒的人,出于同胞之情才自告奋勇地陪同小村一郎到了医院。

所以美枝子虽然说出小村一郎的一位中国朋友马上赶来处理此事,请他们不要通知领事馆,还是有人打了电话,这位领事马上便派了三秘过来查问情况。由于他们就住在市里,比正从守备营赶回来的徐海生到得还早。

高桥浩二一见被包得像粽子似的小村一郎,顿时一声惊叫,又扯着嗓子吼起来:"我要见你们警方的最高负责人,你们必须追究肇事者的责任,严惩凶手!"

"胜子……"小璐担心地拉住张胜的手。

张胜握了握她的手,微笑着安慰道:"别听狗叫得欢实,没事的!"

这件并不复杂的案子成了乔副局长手头最棘手的案子,虽说来自酒屋的日本人众口一词,为小村一郎粉饰,不过当事人小璐和从现场寻找的几位证人证词却完全一致,警方根本不需要过多的调查就足以对案子作出公正的判定,只是由于两名被告全被打成了重伤,而且身份特殊,这处理就不好办了。

忙了半宿,乔副局长还没理出头绪,只好暂且把这事放下回了家。第二天一早,他来到单位,正想就此案同一把手再好好研究一下处理方案,忽地看到案头一份早报,拿起来一瞧,乔副局长不禁暗暗叫苦。

现在这信息时代,有点什么新闻传得也太快了。那报上报道的事情虽未点清当事人的身份,可是描述的整件事,根本就是昨晚发生在彩虹路富士山居酒屋的事情。

文中不点名地说，接到某知情人打来的电话，说某外企老板同一日本商人洽谈生意，因该日本商人看中了陪同前去的女助理，于是这位老板协同日商试图逼其就范。

女孩拼死挣扎，逃出酒店后被路人救下，激于义愤的群众一呼百应，把两个无良商人暴打一顿，女孩的男友赶到后向大家含泪致谢，此事警方已经涉入，正在进一步调查，该报如有消息，将进一步传达给大家云云。

这篇文章写得那叫一个详细，甚至连人物表情、语言都巨细无遗，唯一含糊的就是双方的姓名，以及事情发生的地点和酒店的名字。

乔副局长暗暗吃惊，连忙拿了这份报纸去见局一把手，案子汇报完了便磋商处理方案，还没研究出个妥善的方法，传达室送来了日报，上面赫然登着同样一件案例，说法大同小异，乔副局长苦笑一声说："好嘛，早报、日报全登上了，我估计商报和晨报也差不离，这舆论造的，那个张胜看来也不是善茬儿呀。"

局长沉思了一下问道："这个张胜……现在在什么地方？"

乔副局长摊摊手道："昨晚那位日本领事馆的三秘一再要求我马上拘押张胜。张胜又一口咬定是愤怒的百姓群殴，把两个外商打得人事不省，自己摘的干干净净，我只好让他做了登记先回去，今天来局里协助调查。"

局长背着手直摇头，这时房门叩响了，得到允许后，一个警察走了进来，立正道："局长，昨晚与外商发生纠纷的张胜来局里报到了，不过……"

"不过怎么样？"

"不过他情绪很激动，说是昨晚回去，街坊四邻的听说之后，有些人乱嚼舌头，说他的女友实际上已经被人给糟蹋了，他的女友因此情绪很不稳定，还试图自杀，现在他正让自己的家人看着呢，希望我们尽快处理被告，还他以公道。"

局长和乔副局长对视一眼，局长摆摆手说："我知道了，你先出去吧。"

门一关，两个人都笑了。乔副局长坐在沙发里，把手指捏得直响，笑着说："这家伙，不简单，先是买动各家报社大造舆论，然后又来了个以攻为守，现在谁想捏他一把，都得小心扎一手血呀。"

局长也笑起来："不管怎么说，那个日商和港商才是罪魁祸首，现在的形势对张胜是有利的。强大的舆论声势造出来了，人家的女友'自杀未遂'，又是激于义愤的群众动的手，法不责众嘛，现在到哪儿去给他找个凶手出来？"

就在这时，一个警察又敲门而入，急急说道："局长，日本领事馆打电话来，要求我们增派警力保护，说是现在有些人跑到日本领事馆门前抗议日本商人罔视法律，欺辱中国女孩，要求他们郑重道歉，还中国人民以公道。"

局长的脸色凝重起来："这小子，一不做二不休啊，想不到他这么有能量。老乔，你去领事馆那边布置一下，我估计不会真出事，他在报道里不说人名、不说地名，已经留足了回旋的余地嘛。不过要以防万一，不能不做防备，你快去吧，我亲自去医院一趟，先探探那两个外商的意思。"

"好！"乔副局长站起身，问道："那个张胜还在局里，怎么办？"

局长没好气地道："怎么办？凉拌！还不是他闹出来的？让他坐冷板凳去吧，我们走！"

医院病房内，关厂长捂着手机，正鬼鬼祟祟地给厂里打着电话，安排工作上的事。他没敢说自己受伤，只说有位重要客人突然到来，他需要亲自接待，并陪同走访一些地方，得过几天才能去上班。

关厂长之所以不敢跟厂里明言，是因为担心他的妻子和妻子娘家知道详情。厂里几个从香港带来的副厂长可是妻子娘家的人，而妻子娘家现在还有一个奶奶在世。这位老太君和她的丈夫在当年日本侵占香港时没少受鬼子的气，如果让她知道自己为虎作伥帮着日本人欺侮同胞，老太君一发火，他就一无所有了。

隔壁病房里，小村一郎躺在病床上，正在慷慨激昂地说着话，就像在发表演说，声调时高时低，时而歇斯底里。徐海生坐在对面，支着二郎腿，拧着身子，没好气地听着他说话，不时也用日语对答一番，听在不懂日语的人耳中，很像是两个人正在吵架。

徐海生摊摊手，对小村一郎道："小村君，我知道你不服气，可是怎么处理才是对你最有利的呢？这件事如果闹开来，就成了国际事件，打人的固然要受制裁，你也逃脱不了强奸未遂的罪名。"

小村一郎刚要说话，徐海生一伸手制止了他，提高嗓音道："小村君，我告诉你，这件案子根本不难查明。你几近赤裸地跑出酒屋，看到的人成百上千，你有一千张嘴也说不明白！你不要以为现在还是满清那时候，那时是官府怕洋人、洋人怕百姓、百姓怕官府。现在的官府，虽说为了招商引资不愿引起太大的外事纠纷，但是像你这样几十上百人都能作证的犯罪行为，是绝不会坐视不管的。"

说到这儿，他放缓了语气，又道："小村君，你是有身份的体面人，男人嘛，买春风流，不算什么，可是用强逼奸不成，反被人一顿饱揍，这事儿一旦传回日本，你会成为上流社会的笑话，得不偿失，何苦呢？"

小村一郎双手握拳，仰天长嚷："岂有此理！八格牙鲁！难道你要我忍气吞声不成？那个家伙是你的什么人，你要这样帮着他？"

徐海生淡淡地道："我和他只是生意上的伙伴，关系绝对没有你我亲近。我这样劝你，完全是为了你着想。杀人一千，自损八百的事，做也就做了，杀人一千自损一万的事能做么？你已经被打了，难道还能打回来？就算他因罪被拘留，你也会被递解出境，声名狼藉不说，我们的生意也泡汤了，何必跟自己过不去呢？"

小村一郎牙根紧咬，目泛凶光。

徐海生轻声一笑，说道："我们中国有句古话，叫做君子报仇，十年不晚。小村君，来日方长，你急什么？"

小村一郎目光一闪，迎上徐海生的目光，探询着他话中的意思。

徐海生脸上闪过一片阴霾，冷声道："这小子已经渐渐脱离我的控制了，我有种预感，早晚有一天，我会亲手收拾掉他的！"

小村一郎脸上露出一丝狞笑："很好！徐君，我相信你，希望这一天快点到来。"

徐海生微微颔首："当然！"

"那时候，他的那个姑娘，给我。"

徐海生笑了："想不到你对她倒是情有独钟，不过……她可不属于我，轮不到我送你吧？到时候如果你还喜欢，难道不会自己想办法？"

小村会意，哈哈地大笑起来，笑声牵动他的伤口，疼得他一阵龇牙咧嘴，脸色显得无比狰狞……

　　警方本以为这件案子会变得很难处理，因为一旦民众关注度高了，再加上外国领事馆介入，要想达到让各方满意的效果就非常困难了。

　　从目前的情形看，张胜的女友并没有受到实质性伤害，他们是想息事宁人的，而那个港商也很奇怪，支支吾吾的，好像特别怕公开他的身份，一清醒过来就表示出放弃追究、尽快结案的想法了，少了一个大阻碍，剩下的就得看日本人方面的态度了。

　　而日本人骨子里是典型的欺软怕硬，所以乔副局长并不想向他们示弱，这种人是蹬鼻子上脸的那类人，不能太客气。

　　他赶到医院后，把警方调查掌握的情况向小村一郎、关捷胜以及正在现场的徐海生、美枝子等说明了，暗示他们由于尚未造成严重后果，所以如果小村一郎和关捷胜愿意放弃被殴伤的追究权利，阻止日本领事馆插手，那么警方愿意从中斡旋，劝解对方放弃继续追究。

　　乔副局长的态度不卑不亢，先就削了小村几分傲气，而乔副局长说明现在社会上的反响，话里话外又反复强调是普通民众出于义愤动手打人，张胜并非致其重伤住院的凶手之后，也令小村一郎觉得现在整治张胜不太现实，于是在徐海生主动代他表示出愿意和解的态度后，他虽仍一脸傲然，还是表示了同意。

　　乔副局长不知道徐海生已经对小村一郎做了大量劝解工作，见他这么好说话，不禁松了口气。

　　日本对华的政策一向是政冷经热，政治上想打击，经济上又离不了。小村一郎是经济界人士，与政治无关，他本人既然表示出想息事宁人的态度，领事馆方面就没必要不依不饶了。

　　而且领事私下调查，也知道了他很不体面的行为，示威群众和不断打往领事馆的痛斥电话，也让他意识到了这件事对中国民众感情的伤害，所以他也不想把事态扩大，在自己任内僵化双方关系，彼此各方出于种种考虑，转而开始商量如何体面地解决这次中港日三方商人斗殴事件。

　　五天后，省城各大报刊登了同一则消息：

前几天，我市各报报道了一起外商酒醉逼女子献身，惹众怒当街群殴的消息。目前，经警方细致缜密调查，并走访大量当事人，终于弄清了事情的来龙去脉。原来这是一起由于语言不通造成误会的事件。由于语言上的误解，致使当时陪同前往酒店的女孩受惊逃走。

结果路人误会出手救助女青年的时候，这位日本商人大呼"救命"，因其发音酷似一句骂人的方言，招致众怒，引来更多的打骂。经过有关部门积极稳妥的处置，昨天下午此事得以圆满解决。在各有关部门的共同努力下，这位日籍商人与那位女青年的男友张某最终消除误会。

昨天下午4时15分，在彩虹区政府九楼会议室，彩虹区政府有关领导主持了一次特殊的见面会，与会者除了纠纷双方以外，还包括区委区政府、市外办、市外资局、市对外友好协会办公室以及区公安局的有关部门负责人。

这位日籍商人表示，我市的社会和谐稳定，外商享有种种优惠政策，在我市投资创业安全是有保障的。那晚的纠纷，纯粹是一场因语言不通引起的误会。他原谅并欣赏路见不平者的正义行为，并表示自己将严格遵守中国法律，努力学习汉语，加强沟通和了解。

张某则表示，文明礼貌表现的不仅是个人形象、城市形象、市民素质，也在一定程度上反映了社会的文明程度。这起误会的发生，说明现代社会，大都市国际化的发展下，国际通用语言在沟通上的重要性，他感慨地呼吁广大青少年努力学习外语，将来为我市的经济发展和文明建设作出应有的贡献。

误会消除了。